Miles Davis is zonder twijfel 's werelds bekendste levende jazzmusicus. Hij speelde met alle groten der aarde en zijn muziek was van grote invloed op het ontstaan van nagenoeg alle jazzstijlen van na de oorlog.

*Miles, de autobiografie* schreef hij samen met Quincy Troupe, winnaar van de American Book Award voor poëzie, redacteur van *James Baldwin, The Legacy* en docent aan de universiteit van New York.

Miles Davis
en Quincy Troupe

# Miles
# De autobiografie

Vertaald door Irene Eichholtz, Wim van Klaveren,
Ruud Meijer en Carla den Hollander, Jan Stassen

*Rainbow Pocketboeken*

Rainbow Pocketboeken ® worden uitgegeven door
Uitgeverij Maarten Muntinga bv, Amsterdam


Uitgave in samenwerking met
Uitgeverij Van Gennep bv, Amsterdam


Oorspronkelijke titel: *Miles: The Autobiography*
Copyright © 1989 Miles Davis
Copyright Nederlandse vertaling © 1989 Uitgeverij en
Boekhandel Van Gennep bv, Amsterdam
Omslagontwerp: Brordus Bunder
Foto voorzijde omslag: © Anton Corbijn, Miles Davis Montreal
1985, zwartwitfoto, 135 x 100 cm / Courtesy TORCH Gallery
Amsterdam
Typografische verzorging: Studio Cursief, Amsterdam
Zetwerk: Stand By, Nieuwegein
Druk: Ebner Ulm
Uitgave in Rainbow Pocketboeken november 1996
Alle rechten voorbehouden

ISBN 90 417 0055 2   NUGI 924

# Proloog

Luister. Het meest fantastische gevoel dat ik ooit heb gehad – met mijn kleren aan – was in 1944 toen ik voor het eerst Diz en Bird samen hoorde spelen in St. Louis, Missouri. Ik was achttien en net geslaagd voor mijn eindexamen op Lincoln High School. Dat was aan de andere kant van de Mississippi in East St. Louis, Illinois.

Toen ik Diz en Bird in de band van B hoorde, zei ik tegen mezelf: 'Wat krijgen we nou?' Het was zo allejezus goed, beangstigend bijna. Ik bedoel maar, Dizzy Gillespie, Charles 'Yardbird' Parker, Buddy Anderson, Gene Ammons, Lucky Thompson en Art Blakey, allemaal in één band. En niet te vergeten B: Billy Eckstine zelf. Het was ongelooflijk. Het ging me door merg en been. Ik voelde me één en al muziek. En dat was wat ik wilde horen. De manier waarop de band speelde – dat was *alles* wat ik wilde horen. Dat was punt één. Punt twee was dat ik erbij mocht horen.

Ik had van Diz en Bird al eerder gehoord, had me al verdiept in hun muziek – vooral in die van Dizzy: met mij op trompet en zo. Maar ik was ook gek op Bird. Ik had namelijk een plaat van Dizzy, *Woody'n' You* en een plaat van Jay McShann, *Hootie Blues*, samen met Bird. Dat was de eerste keer dat ik Diz en Bird hoorde en ik kon mijn oren niet geloven. Ze waren echt fantastisch. Ik had ook nog een plaat van Coleman Hawkins, van Lester Young en een plaat van Duke Ellington met Jimmy Blanton als bassist. Die laatste was ook te gek. Maar dat was alles. Het waren de enige platen die ik bezat. Maar ik was idolaat van Dizzy. Ik probeerde iedere solo na te spelen die Dizzy op die ene plaat deed. Maar ik hield ook van Clark Terry, Buck Clayton, Harold Baker, Harry James, Bobby Hackett en Roy Eldridge. Later was Roy mijn idool op trompet. In 1944 was het Diz nog.

Billy Eckstine was met zijn band naar St. Louis gekomen om te spelen in de Plantation Club, een club die gerund werd door een stelletje blanke gangsters. St. Louis was in die tijd een echte gangsterstad. Toen ze B vertelden dat hij de achteringang moest nemen, zoals alle zwarten, deed 'ie net of hij gek was en nam met de hele band de voordeur. B trok zich van niemand een reet aan. Hij vloekte en tierde tegen iedere klootzak op het moment dat hij dat nodig vond. En terecht. Even afgezien van zijn playboy-achtige verschijning en eigendunk. B deugde, net als Benny Carter. Ze lieten iemand meteen vallen als ze dachten dat die hen minachtend behandelde. Benny was keihard, maar B was nog harder. En wat denk je dat er gebeurde? Die gangsters ontsloegen B ter plekke en haalden George Hudson met zijn band naar de stad, waarvan ook Clark Terry lid was. B trok met zijn band naar Jordan Chambers' Riviera Club aan de andere kant van de stad, een club uitsluitend voor zwarten op de hoek van Delmar en Taylor, in een zwarte wijk van St. Louis. Jordan Chambers was in die tijd de machtigste zwarte politicus van St. Louis en vroeg B met zijn band naar dat deel van de stad te komen.

Toen het gerucht de ronde deed dat ze in de Riviera in plaats van in de Plantation gingen spelen, pakte ik mijn trompet en ging kijken of ik misschien een graantje kon meepikken en mee kon spelen in de band. Samen met een vriend, Bobby Danzig, ook een trompettist, ging ik naar de Riviera om eventueel mee te mogen doen aan de repetities. Ik had in St. Louis in die tijd al een beetje een naam opgebouwd. De portiers kenden me dus en lieten mij en Bobby binnen. Ik was nog niet binnen of er kwam een man op me af die vroeg of ik trompet speelde. Ik zei: 'Ja, ik ben trompettist.' Daarna vroeg hij of ik lid van de vakbond was. En ik zei: 'Ja, ik heb een lidmaatschapskaart.' Toen zei die kerel: 'Kom mee, we hebben een trompettist nodig. De onze is ziek.' Hij neemt me mee het podium op en zet de muziek voor mijn neus. Ik kon wel muziek lezen, maar had toch de grootste moeite met wat hij me voorschotelde, omdat ik alleen maar luisterde naar wat de anderen speelden. De man die op mij afkwam was Dizzy. Ik herkende hem niet meteen. Maar toen hij ging spelen, wist ik dat het Dizzy was. En, zoals ik al zei, ik kon geen noot lezen – laat staan spelen – ik luisterde alleen maar naar Bird en Diz.

Maar gelukkig was ik niet de enige die zat te luisteren. Het leek wel of de hele band een orgasme kreeg als Diz of Bird speelde – vooral als Bird speelde. Ik bedoel: Bird was ongelooflijk. Sarah Vaughan was er ook, ook al zo'n topper. Niet alleen toen maar ook nu. Als Sarah zong, had ze dezelfde klank als Bird en Diz, terwijl die twee alles speelden! Ik bedoel dat ze Sarah als een soort trompettiste beschouwden. Begrijp je wat ik bedoel? Zij zong *You Are My First Love* en Bird speelde solo. Man, ik wou dat iedereen dat had kunnen horen! In die tijd speelde Bird wel acht maten lang een solo. Maar het was iets heel bijzonders. In die acht maten stelde hij iedereen in de schaduw van zijn spel. Ik herinner me dat de andere musici soms vergaten op tijd in te vallen omdat ze alleen maar naar Bird luisterden. Dan stonden ze daar op het podium met open mond. God, wat kon die Bird toen spelen.

Als Dizzy speelde, gebeurde hetzelfde. En ook als Buddy Anderson speelde. Hij had dat speciale toontje, die stijl waar ik zo van hield. Dat was allemaal in 1944. Jezus, wat waren ze goed. Dát was nog eens *swingen*! En je weet hoe ze in de Riviera speelden. Want de zwarten in St. Louis houden van hun muziek, maar die moet dan wel goed gespeeld worden. Je *wist* gewoon wat ze daar in de Riviera deden. Dat ze zich op en top inzetten.

De band van B heeft een hele verandering in mijn leven gebracht. Ter plekke besloot ik weg te gaan uit St. Louis en in New York City te gaan wonen, tussen al die fantastische musici.

Als ik toen niet zoveel van Bird had gehouden en natuurlijk ook van Dizzy, zou ik nooit zijn gekomen waar ik nu ben. Dat vertel ik hem steeds en dan lacht hij alleen maar. Want toen ik voor het eerst in New York kwam, nam hij me overal mee naartoe. Diz was in die tijd heel grappig. Dat is hij ook nu nog. Maar toen was dat toch anders. Hij stak bijvoorbeeld op straat zijn tong uit tegen vrouwen, tegen blanke vrouwen verdomme. Ik bedoel, ik kom uit St. Louis en hij doet dat zomaar, tegen een blanke *vrouw* nog wel. Ik zei tegen mezelf: 'Dizzy is gek.' Maar hij was niet gek, weet je. Tenminste niet echt. Anders, maar niet gek.

De eerste keer dat ik met een lift ging was samen met Diz. Op Broadway nam hij me mee in de lift, ergens midden op Manhattan. Hij was gek op liften en stak met iedereen de draak, gedroeg zich belachelijk en joeg de blanken de doodschrik op het lijf. Man, hij was me er een. Ik kwam vaak bij hem thuis en Lorraine, zijn vrouw, vond het niet goed als de mensen te lang bleven. Alleen ik mocht blijven. Ze bood me ook altijd aan om te blijven eten. Soms bleef ik en soms niet. Ik ben altijd nogal eigenaardig geweest in wat en waar ik at. In elk geval gaf Lorraine dan een teken door te roepen: 'Wat zitten jullie nou te zitten!' En dan zei ze tegen Diz: 'Wat moeten al die klootzakken in mijn huis? Gooi ze eruit, nu meteen!' Ik maakte dan ook aanstalten om te gaan, maar dan zei ze: 'Jij niet, Miles, jij mag blijven, maar die andere klootzakken moeten weg.' Ik weet niet wat ze zo aardig aan me vond. Maar ze vond me aardig.

Kennelijk vonden de mensen Dizzy zó aardig dat ze niet meer bij hem waren weg te slaan, weet je. Maar wie er ook was, Dizzy nam me overal mee naartoe. Dan zei hij: 'Kom op, Miles, ga mee.' En dan gingen we naar zijn impresario of ergens anders naartoe of, zoals ik al zei, een of andere lift in, alleen maar voor de lol. Hij haalde altijd allerlei onzin uit.

Eén van zijn favoriete uitstapjes was naar de studio waar de 'Today'-show met Dave Garroway als gastheer werd opgenomen. De studio was op de begane grond, zodat de mensen vanaf het trottoir door een grote glazen ruit de show konden volgen. Tijdens de uitzending ging Dizzy naar het raam – het was namelijk live, weet je – stak zijn tong uit en trok gekke gezichten tegen de chimpansee in de show. Jezus, wat nam hij dat beest, J. Fred Muggs genaamd, in de maling. Hij maakte hem volslagen gek. De chimpansee begon te schreeuwen, sprong op en neer en liet zijn tanden zien. En iedereen in de show vroeg zich af wat het beest mankeerde. Steeds als de chimpansee Dizzy in de gaten kreeg, draaide hij door.

Maar Dizzy was ook een heel schitterende persoon, van wie ik veel hield en dat doe ik ook nu nog.

In elk geval heb ik mijn gevoelens tijdens die avond in 1944, toen ik Diz en Bird voor het eerst hoorde spelen, wel kunnen reproduceren, al is het me niet helemaal gelukt. Niet helemaal, wel bij benadering. Ik probeer het steeds, ik luister en tracht dat gevoel terug te krijgen door me in te leven in de muziek en door de muziek die ik dagelijks speel. Ik herinner me tot op de dag van vandaag hoe ik als kind, nog niet droog achter de oren, met al die grote musici ben opgetrokken, die nog steeds idolen voor me zijn. En ik maar alles in me opnemen. God, dat was me wat.

# I

Het eerste wat ik mij uit mijn prille jeugd herinner is een vlam, een blauwe steekvlam uit het gasfornuis dat door iemand werd aangestoken. Misschien was ik het zelf wel, was ik aan het spelen met het fornuis. Ik kan me niet herinneren wie het was. Ik herinner me wel dat ik vreselijk schrok van het gesis van die blauwe vlam die plotseling uit de brander schoot. Dat is het eerste wat ik mij kan herinneren, alles daarvoor is mistig en vaag, weet je. Maar die vlam staat me nog glashelder voor de geest, zo helder als muziek. Ik was toen drie.

Ik zag die vlam en voelde de hitte ervan in mijn gezicht. Ik was bang, echt bang, voor het eerst van mijn leven. Maar ik herinner het mij ook als een soort avontuur, als iets griezelig spannends. Ik vermoed dat die ervaring me een stukje van de wereld liet zien dat ik voor die tijd niet gekend had, dat ik geconfronteerd werd met de grenzen van de mogelijkheden. Ik weet het niet, ik heb nooit eerder geprobeerd het te analyseren. De angst die ik voelde was een soort uitdaging om door te gaan met iets waar ik niets van wist. Dat was, denk ik, het moment waarop ik mijn eigen levensfilosofie begon te ontwikkelen en mijn betrokkenheid bij de dingen waarin ik geloof. Ik weet het niet zeker, maar het zou kunnen. Wie weet? Wat kon ik toen, verdomme, weten van het leven? Vanaf dat moment heb ik er altijd in geloofd dat ik verder moest, in elk geval weg van die vlam.

Als ik terugkijk op mijn eerste levensjaren, dan herinner ik mij niet veel – ik heb er nooit van gehouden om op iets terug te kijken. Maar één ding weet ik: een jaar na mijn geboorte werd St. Louis zwaar getroffen door een wervelwind. Het lijkt wel alsof ik me daar iets van herinner – ergens in mijn onderbewustzijn. Misschien heb ik daarom soms zo'n slecht humeur; die wervelwind heeft een stukje creatieve gewelddadigheid in mij achtergelaten. Misschien wel iets van zijn blaaskracht. Zoals je weet, moet je hard kunnen blazen om trompet te spelen. Ik geloof in mysteries en in het bovennatuurlijke en een wervelwind is zowel mysterieus als bovennatuurlijk.

Ik werd op 26 mei 1926 in Alton, Illinois, geboren, een dorpje aan de Mississippi, een kilometer of 40 ten noorden van East St. Louis. Ik ben genoemd naar mijn vader, die weer naar zijn vader was genoemd. Zodoende was ik Miles Dewey Davis III, maar thuis noemde iedereen me Junior. Ik heb die bijnaam altijd gehaat.

Mijn vader kwam uit Arkansas. Hij was opgegroeid op de boerderij van zijn vader, Miles Dewey Davis I. Mijn grootvader was boekhouder. Goed in zijn vak, hield hij de boeken bij voor blanken en verdiende een hoop geld. Rond de eeuwwisseling kocht hij 500 acres land in Arkansas. Toen hij al dat land kocht, keerden diezelfde blanken zich tegen hem, die hem eerst nodig hadden gehad om hun financiële zaken en boeken op orde te brengen. Ze joegen hem van zijn land af. In hun opinie hoorde een zwarte man niet zoveel land en zoveel geld te hebben. Hij hoorde ook niet slim te zijn, in ieder geval niet slimmer dan zij waren. Wat dat betreft is er niet veel veranderd; dat speelt ook nu nog.

Het grootste deel van mijn leven is mijn grootvader door blanken bedreigd. Hij gebruikte zelfs zijn zoon, oom Frank, als lijfwacht om zich tegen hun aanvallen te beschermen. De familie Davis liep altijd voorop, vertelden mijn vader en grootvader. Ik geloofde daar heilig in. Ze vertelden dat onze familie een heel speciale familie was die bestond uit kunstenaars, zakenlui, vaklieden en musici, die vroeger, tijdens de slavernij, voor de plantagebezitters blijk hadden moeten geven van hun kunnen. Volgens mijn grootvader had onze familie klassieke muziek gespeeld. Dat is de reden waarom mijn vader zelf niet speelde of naar muziek kon luisteren na het afschaffen van de slavernij, want mijn grootvader had gezegd: 'Ze laten de zwarten alleen maar in kroegen en danslokalen spelen.' Hij bedoelde dat de blanken niet meer wilden luisteren naar zwarten die klassieke muziek speelden; ze wilden alleen nog maar luisteren naar spirituals of blues. Ik weet niet of dit helemaal waar is, maar zo vertelde mijn vader het in ieder geval.

Mijn vader vertelde ook dat mijn grootvader hem op het hart had gedrukt altijd al het geld na te tellen, om het even waar of van wie hij dat kreeg. Hij zei dat niemand te vertrouwen was als het om geld ging, zelfs niet je eigen familie. Op een goede dag, zei mijn vader, gaf mijn grootvader hem $1000 om naar de bank te brengen. De bank was 48 kilometer verder. Het was ongeveer 38 graden in de schaduw – zomer in Arkansas. Hij moest te voet en te paard. Toen mijn vader bij de bank aankwam, telde hij het geld na en bleek er maar $950 te zijn. Hij telde nog eens en nog eens, maar kwam steeds op hetzelfde bedrag uit: $950. Dus ging hij terug naar huis. Hij deed het bijna in z'n broek van angst. Toen hij thuiskwam ging hij naar mijn grootvader en zei dat hij $50 kwijt was. Grootvader keek hem aan en zei: 'Heb je het geld geteld voor je wegging? Weet je zeker dat het er allemaal was?' Mijn vader gaf toe dat hij het geld niet geteld had. 'Dat klopt,' zei mijn grootvader, 'want ik heb je maar $950 meegegeven. Je bent niks kwijtgeraakt. Maar had ik je niet gezegd dat je geld altijd, van wie dan ook, zelfs van mij, moest natellen? Hier heb je $50. Tel het na. En ga dan terug en zet het op de bank, zoals ik je gezegd had.' Je moet wel bedenken dat het niet alleen 48 kilometer was, maar dat het ook nog liederlijk heet was. Het was natuurlijk keihard van mijn grootvader. Maar soms moet je wel zo hard zijn. Het was een les die mijn vader nooit is vergeten en die hij aan zijn kinderen heeft doorgegeven. Daarom tel ik altijd *al* mijn geld.

Mijn vader werd net als mijn moeder, Cleota Henry Davis, in 1900 in Arkansas geboren. Daar ging hij naar de lagere school. Noch mijn vader noch zijn broers en zusjes gingen naar de middelbare school. Ze sloegen die gewoon over en gingen rechtstreeks naar de universiteit. Hij studeerde af aan Arkansas Baptist College, aan de Lincoln Universiteit in Pennsylvania en aan de tandartsopleiding van Northwestern University. Mijn vader haalde dus drie titels en ik herinner me dat ik, toen ik ouder werd, altijd naar die diploma's aan de muur in zijn kantoor keek en dacht: In godsnaam, ik hoop niet dat hij dat van mij verlangt. Ik herinner me ook een foto van zijn eindexamenklas op Northwestern, waarop maar drie zwarten voorkwamen. Hij was 24 toen hij afstudeerde op Northwestern.

Zijn broer Ferdinand ging naar Harvard en naar een universiteit in Berlijn. Hij was een jaar of twee ouder dan mijn vader en sloeg net als mijn vader de middelbare school over. Hij ging meteen naar de universiteit, nadat hij met hoge cijfers voor het toelatingsexamen was geslaagd. Ook hij was briljant; hij vertelde me altijd over Caesar en Hannibal en over de geschiedenis van de zwarten. Hij reisde over de hele wereld. Hij was intellectueler dan mijn vader, gek op vrouwen en op gokken en hij gaf een blad uit dat *Color* heette. Hij was zó knap dat ik me er dom bij voelde; hij was de enige in mijn jeugd die me ooit dat gevoel heeft gegeven. Oom Ferdinand was een bijzonder iemand. Ik vond het heerlijk om naar zijn reisverhalen te luisteren en over zijn avonturen met vrouwen. En wat was hij elegant. Ik hing zó vaak om hem heen dat mijn moeder er gek van werd.

Toen mijn vader was afgestudeerd trouwde hij met mijn moeder. Ze speelde viool en piano. Haar moeder was orgellerares in Arkansas. Ze heeft nooit veel over haar vader verteld. Daarom weet ik nauwelijks iets van die kant van de familie. Ik vroeg er ook nooit naar. Ik weet niet waarom. Maar van wat ik gehoord heb uit de verhalen, kwamen ze kennelijk uit de middenklasse en waren ze nogal arrogant.

Mijn moeder was een schoonheid. Ze had steil haar, met een Indiaans voorkomen à la Carmen McRae en een zachte, donkere roodbruine huid. Ze had hoge jukbeenderen en grote, prachtige ogen. Ik en mijn broer Vernon leken op haar. Ze droeg nertsmantels en diamanten; ze was een buitengewoon aantrekkelijke vrouw, die gek was op allerlei hoeden en accessoires en al haar vriendinnen kwamen even mooi op mij over als zijzelf. Ze was altijd schitterend gekleed. Ik lijk niet alleen qua uiterlijk op haar, maar ook in mijn voorkeur voor mooie kleren en gevoel voor stijl. Je kunt wel zeggen dat ik mijn artistieke talent van haar heb geërfd.

Maar ik kon niet al te goed met haar opschieten. Misschien omdat we allebei sterke, onafhankelijke persoonlijkheden waren. Het leek wel of we altijd woorden hadden. Ik hield van mijn moeder, ze was een bijzondere vrouw. Hoewel ze niet eens kon koken. Maar toch hield ik van haar, zelfs al hadden we geen band. Zij hield er haar eigen opvattingen op na over wat ik moest doen en ik had de mijne. Zo was ik nu eenmaal, van kinds af aan. Ik denk dat ik meer op mijn moeder dan op mijn vader leek. Hoewel ik natuurlijk ook wel iets van hem heb.

Mijn vader vestigde zich eerst in Alton, Illinois, waar ik en mijn zusje Dorothy zijn geboren. Daarna verhuisden we naar East St. Louis, naar 14th Street, vlakbij

Broadway, waar mijn vader een tandartspraktijk begon tegenover drogisterij Daut. In het begin woonden we boven de praktijk aan de achterkant.

Als we het over East St. Louis hebben, is er nog iets waar ik aan moet denken. In 1917 werden er tijdens rassenrellen allemaal zwarten vermoord door die blanke psychopaten. St. Louis en East St. Louis waren steden met grote verwerkingsbedrijven voor levensmiddelen en dat zijn ze nog. Steden waar koeien en varkens geslacht worden voor toelevering aan slagers, supermarkten, restaurants. De koeien en varkens worden vanuit Texas of waar dan ook verscheept en dan in St. Louis en East St. Louis geslacht en verwerkt. Waar het waarschijnlijk om ging tijdens de rassenrellen van 1917 in East St. Louis was dat de blanke arbeiders in de verwerkingsbedrijven door zwarten vervangen werden. De blanken waren woedend en gingen als waanzinnigen tekeer tegen de zwarten. In datzelfde jaar vochten zwarte soldaten in de Eerste Wereldoorlog mee om de Verenigde Staten te helpen de democratie in de wereld te redden. Ze stuurden ons de oorlog in om voor de mensen daar te vechten en te sterven, maar hier maakten ze ons af alsof het niks was. En zo gaat het nog steeds. Dat is toch walgelijk. Misschien is er iets in mijn herinnering blijven hangen en geef ik daar blijk van in de manier waarop ik de meeste blanken bekijk. Niet allemaal, moet ik zeggen, want er zijn een paar blanken die geweldig zijn. Maar de manier waarop – ze schoten de zwarten gewoon neer alsof het varkens waren of zoals tijdens een drijfjacht op zwerfhonden. Ze schoten ze in hun huizen neer, ook baby's en vrouwen. Ze hebben huizen in brand gestoken met mensen en al en zwarten aan lantaarnpalen opgehangen. De mensen die het overleefd hebben hadden het er te kwaad mee. Toen ik in East St. Louis kwam waren de zwarten nog steeds niet vergeten wat die idioten van een blanken hen in 1917 hadden aangedaan.

Mijn broer Vernon is geboren in het jaar dat de beurs instortte en rijke blanken uit de ramen van Wall Street sprongen. Dat was in 1929. We woonden toen ongeveer twee jaar in East St. Louis. Mijn oudste zusje Dorothy was vijf. We waren met z'n drieën: Dorothy en Vernon, en ik was de middelste. We zijn altijd heel dik met elkaar geweest, ook al hadden we soms ruzie.

Ik moet zeggen dat de buurt heel prettig was, allemaal rijtjeshuizen zoals in Philadelphia of in Baltimore. Een allerliefst stadje. Zo is het nu niet meer. Maar ik herinner me hoe het toen was. In onze buurt bestond er geen rassenscheiding, om ons heen woonden joden en Duitsers, Armeniërs en Grieken. Schuin aan de overkant was de kruidenierswinkel Golden Rule, de eigenaar was een jood. Aan de ene kant was een tankstation, waar steeds maar ambulances met loeiende sirenes kwamen tanken. En naast ons woonde de beste vriend van mijn vader, dr. John Eubanks, die arts was. Dr. Eubanks was zo licht van kleur dat hij bijna blank leek. Zijn vrouw, Alma of Josephine – ik ben vergeten wie van de twee – was ook bijna blank. Ze was heel chic en licht van kleur, zoiets als Lena Horne, met zwart glanzend, krullend haar. Mijn moeder stuurde me af en toe naar hun huis om iets te lenen en dan zat ze daar met over elkaar geslagen benen, eleganter dan de mooiste filmster. Ze had prachtige benen en ze was er niet vies van om ze te laten zien. Ze zag er fantastisch uit! In elk geval heb ik van oom Johnny – zo noemden we haar man – mijn eerste trompet gekregen.

Naast de drogist onder ons en nog vóór het huis van oom Johnny was de bar van John Hoskins, een zwarte die door iedereen oom Johnny Hoskins genoemd werd. Hij speelde saxofoon, achter in de bar. Alle oudjes uit de buurt kwamen daar wat drinken, kletsen en naar muziek luisteren. Toen ik al wat ouder was heb ik er één of twee keer gespeeld. Aan het eind van het blok was een restaurant, dat gedreven werd door een zwarte die Thigpen heette. Het was een leuke tent met een goede 'soul' keuken. Zijn dochter, Leticia, en mijn zusje Dorothy waren vriendinnen. Naast het restaurant woonde een Duitse mevrouw met een zaak in manufacturen. Dat was allemaal op Broadway, in de buurt van de Mississippi. En dan was er nog het Deluxe Theater, een buurtbioscoop in 15th Street richting Bond Street. In 15th Street, evenwijdig aan de rivier vlakbij Bond Street, had je allerlei winkels en gelegenheden die door zwarten of joden, Duitsers, Grieken of Armeniërs gedreven werden. Die laatsten hadden meestal stomerijen.

In 16th Street bij Broadway had een Griekse familie een viswinkel, waar de beste broodjes zalm van East St. Louis te krijgen waren. Ik was bevriend met de zoon van de eigenaar. Hij heette Leo. Toen we wat groter waren worstelden we altijd. We waren toen een jaar of zes. Maar hij kwam om toen hun huis afbrandde. Ik herinner me nog hoe ze hem op een draagbaar naar buiten brachten, zijn huid in lappen. Hij was verbrand als een hot dog in de frituur. Het was walgelijk om te zien. Ik herinner me dat ik zei, toen later iemand vroeg of Leo nog iets gezegd had toen hij naar buiten werd gedragen: 'Nee, hij zei in ieder geval niet "Hallo, Miles, hoe gaat het, zullen we een potje worstelen" of iets dergelijks.' Het was wel een schok, want we waren ongeveer even oud, hoewel hij, geloof ik iets ouder was. Het was een leuk joch en ik heb altijd veel lol met hem gehad.

De eerste school waar ik naartoe ging was John Robinson, hoek 15th Street en Bond Street. Dorothy, mijn zusje, zat al een jaar op een katholieke school en kwam daarna ook naar John Robinson. Daar ontmoette ik in de eerste klas mijn eerste vriendje. Hij heette Millard Curtis en we zijn jaren lang met elkaar opgetrokken. We waren even oud. Later, in East St. Louis, had ik andere vrienden, maar toen zat ik al in de muziek – dat waren muziekvrienden – want Millard deed niks aan muziek. Maar hem kende ik het langst en we deden zoveel samen dat we bijna broers waren.

Ik ben er bijna zeker van dat Millard op mijn verjaardagsfeestje was toen ik zes werd. Ik herinner me dat verjaarsfeestje omdat mijn vriendjes, de jongens met wie ik toen optrok, zeiden, laten we naar de startbaan gaan – het houten plankier dat boven langs de uithangborden loopt, de borden die volgeplakt zijn met reclames. We gingen daar vaak naartoe, klommen naar boven, zaten met bungelende benen op de stellingen en aten crackers met paté. De boys zeiden in ieder geval dat we dat best konden gaan doen, want ik gaf later toch een partijtje. Dus gingen ze die dag geen van allen naar school. Het was eigenlijk een verrassingspartijtje, weet je, maar iedereen wist het al en vertelde me wat er zou gebeuren. Ik geloof dat ik zes werd, maar het kan ook zeven zijn geweest. Ik herinner me dat Velma Brooks, dat snoezige meisje, ook op mijn feestje was. Zij en een heleboel andere schattige meisjes met korte jurkjes, net minirokjes. Ik kan me niet herinneren dat er blanke meisjes en jongens waren; misschien waren er wel een paar – Leo bijvoorbeeld voordat hij doodging en zijn zusje, ik weet het niet – ik kan het me niet meer herinneren.

De *werkelijke* reden waarom ik mij dat feestje herinner is dat ik toen voor het eerst door een meisje werd gekust. Ik gaf alle meisjes een kusje, maar ik herinner me dat Velma Brooks en ik het langst kusten. Jezus, wat was ze schattig. Maar toen probeerde Dorothy, mijn zusje, de boel te verknallen door mijn vader en moeder te vertellen dat ik Velma Brooks aan het afzoenen was. Dat heeft mijn zusje altijd gedaan, ze verklapte altijd van alles over mijn broertje Vernon en mij. Toen mijn moeder hem vertelde dat hij mij moest verbieden Velma te zoenen, zei mijn vader: 'Als hij een jongen als Junior Quinn zou kussen, zou ik er iets van zeggen. Maar op een kusje aan Velma Brooks is niks aan te merken, dat is wat jongens behoren te doen. Zolang hij Junior Quinn niet aan het zoenen is, is er niks aan de hand.'

Beledigd en met de kin in de lucht liep mijn zusje weg en zei nog over haar schouder: 'Nou goed, hij is bezig haar af te likken en iemand zou daar een eind aan moeten maken voor ze een kindje van hem krijgt.' Daarna zei m'n moeder me dat ik stout was geweest door Velma af te zoenen en dat ik dat moest laten en dat als ze alles overnieuw zou doen ze geen stout kind als ik zou krijgen. Daarna gaf ze me een aframmeling.

Die dag ben ik nooit vergeten. Toen ik zo oud was had ik altijd het idee dat niemand me mocht, omdat ze me altijd om de een of andere reden klappen gaven. M'n broertje Vernon kreeg nooit slaag. Ik bedoel, hij werd altijd opgetild. Voor mijn zusje, mijn moeder en voor iedereen was hij een zwart poppetje. Ze verwenden hem bij het leven. Als Dorothy vriendinnetjes op bezoek had, stopten ze hem in bad, kamden z'n haar en trokken hem kleertjes aan alsof het een pop was.

Voordat ik in de muziek zat deed ik veel aan sport – honkbal, football, basketbal, zwemmen en boksen. Ik was een klein, mager jongetje met de magerste benen van allemaal – en ook nu nog zijn mijn benen erg dun. Maar ik hield zoveel van sport dat grotere mensen me nooit bang konden maken of intimideren. Ik ben nooit een bang type geweest. En als ik iemand mag, dan mag ik hem ook, hoe dan ook. Maar als ik jou niet mag, dan mag ik je gewoon niet. Ik weet niet waarom, maar zo ben ik nu eenmaal. En zo ben ik altijd geweest. Voor mij heeft het altijd met een soort uitstraling te maken, een soort gevoel of ik iemand mag of niet. Ze zeggen wel dat ik arrogant ben, maar zo ben ik altijd geweest.

Daarin ben ik nauwelijks veranderd.

Millard en ik waren altijd op zoek naar een spelletje football of honkbal. We speelden ook weleens een Indiaans balspel, een soort honkbal met drie of vier spelers per team. Als we dat niet speelden, speelden we normaal honkbal op een open ruimte of een leeg honkbalveld. Ik was altijd korte stop en zette me helemaal in. Ik kon de bal goed aanspelen en als slagman was ik ook niet slecht, hoewel ik niet zo vaak een home run heb geslagen omdat ik te klein was. Maar ik was gek op honkbal, zwemmen, footbal en boksen.

Ik herinner me dat we oefenden in het afpakken van de bal op de lapjes gras langs de stoep. Dat was in 14th Street voor het huis van Tilford Brooks, die later afstudeerde in de musicologie en tegenwoordig in East St. Louis woont. Daarna speelden we verder voor het huis van Millard. We tekkelden, kregen regelmatig een gat in ons hoofd, dat bloedde als een rund. Onze benen waren met littekens bezaaid, we joegen onze moeders de stuipen op het lijf. Maar een lol dat we hadden, niet te geloven.

Ik hield van zwemmen en van boksen. Zelfs nu nog zijn dat de twee sporten die ik het liefste doe. Ik ging toen zwemmen wanneer ik maar kon en dat doe ik nu nog. Maar aan boksen had ik mijn hart verpand. Ik ben er gek op. Ik heb daar geen verklaring voor. Man, ik luisterde net als iedereen naar alle wedstrijden van Joe Louis. We zaten om de radio heen om de omroeper te horen beschrijven hoe Joe de een of andere klootzak knock-out sloeg. En als hij dat deed, ging de hele zwarte gemeenschap van East St. Louis uit zijn bol, feest vieren op straat, drinken en dansen en een hoop kabaal maken. Maar het was vrolijk kabaal. En dat deden ze ook – maar niet zo uitbundig – als Henry Armstrong won, want hij kwam van de andere kant van de rivier, van St. Louis, dus daardoor was hij de zwarte held van de stad. Maar Joe Louis was het helemaal.

Hoewel ik gek op boksen was, deed ik toen ik nog jong was niet mee aan wedstrijden. We sloegen elkaar wat op het lichaam, een beetje stompen op de borstkas, maar daar bleef het bij. We groeiden op als elk ander kind en hadden een hoop lol.

Er waren in St. Louis een aantal bendes, bendes die niet deugden, zoals de Termieten. En ook aan de overkant, in St. Louis, bestonden zulke bendes. East St. Louis was nou niet de prettigste plaats om in op te groeien, er waren een hoop ratten, zwart en blank, die aan iedereen schijt hadden. Ik heb nooit echt gevochten totdat ik een teenager was. Ik had ook nooit iets te maken met bendes, omdat ik me in muziek verdiepte. Ik hield zelfs op met sporten omdat ik de voorkeur gaf aan muziek. Maar begrijp me niet verkeerd, ik vocht wel met die klootzakken, omdat ze mij 'Boekweit' noemden, want ik was klein, mager en zwart. Ik had de pest aan die naam, als iemand me zo noemde ging ik meteen op de vuist. Ik had de pest aan de naam Boekweit, omdat ik een hekel had aan de betekenis ervan, aan wat erachter school: dat idiote shit-idee dat blanken over zwarten hadden, dat het allemaal criminelen waren. Ik was ervan overtuigd dat *ik* daar niet bij hoorde. Ik kwam uit een gezin dat iets betekende en als ze me zo noemden, namen ze me in de zeik. Zelfs toen al wist ik dat je moest vechten om jezelf te verdedigen. Daarom heb ik vaak gevochten. Maar ik ben nooit lid geweest van een bende. En ik geloof ook niet dat ik arrogant ben. Ik denk dat ik zeker ben van mezelf. Ik weet wat *ik* wil, ik heb altijd geweten wat ik wilde zolang ik me kan herinneren. Ik laat me niet intimideren. Maar vroeger, in mijn jeugd, leek iedereen mij te mogen, ook al praatte ik niet veel, ik hou nog steeds niet van veel praten.

Het leven op school was even hard als buiten op straat. Verderop in de straat waar ik woonde was een school alleen voor blanken. Irving School heette die geloof ik. Daar kon je van de vloer eten. Maar zwarte kinderen mochten er niet naartoe, wij moesten erlangs op weg naar onze eigen school. We hadden op John Robinson, waar ik op school zat, goede leraren, zoals de zusters Turner. Ze waren de achterkleindochters van Nat Turner en even trots op hun huidskleur als hij was. Ze leerden ons trots te zijn op onszelf. De leraren waren goed, maar de zwarte scholen waren één grote smeerboel, met overlopende wc's en dat soort dingen. Ze stonken als de hel, zoals open beerputten in Afrika waar arme mensen wonen. Ik bedoel, die troep maakte me ziek, ik kon er niet van eten toen ik nog naar de lagere school ging – en als ik er nu aan denk word ik weer doodziek. Ze behandelden de zwarte kinderen als een kudde vee. Sommige mensen met wie ik naar school ging zeggen dat ik overdrijf, maar zo herinner ik het mij.

Daarom vond ik het heerlijk om naar mijn grootvader in Arkansas te gaan. Daar op het land kon je op je blote voeten lopen zonder in een hoop stront te trappen en zonder dat die stinkende troep aan je voeten plakte zoals op de lagere school.

Mijn moeder – blijkt nu – zette mij, mijn broertje en mijn zusje toen we nog heel klein waren op de trein naar mijn grootvader. Ze speldde ons naamkaartjes op, gaf ons trommeltjes met kip mee en zette ons op de trein. En jee, die kip was al op nog voordat de trein vertrok. Dan hadden we de hele weg honger tot we eindelijk aankwamen. We aten de kip altijd veel te vlug op. We konden het niet laten. We leerden het nooit om de kip bij stukjes en beetjes te eten. Het was zó lekker dat we niet konden wachten. Dan zaten we de hele reis naar grootvader te huilen, gek van de honger. Als we er eenmaal waren, wilde ik altijd blijven. Mijn grootvader gaf me mijn eerste paard.

Hij had een viskwekerij in Arkansas. We vingen de hele dag vis, manden vol, tonnen vol. We aten de hele dag gebakken vis. Over lekker gesproken? Om beroerd van te worden zo lekker. We zwierven de hele dag rond, reden paard, gingen vroeg naar bed en stonden vroeg weer op. En dat iedere dag weer. God, wat hadden we een lol op de boerderij van mijn grootvader. Grootvader was ongeveer 1 meter 80 lang, met een bruine huid en grote ogen, hij leek een beetje op mijn vader, maar dan langer. Mijn grootmoeder heette Ivy en we noemden haar Miss Ivy.

Ik herinner me dat we daar allerlei dingen uitspookten, die je in een stad als East St. Louis niet kon doen, Op een dag ging ik met mijn oom Ed, de jongste broer van mijn vader, die een jaar jonger was dan ik, 's morgens naar buiten en toen hebben we bijna alle watermeloenen van grootvader beschadigd. We gingen van het ene meloenveldje naar het andere en braken alle meloenen die we konden vinden open. We haalden het binnenste, de pitten, eruit, namen een hapje en dan lieten we meestal de rest achter. Ik geloof dat ik tien was en hij negen. Later, weer thuis, sloegen we dubbel van de lach. Toen grootvader erachter kwam, zei hij tegen mij: 'Je mag een week lang niet paardrijden.' *Dat* genas me voorgoed van het splijten van watermeloenen. Mijn grootvader was net als mijn vader iets bijzonders, hij pikte van niemand iets.

Toen ik negen of tien was nam ik een krantenwijk en bezorgde in het weekeinde kranten om wat bij te verdienen. Niet dat ik het nodig had, want mijn vader verdiende toen een hoop geld. Ik wilde alleen maar mijn eigen geld verdienen en niet voor alles bij mijn ouders aankloppen. Zo ben ik altijd geweest, altijd onafhankelijk, altijd het zelf willen doen. Ik verdiende niet veel, misschien vijfenzestig cent per week, maar het was van mij. Ik kon wat snoep kopen. Ik had altijd een zak snoep en een zak knikkers bij me. Ik ruilde snoep voor knikkers en knikkers voor snoep, prik en kauwgom. Ik heb toen wel geleerd hoe je zaken moet doen – ik weet echt niet meer van wie ik dat geleerd heb, het kan zijn van m'n vader. Ik herinner me uit de tijd van de Depressie een hoop arme mensen die honger hadden. Maar wij thuis niet, want mijn vader zorgde voor de financiële kant van de zaak.

Ik bezorgde kranten bij de beste barbecue van East St. Louis, bij de oude Piggease. Hij had zijn zaakje in de buurt van 15th Street en Broadway, waar een hele hoop van dat soort tenten waren. Mr. Piggease had de beste barbecue van de stad omdat hij zijn vlees vers van de slachthuizen in St. Louis en East St. Louis betrok. Zijn barbecuesaus was te gek. Dat spul was zo lekker dat ik het nu nog proef. Niemand maakte een barbecuesaus als Mr. Piggease, niemand, toen niet en nu niet. Niemand wist hoe hij die saus maakte, niemand wist wat hij erin deed. Hij heeft het nooit verteld. En die dipsaus voor brood, niet te geloven! En dan ook nog die broodjes vis die te gek waren. Zijn broodjes zalm waren uiteindelijk even lekker als die van de vader van mijn vriendje Leo.

Mr. Piggease had alleen maar een schuurtje waar hij zijn broodjes en gegrild vlees verkocht. Er konden maar tien man tegelijk in. De grill was van baksteen, zelf gemetseld. Hij had ook de schoorsteen zelf gemetseld en je kon in de hele 15th Street de houtskool ruiken. Dus iedereen nam een broodje of een stukje gegrild vlees aan het einde van de dag. Het spul was om zes uur klaar, geroosterd en al. Ik was er altijd precies om zes uur en bracht hem de krant, de *Chicago Defender* en de *Pittsburgh Courier*, allebei kranten voor zwarten. Ik gaf hem de kranten en hij gaf mij twee varkenssnuiten; die kostten toen vijftien cent per stuk. Maar omdat Mr. Piggease mij aardig vond en dacht dat ik slim was, gaf hij ze me voor tien cent of deed er een varkenssnuit bij of een broodje varkensoor – vandaar zijn bijnaam 'Mr. Pig Ears'

– of een krabbetje, zoals het hem uitkwam. Soms gaf hij een stuk aardappelkoek of gekonfijte vruchten en een slok melk. Dat deed hij dan op kartonnen bordjes, die de heerlijke geur weer absorbeerden, met zalige sneetjes brood erbij die net van de bakker kwamen. Daarna verpakte hij het in krantenpapier, natuurlijk kranten van gisteren. God, wat was dat lekker. Tien cent voor een broodje zalm, vijftien cent voor een broodje varkenskop. Dan ging ik de lekkernijen zitten opeten en praatte met hem, terwijl hij de klanten bediende. Ik heb veel van Mr. Piggease geleerd, maar het belangrijkste dat hij me – net als mijn vader – leerde is dat je onnodig gezeik moet vermijden.

Maar het meeste heb ik van mijn vader geleerd. Hij was een bijzondere man. Hij zag er geweldig uit, ongeveer mijn lengte, alleen wat dikker. Toen hij ouder werd, werd hij kaal – daardoor kreeg hij een slechtere kop volgens mij. Hij zag er prima uit, hield van mooie dingen, kleren en auto's, net als mijn moeder.

Mijn vader was pro-zwart, erg pro-zwart. In die tijd werd zo iemand een 'race man' genoemd. Hij was beslist geen 'Oom Tom'. Sommigen van zijn Afrikaanse studiegenoten op de Lincoln Universiteit, zoals N'krumah van Ghana, werden president van hun land of kregen een hoge post in de regering. En zo had mijn vader relaties in Afrika. Hij had meer op met Marcus Garvey dan met de politiek van de NAACP (National Association for the Advancement of Colored People). Hij begreep dat Garvey goed was voor het zwarte ras omdat hij in de jaren twintig al die zwarten tot elkaar had gebracht. Mijn vader vond dat belangrijk en had een hekel aan de manier waarop mensen als William Pickens van de NAACP over Garvey dachten en praatten. Pickens was familie, ik denk een oom van mijn moeder. En soms, als hij in St. Louis kwam, belde hij haar op en kwam langs. Ik geloof dat hij in die tijd iets hoogs was bij de NAACP, secretaris of zoiets. Maar goed, ik herinner me dat hij een keer opbelde om langs te komen en dat mijn vader toen zei, toen moeder het hem vertelde: 'Opgesodemieterd met William Pickens, want de klootzak had de pest aan Marcus Garvey en Marcus Garvey deed niets anders dan de zwarten bij elkaar brengen om iets voor zichzelf te bereiken en nooit hebben zich zoveel zwarten in dit land aaneengesloten. En die zeikerd is tegen hem. De pot op met die klootzak, laat 'ie oprotten met al z'n stupide ideeën.'

Mijn moeder was heel anders: ze was vóór verbetering van de positie van de zwarten, maar ze zag dat zoals de NAACP het zag. Ze vond mijn vader te radicaal, vooral later, toen hij de politiek in ging. Als ik al mijn gevoel voor stijl en kleren van mijn moeder meekreeg, mijn standpunten, mijn gevoel van eigenwaarde, mijn zelfvertrouwen en de trots op mijn eigen ras heb ik voornamelijk van mijn vader. Niet dat mijn moeder niet zelfverzekerd was. Dat was ze zeker. Maar het meeste pikte ik toch op van mijn vader, de manier waarop hij de dingen bekeek.

Mijn vader liet niet met zich sollen. Ik herinner me nog die keer dat die blanke langskwam in de praktijk voor het een of ander. Hij verkocht mijn vader goud en ander spul. In elk geval was de wachtkamer afgeladen toen die blanke binnenkwam. Nou had mijn vader een bordje 'Niet storen' en dat hing gewoonlijk achter de balie als hij met een patiënt bezig was. Het bordje hing er, maar die blanke zegt na een halfuur tegen mij – ik was veertien of vijftien en had die dag dienst achter de balie – 'Ik kan echt niet langer meer wachten, ik ga naar binnen.' Ik zeg tegen hem: 'Op het bordje staat – "Niet storen", kunt u soms niet lezen?' De man doet net of hij gek is en loopt de behandelkamer binnen. Op dat moment zit de wachtkamer vol met zwarten die *weten* dat je bij mijn vader dat soort dingen niet moet proberen. Ze zitten dus een beetje te grinniken en gaan er even voor verzitten om te zien wat er gaat gebeuren. De goudman is nog niet binnen in de behandelkamer of ik hoor mijn vader roepen: 'Wat doe jij hier binnen, godvergeten klootzak? Kun je soms niet lezen? Stomme blanke lul! Sodemieter op!' De blanke smeerde 'm meteen en keek me aan of ik gek was. Dus riep ik tegen die klootzak toen hij de deur uitging: 'Ik zei toch dat je niet naar binnen mocht. Stommeling.' Dat was de eerste keer dat ik een blanke heb uitgescholden die ouder was dan ik.

Een andere keer was mijn vader op zoek naar een blanke die me had nagezeten en voor neger had uitgescholden. Met geladen geweer ging hij hem zoeken. Hij heeft hem niet gevonden, maar ik moet er niet aan denken wat er gebeurd zou zijn als hij hem wel had gevonden. Mijn vader was iets bijzonders. Hij was een sterke persoonlijkheid, maar hij had ook zijn eigenaardigheden. Hij weigerde bijvoorbeeld via bepaalde bruggen van East St. Louis naar St. Louis over te steken omdat hij, zei hij, wist wie die bruggen gebouwd had. En dat waren volgens hem allemaal oplichters, die de bruggen waarschijnlijk niet stevig genoeg gebouwd hadden omdat ze, naar hij aannam, fraude gepleegd hadden met het geld en het bouwmateriaal. Hij was ervan overtuigd dat die bruggen op een gegeven moment in de Mississippi zouden storten. En dat heeft hij tot zijn dood geloofd en hij was altijd weer verbaasd dat ze nog niet waren ingestort. Hij was niet volmaakt. Maar hij was een trotse man en voor een zwarte zijn tijd waarschijnlijk ver vooruit. Hij hield zelfs van golfen, toen al. Ik was altijd zijn caddy op de golfbaan in Forest Park in St. Louis.

Hij was één van de pijlers van de zwarte gemeenschap in East St. Louis omdat hij tandarts was en in de politiek zat. Hij en dr. Eubanks, zijn beste vriend, en nog een paar vooraanstaande zwarten. Mijn vader had toen ik jong was een hoop invloed in East St. Louis. Zodoende werd een deel van zijn belangrijkheid op zijn kinderen overgedragen. En dat is waarschijnlijk de reden waarom een aantal mensen – zwarte mensen – in East St. Louis mijn broertje, mijn zusje en mij behandelden alsof we iets bijzonders waren. Het waren geen kontlikkers of iets van dien aard. Maar meestal behandelden ze ons anders dan anderen. Ze verwachtten van ons dat we later belangrijk zouden worden. Ik denk wel dat ze ons hierdoor hebben aangespoord positief over onszelf te denken. Voor zwarten, vooral voor jonge zwarte mensen, is dat heel belangrijk, want die krijgen meestal alleen maar negatieve dingen over zichzelf te horen.

Mijn vader was heel streng als het op discipline aankwam. Hij maakte ons duidelijk dat we wel ons verstand moesten gebruiken. Ik denk dat ik mijn slechte humeur van hem heb. Maar hij heeft me nooit, maar dan ook nooit geslagen. Hij is het kwaadst op me geweest toen ik een jaar of tien was. Hij had een fiets voor me gekocht, waarschijnlijk mijn eerste fiets. Ondeugend als ik was, reed ik op de fiets de trap af. We woonden toen nog in 15th Street bij Broadway en waren nog niet verhuisd naar 17th Street bij Kansas. Hoe dan ook, ik reed op mijn fiets die verschrikkelijk hoge trap af met een gordijnroede in mijn mond. Het ging zo hard dat ik niet meer kon stoppen en tegen de deur van de garage achter ons huis reed. De gordijnroede schoot mijn keel in en veroorzaakte daar een flinke wond. Toen mijn vader erachter kwam wat er was gebeurd, was hij zó woedend dat ik dacht dat hij me zou vermoorden.

Een andere keer dat hij razend op me was, was toen ik het schuurtje, of de garage, in brand had gestoken, waardoor het huis bijna was afgebrand. Hij zei niets, maar als blikken konden doden, dan was ik ter plekke dood geweest.

Later, toen ik al wat ouder was en dacht dat ik kon autorijden, reed ik achteruit de hele straat door en ramde een telefoonmast. Mijn vriendjes hadden me leren rijden, maar mijn vader wilde me zijn auto niet lenen omdat ik geen rijbewijs had. Toen hij hoorde dat ik de auto in de prak had gereden, schudde hij alleen maar zijn hoofd.

Het leukste voorval dat ik me herinner is toen hij me mee naar St. Louis had genomen om kleren te kopen. Ik was elf of twaalf en begon net om kleren te geven. Het was rond Pasen en mijn vader wilde dat ik, mijn zusje en mijn broertje goed te voorschijn kwamen in de kerk. Dus neemt hij me mee naar St. Louis en koopt een grijs pak met overslag en plooi voor mij, een paar Thom McAn-laarzen, een geel gestreept hemd, een vlotte pet zonder klep en een leren portemonnee waar hij dertig pennies in deed. Ik ben dus helemaal in het nieuw.

Thuisgekomen gaat mijn vader naar boven om iets uit zijn praktijk te halen. Maar het geld brandde in mijn zak, die dertig pennies in de nieuwe portemonnee. Ik moest dat geld uitgeven, weet je – hip en netjes als ik eruitzag. Ik ga dus naar drogisterij Daut en vraag aan de eigenaar, Mr. Dominic, voor vijfentwintig cent van die heerlijke chocoladesoldaatjes – daar was ik toen gek op. Je kreeg voor een penny drie van die soldaatjes. Voor het geld geeft hij mij vijfenzeventig soldaatjes in een gigantische zak. Blijf ik precies voor mijn vaders praktijk staan en prop de chocolaatjes als een gek in mijn mond. Ik at er zoveel van dat ik over mijn nek ging. Dorothy, mijn zusje, ziet dat en denkt dat ik bloed spuug. Ze rent naar mijn vader en vertelt het. Hij komt naar beneden en zegt: 'Dewey, wat ben je aan het doen? Hier verdien ik mijn geld. Als er patiënten komen, zullen ze denken dat ik iemand heb vermoord. Ze zullen denken dat die chocolade opgedroogd bloed is. Ga onmiddellijk naar boven.'

Het jaar daarop, geloof ik, ook omstreeks Pasen, stak mijn vader me weer in het nieuw om naar de kerk te gaan: een blauw pak met korte broek en sokken. Samen met mijn zusje op weg naar de kerk zag ik een paar vriendjes die in de oude fabriek aan het spelen waren. Ze vroegen of ik meedeed en ik zei tegen mijn zusje dat ik haar later wel zou inhalen. Ik ging de fabriek in, daar was het zó donker dat ik geen hand voor ogen kon zien. Ik struikel, val en probeer op te krabbelen. Met mijn goeie, nieuwe kleren val ik in een modderpoel. En het is nog wel Pasen. Je begrijpt hoe ik me voelde. Ik ging dus maar niet meer naar de kerk. Ik ging regelrecht naar huis. En mijn vader gaf geen kik. Hij zei alleen maar dat als ik 'ooit nog eens zo zou struikelen – en je hoort niet te struikelen – dan sla ik je volkomen verrot.' Daarna heb ik dit soort onzin nooit meer uitgehaald. Hij zei: 'Het had wel een of ander zuur kunnen zijn waar je in bent gevallen. Je had wel dood kunnen zijn, in dat griezelige, donkere gebouw. Doe dat nooit meer.' En ik deed het nooit meer.

Want het ging hem echt niet om de kleren. Het kon hem niet schelen dat ik ze verpest had. Hij maakte zich zorgen over *mij*. En dat zal ik ook nooit vergeten. Dat was de reden waarom we altijd goed met elkaar konden opschieten. Hij stond altijd voor 100 procent achter me, wat ik ook deed. En ik denk dat zijn vertrouwen in mij me gesterkt heeft in mijn zelfvertrouwen.

Maar mijn moeder sloeg erop los, bij het minste of geringste. Ze vond slaan zó nodig dat ze op een goede dag, toen ze ziek was of zo en niet in staat was om te slaan, mijn vader vroeg die taak over te nemen. Hij nam me mee een kamer in, deed de deur dicht en zei dat ik heel hard moest schreeuwen. 'Je moet gillen, alsof je slaag krijgt,' zei hij. En ik maar schreeuwen, zo hard als ik kon, terwijl hij daar zat en me ijskoud aankeek. Dat was me een toestand. Maar nu ik erover nadenk, had hij me beter kunnen slaan dan dat hij daar maar zat te kijken alsof ik niet bestond. Als hij zo keek, had ik ook het *gevoel* dat ik niet bestond. En dat gevoel was erger dan een pak slaag, hoe dan ook.

Mijn vader en moeder hebben nooit echt goed met elkaar overweg gekund. Ze zagen alles door een andere bril. Ze vlogen elkaar al naar de strot toen ik nog heel klein was. Het enige waardoor ze zich pas echt verbonden voelden was veel later, toen ik aan de heroïne was. Toen dat gebeurde leek het wel alsof ze al hun meningsverschillen vergeten waren en één lijn trokken om mij te redden. Daarvoor en daarna waren het net kat en hond.

Ik kan me herinneren dat mijn moeder van alles naar zijn hoofd gooide en allerlei afgrijselijke dingen tegen hem zei. Maar soms werd hij zo kwaad dat hij ook iets pakte en naar haar hoofd smeet, wat het dichtst in de buurt was: een radio, de etensbel, wat dan ook. En zij maar schreeuwen: 'Hij probeert me te vermoorden. Schei uit, Dewey!' Ik kan me herinneren dat mijn vader na een ruzie naar buiten was gegaan om even bij te komen. Toen hij terugkwam, weigerde mijn moeder hem binnen te laten – hij was namelijk de sleutel vergeten. Hij stond buiten te schreeuwen dat ze de deur open moest doen en zij verdomde het. Het was een deur met een glazen ruit. Hij werd zo kwaad dat hij haar, door de ruit heen, een ram op haar mond gaf. Daarmee sloeg hij een paar tanden uit haar mond. Ieder voor zich waren ze prima, maar samen deden ze elkaar alleen maar verdriet, tot ze uiteindelijk gingen scheiden.

Eén van de problemen was, denk ik, dat ze een totaal verschillend temperament hadden. Maar dat was het niet alleen. Er bestond tussen hen de typische arts-vrouw verhouding doordat hij zelden thuis was. Ons kinderen kon dat niet zoveel schelen, want wij hadden altijd wel iets te doen. Maar ik denk dat het haar wel kon schelen. En toen hij in de politiek ging, was hij nog minder thuis. Bovendien leek het of ze altijd ruzie maakten over geld, hoewel mijn vader toch voor welgesteld doorging, voor een zwarte tenminste.

Ik herinner me nog dat hij zich kandidaat had gesteld als afgevaardigde van de staat Illinois. Hij had zich kandidaat gesteld omdat hij in Millstadt, waar hij een boerderij had, een brandweerkorps wilde oprichten. Een aantal blanken wilden hem geld geven als hij zich niet kandidaat stelde, maar hij deed het toch en verloor. Mijn moeder was woedend dat hij het geld niet had aangenomen. Ze zei dat ze het geld hadden kunnen gebruiken om op vakantie te gaan of iets dergelijks. Later was ze ook nog des duivels, omdat hij het grootste deel van zijn vermogen vergokt had, mijn vader verloor meer dan een miljoen dollar met gokken. En ze hield helemaal niet van de radicale, politieke houding van mijn vader. Maar later, na hun scheiding, vertelde ze mij dat ze hem anders zou behandelen als ze het allemaal nog eens over moest doen. Maar toen was het al te laat.

De problemen tussen mijn ouders deden, zo te zien, niets af aan de lol die mijn zusje, mijn broertje en ik hadden. Hoewel, als ik nu terugkijk, denk ik dat dat toch niet helemaal waar is. Op de een of andere manier moet dat toch effect op ons hebben gehad, al weet ik niet precies hoe. Ik vond het vervelend om te zien hoe ze altijd maar ruzie hadden. Zoals ik al zei, konden mijn moeder en ik niet al te goed met elkaar opschieten en daarom denk ik dat ik haar de schuld gaf van alle ruzies. Ik weet dat Corrine, de zuster van mijn vader, haar ook de schuld gaf, ze had altijd al een hekel aan mijn moeder gehad.

Mijn tante Corrine had veel geld en zo, maar iedereen vond haar zo gek als wat. Ik ook. Maar mijn vader en zijn zuster hadden een hechte band met elkaar. En hoewel ze er tegen was dat mijn vader met mijn moeder trouwde, zeiden de mensen dat mijn tante zei toen ze trouwden: 'God sta die arme vrouw bij, want ze weet niet waar ze aan begint.'

Tante Corrine was doctor in de metafysica of zoiets. Ze had een praktijk naast die van mijn vader. Er hing een bord buiten 'Dr. Corrine, waarzegster, gebedsgenezing', met de palm van een hand erop. Ze voorspelde de toe-komst. Ze zat in haar kantoor, brandde allerlei kaarsen en andere onzin en rookte de ene sigaret na de andere. Zo zat ze daar, achter wolken rook, allerlei onzin uit te kra-men. De mensen waren bang voor haar, sommigen dach-ten dat ze een heks was of een soort voodoo-koningin. Ze mocht me wel. Maar ze moet wel gedacht hebben dat ik nogal vreemd was, want ik was nog niet binnen of ze stak de kaarsen aan en begon te roken. Wat een kreng om te denken dat ik gestoord was.

Mijn broertje, mijn zusje en ik waren als kind dol op muziek en dans. Vooral Vernon en ik. Maar Dorothy ook wel. Toen we wat ouder werden – voordat ik echt de mu-ziek in ging – hielden Dorothy, Vernon en ik altijd een talentenshow. Toen we daarmee begonnen, woonden we nog in 15th Street bij Broadway. Ik denk dat ik negen of tien was. Ik was nog maar net begonnen met trompet spelen. Die had ik, zoals gezegd, van oom Johnny gekre-gen. Ik speelde trompet – voor zover ik dat toen kon – en Dorothy speelde piano, terwijl Vernon danste. We had-den reuze veel lol. Dorothy speelde een paar kerkliede-ren. Meer kon ze niet. Meestal deden we wat sketches – leuke onzin, weet je – talentenshows met mij als jury. En streng dat ik was! Vernon kon van alles: zingen, tekenen en dansen. Dus moest hij zingen en Dorothy danste. In die tijd stuurde mijn moeder haar naar een dansschool. Met dat soort onzin hielden we ons bezig.Maar toen ik ouder werd, werd ik steeds serieuzer, vooral wat betreft mijn muziekstudie.

Mijn belangstelling voor muziek werd voor het eerst gewekt toen ik het radioprogramma 'Harlem Rhythms' hoorde. Ik was toen zeven of acht. Het programma begon iedere dag om kwart voor negen. Ik was dan ook vaak te laat op school, want ik wilde eerst dat programma horen. Maar ik moest en zou dat programma horen. Meestal werd er gespeeld door zwarte bands, maar soms was er een blanke band. Die zette ik onmiddellijk af, tenzij Harry James of Bobby Hackett speelde. Het was een fantastisch programma. Ze lieten al die schitterende zwarte bands horen. Ik herinner me dat ik gefascineerd was van de platen van Louis Armstrong, Jimmie Lunceford, Lionel Hampton, Count Basie, Bessie Smith, Duke Ellington en nog een heleboel andere grote types. Toen ik negen of tien was kreeg ik voor het eerst privé-muziekles.

Maar daarvoor nog, herinner ik mij hoe de muziek in Arkansas klonk als ik op bezoek was bij mijn grootvader, speciaal bij de kerkdienst op zaterdagavond. Dat was pas muziek. Ik denk dat ik zes of zeven was. We liepen 's avonds over die donkere landweggetjes en plotseling was die muziek er, zomaar uit het niets, uit die spookachtige bomen, waarin naar men zei boze geesten wonen. We liepen langs de weg – met één van mijn ooms of met mijn neefje James – en dan hoorde ik iemand gitaar spelen in de trant van B. B. King. Ik herinner me dat ik een man en een vrouw hoorde zingen over hun narigheid. Dat was nog eens muziek, vooral die vrouwenstem. Dat soort dingen zijn me altijd bijgebleven. Begrijp je wat ik bedoel? Die speciale *sound*, de blues, de kerkmuziek, de 'black-road funk' en zo, die landelijke sound en ritme uit het Zuiden en Midden-Westen. Het raakte mijn ziel, op die spookachtige, donkere weggetjes in Arkansas, bij de roep van de uil. Toen ik dus muziekles nam, had ik al een vaag idee hoe mijn muziek moest klinken.

Als je erover nadenkt is muziek toch iets geks. Ik kan nauwelijks het moment aangeven waarop muziek voor mij belangrijk werd. Ik denk wel dat alles begonnen is in Arkansas en met dat radioprogramma 'Harlem Rhythms'. Toen ik me ging verdiepen in muziek, heb ik me er helemaal aan overgegeven. Daarna bestond er niets anders meer.

## 2

Tegen de tijd dat ik twaalf was, was muziek het belangrijkste in mijn leven. Waarschijnlijk besefte ik niet hoe belangrijk het nog zou worden, maar als ik terugkijk, weet ik wel hoe belangrijk muziek toen voor mij was. Ik speelde nog steeds honkbal en football en trok nog steeds met vrienden als Millard Curtis en Darnell Moore op. Maar ik nam heel serieus trompetles en ging daar helemaal in op. Ik herinner me dat ik naar een padvinderskamp ging in de buurt van Waterloo, Illinois. Ik was toen twaalf of dertien. Het was Vanderventer-kamp en Mr. Mays, de hopman, wist dat ik trompet speelde. Ik kreeg tot taak om de taptoe en de reveille te blazen. Ik weet nog hoe trots ik was toen hij me dat vroeg, dat hij van iedereen mij er juist tussenuit pikte. Daarom denk ik dat ik toen al aardig kon spelen.

Maar ik ontwikkelde me pas echt als trompettist toen ik van Attucks Junior High School naar Lincoln High School ging. Daar ontmoette ik mijn eerste grote leraar, Elwood Buchanan. Lincoln was een school voor junioren en senioren. Ik zat daar op de afdeling voor junioren en bleef er tot mijn examen. Toen ik in de band begon te spelen was ik de jongste van iedereen. Na mijn vader had Mr. Buchanan in die tijd de grootste invloed op mijn leven. Hij was het die ervoor gezorgd heeft dat ik de muziek in ben gegaan. Ik wist dat ik de muziek in wilde. Dat was het enige dat ik wilde.

Mr. Buchanan was een patiënt van mijn vader en één van zijn kroegmaatjes. Mijn vader vertelde hem dat ik zo geïnteresseerd was in muziek en vooral in trompetspelen. Hij zei toen dat hij me wel trompetles wilde geven. Ik zat nog op Attucks toen ik mijn eerste lessen van Mr. Buchanan kreeg. Later, op Lincoln High School, hield hij altijd een oogje in het zeil dat ik op het goede spoor bleef.

Op mijn dertiende verjaardag kreeg ik van mijn vader een nieuwe trompet. Mijn moeder had liever een viool gezien, maar mijn vader wist haar te overtuigen. Dat heeft nog behoorlijk wat ruzie veroorzaakt, maar ze was er algauw overheen. Dankzij Mr. Buchanan kreeg ik een nieuwe trompet. Want hij was degene die wist hoe graag ik wilde spelen.

In die tijd begonnen de eerste, ernstige meningsverschillen tussen mijn moeder en mij. Tot dan toe was het altijd over onbenullige dingetjes gegaan. Maar onze verhouding ging steeds verder bergafwaarts. Ik weet werkelijk niet wat de reden was. Maar ik denk dat het iets te maken had met de manier waarop ze met me praatte: nooit recht door zee. Ze behandelde me nog steeds als een klein kind, zoals ze mijn broertje Vernon behandelde. Dat is waarschijnlijk één van de redenen waarom hij homoseksueel is geworden. De vrouwen – mijn moeder, mijn zusje en mijn grootmoeder – behandelden Vernon altijd als een meisje. Ik wilde daar niets van weten. Je kon serieus met mij praten of je hield je mond. Mijn vader zei dat mijn moeder me met rust moest laten als er problemen waren. En dat deed ze meestal ook, maar soms hadden we vreselijke ruzies. Ondanks dat kocht mijn moeder twee platen voor me, van Duke Ellington en Art Tatum. Ik zat er altijd naar te luisteren en dat bleek later een goede hulp bij het begrijpen van jazz.

Omdat ik op Attucks al trompetles had gehad van Mr. Buchanan, was ik al vrij ver gevorderd toen ik op Lincoln kwam. Ik speelde al behoorlijk goed. Eenmaal op de middelbare school nam ik ook les bij een heel goede trompetleraar. Hij was een Duitser en heette Gustav.

De band van Lincoln High School, onder leiding van Mr. Buchanan, was te gek voor woorden. We hadden een geweldige sectie trompet- en kornetblazers: ik, Ralaigh McDaniels, Red Bonner, Duck McWaters en vooral Frank Gully, die eerste trompet speelde en echt fantastisch was. Hij was een jaar of drie ouder dan ik. Omdat ik de kleinste en de jongste van de band was, had een aantal kinderen het op mij begrepen. Maar ik was niet op m'n achterhoofd gevallen en heb het een en ander uitgespookt door propjes te gooien en mensen stiekem op hun hoofd te slaan als ze niet keken. Van die kinderstreken, weet je wel, die in wezen nergens op slaan.

Het leek wel of iedereen hield van de klankkleur die ik voortbracht en die ik waarschijnlijk van Mr. Buchanan had overgenomen. Dat was op de kornet. In feite was het zo dat Red en Frank en iedereen die kornet of trompet speelde in de band, het instrument van Mr. Buchanan van hand tot hand lieten gaan. Ik was, denk ik, de enige in de blazers-sectie die een eigen instrument had. Maar ook al waren ze ouder en had ik nog een hoop te leren, toch moedigden ze me steeds aan, hielden ze van mijn 'sound', de manier waarop ik speelde. Ze zeiden dat ik veel fantasie had op het instrument.

Mr. Buchanan liet ons alleen maar marsen spelen en dat soort shit. Ouvertures, de betere achtergrondmuziek, marsen van John Philip Sousa. Geen jazz als hij er was. Maar als hij even de ruimte verliet, probeerden we toch jazz te spelen. Eén van de beste dingen die ik van Mr. Buchanan geleerd heb, was te spelen zonder vibrato. In het begin speelde ik graag met vibrato, want zo speelden de meeste trompettisten. Op een dag, toen ik in die stijl speelde, met al die vibrerende tonen, liet Mr. Buchanan de band stoppen en zei tegen mij: 'Luister, Miles. Kom hier nou niet aan met dat Harry James gedoe, met al dat vibrato. Schei uit met die tremolo's en trillers. Als je oud bent, zul je nog lang genoeg trillen. Speel zonder versieringen, ontwikkel je *eigen* stijl, want dat kun je. Je hebt talent genoeg om jezelf te zijn.'

Dat zal ik nooit vergeten. Maar op dat moment kwetste hij mij en bracht me van mijn stuk. Ik was gek op de manier waarop Harry James speelde. Hierna probeerde ik James te vergeten en kwam erachter dat Mr. Buchanan gelijk had, tenminste wat mij betreft.

Eenmaal op de middelbare school kreeg ik pas echt belangstelling voor kleren. Ik vond mijn uiterlijk heel belangrijk, probeerde er hip uit te zien en zo, want in die tijd kregen de meisjes oog voor mij – hoewel ik op mijn veertiende nog niet echt op de meisjes was. Ik ging me modern kleden en besteedde een hoop tijd aan het uitzoeken van de kleren die ik kocht en naar school aantrok. Ik wisselde van gedachten met een aantal vriendjes – die ook gek op kleren waren – over wat modern was en wat niet. Ik hield toen van de manier waarop Fred Astaire en Gary Grant zich kleedden en creëerde een soort hippe, zogenaamd donkere Engelse mode: pakken van Brooks Brothers, slagersjongens-schoenen, hoog gesneden broeken, hemden met hoge boord, die zo sterk gesteven was dat ik mijn nek nauwelijks kon bewegen.

Behalve de studie onder leiding van Mr. Buchanan, was één van de belangrijkste dingen die ik tijdens mijn schooltijd meemaakte de dag dat ik de trompettist Clark Terry ontmoette, toen we met de band in Carbondale, Illinois, speelden. Hij werd mijn idool op de trompet. Hij was ouder dan ik en een kroegvriendje van Mr. Buchanan. In ieder geval, we gingen naar Carbondale om te spelen en toen zag ik ineens die dandy. Ik ging recht op hem af en vroeg of hij soms trompet speelde. Hij draaide zich om en vroeg hoe ik dat kon weten. Ik zei dat ik dat kon zien aan zijn lippen. Ik had mijn schoolband-uniform aan en Clark droeg een moderne jas en een schitterend mooie sjaal om z'n nek. Hij had slagersjongensschoenen aan en droeg een te gekke deukhoed met opgeslagen randen. Ik zei dat ik ook kon zien dat hij trompettist was, omdat hij van die hippe kleren droeg. Hij lachte een beetje en zei iets dat ik vergeten ben. Toen ik hem een aantal dingen vroeg, wilde hij 'het niet over een trompet hebben met al die mooie meisjes die daar rondliepen'. Clark liep toen al achter de meisjes aan en ik nog niet. Hij kwetste me dan ook behoorlijk met wat hij zei. De tweede keer dat wel elkaar ontmoetten, was overigens een heel ander verhaal. Maar ik zal nooit die eerste keer vergeten en hoe modern hij gekleed was. Toen heb ik besloten dat ik er net zo hip uit wilde zien, nog hipper zelfs als ik mijn zaakjes rond had.

In die tijd trok ik op met Bobby Danzig. Hij was ongeveer even oud en speelde geweldig trompet. We gingen samen de stad in en luisterden naar muziek, waar we maar konden. We waren altijd samen, allebei gek op kleren en hadden heel vaak dezelfde mening. Maar hij zei duidelijker waar het op stond dan ik. Hij kon iemand meteen op z'n plaats zetten. Dan gingen we een club in en luisterden naar de band. En als één van de blazers een verkeerde houding had of als de drummer zijn drumstel fout had opgesteld, dan zei Bobby: 'Kom op, laten we gaan, die klootzak kan niet spelen. Moet je kijken hoe die drums staan, helemaal verkeerd. En moet je zien hoe die trompettist erbij staat. Totaal verkeerde houding. Dan weet je meteen dat die klootzak niet kan spelen, zoals hij daar op het podium staat! Kom op, we gaan!'

Dat was me wat, die Bobby Danzig. Hij was een groot trompettist en een nog grotere zakkenroller. Hij stapte dan in één van de trolleybussen in St. Louis en tegen de tijd dat de bus het eindpunt had bereikt, was Bobby in het bezit van $300, of meer als hij een goede dag had. Ik ontmoette Bobby op mijn zestiende en ik denk dat hij even oud was. We werden samen lid van de vakbond en gingen overal samen naartoe. Hij was mijn eerste echte vriend die ook in de muziek zat en altijd met me optrok. Zoals ik al zei, ging hij toen overal met me naartoe, ook naar de Riviera, waar ik een auditie deed voor de band van Billy Eckstine, en hij kon spelen, ongelooflijk. Later raakte ik bevriend met Clark Terry, maar Clark was een jaar of zes ouder dan ik en had andere dingen aan zijn hoofd. Terwijl Bobby juist van dezelfde dingen hield als ik. Behalve dan dat ik nooit veel voor zakkenrollen voelde. Hij was de beste zakkenroller die ik ooit heb meegemaakt.

Na de lessen van Mr. Buchanan kreeg ik dus les van Gustav, een geweldige leraar. Hij speelde trompet in het symfonieorkest van St. Louis. Hij kon voortreffelijke mondstukken maken en ik gebruik ook nu nog een mondstuk dat hij heeft ontworpen. Gustav gaf ook les aan Levi Maddison. Levi was zijn favoriete leerling. Die kon spelen, niet te geloven. In die tijd, 1940, was St. Louis dé stad voor trompettisten en Levi was een van de beste. Maar Levi was zo gek als een deur en liep altijd in zichzelf te lachen. Op een dag moest hij zo verschrikkelijk lachen om iets, dat hij niet meer op kon houden. Er zijn mensen die zeggen dat hij zo moest lachen omdat hij het niet meer zag zitten. Ik heb geen flauw idee waarom Levi het niet meer zag zitten. Ik weet alleen dat hij wél trompet kon spelen. Ik vond het geweldig om naar hem te kijken. Zijn trompet was een soort verlengstuk van hemzelf. Alle trompettisten in St. Louis speelden zoals hij speelde – Harold 'Shorty' Baker, Clark Terry en ook ik. We speelden allemaal zoals hij, wat we de 'St. Louis stijl' noemden.

Levi lachte altijd, met die krankzinnige blik in zijn ogen. Met die afwezige blik. Dan was hij weg van de we-

reld en werd een paar dagen in het gekkenhuis opgesloten. Hij deed niemand kwaad, was ook niet gevaarlijk of
zo. Maar ik denk dat ze toen geen enkel risico wilden nemen. Later, toen ik in New York woonde, zocht ik Levi
altijd op als ik terug was in St. Louis. Het was soms moeilijk om hem te vinden. Maar als ik hem vond, vroeg ik
hem om de trompet aan zijn lippen te zetten omdat hij
dat zo prachtig deed. Dat deed hij dan, met een brede
grijns op zijn gezicht. Maar op een dag kon ik hem nergens vinden. Ze zeiden dat hij in lachen was uitgebarsten
en niet meer had kunnen ophouden. Daarom hadden ze
hem in een inrichting gestopt, waar hij nooit meer uit is
gekomen. Of tenminste, niemand heeft hem daarna ooit
meer gezien. Maar wat Levi met zijn trompet kon, was te
gek. Hij was een geweldige trompettist. Als hij begon te
spelen, kreeg je meteen al die zuivere tonen te horen. Begrijp je? Niemand kon dat zoals hij en ik heb ook nooit
meer zo'n toon gehoord. Die leek een beetje op de mijne,
maar dan ronder – eigenlijk tussen Freddie Webster en
mij in. Levi straalde ook iets uit, waardoor je vol spanning iets verwachtte wat je nog nooit van tevoren gehoord had. Er waren maar een paar mensen die zoiets
uitstraalden. Dizzy had het en ik denk dat ik het ook heb.
Maar Levi was dé man. Hij was grandioos. Als hij niet
gek was geworden en in een gesticht was gestopt, dan zou
er nu nog steeds over hem gepraat worden.

Gustav zei tegen me dat ik de slechtste trompettist ter
wereld was. Maar later, toen Dizzy een gat in zijn lip had
dat maar niet wilde genezen en Gustav opzocht om te
veranderen van mondstuk, zou Gus hem verteld hebben
dat ik zijn beste leerling was. Het enige is, dat Gus me dat
nooit in mijn gezicht heeft gezegd.

Waarschijnlijk dacht Gus dat ik harder zou studeren
als hij maar zei dat ik zijn slechtste leerling was. Vermoedelijk dacht hij dat hij daarmee het beste uit me kon ha-

len. Ik weet het niet en het kon me ook niet schelen. Zolang ik maar les kreeg in dat halve uur voor $2.50 mocht hij zeggen wat hij wilde. Gus was technisch heel knap. Hij kon wel twaalf keer in één adem chromatische toonladders blazen. Dat was me wat. Maar toen ik les bij hem nam, had ik al vertrouwen in mezelf. Ik wist dat ik de muziek in wilde en daar hing ik me aan op.

Op de middelbare school ging ik ook om met Emmanuel St. Claire 'Duke' Brooks, die piano speelde. (Zijn neef Richard Brooks, een all-American football-speler, is nu hoofd van de Miles Davis lagere school.) De bijnaam 'Duke' kreeg hij omdat hij de muziek van Duke Ellington uit zijn hoofd kende en alles kon spelen. Samen met de bassist Jimmy Blanton speelde hij in de Red Inn, een lokaal aan de overkant van de straat waar ik woonde. Duke Brooks was twee of drie jaar ouder dan ik, maar heeft grote invloed op me gehad omdat hij de muziek speelde die op dat moment net in was.

Duke Brooks was een geweldige pianist. Hij speelde in de trant van Art Tatum. Hij leerde me nieuwe akkoorden en dat soort dingen. Hij woonde in East St. Louis en had een eigen kamer in het huis van zijn ouders, naast de veranda. Toen ik nog op Lincoln High School zat, kwam ik tussen de middag vaak bij hem om hem te horen spelen. Hij woonde maar een paar blokken bij school vandaan. Hij rookte marihuana en ik denk dat hij de eerste was die ik leerde kennen die dat soort spul gebruikte. Ik deed nooit mee. Ik ben nooit gek geweest op marihuana. Maar in die tijd gebruikte ik helemaal niks, zelfs drinken deed ik niet.

Duke kwam uiteindelijk ergens in Pennsylvania om het leven, toen hij als zwerver stiekem in een goederenwagon was gestapt. Hij zat in een wagon met kiezel en zand. Ik heb gehoord dat hij onder dat spul bedolven werd en gestikt is. Dat was, denk ik, in 1945. Ik mis hem

43

nog steeds en denk tot de dag van vandaag aan hem. Hij was een geweldige musicus en als hij niet was omgekomen, dan zou hij nu in de muziekwereld een bekend iemand zijn.

Ik begon te spelen in de stijl die op dat moment in St. Louis en omgeving actueel was. Duke, Nick Haywood, een drummer met een bochel, en ik vormden samen een groepje. We probeerden te spelen zoals de zwarte jongens in de band van Benny Goodman. Benny had een zwarte pianist, Teddy Wilson. Maar Duke speelde veel moderner dan Teddy Wilson. Duke speelde piano in de trant van Nat 'King' Cole. Hij was net zo gelikt, die Duke.

De enige nieuwe platen die we in die tijd hadden, waren meestal platen uit jukeboxen die voor een stuiver verkocht werden. En als je geen geld had om te kopen, dan pikte je het op door naar de jukebox te luisteren. Ik improviseerde in die tijd. Ons groepje speelde melodieën als *Airmail special*. We speelden op een hippe manier. Duke was zó beregoed op de piano, dat ik me vanzelf aan zijn stijl aanpaste.

In die tijd kreeg ik in East St. Louis en omgeving een zekere reputatie als opkomend trompettist. De mensen – musici – vonden dat ik kon spelen, maar ik was niet ijdel genoeg om dat openlijk toe te geven. Maar ik begon wel bij mezelf te denken dat ik net zo goed kon spelen als ieder ander. Waarschijnlijk zelfs beter. Want als het aankwam op muziek lezen of de delen onthouden, had ik een fotografisch geheugen. Ik vergat niets. Ik werd ook al beter als solist door met Mr. Buchanan te werken en op te trekken met jongens als Duke Brooks en Levi Maddison. Een aantal dingen begonnen zich dus al af te tekenen. Een paar van de beste musici uit East St. Louis wilden dat ik met hen speelde. Langzamerhand dacht ik dat ik jé van hét was.

Eén van de redenen dat ik het niet luid verkondigde,

was waarschijnlijk dat Mr. Buchanan me nog steeds op mijn nek zat om nog beter te worden op Lincoln High. Hoewel hij duidelijk een voorkeur voor mij had nadat Frank Gully eindexamen had gedaan – ik speelde meestal eerste trompet – veegde hij me soms toch de mantel uit. Dan zei hij dat mijn geluid te zwak was of dat hij me niet kon horen. Maar zo was hij altijd – hij pakte je hard aan als hij dacht dat je wat kon. Toen ik kleiner was en iedereen dacht dat ik tandarts zou worden, had hij tegen mijn vader gezegd: 'Doc, Miles wordt geen tandarts. Hij wordt musicus.' Toen had hij dus al iets in me gezien. Later vertelde hij dat mijn nieuwsgierigheid mijn kracht was, dat ik aldoor alles over muziek wilde weten. Dat gaf me altijd de kracht om verder te gaan.

Duke Brooks, Nick Haywood, een paar andere jongens en ik speelden regelmatig in een lokaal dat Huff's Beer Garden heette. Soms speelde Frank Gully mee. We verdienden er op zaterdag een zakcentje mee. Maar dat was niet om over naar huis te schrijven. We deden de schnabbels voor de lol. We hadden alle soorten kleine optredens in East St. Louis: voor gezelligheidsverenigingen, voor de kerk, overal waar we maar konden spelen. Soms verdienden we wel zes dollar per avond. We oefenden ook bij ons in de kelder. God, wat speelden we hard. Ik weet nog dat mijn vader een keer naar Huff kwam om ons te horen spelen. De volgende dag vertelde hij dat hij alleen de drums had kunnen horen. We probeerden alle melodieën van Harry James te spelen. Maar na een tijdje verliet ik de band, want behalve het spel van Duke had ik er niks aan.

Doordat ik aan niets anders dan aan muziek dacht, bleef ik buiten de bendenoorlogen en dat soort onzin en werd mijn tijd om te sporten beperkt. Ik greep iedere kans die ik kreeg – klooide wat aan op de piano om dat ook te leren. Ik leerde improviseren en verdiepte me helemaal in jazz. Ik wilde kunnen spelen wat ik Harry James hoorde spelen. Daarom was ik het beu om nog langer naar klootzakken te luisteren, die geen moderne muziek konden spelen. Sommige jongens die nog niet gevorderd waren in de muziek, lachten me uit omdat ik de nieuwe muziek probeerde te spelen. Maar het kon me geen reet schelen wat ze zeiden. Ik wist dat ik op de goede weg was.

Toen ik zestien was kreeg ik de kans om al rondtrekkend hier en daar op te treden – in Belleville, Illinois, en dat soort plaatsen. Mijn moeder zei dat ik in het weekeinde mocht spelen. Dat was met een vent die Pickett heette. We speelden shit als *Intermezzo, Honeysuckle Rose* en *Body and soul*. Ik speelde alleen de melodie, want er gebeurde niks opwindends. We verdienden een zakcentje. Maar ik leerde er wel van. Pickett speelde van die dansmuziek, ook wel honky-tonk genaamd. Je weet wel, van die rotzooi die ze in zwarte clubs spelen 'waar het bloed van de muren druipt'. Die heetten zo omdat er altijd geknokt werd. Maar na een tijdje was ik het beu om te vragen wanneer ik een geïmproviseerde solo mocht spelen – de swingende muziek die ik graag wilde spelen. Niet lang daarna verliet ik de band van Pickett.

Toen ik vijftien of zestien was kon ik ook chromatische toonladders spelen. Toen ik die begon te spelen vroeg iedereen op Lincoln wat ik aan het doen was. Ze hadden daarna een andere dunk van me gekregen. Duke en ik gingen toen ook voor het eerst naar jamsessies in Brooklyn, Illinois – even boven East St. Louis. De burgemeester van Brooklyn was één van de beste vrienden van mijn vader. Daarom liet hij me spelen, ook al was ik nog te jong om al in clubs te mogen komen. Op de boten op de Mississippi, van New Orleans naar St. Louis, speelden een heleboel echt goede musici. Ze zaten altijd in de nachtclubs van Brooklyn. Tjonge, het swingde daar de pan uit, vooral in het weekeinde.

East St. Louis en St. Louis waren provinciestadjes met een kleinsteedse bevolking. Echt burgerlijk, vooral de blanken die er woonden – echte provincialen en door en door racistisch. De zwarten in East St. Louis en St. Louis waren natuurlijk ook provincialen, maar toch moderner. Het was er een hippe bedoening. Veel mensen uit die omgeving hadden indertijd stijl – en waarschijnlijk nog. De zwarten daar zijn anders dan de zwarten uit andere plaatsen. Dat kwam, denk ik, omdat in mijn jeugd de mensen – vooral zwarte musici – steeds van en naar New Orleans trokken. St. Louis ligt niet ver van Chicago en van Kansas City. Men bracht dus de verschillende stijlen uit die plaatsen naar East St. Louis over.

De zwarten wilden in die tijd graag bij blijven. Na sluitingstijd in St. Louis ging iedereen naar Brooklyn om naar muziek te luisteren en de hele nacht te feesten. De mensen in East St. Louis en St. Louis werkten zich uit de naad in de pakhuizen en slachthuizen. Je begrijpt dat ze dus door het dolle heen waren als ze vrij hadden. Ze hadden geen behoefte aan een klootzak die ze stomme rotzooi bracht en legden hem meteen het zwijgen op. Daarom waren ze ook zo serieus in het luisteren naar muziek. En daarom was ik er gek op om in Brooklyn te spelen. Het publiek luisterde echt naar wat je speelde. Als je beroerd speelde, dan lieten ze je dat in Brooklyn snel genoeg weten. Ik heb die openheid altijd gewaardeerd en kan het niet uitstaan als de mensen niet eerlijk zijn.

Ik begon in die tijd wat geld te verdienen, al was het niet veel. De leraren op Lincoln wisten dat ik echt musicus wilde worden. Sommigen kwamen in het weekeinde naar Brooklyn of naar andere jamsessies om naar me te luisteren. Maar ik zorgde ervoor dat ik het goed deed op school, want ik wist dat mijn moeder en vader me anders niet zouden laten spelen. Daarom studeerde ik des te harder.

Toen ik zestien was kwam ik Irene Birth tegen, die net als ik op Lincoln zat. Ze had prachtige voeten. Ik ben altijd een liefhebber van mooie, kleine voeten geweest. Ze was bijna 1 meter 70 en woog nog geen 50 kilo. Een slanke vrouw, maar met een goed figuur – deed me denken aan het figuur van een danseres. Ze was heel licht van kleur. Je weet wel, het soort lichte huid van een halfbloed. Behalve dat ze knap was en hip, met een mooi lijf, waren het haar voeten die me eigenlijk aantrokken. Ze was iets ouder dan ik – ik geloof dat ze op 12 mei 1923 geboren werd – en zat een paar klassen hoger. Maar ze viel op mij en ik op haar en ze werd mijn eerste echte vriendinnetje.

Ze woonde in Goose Hill, een buurt in East St. Louis bij de conservenfabrieken en de hokken waar de koeien en varkens worden opgesloten na het uitladen uit de trein. Het was een arme, zwarte buurt. Er hing altijd een vieze stank van verbrand vlees en haar. Een stank van gier en koeienstront, vermengd met die stank van dood en bederf. Een vreemde, smerige stank. Het was wel een eind van mijn huis, maar toch liep ik er meestal naartoe om haar te ontmoeten. Soms alleen en soms met mijn vriend Millard Curtis, die toen een ster was in football en honkbal, hij was, geloof ik, aanvoerder van het footballteam.

Ik was gek op Irene. Met haar had ik voor het eerst een orgasme. Toen ik voor het eerst klaarkwam, dacht ik dat ik moest pissen, sprong op en rende naar de wc. Ik had al eerder een natte droom gehad, waarin ik dacht dat ik op een ei lag te wippen dat uiteindelijk openbarstte. Maar, Jezus, ik had nog nooit zoiets meegemaakt als die eerste keer dat ik klaarkwam.

Irene en ik gingen in het weekeinde vaak met de trolleybus over de brug naar St. Louis aan de andere kant van de Mississippi. Dan gingen we helemaal naar Sarah en Finney – dat was toen de rijkste, zwarte buurt van St. Louis – naar het Comet Theatre, de beste bioscoop van de stad voor zwarten. Dat uitje kostte ons tweeën ongeveer veertig cent. Ik nam mijn trompet overal mee naartoe, omdat ik hoopte misschien een kans te krijgen om ergens te spelen. Ik wilde erop voorbereid zijn als de kans zich voordeed en soms gebeurde dat ook.

Irene danste in één van die dansgroepen in East St. Louis. Ze kon heel goed dansen. Ik ben nooit een goede danser geweest. Maar met Irene kon ik op een of andere manier wel dansen, door haar had ik overal lak aan, waardoor ik niet steeds struikelde en mezelf belachelijk maakte. Door haar wekte ik de indruk dat ik wist wat ik aan het doen was. Behalve met mijn zusje Dorothy was Irene één van de weinige meisjes met wie ik kon dansen. Ik hield toen niet van dansen omdat ik te verlegen was.

Irene woonde bij haar moeder, een goed mens, even flink en aardig als Irene. Haar vader, Fred Birth, werkte bij een loterij. Hij was een gokker, een lange kerel. Ze had een halfbroertje, Freddie Birth, die ik trompetles gaf. Hij kon aardig spelen, maar ik was even streng tegen hem als Mr. Buchanan tegen mij was. Toen ik van Lincoln afging, speelde Freddie eerste trompet in de schoolband. Hij is nu hoofd van een school in East St. Louis. Freddie Jr. is een erg aardige, hippe vent geworden.

Irene had nog een broertje, William. Hij was een jaar of vijf, zes en ik was dol op hem. William was een schattig jongetje met veel krullen, maar hij was erg mager en altijd aan het hoesten. Hij had een longontsteking of zo opgelopen. In ieder geval kwam de dokter om William te onderzoeken. Omdat Irene wist dat ik er weleens over had gedacht om dokter te worden – in de voetstappen van mijn vader, maar dan op medisch gebied, geen tandarts (maar weinig mensen wisten dat) – vroeg ze of ik wilde opletten wat hij deed. De dokter kwam binnen, wierp een blik op William en zei vierkant, zonder enige emotie, dat hij niets kon doen. Hij zei dat William nog vóór de volgende morgen dood zou zijn. Ik was razend. Ik heb heel lang niet kunnen begrijpen hoe hij zoiets had kunnen zeggen en dan op zo'n ijskoude toon. Ik ging bijna over m'n nek, weet je. William stierf de volgende morgen in de armen van zijn moeder, thuis, zonder dat de dokter hem naar het ziekenhuis had laten brengen. Ik was er kapot van.

Ik ben daarna naar mijn vader gegaan en heb hem gevraagd hoe het mogelijk was dat een dokter, die voor William kwam, tegen de familie durfde te zeggen dat hij vóór de volgende ochtend dood zou zijn en er niets aan deed. Hij is toch dokter? Is het omdat ze geen geld hebben of zo? Mijn vader, die wist dat ik dit vroeg omdat ik geïnteresseerd was in medicijnen, zei: 'Als je naar bepaalde dokters gaat met een gebroken arm, dan hakken ze hem af in plaats van hem te zetten, want het kan weleens moeilijk zijn om hem te zetten. Dat kost te veel inspanning. Het is dus makkelijker om hem af te hakken. Hij is één van die dokters, Miles. En zo zijn er een hele hoop. Dit soort mensen, Miles, is alleen maar arts om het prestige en het geld. Ze houden niet echt van hun beroep zoals ik en een aantal vrienden van me. Als je echt ziek bent, ga dan niet naar hem toe. De enige mensen die naar hem toegaan zijn arme zwarten. Dit soort dokters kan het allemaal geen bal schelen. Daarom was hij zo koud tegen William en tegen de familie. Ze interesseren hem geen barst, begrijp je?'

Ik knikte dat ik het had begrepen. Maar ik was diep geschokt, ik was er echt van ondersteboven. Later kwam ik erachter dat diezelfde dokter een heel groot huis had, dat hij rijk was en een eigen vliegtuig had. Bij elkaar gejat van arme zwarte mensen, die hem geen reet konden schelen. Ik werd er doodziek van. Ik dacht na over de dood van William en over wat mijn vader gezegd had over sommige artsen. Ik kon maar niet begrijpen hoe iemand kon kijken naar iemand, wiens hart nog klopte en gewoon kon zeggen dat het kind morgen zou doodgaan, zonder er ook maar iets aan te doen – om op z'n minst te proberen de pijn te verlichten. Het leek me juist dat als iemands hart nog klopte, die persoon nog kans van leven had. Ik besloot dat ik dokter wilde worden, zodat ik het leven van mensen als William kon proberen te redden.

Maar het weet hoe het gaat. Je zegt dat je dit wilt worden, dat je dat wilt worden. En dan doet zich uiteindelijk iets anders voor, waardoor je het vorige weer uit je hoofd zet, vooral als je jong bent. Het was de muziek waardoor ik medicijnen uit mijn hoofd zette. Als ik dat tenminste ooit echt had gewild. Ik had me in m'n hoofd gezet dat ik iets anders ging doen als ik het op mijn vierentwintigste niet gemaakt had als musicus. En dat andere was medicijnen studeren. Maar terug naar Irene. Ik denk dat de manier waarop William gestorven was Irene en mij dichter bij elkaar bracht. We waren erna heel dik met elkaar. Ze ging overal mee naartoe. Hoewel m'n vader haar niet mocht. Mijn moeder wel. Ik weet niet waarom hij haar niet mocht, maar zo was het. Misschien vond hij haar niet goed genoeg voor mij. Misschien vond hij haar te oud en dacht hij dat ze misbruik van me maakte. Ik weet het werkelijk niet, maar het deed niets af aan wat ik voor haar voelde. Ik was gek op haar.

Irene was degene die mij uitdaagde om Eddie Randle op te bellen en te vragen of ik mee kon spelen in zijn band. Ik was toen zeventien. De Blue Devils, de band van Eddie Randle, waren echt te gek. Ze konden spelen dat de stukken eraf vlogen. Ik was bij Irene thuis toen ze me uitdaagde. Ik zei: 'Geef me de telefoon maar,' en belde op. Toen hij opnam zei ik: 'Mr. Randle, ik hoor dat u een trompettist zoekt. Mijn naam is Miles Davis.'

Hij zei: 'Klopt, ik zoek een trompettist. Kom langs en laat eens horen.'

Ik ging dus naar de Elks Club in de binnenstad van St. Louis, waar ook de Rhumboogie Club was. Het was op de eerste etage, aan het eind van een lange, smalle trap, in een vrijstaand gebouw. In de zwarte wijk, dus normaal gesproken was het er afgeladen met zwarten die voor de muziek kwamen. Dat was de tent waar Eddie Randle speelde. Samen met een andere trompettist deed ik een auditie en kreeg de baan.

De Blue Devils speelden flitsende dansmuziek en er zaten zoveel goede musici in de band dat iedereen kwam luisteren, ook al speelden ze zelf een heel andere stijl. Duke Ellington kwam, hoorde Jimmy Blanton, een geweldig bassist die op een avond meespeelde en huurde hem ter plekke in.

Er zat een altsaxofonist in de band, Clyde Higgins, die kon spelen als een godgieter. Eén van de besten die ik ooit heb gehoord. Zijn vrouw Mabel speelde piano bij de Blue Devils, een groot pianiste en een fantastische vrouw. Ze was zo dik als een nijlpaard, terwijl Clyde mager als een lat was. Maar ze had iets bijzonders, een schitterend type. Ik heb heel wat tijd met haar doorgebracht en er veel van geleerd. Ze deed me van alles voor op de piano, waardoor ik me als musicus veel sneller kon ontwikkelen.

Er was nog een andere vent die alt speelde, Eugene Porter. Bijna net zo goed. Hij was jonger dan Clyde en hoorde niet bij de band, maar hij zat er vaak bij. Eddie Randle speelde zelf maar matig trompet. Maar Clyde Higgins was vreselijk goed. Toen Clyde samen met Eugene Porter, om wat bij te verdienen, auditie deed bij de band van Jimmie Lunceford, blies hij iedereen de grond in. Maar weet je, Clyde was een miezerig, pikzwart mannetje dat eruitzag als een aap. In die dagen wilden een heleboel bands die voor blanken speelden alleen lichtgekleurde musici aannemen. En Clyde was voor hen te donker. Toen Clyde zich aanmeldde voor de auditie en tegen Lunceford zei dat hij saxofonist was, lachte iedereen hem uit en noemde hem 'dat aapje'. Dat was het verhaal van Eugene. Ze gaven hem de moeilijkste muziek die ze op het repertoire hadden. Maar Clyde, fantastisch musicus als hij was, speelde alsof het een peulenschil voor hem was. Dat vertelde Eugene tenminste. En toen Clyde moeiteloos het programma afwerkte, hing hun mond open van verbazing – ik bedoel van die gasten in de band van Lunceford. Lunceford vroeg toen: 'En wat vinden jullie?' Niemand zei iets. Maar Clyde kreeg de baan niet. Eugene kreeg hem omdat hij er beter uitzag en een lichte huid had. En natuurlijk omdat hij ook goed altsaxofoon speelde. Maar eigenlijk kon hij niet tippen aan Clyde Higgins. Hij zei tegen iedereen dat Clyde aangenomen had moeten worden. Maar zo ging het nu eenmaal in die tijd.

Mijn tijd bij Eddie Randle was wel één van de belangrijkste stappen op mijn weg naar de roem. Bij Eddie Randle kon ik me tijdens het spelen pas echt ontplooien en legde ik me toe op het schrijven en arrangeren van muziek. Ik werd muzikaal leider van de band omdat de andere vogels bijna allemaal overdag werkten en daarom geen tijd hadden om andere muziek op te scharrelen. Ik was verantwoordelijk voor de repetities. In de Rhumboogie Club vonden andere activiteiten plaats. Daar traden dansers en komieken op, zangers en dat soort shit. Maar soms moest de band die lui begeleiden en dan moest ik de muziek met ze instuderen. We trokken af en toe wat rond en speelden dan in de wijde omtrek van St. Louis en East St. Louis. Ik heb toen heel wat belangrijke musici ontmoet die toevallig langskwamen. Ik moet zeggen dat ik in de band van Eddie Randle een hoop geleerd heb en dat ik meer verdiende dan ooit, ongeveer $75 tot $80 per week.

Ik bleef ongeveer een jaar bij de band van Eddie Randle, ik denk van 1943 tot 1944. Ik noemde hem altijd 'bossman' omdat hij dat voor mij was: 'boss'. En hij was een strenge bandleider. Ik heb een hoop van hem geleerd over hoe een band te leiden. We speelden de hits en arrangementen van Benny Goodman, Lionel Hampton, Duke Ellington en van al die musici die toen jazz speelden. Er waren een hoop goede bands in St. Louis, zoals de Jeter-Pillars Band en de band van George Hudson. Mijn god, *dat* waren nog eens bands. Maar Ernie Wilkins, de arrangeur voor de Blue Devils toen ik nog in de band zat en Jimmy Forest kwamen allebei uit de band van Eddie Randle. Ik moet echt wel zeggen dat hij – Eddie Randle – leider was van een aantal grote musici. En George Hudson was ook een geweldige trompettist. St. Louis is, net als New Orleans, een stad van trompettisten, misschien door al die bands die marsen speelden. Ik weet wel dat er een aantal geweldige trompettisten vandaan kwamen en tijdens mijn jeugd kwamen trompettisten uit het hele land naar St. Louis om op die jamsessies mee te spelen. Dat schijnt tegenwoordig heel anders te zijn. Ik weet nog dat ik Clark Terry voor de tweede keer tegenkwam in de Rhumboogie, dat was een heel ander verhaal dan toen ik hem voor het eerst ontmoet had. Dit keer kwam hij de Rhumboogie binnen om *mij* te horen spelen. Toen hij naar me toe kwam om te zeggen hoe goed ik was, zei ik: 'Lul de behanger, dat kom je me nu zeggen, maar in Carbondale, toen ik je voor het eerst ontmoette, wilde je niet eens met me praten. Ik ben dat kereltje dat jij toen zo nodig de loef moest afsteken.' Dat was even lachen geblazen en sindsdien zijn we altijd vrienden gebleven. Maar het deed me wel goed dat hij even kwam vertellen dat ik echt goed speelde. Ik had al wel vertrouwen in mezelf, maar het feit dat Clark dat zei, deed er nog een schepje bovenop. Toen Clark en ik vrienden waren, hingen we overal rond in St. Louis en omgeving. We struinden alle jamsessies af en als de mensen hoorden dat Clark en ik een bepaalde avond samen optraden, dan was de zaak binnen de kortste keren afgeladen. Het was Clark Terry die me echt introduceerde in de jazzwereld van St. Louis door me altijd mee te nemen als hij speelde. Ik heb een hoop van hem geleerd, alleen al door te luisteren naar zijn spel. Hij bracht me ook in kennis met de bugel, waarop ik een tijdje heb gespeeld en die ik 'mijn dikke schatje' noemde, vanwege de vorm.

Maar ik heb ook invloed gehad op Clark Terry. Want als ik de voorkeur gaf aan trompet spelen, leende hij mijn bugel en hield die dan een paar dagen. Op die manier ging hij bugel spelen en dat doet hij nog steeds. En ik moet zeggen, hij is één van de besten ter wereld, zo niet *de* beste. Ik was die hele periode gek op Clark Terry – en dat ben ik nog. En ik denk dat hij voor mij hetzelfde voelde. Elke keer dat ik een nieuwe trompet kocht, liet ik hem door Clark controleren. Hij zorgde dat de ventielen werkten en bracht het instrument in een staat zoals geen ander dat zou kunnen. Clark kon de veerkracht van de ventielen van een trompet dusdanig verstellen dat het instrument daarna een heel andere sound produceerde. Een betoverende sound. En wat dat betreft was Clark een tovenaar. Ik liet de ventielen altijd door Clark bijstellen. Hijzelf gebruikte altijd de 'Heim' monstukken die door Gustav ontworpen waren. Want die waren heel dun, maar ook heel diep en gaven daardoor een warme, ronde klank. Alle trompettisten uit St. Louis gebruikten ze. Op een dag was ik mijn mondstuk kwijt, maar Clark zorgde voor een nieuwe. Daarna heeft hij altijd een extra exemplaar voor me gekocht als hij zelf in St. Louis een mondstuk kocht.

Toen ik nog in de band van Eddie Randle zat, waren er – zoals ik al zei – een heleboel andere, grote musici die naar de band kwamen luisteren: mensen als Benny Carter en Roy Eldridge en de trompettist Kenny Dorham, die helemaal uit Austin, Texas, kwam om mij te horen spelen. Zelfs tot daar was mijn roem al doorgedrongen. En dan was er nog Alonzo Pettiford, die ook trompet speelde en een broer was van de bassist Oscar Pettiford. Hij kwam uit Oklahoma en was in die tijd één van de beste trompettisten. God, wat kon die snel spelen – je zag zijn vingers nauwelijks meer bewegen. Hij speelde in die snelle, hippe, gladde Oklahoma-stijl. Dan was er nog Charlie Young, die niet alleen trompet maar ook saxofoon speelde en alletwee *echt* goed. En ik ontmoette 'de president', Lester Young, wanneer hij van Kansas City naar St. Louis kwam om te spelen. Shorty McConnell speelde trompet in zijn band en soms kwam ik met mijn trompet naar de plaats waar zij speelden en deed mee. Met 'Prez' spelen, dat was wat. Ik heb een hoop geleerd van de manier waarop hij saxofoon speelde. Trouwens, ik probeerde een paar van zijn fraseringen op saxofoon om te zetten voor mijn trompet.

Dan was er nog 'Fats' Navarro, die langskwam uit Florida of New Orleans. Niemand wist wie hij was, maar die kerel kon spelen zoals ik nog nooit iemand had horen spelen. Hij was nog jong, net als ik, maar hij was al ver gevorderd in zijn ideeën over hoe hij zijn instrument wilde gebruiken. Fats zat in een band van Andy Kirk en Howard McGhee, die ook een fantastische trompettist was. Op een avond gingen we samen naar een jamsessie voor trompet. Het was ongelooflijk, de hele tent stond op z'n kop. Dat was, geloof ik, in 1944. Toen ik die band gehoord had, werd Howard mijn idool in plaats van Clark Terry, tot ik Dizzy hoorde.

Ik ontmoette in die tijd ook Sonny Stitt. Hij speelde in de Tiny Bradshaw band en tussen de sets in de club waar hij speelde, kwam hij weleens naar de Rhumboogie om naar ons te luisteren. Toen Sonny Stitt de band en mij gehoord had, vroeg hij mij of ik op tournee wilde met de Tiny Bradshaw band. Man, ik was zo opgewonden dat ik nauwelijks kon wachten om naar huis te gaan en het mijn ouders te vragen. Daar kwam nog bij dat Sonny gezegd had dat ik op Charlie Parker leek. Al die vogels in de band hadden hun haar glad achterover geplakt, droegen hippe kleren – smokings met witte overhemden – en praatten en gedroegen zich alsof ze de belangrijkste jongens ter wereld waren. Begrijp je wat ik bedoel? Ze maakten een enorme indruk op mij. Maar toen ik thuiskwam en het mijn ouders vroeg, zeiden ze nee omdat ik mijn school nog niet had afgemaakt. Ik zou er maar $60 mee verdiend hebben, $25 minder dan ik verdiende bij de Blue Devils van Eddie Randle. Ik denk dat het idee om met een big band mee te reizen me nog het meest imponeerde. Plus dat ze zo hip leken en van die modieuze kleren droegen. In elk geval, zo kwam het toen op mij over. Ik kreeg nog andere aanbiedingen van Illinois Jacquet, McKinney's Cotton Pickers en van A.J. Sullivan om met hun band op tournee te gaan. Maar ook die aanbiedingen moest ik afslaan tot na mijn eindexamen. God, wat had ik een haast om eindexamen te doen zodat ik door kon gaan met spelen en mijn eigen leven kon leiden. Ik was nog steeds heel teruggetrokken. Ik praatte nog steeds niet veel. Maar in mijn binnenste was ik aan het veranderen. En ik was gek op kleren – ik was een echte dandy, of zoals ze in St. Louis zeiden, een echte opgedofte pief.

Op muzikaal gebied liep alles als een trein, maar thuis

ging het allemaal niet zo best. Mijn ouders konden slechter met elkaar overweg dan ooit en stonden op het punt van scheiden. Rond 1944 gingen ze uit elkaar. Ik ben vergeten in welk jaar precies. Mijn zusje Dorothy zou in Fisk gaan studeren en in die tijd begon men in East St. Louis door te krijgen dat Vernon bezig was homoseksueel te worden. Dat was in die tijd iets heel anders dan nu.

Mijn vader had in Millstadt, Illinois, een boerderij met 300 acre land gekocht, nog voordat hij en mijn moeder uit elkaar gingen. Maar zij hield er niet van om daar te zijn, met al die paarden, koeien en prijsvarkens die mijn vader fokte. Mijn moeder hield niet van het platteland, zoals mijn vader. Maar hij begon een hoop tijd te besteden op de boerderij en dat was waarschijnlijk de reden dat ze sneller uit elkaar gingen dan anders het geval was geweest. Mijn moeder kookte niet en deed ook niets aan het huishouden. Daarom hadden we een kokkin en een dienstmeisje. Maar toch leek ze daar niet gelukkig mee. Ik vond het heerlijk in Millstadt – paardrijden en dat soort dingen. Het was er rustig en mooi. Ik heb altijd van het platteland gehouden. Het deed me in feite denken aan de boerderij van mijn grootvader, die was alleen groter. Het was een wit huis met pilaren in koloniale stijl en er waren ongeveer twaalf of dertien kamers. Er zat nog een verdieping op en er was een gastenverblijf. Het was echt schitterend, met een hoop land en bomen en bloemen. Ik vond het heerlijk om ernaartoe te gaan.

Toen mijn moeder en vader waren gescheiden, ging het pas echt slecht tussen mijn moeder en mij. Ik bleef bij haar na de scheiding, maar het leek wel of we het in niets met elkaar eens waren. En nu mijn vader er niet meer was om haar tegen te houden, waren er heel wat ruzies en schreeuwpartijen. Ik werd wel langzamerhand zelfstandig, maar ik denk dat de werkelijke reden van onze ruzies mijn verhouding met Irene Birth was.

Mijn moeder vond Irene aardig, maar ze was des duivels toen Irene zwanger werd. Ze had gewild dat ik naar de universiteit ging en nu kwam dit ertussen. Mijn vader mocht Irene niet, zoals ik al zei, hoewel hij later wat bijtrok. Toen ik hoorde dat Irene zwanger was, ging ik naar mijn vader en vertelde het. En hij zei: 'Nou en? Dat zal ik wel regelen.'

Maar ik zei: 'Nee, pa, zo werkt dat niet. Dit is mijn zaak. Ik heb er zelf aan meegewerkt en ik ben mans genoeg om ervoor te zorgen.' Hij dacht even na en zei toen: 'Luister, Miles, misschien is die baby wel niet van jou, want ik ken al die andere negers met wie ze heeft geneukt. Denk nu maar niet dat jij de enige bent. Er zijn nog anderen en een heleboel.' Ik wist dat Irene met een andere vogel knoeide. Hij heette Wesley – ik ben z'n achternaam vergeten – en was ouder dan ik. Ik wist ook dat ze met een drummer, James, scharrelde – een petieterig mannetje – die in East St. Louis speelde, af en toe zag ik ze weleens samen. Irene was knap en populair bij de mannen. Mijn vader vertelde mij dus niets nieuws. Maar ik was ervan overtuigd dat de baby van mij was en dat ik er juist aan deed te erkennen dat ik de vader was. Mijn vader was werkelijk des duivels op Irene omdat ze zwanger was geworden. Dat was, denk ik, één van de redenen waarom ze nooit echt goed met elkaar hebben kunnen opschieten. In elk geval deed ik in januari 1944 eindexamen op Lincoln, hoewel ik mijn diploma pas in juni kreeg. Dat jaar kregen we ons eerste kind, Cheryl, een dochter.

Ik verdiende ondertussen ongeveer $85 per week in de band van Eddie Randle en door met anderen te spelen en ik schafte mezelf een paar modieuze Brooks Brotherpakken aan. Ik kocht ook een nieuwe trompet, het ging me dus niet slecht. Maar de problemen met mijn moeder liepen uit de hand en ik besefte dat ik daar iets aan moest doen en dat ik ook iets moest ondernemen om voor mijn gezin te zorgen. Ik ben met Irene nooit voor de wet getrouwd, maar we leefden wel als man en vrouw. En toen begon ik ook andere dingen te zien, hoe vrouwen met mannen omgingen. Ik begon er ook serieus over na te denken om St. Louis en omstreken te verlaten en naar New York te gaan.

Marghuerite Wendell (later de eerste vrouw van Willie Mays) controleerde de kaartjes in de Rhumboogie. We werden goede vrienden. Ze kwam uit St. Louis en was één van de elegantste vrouwen die ik ooit heb ontmoet. In ieder geval kwam ze regelmatig naar boven en vertelde me dan hoe knap alle vrouwen, haar vriendinnen, me vonden. Maar ik schonk niet veel aandacht aan die onzin. Het leek wel of die grieten daardoor nog meer hun best deden om mij mee in bed te krijgen. Begrijp je wat ik bedoel? Ik herinner me nog dat die ene vrouw, Ann Young, die een nichtje van Billie Holiday bleek te zijn, op een avond naar boven kwam en zei dat ze me mee wilde nemen naar New York om een nieuwe trompet voor me te kopen. Ik zei dat ik net een nieuwe trompet had en dat ik geen enkele behoefte had aan iemand die me mee wilde nemen naar New York, want dat ik sowieso naar New York ging. Nou, het kreng barstte bijna uit elkaar van woede en vertelde Marghuerite dat ik niet goed bij m'n hoofd was. Marghuerite lachte alleen maar, want ze wist hoe ik was.

Een andere keer – ik was nog bij de band van Eddie Randle – was er die danseres, Dorothy Cherry, een kanjer van een wijf. Het was zo'n stuk dat de kerels haar iedere avond rozen stuurden. Iedereen wilde met haar neuken. Ze was stripdanseres en we speelden in de Rhumboogie de achtergrondmuziek. Maar goed, ik loop op een avond langs haar kleedkamer en ze vraagt me om even binnen te komen. Die griet had een mooi, laag kontje, lange benen en haar tot aan haar middel: een knap Indiaans type. Donker, met een schitterend lijf en een prachtig gezicht. Ik denk dat ik zeventien was en zij was een jaar of twee-, drieëntwintig. Hoe dan ook, ze vraagt me of ik een spiegel onder haar kutje wil houden, zodat zij het schaamhaar kon scheren. Dat heb ik gedaan. Ik hield de spiegel vast terwijl zij aan het scheren was en ik heb nergens bij stilgestaan. De bel ging dat de pauze voorbij was en dat het tijd was voor de band om weer te spelen. Ik vertelde de drummer wat er gebeurd was en die keek me heel vreemd aan en zei: 'En wat deed je?' Ik vertelde dat ik alleen maar de spiegel had vastgehouden. En hij zei: 'Was dat alles? Verder niets?'

Ik zei: 'Ja, dat was alles. Wat had ik dan nog moeten doen?' De drummer, die zes- of zevenentwintig was, schudde zijn hoofd, barstte in lachen uit en zei: 'Je meent het; met al die seksmaniakken in de band laat ze uitgerekend *jou* die spiegel vasthouden? Tsjesses, wat is *dat* een kreng!' Daarna ging hij op zoek naar iemand om het tegen te vertellen. Nog een behoorlijke tijd hebben de bandleden me meewarig aangekeken. Ik dacht alleen maar: hoort bij de showbiz, dat iedereen de ander probeert te helpen.

Maar toen ik er later nog eens over nadacht, vroeg ik me af: wat was die eigenlijk van plan, dat stuk van een wijf, dat mij een spiegel laat vasthouden en naar haar kutje laat kijken. Ik ben er nooit achter gekomen, maar ze keek altijd zo plagerig naar me, de manier waarop vrouwen naar mannen kijken die nog min of meer onschuldig zijn. Alsof ze zich afvragen hoe het zou zijn om jou alles te leren wat ze weten. Maar ik snapte nog niets van vrouwen – behalve dan Irene – en ik begreep niet wanneer ik ertussen werd genomen.

Toen ik mijn diploma had, was ik eindelijk vrij om te

doen wat ik al minstens een jaar wilde. Ik had besloten om te proberen op de Juilliard School of Music in New York te komen. Maar die begon pas in september en ik zou ook nog een toelatingsexamen moeten doen. Dus besloot ik om, voordat ik naar Juilliard ging, zoveel mogelijk te spelen en te reizen.

In juni 1944 besloot ik de band van Eddie Randle te verlaten en met een groep uit New Orleans te gaan spelen, die Adam Lambert's Six Brown Cats heette. Ze hadden een soort moderne swing-stijl en Joe Williams, de grote jazz-zanger – die toen nog onbekend was – zong bij hen. Hun trompettist, Tom Jefferson, had heimwee gekregen naar New Orleans terwijl de band in Springfield, Illinois, speelde en had besloten naar huis te gaan. Men had mij aanbevolen als plaatsvervanger en ze betaalden goed. Dus ging ik met ze mee naar Chicago – het was de eerste keer dat ik in Chicago was.

Na een paar weken was ik weer thuis, want ik hield niet van de muziek die zij speelden. Net op dat moment was de Billy Eckstine band in St. Louis en ik kreeg de kans om twee weken lang met hen te spelen. Hierna nam ik het definitieve besluit om naar Juilliard in New York te gaan. Mijn moeder wilde dat ik naar Fisk ging, waar mijn zusje Dorothy was. Ze vertelde hoe goed de muziekafdeling daar was en over de Fisk Jubilee Singers. Maar sinds ik Charlie Parker, Dizzy Gillespie, Buddy Anderson (de trompettist die ik in St. Louis verving – hij kreeg tuberculose en ging terug naar Oklahoma – daarna heeft hij nooit meer gespeeld), Art Blakey, Sarah Vaughan en Mr. B. zelf had gehoord en ook met ze had gespeeld, *wist* ik dat ik in New York moest zijn, waar pas echt wat te beleven was. Mijn vader moest de ruzie bijleggen die ik met mijn moeder had over mijn schoolkeuze. Ook al was Juilliard een wereldberoemd conservatorium, voor mijn moeder maakte dat niets uit. Zij wilde dat ik naar Fisk ging, waar mijn zusje een oogje in het zeil kon houden. Maar ik piekerde er niet over.

Ik vond East St. Louis en St. Louis op dat moment zó deprimerend dat ik ergens anders naartoe moest, zelfs al viel het tegen. Ik had dat gevoel des te sterker nadat Clark Terry bij de marine was gegaan. Ik was een tijdje zó down, dat ik erover dacht om me ook aan te melden. Dan kon ik meespelen in de fantastische band van de marine in de Great Lakes in het noorden. Ze hadden Clark, Willie Smith, Robert Russell, de gebroeders Royal en een hele hoop andere figuren die in de band van Lionel Hampton of van Jimmie Lunceford hadden gespeeld. Ze hoefden niet te exerceren, hadden ook geen wacht of dat soort dingen, ze hoefden alleen maar te spelen. Ze gingen wel naar de rekrutenschool, maar dat was alles. Maar tenslotte zei ik toch: 'Krijg de klere.' Want Bird en Dizzy waren er niet bij en daar wilde ik zitten, bij hen in de buurt, daar was het me uiteindelijk om te doen en zij zaten in New York. Dus op naar New York. Maar ik was er in 1944, toen ik van school kwam, bijna toe gekomen om bij de marine te gaan. Soms vraag ik me af wat er gebeurd zou zijn als ik, in plaats van naar New York te verhuizen, dat inderdaad gedaan had.

In het begin van het najaar van 1944 vertrok ik uit East St. Louis naar New York. Ik moest een auditie doen om op Juilliard te worden toegelaten en ik slaagde met vlag en wimpel. De twee weken bij de band van B in St. Louis hadden me goed gedaan, maar ik was wel een beetje gekwetst geweest toen B me niet meenam om te spelen in het Regal Theatre in Chicago. B had in mijn plaats Marion Hazel aangenomen, toen Buddy Anderson niet terugkwam. Maar door weer in East St. Louis en St. Louis te spelen vóór mijn vertrek naar New York had ik mijn zelfvertrouwen herwonnen. Bovendien hadden Dizzy en Bird gezegd dat ik ze op moest zoeken als ik ooit in de

Big Apple was. Ik wist dat ik nu in St. Louis niets meer kon leren en dat het tijd was om te vertrekken. In het vroege najaar van 1944 pakte ik m'n spullen en nam de trein naar New York City, er in mijn hart van overtuigd dat ik ze daar nog weleens iets zou laten horen. Ik ben nooit bang geweest om iets nieuws te ondernemen en dat was ik ook niet toen ik naar New York City vertrok. Maar ik wist dat ik wel mijn best moest doen als ik het bij die grote jongens wilde maken. En ik wist dat dat ook zou gebeuren. Ik dacht dat ik met iedereen trompet kon spelen.

## 3

In september 1944 kwam ik naar New York City, niet in 1945 zoals sommige flauwekul schrijvers beweren. De Tweede Wereldoorlog was toen net afgelopen. Een hele-boel jonge kerels waren weggegaan om tegen de Duitsers en Japanners te vechten en een aantal van hen kwam niet meer terug. Ik had geluk; de oorlog liep ten einde. In New York liepen een hoop soldaten in uniform rond. Dat herinner ik me nog goed.

Ik was achttien en in sommige opzichten nog nat ach-ter de oren, zoals op het gebied van vrouwen en drugs. Maar ik was ervan overtuigd dat ik muziek kon maken, trompet kon spelen en ik was niet bang voor het leven in New York. Niettemin was die stad een openbaring voor me, met al die hoge gebouwen, het lawaai, al die auto's en al die godvergeten mensen overal om je heen. Het leven in New York was jachtiger dan ik ooit had meegemaakt; ik dacht dat St. Louis en Chicago drukke steden waren, maar die waren niet te vergelijken met New York City. Het eerste waar ik aan moest wennen, waren al die men-sen om me heen. Je met de subway verplaatsen was fan-tastisch, het ging zo snel.

Ik logeerde eerst in het Claremont Hotel op Riverside Drive, vlak tegenover Grant's Tomb. De Juilliard School had daar een kamer voor me besproken. Daarna vond ik een kamer in 147th Street, hoek Broadway, in een pen-sion dat gedreven werd door de familie Bell; deze mensen kwamen uit East St. Louis en kenden mijn ouders. Het waren aardige mensen en de kamer was groot en schoon en kostte een dollar per week. Mijn vader had het lesgeld betaald en had me naast het geld voor de huur ook nog wat zakgeld gegeven, genoeg om een maand of twee van rond te kunnen komen.

De eerste week in New York was ik alleen maar op zoek naar Bird en Dizzy. Ik heb overal gezocht naar die vogels, maakte al m'n geld op, maar vond ze nergens. Ik moest wel naar huis bellen om mijn vader om meer geld te vragen, wat hij me ook stuurde. Ik leefde nog steeds sober: niet roken, niet drinken, geen drugs. Toen het schooljaar op Juilliard was begonnen, nam ik steeds de ondergrondse naar 66th Street waar de school was. De sfeer op Juilliard stond me meteen al tegen. Wat daar gezegd werd was allemaal shit, mij te veel op de blanke muziek gericht. Bovendien had ik meer interesse voor wat er in de jazzwereld gebeurde; dat was de *werkelijke* reden waarom ik naar New York wilde, in de jazzwereld terechtkomen die zich afspeelde rond Minton's Playhouse in Harlem en in 52nd Street, die in de muziekwereld 'de Straat' werd genoemd. Dáárom was ik in New York, om zoveel mogelijk op te slorpen van wat zich daar voordeed; Juilliard was alleen maar een rookgordijn dat ik had opgetrokken, een tijdelijk onderkomen, een voorwendsel dat ik gebruikt had om dicht bij Bird en Dizzy te zijn.

In 52nd Street liep ik tegen Freddie Webster aan, die ik in St. Louis al had ontmoet toen hij op doorreis in de band van Jimmie Lunceford gespeeld had. Daarna hoorde ik de Savoy Sultans in de Savoy Ballroom in Harlem; Freddie en ik waren er samen naartoe gegaan. Ze speelden als een trein. Maar ik was nog steeds op zoek naar Bird en Dizzy en, al genoot ik van wat ik zag en hoorde, het was toch niet waarvoor ik eigenlijk naar New York was gekomen. Ik was daarnaast ook nog op zoek naar een manege. Omdat mijn vader en grootvader altijd paarden

hadden gehad en ik veel paard had gereden, hield ik ziels-
veel van paarden en was gek op rijden. Ik dacht dat ik in
Central Park wel paarden zou tegenkomen en liep het
hele park door en weer terug, van 110th Street tot 59th
Street op zoek naar een manege. Maar ik kon niets vinden. Op een gegeven moment heb ik het maar aan een
politieagent gevraagd en die vertelde dat er ergens in 81st
of 82nd Street een manege was. Ik ben ernaartoe gegaan
en heb op een paar paarden gereden. Het personeel vond
het maar vreemd, waarschijnlijk omdat ze niet gewend
waren een zwarte man te zien paardrijden. Maar dat was
hun probleem.

Ik ging naar Harlem om een kijkje te nemen bij Minton's Playhouse in 118th Street tussen St. Nicholas en
Seventh Avenue in. Naast Minton's lag het Cecil Hotel,
waar veel musici logeerden. Het was er een hippe boel.
De eerste die ik op de hoek van St. Nicholas en 117th
Street ontmoette was een vent die 'Collar' heette. Het
was in het parkje dat Dewey Square heette en waar alle
musici kwamen om high te worden. Ik ben er nooit achtergekomen hoe Collar in werkelijkheid heette. Hij
kwam uit St. Louis, waar hij de dexedrine-koning was en
Bird, op doorreis in St. Louis, van dexedrine en noot-
muskaat en andere troep voorzag. Maar goed, daar was
'ie dan, helemaal in Harlem, strak in het pak als een
beurspik, spierwit overhemd, zwart zijden pak, met glad
achterover geplakt haar tot op de schouders. Hij zei dat
hij in New York was om saxofoon te spelen in Minton's.
Maar indertijd in St. Louis speelde hij helemaal niet zo
best. Hij wilde alleen maar het leven leiden van een musicus. Maar ondanks dit alles was het een té gekke gozer.
Daar was 'ie dan, in de hoop mee te mogen doen in Minton's, hét zwarte jazzcentrum van de wereld. Hij heeft het
nooit gemaakt. In Minton's heeft niemand ooit aandacht
besteed aan Collar.

Minton's Playhouse en het Cecil Hotel waren eersteklas gelegenheden, met stijl. Het publiek was de crème de la crème van de zwarte gemeenschap in Harlem. Tegenover Dewey Square stond een enorm gebouw: Graham Court. Daar woonden een hoop beter gesitueerde zwarten, in van die fantastisch grote appartementen, je weet wel, dokters en advocaten en andere zwarten met topfuncties. Een hoop lui uit de omgeving, bijvoorbeeld uit Sugar Hill, kwamen altijd naar Minton's. En in die dagen was dat echt een nette buurt. Totdat het in de jaren '60 helemaal een centrum voor drugs werd en naar de knoppen ging.

Het publiek dat naar Minton's kwam had altijd een pak aan en een das om, want ze wilden er net zo uitzien als Duke Ellington en Jimmie Lunceford. Altijd keurig in het pak. Maar het entree bij Minton's kostte bijna niets. Ik geloof twee dollar voor een plaats aan een tafeltje, met een wit tafelkleedje en verse bloemen in glazen vaasjes. Er hing een prettige sfeer – heel wat aangenamer dan in de clubs in 52nd Street en er konden ongeveer 100 tot 125 mensen in. Het was eigenlijk een club waar je 's avonds kon eten en het eten werd klaargemaakt door Adelle, een zwarte kokkin, een geweldig mens.

Het Cecil Hotel was ook heel aardig, daar logeerden altijd veel zwarte musici die de stad even aandeden. De prijzen waren redelijk en de kamers waren groot en schoon. Daar kwam nog bij dat in de buurt van het hotel altijd eersteklas hoeren te vinden waren. Dus als één van die vogels zin had om z'n pijp uit te kloppen, dan had hij na betaling een prima wijf en kon meteen z'n hotelkamer in duiken.

Bij Minton's werden aankomende musici met een schop onder hun kont de goede richting uitgetrapt en niet in 'de Straat' zoals tegenwoordig wordt beweerd. Bij Minton's leerde je het echte werk en pas *daarna* ging je naar 'de Straat'. De Straat was een makkie vergeleken bij Minton's. je ging naar 52nd Street om geld te verdienen en om gezien te worden door de blanken en door blanke muziekcritici. Maar als je onder de musici zelf een reputatie wilde opbouwen, dan ging je naar Minton's. Bij Minton's kregen een hele hoop musici een schop onder hun reet, zijn er afgemaakt en daarna van het toneel verdwenen – voorgoed. Maar Minton's was voor een hoop musici ook een geweldige leerschool, die ze heeft gevormd tot wat ze uiteindelijk zijn geworden.

Ik kwam Fats Navarro weer tegen bij Minton's en daarna gingen we er vaak samen jammen. Milt Jackson speelde daar. en Eddie 'Lockjaw' Davis, de tenorsaxofonist, was leider van de huisband. Hij was geweldig. Weet je, grote musici als Lockjaw en Bird en Dizzy en Monk, de ongekroonde koningen van Minton's Playhouse, speelden nooit zomaar gewone muziek. En dat deden ze om de hele reut die niet echt kon spelen, buiten de deur te houden.

Als je bij Minton's op het podium stond en niet kon spelen, dan ging je niet alleen af omdat het publiek je negeerde of uitjouwde, maar je riskeerde bovendien om een schop onder je reet te krijgen. Op een avond was er weer zo'n gozer die nauwelijks kon spelen, maar toch het podium op ging en daar maar wat aanklooide – allemaal bullshit – alleen maar om indruk te maken op een paar grieten. Toen stond er opeens uit het publiek een vent op, die gekomen was om te luisteren naar de muziek, en sleurde die stomme lul van het podium af naar buiten het steegje in tussen het Cecil Hotel en Minton's. Gaf hem een oplawaai en zei toen tegen die vlegel dat hij pas weer op het podium van Minton's mocht verschijnen als hij werkelijk iets wist te presteren. Zo was Minton's. Je was wat of je was niks, er was geen tussenweg.

Teddy Hill, een zwarte, was de eigenaar van Minton's

Playhouse. In zijn club is de bebop ontstaan. Het was het muzieklaboratorium voor bebop. En nadat de bebop bij Minton's was bijgeschaafd, kwam die pas downtown naar 52nd Street – bij de Three Deuces, de Onyx en Kelly's Stable – waar de blanken het te horen kregen. Maar hoe goed die muziek daar in 52nd Street ook klonk, het was toch niet zo hot of zo vernieuwend als uptown bij Minton's. Je had het gevoel dat je het kalmer aan moest doen voor de blanken in downtown omdat die de *echte muziek* niet aankonden. Begrijp me goed, er waren *een paar* goede blanken, die flink genoeg waren om naar Minton's te komen. Maar dat waren er maar een paar en ze kwamen maar zelden.

Ik heb er een enorme hekel aan dat blanken altijd proberen met de eer te gaan strijken nadat zij iets ontdekt hebben. Alsof het daarvoor niet eens bestond – ze zijn meestal toch al laat met hun ontdekkingen en er niet vanaf het begin bij betrokken geweest. Daarna proberen ze alle eer naar zich toe te trekken, ten koste van de zwarten. Dat probeerden ze ook met Minton's Playhouse en met Teddy Hill. Toen bebop *de* rage was geworden, probeerden blanke muziekcritici net te doen alsof zij de muziek – en ons – in 52nd Street ontdekt hadden. Ik ga over m'n nek van dat soort oneerlijk gedoe. En als je er iets van zegt of het niet eens bent met dat racistische gezeik, dan ben je een linkse drammer, een zwarte herrieschopper. Dan proberen ze je overal van uit te sluiten. Maar de musici en de mensen die echt van bebop hielden en de waarheid respecteerden, weten dat *de echte muziek* bij Minton's in Harlem werd gespeeld.

Elke avond na school ging ik of naar de Straat of naar Minton's. Het duurde nu al een paar weken dat ik Bird en Dizzy nergens kon vinden. Ik ging naar clubs in 52nd Street, zoals de Spotlite, de Three Deuces, Kelly's Stable en de Onyx op zoek naar hen. Ik weet nog dat ik de eerste keer bij de Three Deuces kwam en zag hoe klein die tent was, ik had gedacht dat het veel groter zou zijn. Het had zo'n grote naam in de jazzwereld, dat ik dacht dat alles er van pluche was en zo. Het podium was niet meer dan een piepklein vloertje, waar nauwelijks een piano op kon staan, laat staan een hele groep musici. De tafeltjes voor de gasten stonden dicht op elkaar en ik weet nog dat ik het maar een smerig klein hok vond en dat East St. Louis en St. Louis heel wat beter uitziende clubs hadden. De aanblik van de club viel me bitter tegen, maar de muziek die ik er hoorde niet. De eerste die ik daar hoorde, was Don Byas, een kei op de tenorsax. Ik weet nog dat ik met open mond luisterde naar wat hij speelde op dat miezerige kleine podium.

Toen lukte het me eindelijk om in contact te komen met Dizzy. Ik had z'n telefoonnummer gekregen en belde hem op. Hij wist nog wie ik was en nodigde me uit in zijn appartement op Seventh Avenue in Harlem. Het was geweldig om hem weer te zien. Maar Dizzy had Bird ook al heel lang niet gezien en wist niet hoe of waar hij te bereiken was.

Ik bleef zoeken naar Bird. Op een avond stond ik wat rond te lummelen bij de ingang van de Three Deuces, toen de eigenaar eraan kwam en vroeg wat ik daar deed. Ik vermoed dat ik er jong en onschuldig uitzag, ik kon nog niet eens een snor laten staan. Maar goed, ik zei dat ik op zoek was naar Bird en hij zei dat die er niet was en dat ik achttien moest zijn om de club in te mogen. Ik zei dat ik allang achttien was en dat ik Bird móest vinden. Toen ging die vent me vertellen dat Bird een klerelijer was, dat 'ie een drugsverslaafde was en al dat soort shit meer. Hij vroeg waar ik vandaan kwam en toen ik het hem vertelde, zei hij tegen me dat ik maar beter terug naar huis kon gaan. Hij noemde me ook nog 'boy' en daar kan ik niet tegen, vooral niet van een of andere blanke lul, die ik niet eens ken. Daarom zei ik tegen hem dat 'ie op kon rotten, draaide me om en liep weg. Ik *wist* al dat Bird zwaar aan de heroïne was, hij vertelde me dus niks nieuws.

Van de Three Deuces liep ik de straat uit naar de Onyx Club, waar Coleman Hawkins speelde. Mijn god, de Onyx zat stampvol mensen die gekomen waren voor Hawk, die daar regelmatig optrad. Omdat ik nog steeds niemand kende, hing ik maar een beetje rond bij de ingang, net als bij de Three Deuces, om te kijken of ik een bekend gezicht zag, bijvoorbeeld iemand uit de band van B. Maar ik zag niemand.

Toen Bean – zo noemden we Coleman Hawkins – even pauzeerde, kwam hij naar de plek waar ik stond en tot op de dag van vandaag weet ik nog steeds niet waarom. Ik denk dat het gewoon mazzel was. Maar goed, ik wist wie hij was en stelde me aan hem voor en vertelde hem dat ik in St. Louis in de band van B had gespeeld en dat ik nu in New York naar Juilliard ging, maar in feite op zoek was naar Bird. Ik zei dat ik met Bird wilde spelen en dat die gezegd had dat ik hem moest komen opzoeken als ik in New York was. Bean lachte wat schamper en zei dat ik nog te jong was om me met iemand als Bird in te laten. Hij maakte me woedend met z'n gelul. Het was de tweede keer dat ik dit die avond te horen kreeg. Ik wilde er niets meer over horen, zelfs niet van iemand als Coleman Hawkins, waar ik een enorme bewondering voor had. Ik had zwaar de pest in en ik weet nog dat ik tegen *Coleman Hawkins* zoiets riep als: 'Weet je nou wel of niet waar hij is?'

Ik denk dat Hawk nogal geschokt was dat een zwart gozertje zoals ik zo tegen hem uitviel. Hij keek me alleen maar hoofdschuddend aan en zei dat ik Bird hoogstwaarschijnlijk in Harlem kon vinden, bij Minton's of bij Small's Paradise. Bean zei: 'Bird vindt het heerlijk om daar te spelen.' Hij wilde zich al omdraaien, maar zei er toen nog achteraan: 'Maar laat ik je een goede raad geven: maak je studie af en vergeet Bird.'

Man, die eerste weken in New York waren slopend – steeds op zoek naar Bird en toch proberen bij te blijven met m'n studie. Op een dag vertelde iemand dat Bird vrienden had in Greenwich Village. Ik ging erheen om te kijken of ik hem daar misschien kon vinden. Ik ging koffiehuizen in Bleecker Street binnen. Ontmoette kunstenaars, schrijvers en van die bebaarde, langharige beatnik-dichters. Ik had nog nooit zulk soort mensen ontmoet. Ik heb veel geleerd in de Village.

Op m'n zwerftochten door Harlem, de Village en 52nd Street leerde ik mensen kennen als Jimmy Cobb en Dexter Gordon. Gordon noemde mij 'zoetekauw', omdat ik altijd moutmelk dronk en koekjes, gebakjes en snoepjes zat te eten. Coleman en ik gingen ook weer vriendschappelijk met elkaar om. Hij mocht me wel, keek naar me uit en hielp me zo goed als hij kon bij het zoeken naar Bird. Bean was er langzamerhand van overtuigd geraakt dat ik het serieus meende met de muziek en daar had hij respect voor. Maar nog steeds geen spoor van Bird. Zelfs Diz wist niet waar hij zat.

Op een dag las ik in de krant dat Bird mee zou doen aan een jamsessie in een club in Harlem. Het was de Heatwave in 145th Street. Ik weet nog dat ik Bean vroeg of hij dacht dat Bird zou komen opdagen. En Bean zei met dat ironische lachje van hem: 'Ik durf te wedden dat *Bird* niet eens weet of hij er wel of niet zal zijn.'

Die avond ging ik naar de Heatwave, een gezellige kleine club in een gezellige buurt. Ik had mijn trompet meegenomen voor het geval ik Bird zou aantreffen – als hij zich mij nog kon herinneren, zou hij me zeker mee laten doen. Bird was er niet, maar ik ontmoette er een paar andere musici, zoals Allen Eager, een blanke die tenor

73

speelde, Joe Guy, een geweldige trompettist en Tommy Potter, een bassist. Ik was op zoek naar Bird en daarom schonk ik nauwelijks aandacht aan hen. Ik vond een plaatsje en hield de deur in de gaten, op de uitkijk naar Bird. Bijna de hele avond heb ik daar op hem zitten wachten, maar mooi geen Bird. Daarom besloot ik naar buiten te gaan om een luchtje te scheppen. Ik stond nog niet buiten op de hoek van de straat of ik hoorde zijn stem achter me: 'Hé, Miles! Ik hoorde dat je me zocht!'

Ik draaide me om en daar stond Bird. Hij zag er niet uit. Met van die flodderige kleren aan, alsof hij er dagen in had geslapen. Hij had een pafferig gezicht en z'n ogen waren rood en opgezwollen. Maar hij was heel kalm en bij de tijd, zoals hij meestal was, zelfs als hij dronken was of high. Hij bezat ook die zelfverzekerdheid, die kenmerkend is voor mensen die *weten* dat wat ze doen oké is. Maar *of* hij er nou uitzag als een lijk of niet, na die hele avond op zoek te zijn geweest naar hem, zag hij er in mijn ogen prima uit. Ik was maar al te blij om hem te zien. En toen hij ook nog wist waar hij mij ontmoet had, kon ik mijn geluk niet meer op.

Ik vertelde over de moeite die ik had gedaan om hem te vinden. Hij lachte een beetje en zei dat hij gewoon overal wat rondhing. Hij nam me mee de Heatwave in, waar iedereen hem als een koning begroette. Dat was hij ook. En omdat ik bij hem was en hij z'n arm om m'n schouders had geslagen, werd ik ook met respect behandeld. Ik heb die avond niet gespeeld. Ik heb alleen maar geluisterd. Man, ik stond er versteld van hoe Bird veranderde toen hij zijn instrument aan zijn lippen zette. Van een echte schlemiel, werd hij een figuur die kracht en schoonheid uitstraalde. De verandering die hij onderging toen hij eenmaal begon te spelen was verbazingwekkend. Hij was toen vierentwintig, maar als hij niet speelde leek hij ouder, vooral als hij niet op het podium stond.

Maar z'n hele voorkomen veranderde zodra hij de sax aan zijn lippen zette. Hij kon fantastisch spelen, zelfs als hij te zat was om te blijven staan of wegsufte van de heroïne. Bird was een bijzonder iemand.

Maar goed nadat ik Bird die avond had opgespoord, was ik de eerste paar jaar niet meer uit z'n buurt weg te slaan. Hij en Dizzy hebben mij het meest beïnvloed en werden mijn leermeesters. Bird trok zelfs een tijdje bij me in tot Irene kwam. Ze kwam in december 1944 naar New York. Plotseling stond ze verdomme voor de deur, op aanraden van m'n moeder. Dus zocht ik voor Bird een kamer in hetzelfde pension in 147th Street, hoek Broadway.

Maar ik kon toen niet tegen Birds manier van leven – alleen maar drinken en eten en drugs. Overdag moest ik naar school en lag hij maar in z'n nest. Maar hij heeft me een hoop over muziek geleerd – akkoorden en zo – en gezegd dat ik op school piano moest leren spelen.

Ik was bijna elke avond op stap met Diz of Bird, speelde mee of nam zoveel mogelijk in me op. Zoals ik al zei, had ik Freddie Webster ontmoet, een geweldige trompettist en ongeveer even oud als ik. We gingen vaak samen naar 52nd Street en luisterden vol bewondering naar de razende snelheid waarmee Dizzy trompet kon spelen. Mijn god, zoals ze daar in 52nd Street en in de Minton's speelden, zoiets had ik nog nooit gehoord. Bijna beangstigend, zo goed. Dizzy leerde me een beetje piano spelen, zodat ik m'n gevoel voor muziek wat kon ontwikkelen.

En Bird stelde me voor aan Thelonious Monk. Ik stond versteld over z'n gebruik van intervallen tijdens de solo's en het hanteren van vreemd klinkende reeksen akkoorden. Ik zei: 'Verdomme, wat is die kerel aan het doen?' Met z'n gebruik van intervallen heeft Monk grote invloed gehad op de manier waarop ik hierna solo's speelde.

Intussen begon ik behoorlijk te balen van wat er op Juilliard onderwezen werd. Ik zat daar gewoon niet op mijn plaats. Zoals ik al zei was Juilliard alleen maar een voorwendsel geweest om bij Dizzy en Bird in de buurt te zijn, maar ik wilde ook weten of ik er iets kon leren. Ik speelde op school mee in het symfonieorkest. We speelden ongeveer twee noten per negentig maten, dat was alles. Ik had behoefte aan meer. Bovendien wist ik dat geen enkel blank symfonieorkest een zwart type als ik zou aannemen, ook al was ik nog zo goed en wist ik nog zoveel af van muziek.

Ik leerde meer van het rondhangen in clubs, dus na een tijdje baalde ik van school. Bovendien was de sfeer er zo pro-blank en zo racistisch. Ik kon op één sessie bij Minton's meer leren dan op Juilliard in twee jaar. Op Juilliard leerde ik alleen maar een stelletje blanke stijlen, niets nieuws. En ik werd gek van hun vooroordelen en kouwe kak.

Ik kan me die keer nog herinneren dat we les hadden in muziekgeschiedenis. De lerares was blank. Ze stond voor de klas en zei dat zwarten blues speelden omdat ze arm waren en katoen moesten plukken. Daarom waren ze treurig en dáár kwamen de blues vandaan, van hun droefheid. Ik stak razendsnel mijn hand op, ging staan en zei: 'Ik kom uit East St. Louis en mijn vader is rijk, hij is tandarts en ik speel blues. Mijn vader heeft nooit katoen geplukt en ik ben vanmorgen niet treurig opgestaan en blues gaan spelen. Er zit echt wel wat meer achter.' Nou, dat mens trok wit weg en heeft daarna niks meer gezegd. Ze haalde die onzin uit een boek dat door een of andere idioot was geschreven, die niet wist waar hij het over had. Dat soort nonsens maakte je mee op Juilliard en na een tijdje had ik er schoon genoeg van.

In mijn opvatting over muziek waren mensen als Fletcher Henderson en Duke Ellington in Amerika de

76

echte genieën in het arrangeren van muziek. Deze vrouw wist niet eens wie dat waren en *ik* had geen tijd om haar dat te vertellen. Van haar werd verwacht dat ze mij iets leerde! In plaats van te luisteren naar wat zij en de andere leraren te zeggen hadden, keek ik naar de klok en zat te bedenken wat ik die avond zou gaan doen, of Bird en Diz misschien de stad in zouden gaan. Ik overwoog om naar huis te gaan, me te verkleden voor Bickford's in 145th Street, hoek Broadway en daar een soepje te eten voor vijftig cent, zodat ik fit genoeg zou zijn om die avond te kunnen spelen.

Op maandagavond kwamen Bird en Dizzy altijd naar Minton's om te improviseren. Er waren dan wel duizend mensen die probeerden binnen te komen om te luisteren of om met Bird en Dizzy te spelen. Maar de meeste musici die wisten hoe het er toeging, dachten er niet over om zelf te spelen als Bird en Dizzy kwamen spelen. We gingen gewoon tussen het publiek zitten om te luisteren en er iets van op te steken. De ritmesectie bestond soms uit Kenny Clarke op drums en soms Max Roach, die ik daar heb leren kennen. Curly Russell speelde bas en Monk zat soms achter de piano. Man, de mensen vochten er gewoonweg om een plaats. Als je even wegging, was je je plaats kwijt en moest je ruzie maken om die terug te veroveren. Dat was me wat. Er hing een geladen sfeer.

Het verliep bij Minton's als volgt: je nam je trompet mee en hoopte dat Bird en Dizzy je uit zouden nodigen om mee te spelen op het podium. En als dat gebeurde, kon je het beter maar niet verknallen. Ik verknalde het niet. De eerste keer speelde ik niet echt fantastisch, maar ik speelde me uit de naad, in mijn eigen stijl, die anders was dan die van Dizzy, hoewel ik toen al door hem beïnvloed was. Maar het publiek lette op de reacties van Bird en Dizzy en als zij lachten als je klaar was met spelen, dan betekende het dat je goed gespeeld had. Ze lachten toen ik die eerste keer stopte met spelen en vanaf dat moment was ik opgenomen in de muziekwereld van New York. Daarna werd ik een soort ster in opkomst. Ik mocht er altijd bij zijn, bij de grote jongens.

Aan dat soort dingen zat ik tijdens de lessen op Juilliard te denken, in plaats van te luisteren naar wat zij me te vertellen hadden. Dat is de reden waarom ik tenslotte van Juilliard af ben gegaan. Ze leerden me niks en ze *konden* me ook niks leren omdat ze zo bevooroordeeld stonden tegenover zwarte muziek. En dat was nu juist de muziek die ik wilde leren spelen.

Maar goed, na een tijdje mocht ik bij Minton's meedoen wanneer ik maar wilde en kwam het publiek naar *mij* luisteren. Ik begon langzamerhand naam te maken. Toen ik voor het eerst in New York kwam, dacht ik dat alle musici alles over muziek wisten, maar dat bleek niet het geval. Ik was dan ook stomverbaasd toen ik merkte dat ik van de wat oudere figuren alleen van Dizzy, Roy Eldridge en de langharige Joe Guy nog wat kon leren. Ik had verwacht dat ze allemaal fantastische musici zouden zijn en was verbaasd dat ik vaak meer van muziek bleek af te weten dan de meesten.

Er was nog iets dat ik vreemd vond. Toen ik een tijdje in New York woonde en speelde, merkte ik dat een hele hoop zwarte musici niets wisten over muziektheorie. Bud Powell was één van de weinigen die ik kende, die allerlei soorten muziek kon spelen, schrijven en lezen. De meesten van de oudere garde dachten dat je als een blanke zou gaan spelen als je naar school ging. Of dat je je gevoel in je spel zou verliezen als je iets van theorie afwist. Ik kon nauwelijks geloven dat mensen als Bird, Prez, Bean en al die fantastische musici nooit naar een museum of een bibliotheek gingen om een partituur in te zien of te lenen, zodat ze wisten wat er te koop was. Ik ging vaak naar de bibliotheek en leende partituren van allerlei beroemde componisten, zoals Stravinsky, Alban Berg, Prokofjev. Ik wilde alles zien te weten te komen over muziek. Kennis maakt vrij, onwetendheid is slavernij. En ik kon maar niet begrijpen dat iemand die de mogelijkheid had om vrij te zijn, daar geen gebruik van maakte. Ik heb nooit begrepen waarom de zwarten geen gebruik maken van de mogelijkheden die ze hebben. Het is een soort gettomentaliteit om tegen mensen te zeggen dat ze bepaalde dingen niet horen te doen, dat die dingen alleen voorbehouden zijn aan de blanken. Als ik zoiets tegen andere musici zei, keken ze me alleen maar wat glazig aan. Begrijp je wat ik bedoel? Daarom ging ik mijn eigen weg en praatte er niet meer over.

Ik had een goede vriend, Eugene Hays, hij kwam uit St. Louis en zat bij mij op Juilliard, waar hij klassiek piano studeerde. Hij was een genie. Als hij blank was geweest, zou hij nu één van de meest gevierde klassieke pianisten ter wereld zijn geweest. Maar hij was zwart en z'n tijd vooruit. Daarom heeft hij geen kans gekregen. Wij maakten gebruik van de muziekbibliotheken. We maakten zoveel mogelijk van van alles gebruik.

Maar goed, ik ging in die tijd om met musici als Fats Navarro – die 'Fat Girl' genoemd werd – en Freddie Webster en ik was ook tamelijk goed bevriend geraakt met Max Roach en J.J. Johnson, de grote trombonist uit Indianapolis. We probeerden allemaal op de Universiteit van Minton onze doctorstitel in de Bebop te halen onder begeleiding van de professoren Bird en Diz. God, wat konden die ongelooflijk spelen!

Op een keer na een jamsessie, toen ik al naar huis was gegaan en in bed lag, werd er op de deur geklopt. Ik stond woedend op, tollend van de slaap en deed de deur open. Daar stonden J.J. Johnson en Benny Carter met potlood en papier voor m'n neus. Ik vroeg: 'Verdomme, wat doen jullie hier zo vroeg in de morgen?' J.J. zei:

'*Confirmation*, Miles. Alsjeblieft, neurie even *Confirmation* voor me.'

De lul had niet eens 'hallo' gezegd. Hij viel gewoon met de deur in huis. Bird had net *Confirmation* geschreven en alle musici waren gek op die melodie. Daar stond hij dan. die klootzak, om zes uur in de morgen. J.J. en ik hadden een paar uur geleden op de jamsessie *Confirmation* ingestudeerd. En nu stond hij daar en vroeg of ik de melodie wilde neuriën.

Slaperig nog, begon ik te neuriën, in F. Want het was in F geschreven. Zegt J.J. tegen me: 'Je bent een noot vergeten, Miles. Waar zit die noot, wat is dat voor een noot in de melodie?' Ik vertelde het hem.

Zegt 'ie: 'Dank je, Miles,' schrijft iets op en gaat weer weg. J.J. was een vreemde vogel. Hij deed dit soort dingen wel meer. Omdat ik op Juilliard zat, dacht hij dat ik precies wist wat Bird technisch aan het doen was. Ik zal nooit die eerste keer vergeten dat hij me dit lapte en we hebben er nog steeds plezier om. Zo ging iedereen op in de muziek van Bird en Dizzy. We stonden ermee op en gingen ermee naar bed.

Fat Girl en ik gingen vaak samen naar Minton's. Hij was verschrikkelijk groot en zwaar, maar vlak voor zijn dood was er niet veel meer van hem over. Als de een of andere kerel in Minton's iets speelde wat hem niet beviel, zorgde Fat Girl ervoor dat hij niet bij de microfoon kon komen. Hij versperde hem de weg naar de microfoon, maakte niet uit wie het was, en wenkte mij om te komen spelen. Veel musici werden dan razend op Fat Girl, maar dat kon hem niets schelen en de betrokkenen wisten zelf ook wel dat ze niet echt goed konden spelen. Ze bleven daarom ook nooit lang kwaad.

Maar mijn echte idool in die eerste tijd in New York was Freddie Webster. Ik vond het fantastisch wat hij op de trompet kon. Hij had de stijl van trompettisten in St.

Louis, een krachtig, zingend geluid, en hij speelde niet te veel noten achter elkaar of in dat hele snelle tempo. Hij hield van niet al te snelle muziek en ballads, net als ik. Ik vond z'n manier van spelen heerlijk, hij verspilde geen noten en produceerde een warme, volle klank. Ik probeerde te spelen zoals hij, maar zonder vibrato en zonder 'trillers'. Hij was ongeveer negen jaar ouder dan ik, maar ik probeerde hem alles bij te brengen wat ik op Juilliard leerde over techniek en compositie, vooral technische zaken waar Juilliard goed in was. Freddie kwam uit Cleveland en had altijd samen met Tadd Dameron gespeeld. We waren net broers van elkaar en hadden veel dingen gemeen. We waren ongeveer even groot en droegen elkaars kleren.

Freddie had een hele hoop wijven. Behalve op muziek en heroïne, was hij ook gek op vrouwen. Mensen kwamen me vertellen dat Freddie een kaliber 45-pistool had en dat soort dingen meer. Maar iedereen die hem echt goed kende, wist dat dat niet waar was. Ik bedoel hij gebruikte wel stuff, maar hij viel niemand lastig. Hij heeft zelfs nog een tijdje bij me gewoond toen Bird weg was. Freddie zei precies wat hem voor de mond kwam en trok zich van niemand iets aan. Hij zat behoorlijk gecompliceerd in elkaar, maar we konden het goed met elkaar vinden. Zelfs zo goed, dat ik regelmatig de huur voor hem betaalde. Wat van mij was, was van hem. Mijn vader stuurde me ongeveer veertig dollar per week, in die tijd een aardige som geld. Ik deelde met Freddie het geld dat ik niet nodig had voor m'n gezin.

1945 was een keerpunt in mijn leven. Er gebeurde zoveel met me. Allereerst was ik door het rondhangen in zoveel clubs en het omgaan met zoveel musici dat jaar gaan roken en af en toe iets gaan drinken. En ik was met heel wat meer mensen gaan spelen. Freddie en ik, Fat Girl, J. J. en Max Roach improviseerden in New York en in Brooklyn waar we maar konden. In 52nd Street down-town speelden we tot een uur of twaalf of één 's nachts. Als we daar uitgespeeld waren, gingen we uptown naar Minton's, Small's Paradise of de Heatwave, waar we tot sluitingstijd speelden – tot ongeveer vier, vijf of zes uur 's morgens. Na die lange jamsessies bleven Freddie en ik altijd nog even wat napraten over muziek en muziek-theorie of over manieren van trompetspelen. Ik kwam dan ook half slaapwandelend aan op Juilliard en verveel-de me dood tijdens die kut-lessen, vooral bij de koorles-sen. Ik zat daar maar te gapen en te knikkebollen. En na school gingen Freddie en ik weer ergens zitten praten over muziek. Ik kwam nauwelijks aan slaap toe. En ik moest me ook af en toe tegenover Irene van mijn plich-ten als echtgenoot kwijten, je weet wel, in bed en dat soort dingen. Dan begon Cheryl altijd te huilen. Het werd me allemaal te veel.

In 1945 zochten Freddie Webster en ik bijna iedere avond Diz en Bird op, waar ze ook speelden. We hadden het gevoel dat we iets belangrijks misten als we ze niet hoorden spelen. Man, wat ze allemaal speelden en deden was bijna niet meer bij te houden zonder dat je er niet zelf bij was. We maakten echt een studie van wat ze aan het doen waren, technisch gezien. We waren weten-schappers op het gebied van geluid. Als een deur piepte, wisten we precies de juiste toonhoogte.

Ik had les van een blanke leraar, William Vachiano, die altijd aardig tegen me was. Maar hij was gek op onzin als *Tea for Two* en vroeg me dan dat soort troep te spelen. We hebben ruzies gehad, die onder musici in New York legendarisch zijn geworden, want hij was immers de gro-te leraar van gevorderde studenten zoals ik. Die klootzak en ik hebben heel wat keren de grootste ruzie gehad. Dan zei ik: 'Hé lul, je hoort me wat bij te brengen, doe dat dan en schei uit met die nonsens.' Als ik zoiets zei, werd

82

Vachiano razend en liep rood aan van woede. Maar hij gaf me meestal wel gelijk.

Op een gegeven moment speelde ik me het leplazarus met Bird. Met Dizzy kon ik gewoon ergens zitten praten en eten omdat hij zo'n aardige kerel was. Maar Bird was een uitvreter van de bovenste plank. We hadden elkaar nooit veel te zeggen. We speelden graag met elkaar, maar daar hield het mee op. Bird zei *nooit* wat je moest spelen. Je kon van hem leren door alleen maar te kijken en alles op te pikken wat hij deed. Als je alleen met hem was, praatte hij nooit over muziek. Toen hij bij me woonde, hebben we er een enkel keertje over gepraat en daar heb ik toen wel wat van opgestoken, maar het meeste heb ik opgepikt door gewoon naar hem te luisteren.

Dizzy vond het *heerlijk* om over muziek te praten en op die manier heb ik een hoop van hem geleerd. Bird mag dan misschien de ziel van de bebop-beweging zijn geweest. Dizzy was het 'brein' erachter en ook degene die de zaak bij elkaar hield. Hij was degene die uitkeek naar jonge spelers, ons een baan bezorgde en met ons praatte, ook al was hij negen of tien jaar ouder dan ik. Maar hij was nooit uit de hoogte. Andere mensen keken meestal wel op Dizzy neer, omdat hij zich zo belachelijk gedroeg en zo. Maar hij was niet echt geschift, alleen maar gek als een deur en erg geïnteresseerd in de geschiedenis van de zwarten. Hij speelde al Afrikaanse en Cubaanse muziek nog lang voordat die muziek bij anderen populair werd. Dizzy's appartement – 2040 Seventh Avenue in Harlem – was overdag de ontmoetingsplaats van musici. Er kwamen er op een gegeven moment zoveel dat z'n vrouw Lorraine er een aantal uitgooide. Ik was er vaak. Kenny Dorham was er meestal en Max Roach en Monk.

Het was Dizzy die me echt piano leerde spelen. Ik zat bij hem thuis te kijken hoe Monk z'n ongewone muziek speelde met intervallen en reeksen akkoorden. En als

Dizzy aan het oefenen was, dan zat ik al die mooie muziek in me op te nemen. En toen heb ik Dizzy ook iets laten horen wat ik op Juilliard geleerd had, de Egyptische mineurtoonladders. Met de Egyptische toonladder zet je gewoon de mollen en de kruisen waar je de noten verlaagd of verhoogd wilt hebben en dan heb je twee mollen en een kruis, snap je? Dat wil zeggen: je speelt Es en As en dan wordt de F een Fis. Je neemt gewoon de noten die je wilt, zoals in de Egyptische mineurtoonladder in C. Dat klinkt heel grappig, omdat je twee mollen hebt en een kruis. Maar het geeft je de vrijheid om met melodische ideeën te werken zonder de basistoonsoort te veranderen. Dizzy was er enthousiast over en dat vond ik leuk. Maar ik heb heel wat meer van hem geleerd dan hij van mij.

Met Bird kon je een hoop lol hebben, want hij was echt een genie op het gebied van muziek en hij kon zo gek zijn als een deur, als hij weer eens met dat Britse accent praatte. Maar het was ook moeilijk om met hem om te gaan, want hij probeerde je altijd te tillen of iets van je los te krijgen voor zijn drugsgebruik. Hij leende altijd geld van mij voor heroïne of voor whisky, net waar hij op dat moment het meest behoefte aan had. Zoals ik al zei, was Bird een hebzuchtig type, zoals de meeste genieën. Hij wilde altijd van alles hebben. Als hij wanhopig was omdat hij een shot nodig had, dan deed hij van alles om die te krijgen. Dan wist hij me om te lullen. Maar hij was nog niet weg of hij rende de hoek om en kwam bij een ander met hetzelfde droevige verhaal aan dat hij geld nodig had om z'n sax terug te kunnen kopen bij de lommerd en wist er dan nog meer uit te slaan. Niemand zag ooit een cent van hem terug. In dat opzicht was Bird een misselijk type om mee om te gaan.

Op een gegeven moment liet ik hem achter in mijn kamer, omdat ik naar school moest en toen ik terugkwam had de smeerlap mijn koffer verpand en zat op de grond te knikkebollen na een shot. Een andere keer had hij zijn pak beleend om aan heroïne te komen en leende toen een pak van mij om naar de Three Deuces te gaan. Maar ik was een stuk kleiner. Dus stond Bird daar op het podium met veel te korte mouwen en een broek die een paar centimeter boven z'n enkels hing. Het was op dat moment het enige pak dat ik had. Ik moest dus wel thuisblijven tot hij z'n eigen pak uit de lommerd had gehaald en het mijne had teruggebracht. Maar de zak heeft wel een dag lang zo rondgelopen, op zoek naar heroïne. Ze zeiden dat Bird die avond gespeeld had alsof hij een smoking aanhad. Dat is de reden waarom iedereen gek was op Bird en die bullshit van hem pikte. Hij was de grootste altsaxofonist die er ooit geweest is. Zo was Bird nu eenmaal, hij was een groots en geniaal musicus, maar hij was ook één van de walgelijkste en hebberigste klootzakken die ik ooit heb meegemaakt. Hij was een figuur apart.

Ik weet nog goed dat we op een keer naar de Straat reden om te gaan spelen en Bird die blanke griet bij zich achterin de taxi had. Hij had al een flinke dosis heroïne gespoten en nu zat 'ie kip te vreten – daar was hij gek op – en whisky te drinken en aan die griet te vertellen dat ze hem even moest pijpen. Nou moet je weten dat ik in die periode eigenlijk nog niets gewend was – ik dronk nauwelijks en ik geloof dat ik toen net begonnen was met roken – en ik gebruikte helemaal nog geen drugs, want ik was pas negentien en had dit soort situaties nog nooit meegemaakt. Maar goed, Bird merkte dat ik me niet erg op m'n gemak voelde met dat wijf dat hem af zat te zuigen, terwijl hij haar kut zat te likken. Hij vroeg of er iets mis met me was en of ik me aan hem stoorde. Toen ik zei dat ik niet goed werd van dat gedoe – zij zat daar zijn lul maar af te likken en te smakken met haar tong als een

hond en hij maar kreunen en intussen van z'n kip eten –
zei ik recht voor z'n raap: 'Ja, het stoort me.' Weet je wat
die klootzak toen zei? Hij zei dat ik dan maar niet op ze
letten moest. Ik kon m'n oren niet geloven. Het was een
kleine taxi en we zaten met z'n drieën achterin. Hoe kon
ik dan net doen of ik niets zag? Ik stak m'n hoofd dus
maar uit het raampje, maar ik kon intussen nog steeds
horen wat ze aan het doen waren, terwijl Bird ondertussen luidruchtig z'n kip aan het verorberen was. Maar het
was toch een bijzondere vent.

Ik keek meer tegen Bird op als musicus dan dat ik hem
als persoon kon waarderen. Maar hij behandelde mij als
een zoon en Dizzy en hij waren een soort vader voor me.
Bird zei altijd dat ik met iedereen kon spelen. Daarom
probeerde hij me altijd het podium op te krijgen, soms
om te spelen met iemand voor wie ik nog niet rijp was,
zoals met Coleman Hawkins of Benny Carter of Lockjaw Davis. Bij de meesten was ik misschien wel zeker van
mezelf, maar ik was pas negentien en voelde me te jong
om met bepaalde mensen te spelen – ook al waren dat er
niet veel. Maar Bird probeerde mijn zelfvertrouwen te
vergroten door te zeggen dat hij zelf ook al die onzin in
Kansas City had doorgemaakt toen hij nog jong was.

In maakte mijn eerste opname voor een plaat in mei
1945, samen met Herbie Fields. Man, wat was ik zenuwachtig! Ik kon nauwelijks spelen. Terwijl ik toch in een
ensemble speelde – geen enkele solo. Ik herinner me dat
bij die opname Leonard Gaskin de bassist was en dat de
zanger Rubberlegs William heette. Maar ik probeerde
die hele opname uit m'n hoofd te zetten en ben dan ook
vergeten wie er verder meededen.

Ik had in die tijd ook mijn eerste belangrijke jamsessie
in een nachtclub. Ik speelde een maand lang met de
groep van Lockjaw Davis in de Spotlite in 52nd Street. Ik
had bij Minton's al vaak met hem gespeeld, dus hij wist

wat ik kon. In diezelfde tijd – misschien iets eerder, dat weet ik niet meer precies – ging ik meespelen in de band van Coleman Hawkins in de Downbeat Club in 52nd Street. Billie Holiday was als zangeres de ster van de groep. De reden waarom ik vaak meedeed, was dat Joe Guy, de vaste trompettist van Bean, net getrouwd was met Billie Holiday. Af en toe waren ze zo high van de heroïne en zo lekker aan het neuken dat Joe vergat naar de gig te komen, evenals Billie. Als Joe niet verscheen, vroeg Hawk mij. Ik ging iedere avond bij de Downbeat even kijken of Joe wel of niet was komen opdagen. Zo niet, dan speelde ik in zijn plaats.

Ik vond het heerlijk om met Coleman Hawkins te kunnen spelen met Billie als zangeres. Het waren allebei geweldige musici en creatief als de hel. Maar niemand kon spelen als Bean. Hij kon zo'n gigantische klank voortbrengen. Lester Young – Prez – had een lichte klank en Ben Webster hanteerde doorgaans alle soorten gekke akkoorden, weet je, net een piano, omdat hij ook piano speelde. En dan was er natuurlijk Bird, die zijn eigen klank had. Maar Hawk had langzamerhand zo'n voorkeur voor me gekregen, dat Joe weer op kwam dagen en bij geen enkel optreden meer verstek liet gaan. Daarna had ik een gig bij Lockjaw.

Toen het werk met Lockjaw voorbij was, werd ik veel gevraagd in de Straat. De blanken, blanke critici, kregen nu pas in de gaten dat bebop toch iets belangrijks was. Ze begonnen een hoop te praten en te schrijven over Bird en Dizzy, maar alleen als die in de Straat speelden. Ze schreven en praatten pas over Minton's toen de Straat *de* plaats was geworden waar blanken een hoop geld spendeerden om de nieuwe muziek te horen. Rond 1945 speelden een hele hoop zwarte musici in 52nd Street, niet alleen voor het geld, maar ook om in de publiciteit te komen. Ongeveer in diezelfde periode begonnen de clubs in 52nd

Street – zoals de Three Deuces, de Onyx, Downbeat Club, Kelly's Stable en andere – belangrijker te worden voor de musici dan de clubs in Harlem.

Toch waren er heel wat blanken die het maar niks vonden wat er in 52nd Street gebeurde. Ze begrepen niet wat er in de muziek aan de gang was. Ze dachten dat ze overspoeld werden met negers uit Harlem en daarom waren er heel wat racistische spanningen rond de bebop. Zwarten liepen rond met chique, rijke, blanke vrouwen. Al die negers in het openbaar, die perfect gekleed waren en een hippe babbel hadden. Nou, je begrijpt dat een heleboel blanken, vooral blanke mannen, daar niets van moesten hebben.

Er waren een paar blanke muziekcritici, zoals Leonard Feather en Barry Ulanov, die gezamenlijk de hoofdredactie vormden van het muziektijdschrift *Metronome*, die door hadden waar het bij de bebop om draaide, die ervan hielden en er goede dingen over schreven. Maar de rest van die blanke critici vond het afschuwelijk wat wij aan het doen waren. Ze begrepen het niet en hadden een hekel aan de musici. Toch kwam het publiek in drommen de clubs binnen om naar de muziek te luisteren. De groep van Dizzy en Bird in de Three Deuces was je van het in New York.

Bird zelf was bijna een god. Het publiek volgde hem waar hij maar naartoe ging. Hij had een gevolg. Allerlei soorten vrouwen zwermden om Bird heen en hij kreeg allerlei cadeaus van belangrijke drugdealers en van het publiek. Bird vond dat heel gewoon en nam alles aan. Hij miste steeds meer sets en zelfs hele optredens. Daar stoorde Dizzy zich vreselijk aan, want al gedroeg hij zich een beetje gek, toch hield hij altijd z'n hoofd erbij en had z'n zaakjes voor elkaar. Dizzy vond dat je geen optreden kon missen, dus ging hij naar Bird, smeekte hem z'n leven te beteren en dreigde met opstappen als hij dat niet zou doen. Bird trok zich daar niets van aan, dus ging Dizzy tenslotte bij hem weg en dat was het einde van de eerste belangrijke bebop-groep.

Toen Dizzy de groep verliet was iedereen in de muziekwereld verbijsterd en een hoop musici die hen zo graag samen hoorden spelen waren uit het lood geslagen. Iedereen realiseerde zich dat het voorbij was en we nooit meer die fantastische muziek zouden horen die ze samen hadden gemaakt, behalve op de plaat of als ze weer samen zouden zijn. Dat was wat een heleboel mensen hoopten, ook ik, die de plaats innam van Dizzy.

Toen Dizzy de band in de Three Deuces verlaten had, dacht ik dat Bird met een band in Harlem zou beginnen, maar dat was niet zo, tenminste toen nog niet. Een aantal clubeigenaars in 52nd Street vroeg Bird wie de nieuwe trompettist zou worden nu Dizzy weg was. Ik weet nog dat ik met Bird in een club was en de eigenaar dat vroeg en dat Bird zich naar mij omdraaide en zei: 'Hier is hij, dit is m'n trompettist, Miles Davis.' Ik plaagde Bird vaak door te zeggen: 'Als ik me niet had aangesloten bij de band, had jij geen werk meer gehad.' Dan lachte hij maar wat, want Bird hield wel van een grapje en van een gevatte opmerking. Soms lukte het niet – dat ik meedeed – omdat de eigenaar Bird en Dizzy samen wilde hebben. Maar de eigenaar van de Three Deuces huurde de band in oktober 1945. In de groep zaten Bird, Al Haig (piano), Curly Russell (bas), Max Roach en Stan Levey (slagwerk) en ik. Het was dezelfde ritmesectie als voor Dizzy's vertrek. Ik herinner me nog de gig in de Three Deuces, die ongeveer twee weken duurde. De floorshow bestond uit Baby Laurence, de tapdanser. Hij kon vierde en achtste maten tappen en was geweldig. Baby was de grootste tapdanser die ik ooit heb gezien of gehoord, want z'n tapdansen klonk als een jazznummer. Hij was fantastisch.

Ik was zo zenuwachtig bij het eerste echte werk met

Bird, dat ik iedere avond vroeg of ik weg kon. Ik had vaak meegespeeld, maar dit was m'n eerste betaalde schnabbel met Bird. Ik vroeg: 'Waar heb je me voor nodig?', want die lul kon zo geweldig spelen. Als Bird een melodie speelde, speelde ik de tweede trompet en liet hem de toon aangeven, de melodie zingen en de leiding nemen. Want het zou toch belachelijk geweest zijn als ik leiding had proberen te geven aan de grote leider van de muziek? Ik de lead spelen bij Bird – dat kun je toch niet menen? Man, ik was doodsbang dat ik het zou verknallen. Soms deed ik net alsof ik wegging, omdat ik dacht dat hij van plan was me te ontslaan. Dan stond ik op het punt m'n ontslag te nemen voordat hij het me kon geven, maar hij moedigde me steeds weer aan om te blijven door te zeggen dat hij me nodig had en dat hij hield van mijn manier van spelen. Dan hield ik vol en leerde ervan. Ik kende alles wat Dizzy speelde. Ik denk dat Bird me daarom aannam – en ook omdat hij een andere sound op de trompet wilde. Sommige dingen die Dizzy speelde kon ik ook spelen en andere weer niet. Ik speelde dus geen licks waarvan ik wist dat ik die niet kon spelen, omdat ik me al snel realiseerde dat ik mijn eigen stem op het instrument moest hebben – hoe die ook mocht klinken.

De eerste twee weken bij Bird waren fantastisch en ik werd er snel volwassen door. Ik was negentien en speelde met de beste altsaxofonist uit de geschiedenis van de muziek. Het gaf me een goed gevoel vanbinnen. Ik was misschien wel als de dood, maar ik kreeg ook steeds meer zelfvertrouwen, al realiseerde ik me dat toen nog niet zo.

Maar Bird leverde me niet veel op muzikaal gebied. Ik vond het heerlijk om met hem te spelen, maar wat hij deed kon je niet nadoen, het was te inventief. Alles wat ik toen over jazz heb geleerd, heb ik van Dizzy en Monk geleerd, misschien ook iets van Bean, maar niet van Bird. Weet je, Bird was een solist. Hij had z'n eigen stijl. Hij stond als het ware alleen, Er was niets wat je van hem kon leren, tenzij je hem nadeed. Alleen saxofonisten konden hem nadoen, maar zelfs die deden het niet. Het enige dat ze konden doen was proberen zijn aanpak, zijn maniertje over te nemen. Maar wat hij op saxofoon speelde, kon je niet met hetzelfde gevoel op trompet spelen. Je kon de noten spelen, maar het klonk nooit hetzelfde. Zelfs grote saxofonisten konden hem niet nadoen. Sonny Stitt probeerde het en even later Lou Donaldson en nog wat later Jackie McLean. Maar Sonny had meer weg van Lester Young. En Bud Freeman speelde weer in de stijl van Sonny Stitt. Ik denk dat Jackie en Lou nog het dichtste bij Bird kwamen, maar alleen qua sound, niet met *wat* ze speelden. Niemand kon spelen zoals Bird, toen niet en ook nu niet.

Naar mijn eigen gevoel ben ik toen wat mijn muzikale opvattingen betreft behalve door Dizzy en Freddie Webster, het meest beïnvloed door Clark Terry met zijn eigen aanpak van de trompet en door Thelonious Monk met zijn gevoel voor harmonie – de manier waarop hij akkoorden speelde was heel bijzonder. Maar ik denk dat Dizzy mij het meest beïnvloed heeft. Toen ik pas in New York was vroeg ik iets aan Dizzy over een bepaald akkoord en hij zei: 'Ga zitten en probeer het eens op de piano.' En dat heb ik gedaan. Weet je, ik vroeg hem naar akkoorden die ik allang in mijn hoofd had, ik speelde ze alleen niet. Want toen ik voor het eerst bij de band van Bird kwam, kende ik alles wat Dizzy op trompet samen met Bird speelde. Ik had de muziek door en door en van achteren naar voren bestudeerd. Ik kon niet zo hoog spelen, maar ik *wist* wat hij speelde. Ik kon niet zo hoog spelen als Dizzy, omdat mijn embouchure nog niet voldoende ontwikkeld was en omdat ik de muziek in dat hoge toonregister niet goed kon *horen*. Ik heb de klanken van de middelste registers altijd beter en zuiverder kunnen horen.

Ik vroeg op een gegeven moment aan Dizzy: 'Waarom kan ik niet spelen zoals jij?' Hij zei: 'Je *speelt* net als ik, alleen een octaaf lager. Je speelt de akkoorden.' Dizzy is een autodidact, maar hij weet alles af van muziek. Toen hij me vertelde dat ik alles lager hoorde, in het middenregister, begreep ik dat wel, maar toen nog niet. Niet lang na dit gesprek kwam Dizzy naar me toe nadat ik een solo had weggegeven en zei: 'Miles, je hebt nu veel meer power, je embouchure is een stuk sterker dan toen ik je voor het eerst hoorde.' Hij bedoelde dat ik hoger speelde en met een krachtiger toon dan voor die tijd.

Voor mij moet iedere noot die je speelt ook goed klinken. Dat heb ik altijd gevonden. En een noot hoort in hetzelfde register te zitten als het akkoord, dat was tenminste voor mij zo. In de bebop-tijd speelde iedereen altijd heel snel. Maar ik heb er nooit van gehouden om een stelletje toonladders achter elkaar te spelen of dat soort onzin. Ik probeerde altijd de belangrijkste noten van een bepaald akkoord te laten horen om het te breken. Ik hoorde al die musici maar steeds al die toonladders en noten spelen en er bleef je nooit iets van bij.

Weet je, muziek heeft ook met stijl te maken. Als ik bijvoorbeeld met Frank Sinatra zou moeten spelen, zou ik spelen zoals hij zingt. Ik zou natuurlijk niet halsoverkop gaan spelen met Frank Sinatra. Door te luisteren naar de voordracht van Frank, Nat 'King' Cole en zelfs Orson Welles, heb ik een hoop geleerd over de manier waarop je jezelf kunt uitdrukken. Ik bedoel daarmee dat al die lui op een prachtige manier met hun stem een eigen improvisatie, vertolking en frasering van de muziek kunnen geven. Eddie Randle zei altijd: 'Speel een lagere passage en neem dan een rustpauze, of speel zachtjes uitblazend door.' Een zanger begeleiden kan alleen maar op de manier waarop Harry 'Sweets' Edison Frank begeleidde. Stopte Frank met zingen, dan kon Harry weer spelen.

Even ervoor en even erna, maar nooit terwijl Frank zong. Je mag een zanger nooit overspelen. Je speelt in de pauzes. En als je blues speelt, doe je dat ook gevoelsmatig, je moet het aanvoelen.

Dat had ik allemaal al in St. Louis geleerd en daarom wilde ik altijd iets anders spelen dan wat de meeste trompettisten deden. Maar toch wilde ik net als Dizzy hoog spelen en snel, alleen maar om mezelf te bewijzen dat ik het kon. Een hoop van die vogels in de tijd van de bebop vonden mij maar niks, omdat ze gewend waren aan het geluid van Dizzy. Dat was volgens hen de enige manier van trompet spelen. En als iemand als ik bijvoorbeeld iets heel anders probeerde, liep die het risico te worden uitgejouwd.

Maar Bird wilde iets heel anders nadat Dizzy de band had verlaten. Hij wilde een andere aanpak op de trompet, een andere methode, een ander geluid. Hij wilde precies het tegendeel van wat Dizzy had gedaan, iemand die zijn klank kon aanvullen en beter deed uitkomen. Daarom koos hij mij. Hij en Dizzy leken veel op elkaar in hun manier van spelen, razendsnel, toonladder op, toonladder af, soms zo snel dat je de een niet meer van de ander kon onderscheiden. Maar toen Bird met mij ging spelen, had hij alle ruimte voor zichzelf zonder dat Dizzy hem steeds op de hielen zat. Dizzy gaf hem die ruimte niet. Samen waren ze briljant, waarschijnlijk waren ze toen vergeleken met later op hun best. Maar ik gaf Bird de ruimte en dat was wat hij na Dizzy wilde. Toen we pas in de Three Deuces waren begonnen, waren er nog steeds mensen die liever Dizzy hoorden dan mij. Dat kon ik me ook wel voorstellen.

Na een tijdje vertrokken we naar de Spotlite Club verderop in de straat. Bird verving de pianist Al Haig door Sir Charles Thompson en nam Leonard Gaskin aan als bassist in plaats van Curly Russell. We hebben er niet lang gespeeld omdat de politie de Spotlite en nog een paar andere clubs in 52nd Street sloot, vanwege gerotzooi met drugs en geknoei met drankvergunningen. Maar ik denk dat de echte reden waarom ze de tent voor een paar weken sloten was dat ze de pest hadden aan al die negers die downtown kwamen. Ze hadden er de pest over in dat al die zwarte mannen daar rondliepen met al die rijke, chique, blanke vrouwen.

Dat deel van 52nd Street bestond voornamelijk uit een rij herenhuizen van drie of vier etages. Niks bijzonders mee aan de hand. Vroeger woonden er rijke blanken in het blok tussen Fifth en Sixth Avenue. Ik heb me laten vertellen dat daar met de drooglegging een eind aan kwam, dat de rijke blanken toen wegtrokken en er op de begane grond winkels en clubs kwamen. De clubs werden heel populair in de jaren '40, toen de kleine bands het overnamen van de grote bands. De clubs waren te klein voor grote bands. Op het podium was nauwelijks plaats voor een combo van vijf man, laat staan voor een band van tien of twaalf mensen. Door dit soort clubs ontstond er een nieuw soort muzikant, die zich thuis voelde in een band met kleine bezetting. Dat was de muzikale sfeer waarin ik terechtkwam toen ik in de Straat ging spelen.

Maar de kleine clubs zoals de Three Deuces, de Famous Door, de Spotlite, de Yacht Club, Kelly's Stable en de Onyx trokken ook temeiers aan en snelle pooiers met een hoer aan iedere vinger, hipsters en drugdealers. Ik bedoel, van dit soort mensen – zwarten en blanken door elkaar – waren er wel dertien in een dozijn. Die deden waar ze zin in hadden. Iedereen wist dat ze de politie omgekocht hadden en dat ging goed zolang de meeste hoeren blank waren. Maar toen de muziek van uptown naar downtown kwam, kwamen er ook de zwarte temeiers mee naar downtown, en dat waren er heel wat. En dat zinde de blanke politieagenten niet zo erg. De drugs en de drankvergunning waren alleen maar een excuus om de toeloop van zwarte musici te weren. De werkelijke reden was racisme. Maar dat wilden ze niet toegeven.

Maar goed, toen de Spotlite gesloten werd, verhuisde Bird met de groep naar Minton's in Harlem. Ik begon daar een stuk beter te spelen. Ik weet niet waarom, misschien kwam het door al dat zwarte publiek waarvoor ik stond te spelen, wat me wel aanstond. Ik kan dat niet precies omschrijven. Ik weet alleen dat ik meer zelfvertrouwen kreeg en hoewel Bird steeds maar staande ovaties kreeg en luid gejuich en zo, had ik toch het gevoel dat het publiek ook mijn spel waardeerde. En Bird lachte als ik speelde, net als de andere musici in de band. Ik worstelde nog steeds met melodieën als *Cherokee* of *A Night in Tunesia*, die Diz erdoor jakkerde, want die waren afgestemd op zijn manier van spelen. Maar ik was goed genoeg om me er meestal doorheen te kunnen slaan zonder dat het publiek het in de gaten had. Maar als Freddie Webster of Diz kwamen opdagen, wisten ze dat ik problemen had met de muziek, maar ze vielen me er nooit hard op aan, al lieten ze het me wel merken.

Veel mensen – onder wie ook blanken – trokken met de band mee naar uptown. Ik denk dat dat één van de redenen is waarom 52nd Street niet gesloten bleef, want de blanke eigenaars begonnen te klagen dat ze al hun geld kwijtraakten aan die negers in Harlem. Maar goed, de Straat ging kort nadat Bird uptown was gegaan weer open en er werd van alles geprobeerd om het blanke publiek er weer heen te krijgen. Er is één ding dat alle blanken met elkaar gemeen hebben en dat is dat ze er de pest in hebben als zwarten geld verdienen waar zij *recht op denken te hebben*. Ze vonden dat ze *eigenaar* waren van die zwarte musici, omdat die het geld voor hen verdienden. Het gerucht moet wel zijn rondgegaan dat de blan-

95

ke clubeigenaars door de nieuwe regels pijn hadden in hun portemonnee, dat ze op het punt stonden hun handel te verliezen aan Harlem. Maar toen de clubs weer opengingen, leek het wel of het allemaal anders was geworden; in de korte tijd dat we weg waren geweest, was er iets van de aantrekkingskracht, van het enthousiasme verdwenen. Misschien zit ik ernaast, maar ik had het gevoel dat het sluiten van de Straat het begin van het einde voor alles daar betekende. Het was alleen maar een kwestie van tijd.

En dat was het wereldje waarin ik me staande probeerde te houden toen ik pas in New York was, zowel uptown als downtown. Ik bedoel dat ik het afwisselde met Juilliard, waar een heel ander sfeertje hing. En Bird was de koning van de hele scene, omdat hij alles deed waar het in de wereld om ging – heroïne spuiten, hoeren neuken, geld aftroggelen voor heroïne en ga maar door. Bird pakte echt alles wat hij krijgen kon.

Freddie Webster was de eerste aan wie ik vertelde dat ik wilde stoppen met Juilliard. Dat was in het najaar van 1945. Freddie was een sterke persoonlijkheid en heel aardig. Hij vond dat ik m'n vader moest bellen voordat ik ermee ophield. Ik was van plan geweest om weg te gaan van Juilliard en het daarna pas tegen mijn vader te zeggen. Maar toen Freddie dat tegen me zei, dacht ik er nog eens over na. Ik zei tegen Freddie: 'Ik kan m'n vader niet zomaar opbellen en gewoon zeggen: "Luister pa, ik speel nu met een paar musici die Bird en Dizzy heten en daarom ga ik van school af." Dat kan ik gewoon niet maken. Ik moet terug naar huis om het hem persoonlijk te vertellen.' Freddie was het roerend met me eens en zo heb ik het ook gedaan.

Ik pakte de eerste de beste trein naar East St. Louis en stapte zijn praktijk binnen, waar het bordje 'Niet Storen' hing. Natuurlijk schrok hij me daar opeens te zien, maar mijn vader liet dat soort dingen niet gauw merken en zei slechts: 'Hé, Miles, wat doe jij verdomme hier?'

Ik zei: 'Luister pa, in New York is van alles aan de gang. De muziek verandert, de stijl en ik wil erbij horen, met Bird en Diz. Daarom kwam ik je zeggen dat ik van Juilliard af ga, omdat ze me daar alleen maar iets vertellen over blanke muziek, en daar ben ik niet in geïnteresseerd.'

'Oké,' zei hij, 'zolang je weet waar je mee bezig bent is alles oké. Maar wát je doet, moet je ook goed doen.'

Hij zei daarna iets dat ik nooit zal vergeten: 'Miles, hoor je die vogel daar buiten? Dat is een spotvogel. Hij kan geen eigen geluid voortbrengen. Hij doet het geluid na van andere vogels. En dat wil jij toch niet, hè? Jij wilt jezelf zijn, met een eigen geluid. Daar gaat het uiteindelijk om. Blijf dus jezelf! *Jij* weet wat *jou* te doen staat en ik geloof je op je woord. En maak je geen zorgen, ik blijf je geld sturen totdat je op eigen benen kunt staan.'

Dat was alles wat hij zei en daarna ging hij terug naar zijn patiënt. Ik vond het fantastisch. Ik ben m'n vader eeuwig dankbaar dat hij zoveel begrip opbracht. Mijn moeder kon zich er niet mee verenigen, maar ze had intussen geleerd dat ze zich maar beter niet tegen mijn plannen kon verzetten. Het leek wel alsof we steeds beter met elkaar overweg konden. Ik bedoel, toen ik een keer met vakantie thuis was, had ik ontdekt dat mijn moeder prachtig blues kon spelen op de piano. Ik wist niet eens dat ze zo muzikaal was. Ik betrapte haar op het spelen van blues toen ik thuiskwam met kerst van Juilliard. Ik zei dat ik het mooi vond en dat ik niet eens wist dat ze zó piano kon spelen. Ze keek me lachend aan en zei: 'Weet je, Miles, er zijn een heleboel dingen die je niet van mij weet.' We lachten een beetje en realiseerden ons voor het eerst dat het waar was.

Mijn moeder was een knappe vrouw om te zien en

naarmate ze ouder werd, werd ze ook steeds wijzer. Ze was een imposante vrouw. Ze had een karakteristiek gezicht. Dat heb ik, denk ik, van haar. Hoe ouder ze werd, des te mooier werd ze en des te beter konden we met elkaar overweg. Maar al zat ik in de muziek, mijn ouders gingen zelden naar een nachtclub, zelfs niet om mij te horen of te zien.

Voordat ik van Juilliard afging had ik het advies van Bird ter harte genomen om pianolessen te nemen. Ik nam ook nog wat lessen om als trompettist in een symfonieorkest te kunnen spelen en daar heb ik wel wat aan gehad. Trompettisten van het New York Philharmonic Orchestra gaven er les in en daar heb ik toch het een en ander van geleerd.

Als ik zeg dat ik niet veel heb gehad aan Juilliard, dan bedoel ik daarmee dat ik er zelf niet veel mee ben opgeschoten. Ik had het idee dat ik op school niet echt meer iets kon leren. Ik heb bijna nooit spijt gehad van de dingen die ik heb gedaan. Soms wel, maar meestal niet. Dat gevoel had ik in ieder geval niet toen ik in het najaar van 1945 van Juilliard af ging. Ik speelde toen toch al met de grootste jazzmusici van de wereld, dus waar zou ik me slecht over hebben moeten voelen? Geen sprake van. Nooit spijt van gehad.

1 Foto van mijn vader, Miles Dewey Davis, op de dag dat hij afstudeerde aan de faculteit tandheelkundige van Northwestern University.

2 Mijn moeder, Cleota Henry Davis, was een mooie vrouw en een goede blues-pianiste.

3 Links op de foto sta ik, met mijn zusje Dorothy, mijn broertje
Vernon en mijn moeder.

4 In de tijd dat ik trompet begon te spelen.

5 en 6 Een paar afbeeldingen van zwarte mensen tegen wie ik me tijdens mijn carrière altijd heb afgezet. Ik was dol op Satchmo, maar ik kon dat gegrijns van hem niet uitstaan. Beulah (6) heeft te veel blanken beïnvloed in hun houding tegenover zwarten.

6

7 Billy Eckstine ofwel 'Mr. B.' Dat ik mocht meespelen in de band van B. in St. Louis was de opwindendste muzikale gebeurtenis in mijn leven.

8 Dizzy Gillespie. Dizzy was trompettist in de band van B. en mijn idool. We werden dikke vrienden en dat zijn we nog steeds.

9 Mijn eerste professionele optreden met Eddie Randle's Blue
Devils – het Rhumboogie Orchestra – in 1944 in St. Louis.
Ik zit helemaal rechts op de achterste rij.

10 Clark Terry was de bekendste trompettist van St. Louis.
Hij was een grote steun toen ik net begon.

11 Charlie Christian speelde elektrische gitaar alsof het een
trompet was. Hij heeft grote invloed gehad op mijn manier
van spelen.

10

11

12 Nog een paar anderen die mij beïnvloed hebben:
Nat 'King' Cole, Frank Sinatra (13) en Orson Welles (14).
Alledrie waren ze even inventief in hun manier van uitdrukken
als ze speelden, zongen en praatten.

13

14

15 De belangrijkste jazzclub van New York: Minton's Playhouse in Harlem. In Minton's is de bebop ontstaan, voordat die naar 52nd Street verhuisde. Thelonious Monk (links) was één van de grote pioniers van bebop. Ik weet nog hoe gelukkig ik was, toen hij me vertelde dat ik eindelijk onder de knie had hoe ik *'Round Midnight* moest spelen.

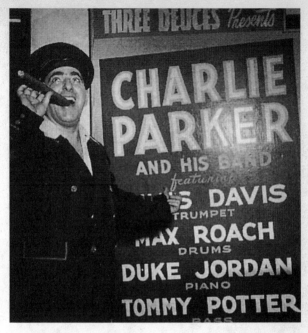

16 Bird speelde regelmatig met een groep in de Three Deuces.

17 Op het podium: Tommy Potter, bas, Bird, ikzelf en Duke Jordan, piano. Max Roach, drums, staat niet op de foto hoewel hij altijd aanwezig was als ritmische ondersteuning.

18 Tussen de jamsessies met Bird door speelde ik met een aantal andere grote musici zoals bijvoorbeeld Coleman Hawkins. Net als Bird en ik kwam Bean uit het Midden-Westen; dat is misschien de reden waarom we het zo goed met elkaar konden vinden.

SAVOY

BILLIES BOUNCE
(Charles Parker)
CHARLEY PARKER'S REE BOPPERS
Charles Parker, alto sax; Miles Davis,
Trumpet; Curley Russell, bass; then
Gates, piano; Max Roach, drums
573-A
(SAV-5850)
NOT LICENSED FOR RADIO BROADCAST · FOR HOME USE

19

SAVOY
RECORDS
BE-BOP

MILESTONES
(Miles Davis)
MILES DAVIS ALL STARS
Charlie Parker, Alto Sax; Miles Davis,
Trumpet; Nelson Boyd, Bass; John
Lewis, Piano; Max Roache, Drums
Direction: T. Reig
934-A
(S-3440)
NOT LICENSED FOR RADIO BROADCAST · FOR HOME USE ON PHONOGRAPHS

20

21

19  *Billie's Bounce*, een oude opname bij Savoy die ik samen met
Bird en de Charlie Parker's Reboppers maakte.

20  Nadat ik met Bird gespeeld had, kreeg ik steeds meer naam en
formeerde ik een eigen groep: de Miles Davis All Stars. Bird en ik
speelden nog wel samen, maar af en toe was ik de leider van de
band omdat Bird te onbetrouwbaar was.

21  Met Fats Navarro (links) en Kai Winding. Ik nam de plaats in
van 'Fat Girl' in de groep van Tadd Dameron, nadat Fats een
junkie was geworden en niet meer kon spelen.

22 Dexter Gordon. Dexter bracht me bij dat ik mijn ogen open moest houden. Volgens mij was hij absoluut clean.

23 Ik koos Sonny Stitt als altsaxofonist in de *Birth of the Cool* sessies. Hij speelde in de trant van Bird, en net als Bird was hij zwaar aan de heroïne.

23

# 4

Rond die tijd, in de herfst van 1945, werd Bird benaderd door Teddy Reig, productieleider van Savoy Records, om een plaat te maken voor Savoy. Bird stemde toe en vroeg mij om mee te doen als trompettist, Dizzy zou bepaalde nummers op de piano spelen. Thelonious Monk en Bud Powell wilden of konden niet. Bud kon overigens nooit echt goed met Bird opschieten. Daarom was de formatie als volgt: Sadik Hakim voor de nummers die Dizzy niet op de piano speelde, Curly Russell als bassist, Max Roach als slagwerker en Bird op altsax. De plaat heette *Charlie Parker's Reboppers.* Het was een geweldig succes, althans dat vonden de meesten en ik maakte er naam mee in de bebop-wereld.

Maar het was nog een hele toer om die plaat rond te krijgen. Ik weet nog dat Bird me *Ko-Ko* wilde laten spelen, een andere versie van *Cherokee.* Bird *wist* dat ik problemen had met het spelen van *Cherokee.* Toen hij dus zei dat ik dat nummer moest spelen, heb ik dat gewoon geweigerd. Ik verdomde het. Dat is de reden waarom Dizzy trompet speelt in *Ko-Ko* op *Charlie Parker's Reboppers,* omdat ik niet wilde afgaan. Ik vond dat ik nog niet rijp was om in een tempo te kunnen spelen als van *Cherokee* en ik heb daar ook geen doekjes om gewonden.

Eén ding was wel grappig tijdens die opname. Toen Dizzy al die prachtige solo's speelde, lag ik op de grond te slapen en heb daardoor alles gemist. Toen ik de muziek later op de plaat hoorde, kon ik alleen maar mijn hoofd schudden en lachen. Het was té gek wat Dizzy die dag speelde.

Maar de opname op zich was een klucht, omdat er allemaal hoeren en drugdealers langskwamen voor Bird. De opname nam geloof ik niet meer dan een dag in beslag. Het was eind november, op een dag dat we niet hoefden te spelen, dus waarschijnlijk op een maandag. Maar goed, al die mensen bleven maar komen en Bird verdween met de een of andere drugdealer de wc in en kwam er pas na een paar uur weer uit. Intussen hing iedereen maar een beetje rond en wachtte tot Bird z'n tukje had gedaan. Maar toen hij terugkwam, was hij weer helemaal boven Jan. Als hij eenmaal high was, speelde hij dat de stukken eraf vlogen.

Toen de plaat uitkwam, hebben een paar recensenten me behoorlijk de grond ingeboord, vooral die van *Down Beat*. Ik ben z'n naam vergeten, maar ik herinner me dat hij zoiets schreef van dat ik precies de verkeerde muziek van Dizzy imiteerde en dat me dat op den duur geen goed zou doen. Ik schenk nooit aandacht aan kritieken, maar toen was ik behoorlijk beledigd door wat die vent geschreven had, want ik was nog zo jong en het was heel belangrijk voor me dat ik mee mocht doen aan die plaat en zo goed mogelijk probeerde te spelen. Maar Bird en Dizzy zeiden dat ik me geen reet moest aantrekken van de kritieken en dat heb ik ook niet gedaan, ik vond het veel belangrijker wat *zij* – Bird en Dizzy – vonden. De lul, die die onzin in *Down Beat* schreef, had waarschijnlijk z'n hele leven nog nooit een instrument aangeraakt. Misschien heb ik daarom zo de pest aan muziekcritici, omdat ze me toen zo vernietigend bekritiseerden, terwijl ik nog zo jong was en een hoop te leren had. Ze waren meedogenloos en spaarden me niet. Ik geloof dat ik toen vond dat het niet zo goed was om zo hard tegen iemand te zijn, tegen iemand die nog zo jong en onervaren was, zonder ook maar één spoor van aanmoediging.

Zo goed als ik het met Bird op het gebied van muziek

kon vinden, zo slecht werd onze persoonlijke relatie. Zoals ik al zei, heeft Bird een tijdje bij me gewoond, maar niet zo lang als veel schrijvers beweren. Ik had een kamer voor hem gevonden in hetzelfde flatgebouw, waar ik met mijn gezin woonde. Maar hij bleef steeds bij ons komen, leende geld en zo, at alles op wat Irene had gekookt en lag bewusteloos van de drank op de bank of op de vloer. Ook nam hij steeds allerlei vrouwen en hoeren, drugdealers en verslaafde musici mee naar ons.

Wat ik nooit begrepen heb is waarom Bird zichzelf zo naar de knoppen hielp. Man, Bird moest toch beter weten. Hij was een intellectueel. Hij las altijd boeken, gedichten, over geschiedenis en dat soort dingen. En hij kon met bijna iedereen over van alles en nog wat een gesprek voeren. Hij was dus niet dom of onwetend of ongeletterd of wat dan ook. Hij was juist heel gevoelig. Maar hij had ook iets destructiefs in zich. Hij was een genie en de meeste genieën zijn begerig. Hij had het vaak over politiek en vond het heerlijk om de draak met iemand te steken, zich van de domme te houden en de sukkel er dan ineens van langs te geven. Dat deed hij het liefst met blanken. En dan lachte hij ze uit als ze erachter kwamen dat ze in de maling waren genomen. Hij was een bijzonder iemand, maar erg gecompliceerd.

Het ergste vond ik dat Bird in die tijd misbruik maakte van mijn liefde en bewondering voor hem als musicus. Hij zei tegen de drugdealers dat ik *zijn* rekening zou betalen. Dan kwamen die kerels langs en keken me aan alsof ze me wilden vermoorden. Dat was een linke boel. Ik heb tenslotte tegen hem gezegd dat hij en die andere hufters niet meer bij mij hoefden aan te kloppen. Het werd zelfs zo erg dat Irene terugging naar East St. Louis, maar ze kwam weer terug naar New York toen Bird niet meer zo vaak langskwam. In die tijd ontmoette Bird Doris Sydnor en trok bij haar in, ergens op Manhattan Avenue.

Maar toen Bird vertrokken was en nog voordat Irene terug was uit East St. Louis, trok Freddie Webster bij me in. Dan zaten we nachten lang door te praten. Hij was heel wat prettiger om mee om te gaan dan Bird.

Tussen de jamsessies met Bird door speelde ik weleens met Coleman Hawkins en Sir Charles Thompson bij Minton's. Dat was in het najaar van 1945. Zoals ik al zei, vond ik het heerlijk om met Bean te spelen. Man, hij kon zo goed spelen en het was zo'n schitterende figuur. Hij heeft me altijd goed behandeld, bijna als een zoon. Bean kon een ballad spelen als geen ander, vooral zo eentje als *Body and Soul*. Hij kwam uit Saint Joseph, Missouri, een plaatsje in de buurt van Kansas City, waar Bird vandaan kwam. Wij – Bird, ik en Bean – kwamen allemaal uit het Midden-Westen. Ik denk dat we daarom op muzikaal gebied zo goed met elkaar overweg konden en soms ook privé – tenminste met Bird, op de een of andere manier bekeken we de dingen hetzelfde. Bean was een aardige kerel, één van de aardigste mensen die ik ooit heb ontmoet en hij heeft me een hoop geleerd over muziek.

Hij gaf me ook altijd kleren. Ik vroeg dan wat hij wilde hebben voor een jas of een hemd en dan kreeg ik ze voor vijftig cent of zo. Hij kocht zijn kleren in die chique winkel op Broadway, vlakbij 52nd Street en deed ze dan aan mij over voor een schijntje. Zo gaf Bean me een keer een schitterende overjas, die hij denk ik voor tien dollar had gekocht. Via Bean leerde ik in Philadelphia op een gegeven moment ook Nelson Boyd en Charlie Shaw kennen (de laatste was dacht ik drummer, ik weet het niet meer). Maar hoe dan ook, Charlie maakte z'n eigen pakken en soms maakte hij ze ook voor Bean. Man, die kostuums waren te gek voor woorden. Ik zei tegen hem: 'Jezus, Charlie, kun je er voor mij ook een maken?' Hij zei dat ik alleen maar het materiaal hoefde te betalen. Dat deed ik dus. Hij heeft een fantastisch pak voor me gemaakt, met twee rijen knopen, dat ik tot op de draad heb versleten. Ik denk dat ik op een hele hoop foto's van 1945 tot 1947 dat pak van Charlie Shaw aanhad. Daarna heb ik me altijd kostuums laten aanmeten als ik het geld ervoor had.

Toen ik met Bean samenwerkte heb ik Thelonious Monk ook beter leren kennen, hij zat ook in de band. Denzil Best was de slagwerker. Ik was gek op het nummer *'Round Midnight* van Monk en wilde leren hoe je het moest spelen. Daarom vroeg ik hem iedere avond na het spelen: 'Monk, hoe heb ik vanavond gespeeld?' En dan zei hij heel serieus: 'Nee, 't was niet goed.' Zo ging dat maar door, avond aan avond. Het heeft een hele tijd geduurd.

'Dit is niet de juiste manier,' zei hij steeds, vaak met een kwade, vermoeide blik in de ogen. Maar op een avond zei hij opeens: 'Ja, nu was het goed.'

Mijn god, ik was in de wolken. Eindelijk had ik het onder de knie. Het was één van de moeilijkste dingen. *'Round Midnight* was zo moeilijk omdat de melodie nogal gecompliceerd was en je er zelf een samenhang in moest brengen. Je moest zo spelen dat je de akkoorden en modulaties kon horen, maar ook de hoogtepunten, het was een van die nummers die je echt moest aanvoelen. Het was niet gewoon een nummer of motief van acht maten, op een gegeven moment was het afgelopen, een beetje in mineur. Het is een moeilijk nummer om in te studeren en om te onthouden. Ik kan het nog steeds spelen, maar liever niet te vaak, behalve als ik in m'n eentje kan oefenen. En wat het des te moeilijker maakte was dat je overal rekening mee moest houden. Je moest de melodie kennen, spelen en zo improviseren dat Monk de melodie herkende.

Ik heb leren improviseren van Bean, Monk, Don Byas, Lucky Thompson en Bird. Maar Bird kon zo geweldig improviseren dat hij de muziek binnenstebuiten keerde. Als je niks van muziek wist, wist je ook niet waar die lul van een Bird mee bezig was als hij improviseerde. Bean, Don Byas en Lucky Thompson hadden allemaal dezelfde stijl, weet je: als ze hun solo speelden gingen ze improviseren. Maar je kon altijd de melodie herkennen. Alleen met Bird was dat in geen geval zo, elke keer was het weer totaal anders. Onder de groten was hij *de* grootste.

Laten we het anders stellen: er zijn schilders en er zijn *schilders. De* schilders van deze eeuw zijn volgens mij Picasso en Dali. Bird was voor mij een soort Dali, mijn favoriete schilder. Ik leefde in net zo'n voorstellingswereld en hield van het surrealisme in zijn schilderijen. De manier waarop Dali het surrealisme toepaste had altijd wel een kneepje – zo zag ik het tenminste – het was heel anders, zoals dat mannenhoofd in een borst. En de schilderijen van Dali hadden net dat gelikte. Picasso had, naast zijn kubistische werk, van die Afrikaanse invloeden en daar wist ik eigenlijk alles al van. Daarom was Dali voor mij interessanter, heeft hij mij een nieuwe manier van kijken geleerd. En dat was ook zo met Bird, maar dan op het gebied van de muziek.

Bird had een stuk of vijf, zes verschillende stijlen. Eén zoals Lester Young, één zoals Ben Webster, één zoals Sonny Rollins die het 'pecking' (pikken) noemde als een blazer van die heel korte frasen speelde (zoals Prince tegenwoordig doet) en dan minstens nog twee andere manieren van spelen, die ik op dit moment niet precies kan benoemen. Monk leek op hem als componist en pianist, misschien niet helemaal hetzelfde maar toch vergelijkbaar.

Ik denk de laatste tijd vaak aan Monk, omdat alle muziek die hij geschreven heeft terug te vinden is in al die nieuwe ritmes van tegenwoordig – Prince, de muziek die ik nu maak en een hele hoop ander spul. Hij was een geweldig musicus, een vernieuwer, vooral als componist.

Monk was ook een gekke vent, want onder het spelen bewoog hij zijn benen en voeten op de maat van de muziek. Ik vond het heerlijk om hem piano te zien spelen, want als je naar zijn voeten keek wist je precies of hij er al helemaal in zat of niet. Als hij steeds maar heen en weer schoof met zijn voeten zat hij erin, anders niet. Het was alsof je naar gewijde kerkmuziek zat te luisteren: de maat, snap je, het ritme. Veel van zijn muziek doet me denken aan de West-Indische muziek die je tegenwoordig hoort, dat wil zeggen de accenten en het ritme en de manier waarop hij de melodie aanpakte. Een heleboel mensen vonden dat Monk niet zo goed piano kon spelen als Bud Powell, omdat ze dachten dat Bud technisch beter was door zijn snelheid. Dat was helemaal fout, een verkeerde manier van benaderen, want ze hadden een totaal andere stijl. Monk speelde heel modern en Bud Powell ook. Maar hun aanpak was verschillend. Bud speelde meer in de stijl van Art Tatum en alle bebop-pianisten waren gek op Art. Monk zat meer op de lijn van Duke Ellington, je weet wel, dat afgepaste spelen. Toch kon je de stijl van Monk bij Bud horen doorklinken. Het waren alletwee fantastische pianisten. Ze hadden alleen een heel andere stijl. Net als Bird en Bean totaal verschillen; net als Picasso en Dali. Monks muziek was heel modern, vooral zijn aanpak van de compositie. Hij was een echte vernieuwer.

Het klinkt misschien vreemd, maar Monk en ik stonden heel dicht bij elkaar, muzikaal gezien dan. Hij liet me al zijn melodieën zien en als ik iets niet begreep, legde hij het me uit. Ik keek ze altijd in en moest er vreselijk om lachen, want ze waren zo grappig, zo grillig. Monk had muzikaal gezien een groot gevoel voor humor. Hij was een echte vernieuwer, die in muziek z'n tijd ver vooruit was. Je zou bepaalde muziek van hem kunnen aanpassen aan wat er nu aan de hand is in de 'fusion' en in sommige meer populaire muzieksoorten, misschien niet alles maar wel die muziek die verwant is met pop. Je weet wel, dat zwarte ritmische gedoe waar James Brown zo goed in was. Monk had dat ook en het is allemaal terug te vinden in zijn composities.

Monk was een serieuze musicus. Toen ik hem pas leerde kennen, was hij gewoonlijk zo opgefokt als wat, van de dexedrine. Tenminste, dat zei men. Maar toen ik muziekles van hem kreeg – en ik heb een hoop van hem geleerd – was hij helemaal niet zo vaak high. Hij was een grote, sterke kerel, hij was ongeveer 1 meter 85 en woog ruim 90 kilo. Hij trok zich van niemand ene moer aan. Toen ik later verhalen hoorde dat hij en ik bijna slaags geraakt waren nadat ik hem had laten stoppen met spelen toen ik *Bag's Groove* speelde, wist ik niet wat ik hoorde. Want ten eerste waren Monk en ik heel dik met elkaar en ten tweede was hij veel te groot en te sterk voor mij om zelfs maar aan vechten te denken. Hij had me met één klap kunnen verpletteren als hij dat gewild had. Het enige wat ik had gedaan was hem vragen op te houden met spelen als ik een solo speelde. De vraag had met muziek te maken, niet met vriendschap. Hij zei altijd tegen de musici dat hij tijdens de solo van een ander beter niet kon spelen.

Maar hoe geweldig hij als musicus ook was, ik hield er niet van wat hij achter *mijn* solo speelde, dat wil zeggen de manier waarop hij akkoorden speelde in het ritme. Om met Monk te kunnen spelen moest je spelen als Coltrane, weet je – al die intervallen in een onsamenhangende shit die hij speelde. Maar het was wel goede shit. Het was echt de top. Het was alleen anders.

Monk was een rustige vent. Soms raakten hij en Bean in van die diepgaande gesprekken gewikkeld. Bean vond het leuk om Monk te sarren met allerlei onzin. En Monk nam het van hem omdat hij Bean graag mocht en omdat hij – zo groot en sterk als hij was en zo vervaarlijk als hij eruit kon zien – in wezen een zachtaardig, kalm en vriendelijk mens was, een fantastisch iemand, bijna onverstoorbaar. Als het omgekeerde het geval was geweest, dat Monk Bean zou sarren, dan had Bean dat helemaal niet leuk gevonden.

Ik heb er vroeger nooit zo bij stil gestaan, maar als ik nu eens terugkijk geloof ik dat er praktisch geen criticus was die Monks muziek begreep. Man, Monk heeft mij meer geleerd over compositie dan wie dan ook in 52nd Street. Hij liet me alles zien: speel dit akkoord zo, doe dit, doe dat, gebruik zus en zo. Zo zei hij het niet, hij ging gewoon achter de piano zitten en deed het voor. Maar je moest wel snel van begrip zijn en tussen de regels door kunnen lezen, want Monk zei nooit veel. Hij deed gewoon wat hij aan het doen was, op die grappige manier die hem eigen was. Als je niet serieus nam wat *jijzelf* aan het doen was en wat *hij* je *voordeed* – zonder iets te zeggen – dan zou je zeggen: 'Wat is dat? Waar is hij mee bezig?' Dan was het voorbij voor je het wist. De shit was je ontgaan. En dat was dan dat. Er was geen terugkomen meer aan. Tegen die tijd was Monk al ergens anders. Want Monk was een man die geen onzin duldde. Hij zag in mij een serieus iemand en daarom gaf hij me alles wat hij kon en dat was een heleboel. En hoewel hij niet tot mijn persoonlijke vrienden behoorde – daar was hij het type niet naar – was hij op muziekgebied een vader en een leraar voor me en ik was erg op hem gesteld en hij op mij. Ik weet zeker dat hij voor iemand anders niet zou hebben gedaan wat hij allemaal deed voor mij. Ik kan me natuurlijk vergissen, maar ik denk het niet. Maar ook al was Monk een fantastische figuur, toch kon hij vreemd overkomen op mensen die hem niet kenden, zoals ook ik later vreemd overkwam op mensen die mij niet kenden.

Sir Charles Thompson was ook een vreemde vogel, maar anders dan Monk. Monk kwam voornamelijk vreemd over doordat hij zo stil was. Sir Charles liet mij trompet spelen met Connie Kay op de drums en hij zelf op de piano. Vóór die tijd had ik zo'n combinatie nog nooit gehoord, maar dat kon Sir Charles – die zichzelf 'in de adelstand had verheven' – geen moer schelen. In dat opzicht was hij eigenaardig en hij was zeker niet stil.

In de korte tijd dat ik in de band van Sir Charles speelde, kwamen er heel wat musici bij Minton's om mee te spelen. Mensen als Bird, Milt Jackson, Dizzy en een blanke trompettist, Red Rodney, die geweldig was. Freddie Webster deed heel vaak mee en ik herinner me ook nog dat Ray Brown voor het eerst bij Minton's kwam en iedereen onder de tafel speelde met z'n solo. Een heleboel goede musici speelden mee in de band van Sir Charles. Hij kwam zelf uit de wereld van de swing. Buck Clayton, Illinois Jacquet en Roy Eldridge, dat soort musici. Hij speelde piano in de trant van Count Basie. Maar als hij wilde kon hij ook de loopjes van Bud Powell nadoen. Hij speelde graag met de boppers. Ik weet dat Gil Evans gek op hem was. Ik ook, een tijdje. Maar ik ging een andere richting van de muziek uit, meer in de richting van Bird en Dizzy. Toen tenminste.

Nadat ik begonnen was in de band van Bird werden Max Roach en ik dikke vrienden. Hij, J. J. Johnson en ik zwierven 's avonds tot in de kleine uurtjes op straat rond en dan gingen we bij Max in Brooklyn pitten of bij Bird thuis. Andere musici zoals Milt Jackson, Bud Powell, Fats Navarro, Tadd Dameron en Monk, soms ook Dizzy hielden er allemaal zo'n beetje dezelfde opvattingen op na. We moesten heel wat geven en nemen. En als iemand iets nodig had, bijvoorbeeld een muzikale aanmoediging of geld, dan deden we dat met z'n allen. Als Max vond dat ik iets niet helemaal goed deed toen we net begonnen waren in de band van Bird, dan trok hij me aan m'n jasje. En ik deed hetzelfde bij hem.

Maar het waren de jamsessies overal in Harlem en Brooklyn waar we de meeste lol in hadden, want daar speelden we met musici van onze eigen leeftijd. Ik was 't meest met oudere mensen opgetrokken, van wie ik iets kon leren. In New York had ik eindelijk een stel jongens ontmoet die ongeveer even oud waren als ik en met wie ik ideeën kon uitwisselen. Vóór die tijd was ik maar zelden opgetrokken met jonge mensen. Ik was te ver gevorderd in de muziek en zij hadden niets wat ze mij konden leren, meestal was het juist andersom. Maar ik ben iemand die altijd iets anders, iets nieuws wil leren. Met Max en de andere jongens die ik noemde, kon je de hele nacht opblijven om te spelen en over muziek te praten. Daar was ik altijd voor te vinden.

New York was in die tijd nog heel iets anders. Je kon gewoon de straat op om te kijken of er nog ergens een jamsessie was waar je aan mee kon doen. En dan kwam je daar al die grote musici tegen, dat was toen heel gewoon. In tegenstelling tot nu was je toen nooit te goed om aan een jamsessie mee te doen. Bovendien lagen de clubs dichtbij elkaar, zoals in 52nd Street of in Harlem – Lorraine's of Minton's of Small's Paradise, allemaal in de buurt van Seventh Avenue. De clubs waren niet zo verspreid over de stad als tegenwoordig. Ons belangrijkste doel was tot de muziekscene te behoren. Ik denk dat dat tegenwoordig niet meer zo is.

Ik vond het altijd heerlijk om risico's te nemen, muzikaal gezien dan. Naarmate ik ouder werd, ook met mijn leven denk ik. Maar in 1945 nam ik alleen maar risico's op muzikaal gebied. Max Roach was net zo. Men verwachtte dat hij en ik de volgende grote musici zouden zijn. Iedereen praatte erover dat Max de Kenny Clarke van de toekomst was, die toen als de topdrummer van de bebop werd beschouwd, Kenny Clarke werd door iedereen 'Klook' genoemd. En men verwachtte van mij dat ik de nieuwe Dizzy Gillespie zou zijn. Of dat nu waar was of niet, dat wist ik niet. Dat was wat de musici zeiden en een heleboel andere mensen die naar bebop kwamen luisteren.

De critici schreven nog steeds kleinerend over me. Ik denk dat het ook aan mijn houding lag, want ik ben nou niet bepaald een lachebekje of iemand die probeert in het gevlij te komen, vooral niet bij critici. Want óf de critici iemand mogen, hangt af van het feit of de persoon in kwestie aardig tegen ze is. Bovendien waren de meeste critici blank en waren ze gewend dat zwarte musici aardig deden, zodat ze een goede recensie kregen. Daarom waren een heleboel musici kontlikkers, stonden op het podium vrolijk te lachen en waren er meer voor het amusement dan dat ze echt muziek maakten – waar de instrumenten toch eigenlijk voor zijn bedoeld.

Hoezeer ik ook op Dizzy ben gesteld en hoe dol ik ook was op Louis 'Satchmo' Armstrong, toch heb ik altijd een hekel gehad aan de manier waarop die voor het publiek stonden te lachen en te grinniken. Ik weet wel *waarom* ze het deden – voor het geld en omdat ze naast trompettisten ook entertainers waren. Ze hadden een gezin te onderhouden. En bovendien hingen ze graag de clown uit, zo zaten Dizzy en Satch in elkaar. Ik heb er niks op tegen als ze dat zelf graag willen. Maar *ik* hield er niet van en dat *hoefde* ik ook niet. Ik heb maatschappelijk een andere achtergrond dan die twee en ik kom uit het Midden-Westen, terwijl zij uit het Zuiden kwamen. Daarom kijken we op een andere manier tegen de blanken aan. Bovendien was ik jonger en hoefde ik niet door te maken wat zij moesten doormaken om in de muziekindustrie geaccepteerd te worden. Zij hadden al heel wat deuren geopend voor mensen zoals ik en ik vond dat ik kon volstaan met trompet spelen – het enige dat ik wilde. Ik zag mezelf niet als een entertainer, zoals zij. Ik was niet van plan op die toer te gaan, zodat een of andere blanke, racistische lul die zelf niet eens speelde, een paar aardige dingen over mij zou schrijven. Ik was echt niet van plan om voor die lui mijn principes opzij te zetten. Ik wilde als musicus geaccepteerd worden en dat wil zeggen dat ik goed moest spelen en niet dat ik een beetje moest staan grinniken. Zo heb ik altijd geredeneerd. De critici moeten zelf maar weten wat ze ermee doen.

Daarom hadden een heleboel critici de pest aan mij – en ook nu nog – omdat ze mij als een arrogant negertje zagen. Misschien was ik dat ook wel, dat weet ik niet, maar ik weet wel dat ik niet hoefde te schrijven over wat ik speelde en als zij dat niet konden of niet wilden, dan konden ze de boom in. Max en Monk dachten er net zo over en J. J. en Bud Powell ook. Dat schiep een band tussen ons, dit standpunt ten opzichte van onszelf en de muziek.

We begonnen naam te maken in die tijd. Het publiek volgde ons waar we ook speelden – in Harlem, in de Straat en soms aan de overkant van de rivier in Brooklyn. Er kwamen veel vrouwen die Max en mij wilden zien. Maar ik was nog met Irene en in die tijd geloofde ik nog dat een man maar één vrouw hoorde te hebben. Ik heb daar nog lang in geloofd, totdat ik aan de heroïne ging en vrouwen nodig had die me konden onderhouden. Maar toen geloofde ik nog in monogamie. Ik had wel een oogje op een paar vrouwen, zoals bijvoorbeeld op Annie Ross en Billie Holiday.

Toen de Straat de laatste maanden van 1945 gesloten bleef, besloten Dizzy en Bird naar Los Angeles te gaan. Dizzy's impresario, Billy Shaw, had er een eigenaar van een nachtclub van kunnen overtuigen dat bebop aan de kust als een bom zou inslaan. Ik geloof dat die man Billy

Berg heette. Dizzy voelde wel iets voor het idee om ook in Californië bekendheid te geven aan bebop, hij voelde er alleen niets voor om weer met datzelfde gelazer van Bird opgescheept te worden. Eerst weigerde hij, maar toen hem werd verteld dat Bird deel uitmaakte van het contract, moest hij wel toegeven. De groep bestond uit Dizzy, Bird, Milt Jackson op vibrafoon en Al Haig op piano, Stan Levey slagwerk en Ray Brown op bas. Ze gingen met de trein naar Californië, ik geloof in december 1945.

Omdat er weinig te doen viel in New York, besloot ik naar East St. Louis te gaan om even bij te komen. Ik zei de woning in 147th Street, vlakbij Broadway, op. Irene en Cheryl gingen mee, we waren toch toe aan een wat groter huis. Ik besloot dat ik daar achterheen zou gaan als ik weer terug was in New York. Maar in de tussentijd konden we nog net Kerstmis vieren in East St. Louis.

Ik was er nog steeds toen Benny Carter in januari met z'n big band naar St. Louis kwam om er in de Riviera te spelen. Ik ging erheen om kennis te maken met de band en omdat ik Benny kende nam ik de artiesteningang. Hij was blij me te zien en vroeg of ik zin had om mee te spelen in zijn band. De band kwam uit Los Angeles. Omdat Bird en Dizzy daar zaten, belde ik Ross Russell, de impresario van Bird, op in New York en vertelde dat ik naar L.A. ging en Bird en Dizzy wilde opzoeken. Hij gaf me het nummer van Bird. Ik belde hem en zei dat ik op weg was naar L.A.

Je moet goed begrijpen dat ik Bird alleen maar wilde zien en wilde luisteren naar wat ze speelden. Dat was de enige reden waarom ik Bird belde. Maar hij begon erover dat ik mee moest spelen in de band, dat hij, Dizzy en ik samen moesten optreden. Hij zei dat hij met Dial Records aan het onderhandelen was over een plaat en dat Ross Russell de boel op touw zette en wilde dat ik meedeed. Ik voelde me heel gevleid door al die loftuitingen. Wie zou zich niet gevleid voelen als de grootste in de muziekwereld je vertelde hoe goed je wel niet was en dat hij wilde dat je meespeelde? Maar als je met Bird praatte, bestond er altijd een kans dat hij je iets probeerde wijs te maken om een heel andere reden dan de muziek. Ik dacht er niet over om de plaats van Dizzy in te nemen. Daarvoor hield ik te veel van hem. Ik wist dat Bird en Dizzy in het verleden problemen hadden gehad, maar ik hoopte dat ze weer met elkaar overweg konden.

Ik wist niet dat Bird en Ross Russell het er al over hadden gehad om mij te laten meedoen. Bird wilde een ander soort trompettist dan Dizzy. Hij wilde iemand die ongedwongener speelde dan Dizzy, iemand die het middenregister gebruikte zoals ik. Daar kwam ik pas achter toen ik in Los Angeles was.

Toen we aankwamen had Benny Carter een optreden in het Orpheum Theatre. Nadat we gespeeld hadden ging de band tijdelijk uit elkaar tot een volgend optreden. Benny formeerde uit de grote band een groep met mij, de trombonist Al Grey en een paar anderen, van wie ik de naam vergeten ben. Ik geloof dat er een zekere Bumps Meyers in de groep zat. We begonnen in kleine clubs, verspreid over Los Angeles en maakten een radio-opname. Maar ik had de pest aan de muziek die de groep speelde, durfde het toen alleen niet te zeggen. Benny zelf was een aardige kerel en ik mocht *zijn* manier van spelen wel, maar ik kon niks met wat die andere vogels speelden. Daar kwam nog iets bij. Na mijn aankomst in L.A. logeerde ik bij Benny. Ik vond het niet bepaald juist om er meteen de brui aan te geven en ik wist even niet wat ik moest doen. Ik vond het niet leuk om in de band te spelen, omdat ze een aantal ouderwetse nummers en arrangementen speelden. Benny is een geweldig musicus, weet je. Maar hij was niet overtuigd van z'n eigen spel en soms vroeg hij mij of hij hetzelfde geluid had als Bird. Dan zei ik: 'Nee, je klinkt als Benny Carter.' Man, als ik dat zei, dan bescheurde hij zich van het lachen.

Nog tijdens mijn optreden met de band van Benny Carter speelde ik met Bird in de Finale, een nachtclub. De Finale was boven, op de eerste etage geloof ik. Het was geen grote, maar wel een aardige tent en ik voelde me er thuis omdat de muziek lekker was en de musici er helemaal in op gingen. Er werden van daaruit regelmatig live radio-opnames gemaakt. Bird had een zekere Foster Johnson, een gepensioneerde danser die manager was van de club, overgehaald om de band te engageren. De Finale Club lag in een wijk van Los Angeles die 'Little Tokyo' heette. De zwarte wijk grensde direct aan deze Japanse buurt. Ik dacht dat de Finale in South San Pedro was. Maar hoe dan ook, in de band zaten: Bird op altsax, ik op trompet, Addison Farmer – tweelingbroer van de trompettist Art Farmer – als bassist, Joe Albany piano en Chuck Thompson drums. Er waren een heleboel andere goede musici die mee kwamen doen in de Finale. Howard McGhee kwam heel vaak binnenlopen. Na Foster Johnson had hij de leiding van de club. Sonny Criss, altsaxofonist, was er regelmatig en natuurlijk Art Farmer, de bassist Red Callender en zijn protégé Charlie Mingus, die mooie gek.

Charlie Mingus was doller op Bird dan wie dan ook. Ja, misschien hield Max Roach wel net zoveel van Bird. Maar in ieder geval kwam Mingus elke avond om Bird te horen. Hij kon er niet genoeg van krijgen. Hij was ook gek op mij. Mingus speelde bas en iedereen die hem hoorde wist dat hij de top zou bereiken. We waren ervan overtuigd dat hij naar New York zou komen, wat ook inderdaad gebeurd is.

Ik had een hekel aan de muziek die door Benny's band werd gespeeld. Dat kon je geen muziek meer noemen. Ik vertelde m'n vriend Lucky Thompson dat ik er ziek van werd. Hij zei dat ik er dan maar beter uit kon stappen en bij hem komen. Lucky was een fantastische saxofonist, die ik bij Minton's ontmoet had. Hij kwam uit Los Angeles en was nu weer even 'thuis'. Lucky had een paar keer bij mij gelogeerd toen hij in New York was. Hij had een huis in Los Angeles en ik trok bij hem in.

Het was begin 1946 en mijn vrouw Irene was terug naar East St. Louis, in verwachting van ons tweede kind, Gregory. Ik moest geld verdienen om mijn gezin te kunnen onderhouden. Vóór ik wegging, vroeg Benny of ik geld nodig had. Hij had gehoord dat ik niet gelukkig was. Ik zei alleen maar: 'Nee man, ik wil gewoon weg.' Hij voelde zich gekwetst en dat speet me, omdat hij me meegenomen had naar Californië en op me rekende. Het was de eerste keer dat ik zo abrupt uit een band stapte. Ik verdiende zo'n $145 per week. Maar ik voelde me ongelukkig in Benny's band. Geen enkel bedrag had dat goed kunnen maken. Al die troep die de band speelde, die waardeloze arrangementen van Neil Hefti.

Toen ik Benny en de band verliet, had ik geen stuiver op zak. Daarom trok ik een tijdje bij Lucky in en logeerde daarna bij Howard McGhee. We werden dikke maten, hij wilde leren wat ik van trompet en van muziektheorie wist. Howard woonde samen met Dorothy, een blank meisje. Ze was heel knap, net een filmster. Ik geloof dat ze getrouwd waren, maar ik weet het niet zeker. In ieder geval zorgde ze dat Howard steeds een nieuwe auto had, een goed gevulde portemonnee en nieuwe kleren. Howard was een heel bijzondere vent. Maar goed, Dorothy had een vriendin, een prachtige blonde vrouw. Ze leek op Kim Novak, maar dan met meer allure. Ze heette Carol. Ze was één van de grietjes van George Raft. Ze kwam altijd bij Howard, die wilde dat ik met haar ging. Ik had in die tijd op z'n hoogst nog maar met twee

of drie vrouwen gevreeën. Ik was al een beetje gaan roken, maar ik wist nog steeds niet hoe je moest vloeken.
Nou, daar was Carol toen, die steeds maar speciaal voor
mij langkwam en ik maar geen aandacht aan haar schenken. Dan zat ze een beetje naar me te kijken als ik trompet speelde. Dat was alles.

Als Howard thuiskwam en Carol was al weg, zei ik:
'Weet je, Carol kwam langs.'

'En?' vroeg hij dan.

'En wat?' zei ik. 'Wat bedoel je met "en"?'

'En wat heb je gedaan, Miles?'

'Niks,' zei ik, 'ik heb niks gedaan.'

'Luister, Miles,' zei Howard dan, 'die griet is rijk. Ik
bedoel, als ze langskomt betekent dat dat ze je mag. Doe
er dus iets aan. Denk je nu heus dat ze hier en bij Lucky
langskomt en alleen voor de lol in die Cadillac zit te toe-
teren? De volgende keer moet je er iets aan doen. Hoor je
wat ik zeg, Miles?'

Kort daarna reed ze weer toeterend in die nieuwe Cadillac voorbij. Ik liet haar binnen en ze vroeg of ik iets
nodig had. Zij in die Cadillac met open kap, chiquer dan
ooit. Ik had nog nooit met een blanke vrouw gerotzooid
en was waarschijnlijk een beetje bang. Misschien had ik
er in New York weleens eentje gezoend. Maar ik was nog
nooit met een blank meisje naar bed geweest. Ik zei tegen
haar dat ik niets nodig had. Dus reed ze weg. Toen Howard thuiskwam, vertelde ik dat Carol was komen vragen of ik iets nodig had.

'En?' zei Howard.

'Ik heb gezegd dat ik niks nodig had. Ik wil geen geld
of wat dan ook.'

'Ben je nou helemaal gek geworden, lul,' zei Howard,
razend. 'Als ze weer langskomt en jij hetzelfde verhaal op-
hangt, terwijl je geen stuiver hebt, timmer ik je in elkaar.
We kunnen hier nergens spelen omdat we te modern

zijn. De blanke vakbond heeft de pest aan ons omdat we zwart zijn. En dan komt er opeens een blanke vrouw, een hoer, die jou geld wil geven en dan zeg jij dat je niks nodig hebt, terwijl je geen cent hebt! Als je dat nog een keer flikt, steek ik je overhoop, grote lul. Hoor je wat ik zeg? Heb je me goed begrepen? Ik zou maar oppassen, want ik meen het.'

Ik kende Howard en wist dat hij in wezen aardig was. Maar hij kon niet tegen gezeik. Toen Carol daarna weer langskwam en vroeg of ik geld nodig had, zei ik: 'Ja.' Toen ze me het aanbood, heb ik het aangenomen. Toen ik het Howard vertelde, zei hij: 'Prima.' Later dacht ik nog eens na over wat Howard had gezegd. Het zat me wel dwars, ik bedoel dat zij me geld had gegeven. Ik had zoiets nog nooit meegemaakt. Maar het was de eerste keer dat ik geen rooie cent had. Daarna gaf Carol me steeds truien en zo, want het begon in Los Angeles 's avonds al aardig koud te worden. Maar ik zal nooit dat gesprek met Howard vergeten. Ik herinner het me nog bijna woordelijk. En dat is voor mij heel ongewoon.

Toen ik uit Benny's band was gestapt, trok ik weer op met Bird en heb een tijdje samen met hem gespeeld. Howard McGhee bekommerde zich in Los Angeles ook om Bird. Bird woonde een tijdje bij Howard, nadat hij zijn verplichtingen aan Dizzy in Billy Bergs club was nagekomen. De muziek die Diz en Bird in Bergs club speelden, had in Los Angeles furore gemaakt, maar Dizzy wilde terug naar New York. Hij kocht vliegtickets naar New York voor alle leden van de band – ook voor Bird. Iedereen was blij om te vertrekken. Maar op het laatste moment besloot Bird om zijn ticket in te wisselen en er heroïne voor te kopen.

In het voorjaar van 1946, ik denk dat het maart was, organiseerde Ross Russell voor Bird een opnamesessie met Dial Records. Ross overtuigde zich ervan dat Bird nuchter was en huurde mij in en Lucky Thompson op tenorsax, een zekere Arv Garrison op gitaar, Vic McMillan op bas, Roy Porter op drums en Dodo Marmarosa piano.

Bird dronk in die tijd goedkope wijn en spoot heroïne. De mensen aan de westkust waren niet zo 'in' voor bebop als het publiek in New York. Ze vonden het maar raar wat wij speelden en deden. Vooral Bird vonden ze vreemd. Hij had geen cent, zag er slecht en onverzorgd uit. Maar iedereen die hem *kende, wist* dat hij geweldig speelde en zich nergens iets van aantrok. De rest van het publiek had alleen maar gehoord dat Bird een ster was en zag hem als een dronkeman zonder poen, die op het podium van die onzin speelde. De meeste mensen geloofden er geen bal van dat Bird geniaal was en negeerden hem, ik denk dat hij daardoor zijn zelfvertrouwen verloren had, het geloof in hetgeen waar hij mee bezig was. Toen Bird uit New York vertrok, was hij gevierd als een koning, maar in Los Angeles was hij niet meer dan één van die eigenaardige, dronken negers zonder een cent op zak, die wat vreemde muziek stond te spelen. Los Angeles is een stad die uitsluitend uit gevierde sterren bestaat en Bird zag er niet uit als een ster.

Maar tijdens die opnamesessie voor Dial, die Ross georganiseerd had, wist Bird zichzelf in de hand te houden en speelde dat de stukken eraf vlogen. Ik weet nog dat we de avond vóór de opname in de Finale Club repeteerden. We hebben wel de halve avond gediscussieerd over wat we zouden spelen en wie wat zou spelen. Maar er was geen echte repetitie en de musici waren pissig omdat ze dingen moesten spelen waar ze niet in thuis waren. Bird was er nooit sterk in om de mensen te vertellen wat hij van ze verwachtte. Hij zorgde voor de juiste figuren en daarmee was de kous af. Er stond nooit iets op papier, op een vage schets na. Het enige dat hij wilde was spelen en ervoor betaald worden om daarna heroïne te kunnen kopen.

Bird speelde waar hij zelf zin in had. De anderen moesten zich maar herinneren wat hij gespeeld had. Hij was enorm spontaan, ging op zijn instinct af. Hij paste zich niet aan de westerse manier van samenspelen aan, waarbij de bezetting van de groep van tevoren geïnstrueerd wordt. Bird kon improviseren als de beste en vond dat daardoor pas muziek ontstond en dat het bij grote musici daarop aankwam. Hij ging ervan uit dat alles wat op papier stond 'onzin' was. Speel wat je kent en speel het goed, dan komt alles voor elkaar – precies het omgekeerde van de westerse opvatting dat alles eerst op papier moest staan.

Ik hield daarvan en heb in dat opzicht een hoop van Bird geleerd. Het zou me later bij mijn eigen muzikale opvattingen van pas komen. Als het concept werkt, loopt alles als een trein. Maar het gaat fout als je een groep hebt die niet begrijpt wat er aan de hand is of die de vrijheid die je ze laat niet aankan en maar speelt wat ze *zelf* willen. Bird had regelmatig jongens die er niets van begrepen. Maar hij hield zich altijd aan zijn eigen concept, niet alleen tijdens een opname, maar ook als er live werd gespeeld. En daar ging de discussie over in de Finale, die avond voor de opname.

De opnamesessie vond in Hollywood plaats, in een studio die Radio Recorders heette. Bird was die dag geweldig. We hebben opnames gemaakt van *A Night in Tunesia*, *Yardbird Suite* en *Ornithology*. Dial kwam in april met *Ornithology* en *A Night in Tunesia* op 78-toeren uit. Ik weet nog dat Bird die dag ook met een nummer kwam dat *Moose the Mooche* heette en genoemd was naar de vogel die Bird van heroïne voorzag. Ik vermoed dat die ongeveer de helft van de royalty's van Bird heeft opgestreken voor het verstrekken van heroïne. (Waarschijnlijk was dat op de een of andere manier in het contract met Bird vastgelegd.)

Ik geloof dat iedereen die dag goed gespeeld heeft, behalve ik. Voor mij was het de tweede opname met Bird en ik weet echt niet waarom ik, naar mijn gevoel, niet goed genoeg speelde. Misschien was ik te zenuwachtig. Ik heb niet echt slecht gespeeld, maar het had beter gekund. Ross Russell – een lul van een kerel, ik heb nooit met hem op kunnen schieten, want het was een slijmbal, die Bird heeft uitgezogen als een vampier – zei er iets over, dat mijn spel wel iets te wensen overliet. Laat hij opsodemieteren, die blanke klootzak. Hij was niet eens een musicus, hoe kon hij dan weten hoe Bird het wilde hebben. Ik heb tegen Ross Russell gezegd dat hij m'n reet kon likken.

Ik speelde die dag met demper om niet te veel op Dizzy te lijken. Maar zelfs met sordino klonk ik als Diz. Ik was woedend, want ik wilde mijn eigen klank hebben. Ik had nog steeds het gevoel dat ik er niet ver van af was om een eigen sound op trompet te produceren. Ik wilde ook toen al mezelf zijn, al was ik pas negentien. Ik had geen geduld met mezelf en ook niet met andere dingen. Maar dat liet ik niet merken en hield mijn ogen en oren wijdopen om zoveel mogelijk te leren.

Niet lang na de opnamesessie, ik denk begin april, werd de Finale die door Howard en Dorothy McGhee gerund werd, door de politie gesloten. Howard was al voortdurend lastiggevallen door blanke politieagenten omdat hij getrouwd was met een blanke. Toen Bird bij hem in de garage woonde, volslagen aan de drank en met al die pooiers, drugdealers en hoeren om zich heen, begon de politie ze in de gaten te houden en steeds meer druk op ze uit te oefenen. De politie werd steeds lastiger. Maar die twee stonden hun mannetje en gaven het niet op. De Finale werd gesloten omdat er volgens de politie in drugs werd gehandeld – en dat was ook zo. Maar er is nooit iemand gearresteerd. De tent werd gesloten op grond van verdenking.

Er waren maar weinig tenten waar jazzmusici – vooral zwarte jazzmusici – konden spelen. Er viel dus niet veel te verdienen. Na een tijdje kreeg ik wat geld van mijn vader, waardoor ik het weer even uit kon houden. Maar echt goed ging het ook niet. Je kon in die tijd in Los Angeles moeilijk aan heroïne komen. Dat maakte voor mij weinig uit, want ik gebruikte het toen niet, maar Bird deed niet anders. Hij was toen vreselijk verslaafd, daarom begon hij af te kicken. Hij verdween gewoon. Niemand wist dat hij bij Howard woonde en toen Bird stopte met heroïne, ging hij zwaar aan de drank. Ik herinner me dat hij een keer vertelde dat hij aan het afkicken was en dat hij al een week niet meer gespoten had. Maar op tafel stonden twee literflessen wijn, in de prullenbak lagen lege whiskyflessen, de tafel lag vol met peppillen en de asbak zat boordevol peuken.

Bird dronk altijd al veel, maar dat haalde niet bij wat hij dronk na het afkicken. Hij dronk alle sterke drank die hij maar krijgen kon bij flessen tegelijk op. Hij hield van whisky, dus als dat er was, was de fles binnen de kortste keren leeg. Wijn ging erdoorheen alsof het niets was. Bird leefde van port toen hij aan het afkicken was, vertelde Howard later. Hij ging ook aan de speed, benzedrine, waarmee hij zijn gezondheid verknalde.

De Finale ging in mei 1946 weer open. Bird nam Howard op trompet in plaats van mij en om een of andere reden kan ik die maand maar niet vergeten. Ik geloof dat Bird een groep had gevormd met Howard, Red Callender, Dodo Marmarosa en Roy Porter. Iedereen kon zien dat Bird lichamelijk op instorten stond, maar hij speelde goed.

Ik hing maar wat rond met een paar jongere musici uit

Los Angeles, zoals Mingus, Art Farmer en natuurlijk Lucky Thompson – m'n beste maat uit mijn tijd aan de westkust. Ik geloof dat ik in april nog een keer samen met Bird ben opgetreden, maar dat weet ik niet meer zeker. Ik schijn gespeeld te hebben in de Carver Club, een tent op de campus van de universiteit. Ik geloof dat Mingus, Lucky Thompson, Britt Woodman en mogelijk ook Arv Garrison meededen. Het was heel moeilijk om in Los Angeles werk te vinden en in mei of juni was ik het beu. Het ging me allemaal te traag. Ik leerde er niets.

Ik had Art Farmer voor het eerst ontmoet in het kantoor van de zwarte vakbond in het centrum van Los Angeles, in de zwarte wijk. Ik denk dat het op het afdelingskantoor 767 was. Ik stond te praten met Sammy Yates, een trompettist die meespeelde in de band van Tiny Bradshaw. Er waren nog wat andere jongens die me vroegen hoe het zat met die nieuwe muziek, de bebop, en hoe het in New York was. Dat soort vragen. Ik vertelde ze alles wat ik wist. Ik herinner me nog goed dat rustige knulletje dat zich afzijdig hield – hij kon niet ouder dan een jaar of zeventien, achttien zijn geweest – en alles in zich opzoog wat ik stond te vertellen. Ik kon me hem weer herinneren toen ik hem terugzag op een paar jamsessies. Het was Art Farmer. Ik speelde toen met zijn tweelingbroer en kwam erachter dat hij ook trompet en bugel speelde. We praatten daarna regelmatig over muziek. Ik mocht hem wel, want het was een aardige vent en hij kon goed spelen voor iemand die nog zo jong was.

Ik geloof dat ik hem meestal bij de Finale tegenkwam. Ik heb hem later pas beter leren kennen, toen hij naar New York verhuisde. Maar voor het eerst heb ik Art in Los Angeles ontmoet. Een heleboel jonge musici in Los Angeles die het serieus meenden met de muziek, kwamen naar me toe om te vragen hoe het in New York was. Ze wisten dat ik met een aantal geweldige musici had gespeeld en vroegen me de oren van het hoofd.

In de zomer van 1946 speelde ik met Lucky Thompson's band in een tent die Elks Ballroom heette, iets meer naar het zuiden op Central Avenue, waar de zwarten uit Watts kwamen. Het waren echte boerenkinkels, maar ze hielden van de muziek die wij speelden omdat ze erop konden dansen. Mingus speelde bas in de band. Lucky huurde drie avonden per week de zaal af en adverteerde met een tekst als 'Lucky Thompson's All Stars, met de briljante jonge trompettist Miles Davis, die u laatst samen heeft kunnen horen spelen met Benny Carter'. Man, dat was een gein. Lucky Thompson was een bijzondere vent. We traden ongeveer drie of vier weken op en daarna vertrok Lucky met Boyd Raeburns band.

Omstreeks die tijd deed ik mee aan een plaat met Mingus, *Baron Mingus and His Symphonic Airs*. Mingus was een gekke, briljante figuur en ik heb nooit geweten wat hij met die titel bedoelde. Hij heeft eens een keer geprobeerd het me uit te leggen, maar ik denk dat hij zelf niet eens wist wat hij ermee bedoelde. Maar als Mingus iets deed, deed hij het goed. Als hij zich gek wilde aanstellen, deed hij gekker dan wie dan ook. Veel mensen stoorden zich eraan dat Mingus zichzelf 'baron' noemde, maar mij kon het niets schelen. Mingus mag dan gek zijn geweest, maar hij was z'n tijd ver vooruit. Hij was één van de grootste bassisten die ooit bestaan hebben.

Charlie Mingus was een eigengereide figuur, die zich van niemand iets aantrok. En dat bewonderde ik in hem. Veel mensen konden hem niet uitstaan, maar durfden hem dat niet in z'n gezicht te zeggen. Ik wel. Het schrok mij niet af dat hij zo groot was. Het was een vriendelijke, aardige kerel die geen vlieg kwaad deed, tenzij hij werd belazerd. Dan moest je uitkijken! We maakten vaak ruzie en scholden elkaar uit. Maar Mingus heeft nooit gedreigd me te zullen slaan. In 1946, toen Lucky Thompson de stad uit was, werd Mingus in Los Angeles mijn beste vriend. We repeteerden altijd samen, praatten veel over muziek.

Ik maakte me zorgen over Bird omdat hij zoop als een idioot en steeds dikker werd. Hij was lichamelijk in zo'n slechte toestand, dat hij voor het eerst sinds ik hem kende echt slecht ging spelen. Hij dronk ruim een fles whisky per dag. Junkies hebben een bepaalde dosis nodig. Het eerste wat ze doen is aan die behoefte te voldoen. Dan kunnen ze weer functioneren, spelen, zingen of wat dan ook. Maar Bird was in Californië uit zijn balans geraakt. Als je ergens anders bent en je kunt constant maar niet krijgen wat je nodig hebt, dan moet je iets anders zien te vinden – voor Bird was dat drank. Hij was een junkie. Zijn lichaam was gewend geraakt aan heroïne. Maar zijn lichaam was niet gewend aan al die drank. Hij werd er gek van. Dat was wat er in Los Angeles gebeurde en later in Chicago en Detroit.

Het eerste teken in die richting was tijdens de sessie voor Dial Records in juli 1946, die Ross Russell georganiseerd had. Bird kon nauwelijks spelen. Howard McGhee, die tijdens het optreden trompet speelde, had de band geformeerd. Bird was beklagenswaardig, hij bracht er niets van terecht. Zijn verblijf in Los Angeles, het feit dat hij met de nek werd aangekeken en niet aan drugs kon komen, plus het voortdurend achterover slaan van al die whisky en peppillen, hadden hem tenslotte kapot gemaakt. Hij zag er volkomen uitgeput uit en ik dacht echt dat het met hem gedaan was. Ik bedoel dat hij dood zou gaan. Later op de avond, na de opnames, ging hij naar z'n hotelkamer en heeft zich zo bezat dat hij met een sigaret in slaap is gevallen en z'n bed in de fik heeft gestoken. Toen hij de brand had geblust en daarna naakt de straat op liep, werd hij gearresteerd. De politie dacht dat hij gek was geworden en bracht hem naar het psychiatrisch ziekenhuis Camarillo. Hij is daar zeven maanden geweest. Daar heeft hij waarschijnlijk zijn leven aan te danken, hoewel ze er vreselijke dingen met hem hebben uitgehaald.

Toen ze Bird opnamen ging er een schok door de muziekwereld heen, vooral in New York. Maar wat iedereen verbijsterde was dat Bird in Camarillo een shockbehandeling kreeg. Ze gaven hem een keer zoveel elektroshocks, dat hij bijna z'n tong afbeet. Ik kon maar niet begrijpen waarom ze hem een shockbehandeling gaven. Ze zeiden dat het hielp. Maar voor een artiest als Bird maakten die behandelingen het alleen maar erger. Met Bud Powell hebben ze hetzelfde gedaan toen die ziek werd, maar het heeft geen fluit geholpen. Bird was er zo slecht aan toe dat de dokters hem vertelden dat het met hem gedaan zou zijn als hij een zware verkoudheid of een longontsteking op zou lopen.

Toen Bird van het toneel verdwenen was, repeteerde ik vaak met Charlie Mingus. Hij schreef de nummers die Lucky, hij en ik dan instudeerden. Het kon Mingus geen reet schelen wat voor muzikaal ensemble het was, hij wilde alleen maar dat zijn muziek steeds gespeeld werd. Ik maakte vaak ruzie over al die plotselinge veranderingen van de akkoorden in zijn nummers.

'Mingus, je bent zo godvergeten lui, dat je niet eens meer wilt moduleren. Je speelt gewoon, bam! een nieuw akkoord, wat soms wel aardig is, weet je, maar niet altijd, verdomme.'

Dan lachte hij maar wat en zei: 'Miles, speel het gewoon zoals ik het geschreven heb.' En dat deed ik. Het klonk heel vreemd in die tijd. Maar Mingus was net als Duke Ellington zijn tijd ver vooruit.

Mingus speelde muziek die echt heel anders was. Hij begon heel plotseling met die vreemd klinkende muziek, bijna van de ene dag op de andere. Natuurlijk is er aan muziek en klanken nooit iets 'verkeerd'. Je kunt alles spelen, ieder akkoord. Zoals John Cage speelt, met al die vreemde klanken en geluiden. De muziek staat voor alles open. Ik plaagde hem vaak: 'Mingus, waarom speel je het zo?' Hij speelde bijvoorbeeld *My Funny Valentine* in majeur, terwijl het in D klein gespeeld hoort te worden. Maar dan lachte hij met dat poeslieve lachje van 'm en ging door met wat hij aan het doen was. Mingus was heel bijzonder, echt een genie. Ik was dol op hem.

Maar goed, in de zomer van 1946 – eind augustus denk ik – kwam Billy Eckstine met zijn band naar Los Angeles. Fats Navarro was zijn vaste trompettist, maar die was in New York achtergebleven. Daarom nam B contact op met mij, want Dizzy had hem verteld dat ik in L.A. zat. B vroeg of ik in zijn band mee wilde spelen. 'Hé, Dick – B noemde me Dick – ben je zover, lul?'

'Ja,' zei ik.

'Dick, ik geef je $200 per week, spelen of niet. Maar tegen niemand zeggen,' zei hij. 'Als je dat doet, stamp ik je in elkaar.'

'Oké,' zei ik met een brede grijns.

B had me vóór mijn vertrek uit New York gevraagd of ik bij hem in de band wilde komen, zie je. Hij had me dolgraag willen hebben. Dat was de reden waarom hij nu zoveel wilde betalen. Maar toen in New York genoot ik ervan om in kleine groepen te spelen en Freddie Webster had tegen me gezegd: 'Miles, je weet dat spelen met B je ondergang is. Als je met hem in zee gaat, ben je als creatief musicus verloren. Want je kunt niet doen wat *jij* wilt. Je kunt niet spelen wat *jij* wilt. Ze gaan naar South Carolina en dat is niks voor jou. Je kunt geen gekke bekken trekken. Je bent geen Oom Tom en je hoeft maar iets verkeerd te doen of die blanken daar schieten je neer. Doe het niet. Zeg dat je niet mee wil.'

En dat heb ik gedaan, want Freddie was mijn beste

vriend en heel verstandig. Toen ik tegensputterde dat B ook overal lak aan had en dat ze hem in het Zuiden net zo goed konden neerknallen, zei Freddie: 'Miles, B is een ster en verdient veel geld. Jij niet. Denk niet dat jij al zover bent, tenminste nu nog niet.' Dat was de reden waarom B tegen me zei: 'En Dick, ben je zover, lul?', toen hij in Los Angeles vroeg of ik wilde meespelen in zijn band. Hij nam me in de maling omdat ik in New York zijn aanbod had afgeslagen. Maar hij had er respect voor dat ik had geweigerd.

B had Sonny Stitt, Gene Ammons en Cecil Payne in de saxofoonsectie; Linton Garner – een broer van Erroll Garner – piano; Tommy Potter op bas en Art Blakey drums. Hobart Dotson, Leonard Hawkins, King Kolax en ik vormden de trompetsectie.

Op dat moment was B een van de beroemdste zangers in de Verenigde Staten, samen met Frank Sinatra, Nat 'King' Cole, Bing Crosby en nog een paar anderen. Hij was een seksobject voor zwarte vrouwen, een echte ster. Dat was hij ook wel voor blanke vrouwen, maar die waren toch minder verrukt van hem en die kochten ook niet zoveel platen als de zwarte vrouwen. Hij was een onbehouwen figuur, waar je geen flauwekul mee uit moest halen. Iemand die over de schreef ging, sloeg hij gewoon verrot.

Maar B vond zichzelf meer een artiest dan een ster. Hij had veel geld kunnen verdienen als hij de band had laten vallen en alleen als zanger door het land was getrokken. De bandleden waren als altijd goed op elkaar ingespeeld en heel gedisciplineerd. Ze speelden alles wat B maar wilde. De bandleden speelden erop los als B zijn nummers had gezongen. Dan stond hij daar met die brede grijns op zijn gezicht te genieten. B's band is eigenlijk nooit goed opgenomen op de plaat. De platenmaatschappij was meer geïnteresseerd in B als zanger, daarom legden ze meer het accent op hem en op populaire muziek. Hij moest die populaire onzin wel doen om de band in stand te houden.

B had geloof ik een orkest van negentien man en rond die tijd vielen alle big bands uit elkaar door gebrek aan geld. Op een gegeven moment, nadat de band een week vrij had gehad, kwam B aanzetten met het beloofde geld. Ik zei: 'B, ik kan het niet aannemen, man, want de rest van de jongens krijgt niet betaald.'

B lachte wat en stopte het geld terug in z'n zak. Dat heeft hij me daarna nooit meer geflikt. Niet dat ik het geld niet kon gebruiken. Ik kon het best gebruiken voor mijn gezin, Irene zat in East St. Louis met de kinderen, Cheryl en Gregory. Maar ik kon het gewoon niet aannemen omdat ik wist dat de anderen niet werden betaald.

Als we geen dansmuziek speelden en dat soort dingen, vormden we kleine groepen en speelden we in kleine clubs zoals de Finale. We bleven nog twee of drie maanden in Los Angeles voordat we in het najaar van 1946 teruggingen naar New York, met een korte onderbreking in Chicago.

Ik had met de band van B in heel Californië gespeeld en was steeds bekender geworden. Toen ik op het punt stond om samen met de band van B uit Los Angeles te vertrekken, werd Mingus razend. Hij dacht dat ik Bird in de steek liet, die nog steeds in het Camarillo lag. Hoe kón ik het in m'n hoofd halen om zonder Bird terug te gaan naar New York, vroeg hij. Hij ontplofte bijna van woede. Ik wist niet wat ik moest zeggen, dus hield ik m'n mond. Hij zei dat Bird een soort 'papa' voor me was. Ik zei dat ik niks voor Bird kon doen. Ik weet nog dat ik zei: 'Luister, Mingus, Bird zit in een psychiatrische inrichting en niemand weet *wanneer* hij daar uitkomt. Weet jij het soms wel? Bird is helemaal in de war, begrijp je dat dan niet?'

Maar Mingus ging door: 'Zoals ik al zei, Miles, Bird is je muzikale vader. Je bent een klootzak, Miles Davis! Hij heeft je *gemaakt*.'

Waarop ik weer zei: 'Lazer op, Mingus. Geen enkele klootzak heeft me gemaakt, zwarte stinkerd, behalve mijn *echte* vader. Bird heeft me misschien wel geholpen en dat heeft hij ook gedaan. Maar hij heeft me niet *gemaakt*. Sodemieter op met die onzin. Ik ben dat kut-ge-doe in Los Angeles zat. Ik ga terug naar New York, waar van alles aan de gang is. En maak je geen zorgen over Bird, Mingus. Bird zal het heus wel begrijpen, al begrijp *jij* het dan niet.'

Het deed me pijn om zo tegen Mingus te moeten pra-ten, want ik was dol op hem en ik kon merken dat hij be-hoorlijk was aangeslagen door mijn vertrek. Hij gaf z'n pogingen op en probeerde me niet langer meer over te halen om te blijven. Maar ik denk wel dat die ruzie onze vriendschap een gevoelige klap heeft toegebracht. We hebben daarna nog weleens samen gespeeld, maar we waren niet meer zo 'close' als voor die tijd. We waren nog wel vrienden, ook al zeggen sommige schrijvers van boe-ken over ons daar iets anders over. Maar die schrijvers hebben mij nooit iets gevraagd. Hoe kunnen ze dan we-ten wat *ik* van Charlie Mingus vind? Later zijn Mingus en ik onze eigen weg gegaan, zoals zoveel mensen. Maar hij was mijn vriend, man, en *hij* wist dat. We hebben misschien wel onenigheid gehad, maar dat hadden we al-tijd al, nog vóór die ruzie over Bird.

Ik begon cocaïne te snuiven toen ik in B's band speel-de. Hobart Dotson, de trompettist die naast mij zat, had me overgehaald. Hij gaf me op een dag een lijntje. We waren in Detroit, op weg naar New York. De eerste die me overhaalde om heroïne te gaan spuiten – ik zat toen nog in de band van B – was Gene Ammons van de saxo-foonsectie. Ik weet nog dat ik voor de eerste keer cocaïne snoof. Ik wist absoluut niet wat het was, man. Ik weet alleen dat alles ineens heel helder op me overkwam en dat ik plotseling barstte van de energie. De eerste keer dat ik heroïne spoot, dommelde ik in en wist niet wat er gebeurde. Man, dat was een raar gevoel. Maar ik voelde me zó ontspannen. In muziekkringen werd in die tijd gedacht dat je net zo fantastisch ging spelen als Bird als je heroïne gebruikte. Dat was een reden voor een heleboel musici. Ik vermoed dat ik zat te wachten tot dat vonkje genialiteit op mij zou overspringen. Het was een grote fout eraan te beginnen.

Sarah Vaughan zong in die tijd al niet meer mee in de band. Ann Baker had haar plaats ingenomen. Een goede zangeres. Het was ook de eerste vrouw die mij vertelde dat 'een stijve lul geen geweten heeft'. Ze kwam gewoon mijn hotelkamer binnen om te neuken. Dat was nog eens wat anders.

We gingen altijd met de bus op tournee en als B iemand betrapte die met open mond lag te slapen, strooide hij zout in z'n mond en maakte hem wakker. Iedereen bescheurde zich dan van het lachen om de arme sukkel die daar met uitpuilende ogen zat te hoesten. Ja, B was wel een grapjas.

B zag er in die tijd zo mooi en chic uit dat hij voortdurend achterna werd gelopen door vrouwen. Hij was zo knap dat ik soms vond dat hij er als een meisje uitzag. Omdat B zo knap was dachten sommige mensen dat hij een halfzachte was. Maar B was een van de hardste kerels die ik ooit heb gekend. Op een dag in Cleveland of in Pittsburgh zaten we voor het hotel in de bus op B te wachten, klaar om te vertrekken. We waren al meer dan een uur te laat. En daar komt B naar buiten met een schitterend wijf. Hij zegt tegen mij: 'Hé, Dick, dit is m'n vriendin.'

Ze zegt iets in de geest van: 'Ik heb een naam, Billy, zeg hem hoe ik heet.'

B draaide zich om en zei: 'Hou je kop, trut!' En gaf haar een klap.

Ze zegt tegen B: 'Luister eens, lul, als je niet zo knap was, draaide ik je nek om, vuile rotschoft.'

B stond maar te lachen en zei: 'Hou je kop, wijf. Wacht maar eens tot ik goed ben uitgerust. Dan ram ik je helemaal in elkaar.' Dat mens was razend.

Later in New York, toen de band uit elkaar gevallen was, trokken B en ik altijd met elkaar op en hingen rond in de Straat. Ik snoof toen al coke en B kocht zoveel cocaïne als hij maar snuiven kon. Ze verkochten je de stuff in van die kleine pakjes. En dan telde B de pakjes en zei: 'Hoeveel heb jij er gekocht, Dick?'

Toen ik jonger was kampte ik met hetzelfde probleem als B dat ik een te knap gezicht had. In 1946 zag ik er nog zó jong uit dat de mensen zeiden dat ik meisjesogen had. Als ik een drankwinkel binnenging om voor mezelf of voor iemand anders whisky te kopen, vroegen ze altijd hoe oud ik was. Ik zei dan dat ik al twee kinderen had, maar ze vroegen toch altijd of ik me kon legitimeren. Ik was klein en had een meisjesgezicht. Maar B was charmant en in trek bij de vrouwen. Ik heb ook veel van hem geleerd over hoe je mensen moet behandelen die je niet in je buurt wilt hebben. Je zegt gewoon dat ze moeten oprotten. Dat is alles. Anders verdoe je je tijd.

Op de terugweg naar New York deden we Chicago, Cleveland, Pittsburgh en nog een paar andere plaatsen aan die ik vergeten ben. Toen we in Chicago waren heb ik mijn gezin opgezocht en voor het eerst mijn zoon gezien. Dat was omstreeks Kerstmis. Ik heb de feestdagen toen met mijn gezin doorgebracht. De eerste maanden van 1947 bleef de band nog bestaan. Daarna zijn we uit elkaar gegaan. Ik had goed nieuws gekregen: het blad *Esquire* had mij de eerste prijs toegekend als Nieuwe Ster op de trompet. Waarschijnlijk omdat ik met Bird en met de band van B had gespeeld. Dodo Marmarosa won de prijs voor piano en Lucky Thompson voor tenorsaxofoon. Alledrie hadden we met Bird gespeeld. Het was dus niet alleen maar een moeilijk jaar, maar ook een goed jaar.

## 5

Toen ik terugkwam in New York waren de clubs in de Straat weer open. Wie 52nd Street tussen 1945 en 1949 meemaakte, las als het ware een boek over de toekomst van de muziek. Je hoorde Coleman Hawkins en Hank Jones in één club, je zag Art Tatum, Tiny Grimes, Red Allen, Dizzy, Bird, Bud Powell en Monk allemaal daar in diezelfde straat, soms op dezelfde avond. Waar je ook kwam, overal hoorde je die fantastische muziek. Het was ongelooflijk. Ik schreef toen voor Sarah Vaughan en Budd Johnson. Ik bedoel maar, iedereen wás daar. Tegenwoordig kun je dat soort mensen niet meer allemaal tegelijk horen. Je krijgt de kans niet meer. Maar 52nd Street, dat was wat in die tijd. Er liepen altijd massa's mensen en de clubs waren niet groter dan gewone huiskamers. Zo klein waren ze en propvol. Ze lagen allemaal naast en tegenover elkaar. De Three Deuces was schuin tegenover de Onyx en daar weer schuin tegenover was een Dixielandclub. Man, als je daar naar binnen ging, leek het net of je in Tupelo, Mississippi was. Het zat er vol blanke racisten. De Onyx, de club van Jimmy Ryan, kon ook al behoorlijk racistisch zijn. Maar aan de andere kant van de straat, naast de Three Deuces, zat de Downbeat Club. Dus je had naast elkaar al die clubs waar Erroll Garner, Sidney Bechet, Oran 'Hot Lips' Page en Earl Bostic elke avond optraden. En in andere clubs werd weer andere jazz gespeeld. Het was een te gekke scene. En let op m'n woorden, ik geloof niet dat we ooit nog zoiets zullen meemaken.

Lester Young was er ook vaak. Ik had Prez ontmoet toen hij op doorreis was in St. Louis en in de Riviera speelde, voordat ik naar New York vertrok. Hij noemde mij 'Midget' (dwerg). Lester had dezelfde sound en dezelfde benadering als Louis Armstrong, alleen dan op tenorsax. Billie Holiday had ook die sound en die stijl en Budd Johnson ook en die blanke klojo Bud Freeman. Ze hadden allemaal dezelfde 'running' speel- en zangstijl. En van die stijl houd ik, van dat lekker lopende. Die maakt de toon vloeiend. Hij heeft iets zachts qua benadering en concept, en legt de klemtoon op één noot. Ik leerde op die manier spelen van Clark Terry. Voor ik werd beïnvloed door Dizzy en Freddie, voor ik een eigen stijl ontwikkelde, speelde ik altijd zoals hij speelt. Maar die 'running' stijl kende ik voor een groot deel van Lester Young.

Maar goed, na een tijdje rondgehangen te hebben, maakte ik in maart 1947 een plaat met Illinois Jacquet. We hadden een te gekke trompetsectie, met mij, Joe Newman, Fats Navarro en twee anderen – ik geloof de broer van Illinois, Russell Jacquet en Marion Hazel. Dicky Wells speelde trombone en Leonard Feather, de criticus, speelde piano. Ik vond het leuk om weer met Fats samen te spelen.

Dizzy trok volle zalen met z'n big band, die bebop speelde. Walter Gil Fuller, die vroeger altijd voor B's band schreef, was zijn muzikaal directeur. Gil was een klootzak en daarom was iedereen nogal benieuwd hoe Dizzy's band het zou doen. En toen, in april, boekte Dizzy's manager Billy Shaw de big band voor het McKinley Theatre in de Bronx. Wat dat concert zo'n speciale plaats in mijn herinnering bezorgt, is het feit dat Gil Fuller de beste trompetsectie inhuurde die volgens mij ooit in één band samenspeelde. Dat waren ikzelf, Freddie Webster, Kenny Dorham, Fats Navarro en Dizzy. Max Roach speelde drums. Vlak voor dat optreden kwam Bird terug naar New York en hij kwam ook bij de band. Hij was in februari uit Camarillo gekomen en was lang genoeg in Los Angeles blijven hangen om twee platen voor Dial op te nemen en om weer aan de drugs te gaan. Maar de platen die Ross Russell Bird had laten opnemen waren vreselijk. Waarom liet Ross Bird zoiets doen? Man, dáárom moest ik niets van Ross Russell hebben. Hij was een slijmerige klootzak die Bird verdomme gewoon gebruikte. Hoe dan ook, Bird was in New York niet zo slecht af als in Los Angeles, omdat hij niet meer zoveel dronk en ook minder spoot dan hij later zou doen. Hoewel hij nog steeds aan de dope was.

Maar man, die trompetsectie – de hele band trouwens, op die eerste avond – was helemaal te gek, weet je wel. Die muziek was overal, in ieders lijf en in de lucht. En het was zo lekker om zo met elkaar te spelen. Ik genoot ervan en ik was zo opgewonden over het feit dat ik met al die lui speelde, dat ik uit mijn bol ging. Het was een van de meest opwindende, spirituele dingen die ik ooit heb meegemaakt, net als die eerste keer dat ik met B's band in St. Louis meedeed. Ik weet nog hoe het publiek op die eerste avond luisterde en zich in het zweet danste. Er hing daar een enthousiasme, een soort hunkering naar de muziek die gespeeld zou gaan worden. Het is moeilijk te beschrijven. Het was elektrisch, magisch. Het deed me zo goed dat ik ook in die band zat. Ik voelde dat ik het gemaakt had, dat ik in een band vol muzikale goden zat en dat ik daar één van was. Ik voelde me vereerd en nederig tegelijk. We waren daar allemaal terwille van de muziek. En dat is een prachtig gevoel.

Dizzy wilde de band clean houden en hij vond dat Bird een negatieve invloed had. Op de avond dat we voor het eerst in het McKinley optraden zat Bird op het toneel te dommelen en hij speelde niet, behalve zijn eigen soli.

Hij wilde voor niemand in de begeleiding spelen. Zelfs de mensen uit het publiek lachten hem uit, terwijl hij daar op het podium zat te knikkebollen. Dus Dizzy, die toch z'n buik al vol had van Bird, ontsloeg hem na die eerste avond. Toen ging Bird naar Gil Fuller en beloofde hem dat hij clean zou blijven en hij wilde dat Gil dat tegen Dizzy zou zeggen. Gil ging naar Dizzy om te proberen hem over te halen Bird te laten blijven. En ik sprak ook met Dizzy en zei dat het goed zou zijn om Bird erbij te houden, zodat hij voor weinig geld een paar nummers zou kunnen schrijven, ik geloof dat het om $100 per week ging. Maar Dizzy weigerde, hij zei dat hij geen geld had om hem te betalen en dat we het maar zonder hem moesten zien te rooien.

Volgens mij traden we een paar weken lang op in het McKinley Theatre. Intussen formeerde Bird een nieuwe band en hij vroeg mij om bij hem te komen spelen en dat deed ik. De twee platen die Bird in Los Angeles voor Dial had opgenomen waren uitgekomen. Op de ene deed ik mee en Howard McGhee op de andere geloof ik. Ze waren eind 1946 uitgebracht en nu waren het grote jazzhits. Dus nu 52nd Street weer draaide en Bird terug in de stad was, wilden de clubeigenaars hem wel hebben. Iedereen zat achter hem aan. Ze wilden weer kleine bands en ze geloofden dat Bird voor volle zalen zou zorgen.

Ze boden hem $800 per week voor een maand in de Three Deuces. Hij contracteerde mij, Max Roach, Tommy Potter en Duke Jordan voor de piano. Hij betaalde Max en mij $135 per week en Tommy en Duke $125. Bird verdiende meer dan hij ooit in zijn leven had verdiend, $280 per week. Het maakte mij niet uit dat ik $65 per week minder verdiende dan wat ik in B's band kreeg; het enige dat ik wilde was spelen met Bird en Max en een beetje goede muziek maken.

Ik voelde me er lekker bij en Bird had een heldere blik

in z'n ogen, niet meer dat waanzinnige staren dat hij in Californië had gedaan. Hij was afgevallen en leek gelukkig met Doris. Ze was naar Californië gegaan om hem op te halen toen hij uit Camarillo kwam en was samen met hem per trein naar het oosten gereisd. Man, Doris hield van haar Charlie Parker. Ze zou echt alles voor hem doen. Bird leek gelukkig en klaar om er tegenaan te gaan. We begonnen in april 1947, afgewisseld met het trio van Lennie Tristano. Ik was echt blij om weer met Bird te spelen, omdat dat op dat moment het beste in mij naar boven haalde. Hij kon zoveel verschillende stijlen vertolken, zonder daarbij hetzelfde muzikale idee te herhalen. Zijn creativiteit en muzikale invallen waren grenzeloos. Hij bracht de ritmesectie iedere avond opnieuw totaal van de wijs. Stel we speelden een blues, dan kon Bird in de elfde maat invallen. En als de ritmesectie dan gewoon doorging met dat waarmee ze bezig was, dan speelde Bird op zo'n manier dat het leek alsof de ritmesectie de eerste en de derde maat benadrukte in plaats van de tweede en de vierde. Niemand was in staat Bird te volgen in die dagen, behalve Dizzy misschien. En telkens als hij zoiets flikte, brulde Max naar Duke dat hij niet moest proberen Bird te volgen. Hij wilde dat Duke gewoon doorging, omdat hij niet met Bird mee kon doen en hij anders het ritme zou versjteren. En dat deed Duke dan ook vaak als hij niet luisterde. Kijk, als Bird zo aan één van z'n ongelooflijke soli begon, was alles wat de ritmesectie moest doen gewoon het tempo volhouden en een beetje in de maat rotzooien. Op den duur kwam Bird dan wel weer uit in het juiste ritme en precies in de maat. Het was alsof hij het in zijn hoofd had gepland. Het enige was dat hij het aan niemand kon uitleggen. Je moest het nummer gewoon swingend uitspelen. Want muzikaal gezien was alles mogelijk als je met Bird speelde. Zo leerde ik alles te spelen wat ik kende en ik leerde dat uit te bouwen, eigenlijk iets boven m'n vermogen. Je kon letterlijk álles verwachten.

Ongeveer een week voor onze eerste avond moesten we van Bird gaan repeteren in de Nola-studio. In die dagen repeteerden daar veel musici. Toen hij aankondigde dat we gingen repeteren, geloofde niemand hem. In het verleden had hij dat nooit gedaan. Op de eerste dag van onze repetities was iedereen er behalve Bird. We wachten een paar uur en het eindigde ermee dat ik de band liet oefenen.

En ja, onze eerste avond, de Three Deuces zit stampvol. We hebben Bird de hele week niet gezien, maar we hebben ons kapot gerepeteerd. En dan komt die nikker glimlachend binnen en de lul vraagt met dat namaak-Britse toontje van 'm of iedereen klaar is om te beginnen. En als het dan tijd is voor de band om te gaan spelen, vraagt hij: 'Wat spelen we eigenlijk?' Ik leg het hem uit. Hij knikt, telt af en speelt elk rottig wijsje precies in de toonsoort waarin we het hebben gerepeteerd. En hij speelde als een tijger. Sloeg geen maat, geen nootje over en speelde de hele avond loepzuiver. Dat was wat. We stonden verdomme met open mond. En aldoor keek hij naar ons, terwijl wij hem aan zaten te gapen en dan had hij zo'n 'hadden-jullie-anders-verwacht' glimlach.

Nadat we die eerste set hadden gespeeld stond Bird op en hij zei – weer met dat namaak-Britse accent –: 'Jongens, jullie speelden best aardig vanavond, op een paar puntjes na, waar jullie het ritme kwijtraakten en een paar noten misten.' We keken die klootzak eens aan en schoten in de lach. Dat soort verbazingwekkende dingen haalde Bird op het podium uit. Je leerde het te verwachten. En als hij níets ongelooflijks deed, dán was je pas verrast.

Vaak speelde Bird met korte, harde ademstoten. Zo hard als een idioot. Later zou Coltrane ook zo spelen.

Hoe dan ook, Max Roach raakte daardoor wel eens uit het ritme. En ík wist niet wat Bird in godsnaam aan het doen was, omdat ik het nooit eerder had gehoord. Die arme Duke Jordan en Tommy Potter, ze zaten er wat verloren bij, als debielen – wij allemaal trouwens, alleen zij nog wat stommer. Als Bird zo bezig was leek het alsof je voor het eerst muziek hoorde. Ik had nog nooit iemand zo horen spelen. Later zouden Sonny Rollins en ik proberen om dingetjes op die manier te doen en ik en Trane ook, door die harde stootsgewijze muzikale frases te spelen. Maar als Bird dat deed was hij verschrikkelijk. Ik ben er niet dol op een woord als 'verschrikkelijk' te gebruiken, maar dat was hij wel. Hij was berucht vanwege de manier waarop hij frases en noten speelde. De gemiddelde musicus zou proberen een en ander op een meer logische manier te ontwikkelen, zo niet Bird. Alles wat hij speelde – als hij een slok op had en écht speelde – was angstaanjagend en ik zat er elke avond bij! We konden dan ook niet de hele avond blijven zeggen 'Wat? Hoorde je dát!', want dan zouden we zelf niets meer spelen. Dus bereikten we het stadium waarin we als hij weer iets verschrikkelijks speelde, alleen onze wenkbrauwen even optrokken. Je ogen gingen gewoon wat verder open en ze stonden al zo wijd open. Maar na een tijdje werd het zo gewoon als weer een dag op kantoor, waar we met die ouwe lul moesten werken. Het was onwerkelijk.

Ik was degene die met de band repeteerde en iedereen bij de les hield. Door die band te runnen leerde ik beseffen wat er allemaal kwam kijken bij het leiden van zo'n goede band. De mensen zeiden dat het de beste bebop band was die ze kenden. Dus ik was er trots op de muzikaal leider te zijn. Ik was nog niet eens eenentwintig in 1947 en ik maakte me alles waar het in de muziek om draait snel eigen.

Bird praatte nooit over muziek op één keer na, toen

hoorde ik hem met een vriend van mij die klassiek musicus was ruziën. Hij zei tegen die gozer dat je alles kon doen met akkoorden. Ik was het daar niet mee eens en zei dat je geen D in de vijfde maat van een blues in Bes kunt spelen. Volgens hem kon dat wel. Later hoorde ik het Lester Young doen op een avond in Birdland, maar hij vervormde de melodie. Bird was er ook toen dat gebeurde en hij keek me alleen maar aan met die 'heb-ik-het-niet-gezegd' blik die hij altijd had als hij je ongelijk had bewezen. Maar dat is alles wat hij er ooit over heeft gezegd. Hij wist dat het kon, omdat hij het zelf al eens had gedaan. Maar hij zou het je nooit voordoen of zo. Je moest het zelf maar oppikken en als je dat niet deed, ja, dan deed je het maar niet.

Ik leerde veel van Bird op die manier, van de manier waarop hij een muzikale frase of een idee behandelde of niet behandelde. Maar ik praatte er eigenlijk nooit met Bird over, ik sprak nooit langer met hem dan een kwartiertje aan een stuk, behalve als we ruzie hadden over geld. Ik zei hem recht in z'n smoel dat hij niet met mij moest donderjagen over geld, maar hij deed het altijd.

Ik heb nooit van de manier waarop Duke Jordan piano speelde gehouden en Max ook niet, maar Bird hield hem toch in de band. Max en ik wilden Bud Powell voor de piano. Maar Bird kon hem toch niet aannemen, omdat Bud en Bird niet met elkaar konden opschieten. Bird ging weleens bij Monk langs om te proberen met Bud te praten, maar Bud zat er dan maar bij, zonder iets tegen hem te zeggen. Bud kwam dan naar een optreden, hij droeg een zwarte hoed, een wit overhemd, een zwart pak, een zwarte das en een zwarte paraplu, nog netter dan een ouwe flikker, en dan wilde hij met niemand praten behalve met mij en met Monk, als die er ook was. Bird smeekte hem om bij onze band te komen en Bud keek hem alleen maar aan, om dan weer een slok te nemen. Hij glimlachte niet eens naar Bird. Hij zat alleen maar tussen het publiek, zo zat als een kanon en high van de heroïne. Bud gebruikte veel te veel en hij kwam er nooit meer vanaf, net als Bird. Maar hij was een geniaal pianist – de beste bebop-pianist die er was.

Max wilde altijd ruzie maken met Duke Jordan, omdat hij het tempo versjteerde als we speelden. Hij werd dan zo kwaad dat hij Duke echt fysiek in elkaar wou slaan. Duke luisterde nooit. Hij zat maar te spelen en dan deed Bird iets en raakte Duke uit de maat. Dan werd Max woedend, hoewel ik de maat voor hem aangaf. En Max schreeuwde naar Duke: 'Rot een eind op, lul, je verpest de maat alweer!'

We hebben Duke Jordan één keer vervangen door Bud Powell, op een plaat die we voor Savoy opnamen, ergens in mei 1947. Ik geloof dat die plaat de *Charlie Parker All Stars* heette. Iedereen die in Birds reguliere groep zat deed mee, behalve Duke. Ik schreef een nummer voor die plaat, *Donna Lee*, het eerste nummer van mijn hand dat werd opgenomen. Maar toen de plaat uitkwam stond Bird als componist genoemd. Dat was overigens niet zijn fout. De platenmaatschappij had zich gewoon vergist en het heeft mij geen geld gekost.

Bird stond nog steeds onder contract bij Dial Records toen hij die plaat voor Savoy maakte, maar dat soort gedoe weerhield Bird nooit te doen wat hij wilde. Bird nam in 1947 vier platen op waarop ik meespeelde, ik geloof drie voor Dial en één voor Savoy. Muzikaal gezien was hij erg actief dat jaar. Er zijn mensen die 1947 Birds beste jaar vinden. Ik heb daar geen verstand van en ik hou er niet van dat soort uitspraken te doen. Ik weet alleen maar dat hij toen fantastische muziek maakte. Maar dat deed hij later ook. Door *Donna Lee* ontmoette ik Gil Evans. Hij had de song gehoord en kwam naar Bird toe omdat hij er iets mee wilde doen. Bird zei hem dat het niet zijn nummer was maar het mijne. Gil wilde de lead-partij op papier om er een arrangement voor het orkest van Claude Thornhill van te maken. Ik ontmoette Gil Evans voor het eerst toen hij mij voor dat arrangement van *Donna Lee* benaderde. Ik zei dat hij het mocht doen als hij mij een exemplaar zou bezorgen van het arrangement dat Claude Thornhill had gemaakt van *Robbin's Nest*. Dat deed hij en na een tijdje gepraat te hebben om elkaar af te tasten, ontdekten we dat de manier waarop Gil muziek schreef mij erg aansprak en hij hield van de manier waarop ik speelde. We hadden hetzelfde oor voor 'sound'. Toch was ik niet kapot van wat Claude Thornhill deed met Gils arrangement van *Donna Lee*. Het was te langzaam en te gemaniëreerd naar mijn smaak. Maar ik was wel in staat de mogelijkheden van Gils arrangement en van wat hij verder schreef te onderscheiden, dus wat ze met *Donna Lee* deden raakte me minder, maar het raakte me wel.

Maar goed, ik geloof dat die Savoy-opname met Bird m'n beste plaat tot dan toe was. Ik kreeg weer vertrouwen in mijn spel en ontwikkelde een eigen stijl. Ik raakte los van de invloeden van Dizzy en Freddie Webster. Maar het was het avond aan avond in de Three Deuces spelen met Bird en Max dat me echt hielp m'n eigen vorm te vinden. Er speelden constant allerlei muzikanten mee met de band en we moesten ons dus constant aanpassen bij verschillende stijlen. Bird hield daar erg van en ik vond het ook leuk, soms. Maar ik was meer geïnteresseerd in het ontwikkelen van het geluid van de band dan in het elke avond improviseren met een zootje verschillende klootviolen. Bird had die gewoonte meegebracht uit Kansas City en hij had het ook bij Minton's altijd gedaan en in de Heatwave in Harlem, dus het was iets waarvan hij niet genoeg kon krijgen en waarbij hij zich lekker voelde. Maar als er iemand meedeed die de nummers niet kende, was het stomvervelend.

Het feit dat ik met Bird speelde en elke avond te zien was in 52nd Street hielp eraan mee dat ik m'n eerste platencontract als bandleider kreeg. De plaat heette *Miles Davis All Stars*. Ik nam hem op voor het Savoy-label. Charlie Parker speelde tenorsaxofoon, John Lewis piano, Nelson Boyd bas en Max Roach drums. We gingen in augustus 1947 de studio in. Ik schreef en arrangeerde vier nummers voor die plaat: *Milestones*, *Little Willie Leaps*, *Half Nelson* en *Sippin' at Bells*, een nummer over een kroeg in Harlem. Ik maakte ook een plaat met Coleman Hawkins. Ik had het dus druk in 1947.

Irene was met onze twee kinderen weer terug naar New York gekomen en we vonden een huis in Queens, dat veel groter was dan het huis waar we eerst woonden. Ik snoof nu coke, ik dronk en ik rookte weleens iets. Ik rookte nooit hasj, want dat heb ik nooit lekker gevonden. Maar ik gebruikte nog steeds geen heroïne. Trouwens, Bird verzekerde me eens dat hij me finaal in elkaar zou slaan als hij me op het spuiten van heroïne zou betrappen. Wat me wél in moeilijkheden bracht waren al die vrouwen die om de band en mij heen hingen. Maar ik was nog niet helemaal voor ze gevallen. Ik was nog zo bezig met de muziek dat ik zelfs Irene negeerde.

Er was een concert waar een heleboel types aan meededen op Lincoln Square, in een ballroom die op de plaats stond waar nu het Lincoln Center staat. Man, dat was een schitterend concert van de All Stars. Art Blakey, Kenny Clarke, Max Roach, Ben Webster, Dexter Gordon, Sonny Stitt, Charlie Parker, Red Rodney, Fats Navarro, Freddie Webster en ikzelf. Ik geloof dat het anderhalve dollar kostte om binnen te komen en om al die geweldige musici te horen. Er waren mensen die dansten, anderen luisterden alleen maar.

Ik herinner me dat concert omdat het één van de laatste keren was dat Freddie Webster in New York speelde. Toen Freddie dood ging, in 1947, was ik daar goed stuk van. Iedereen trouwens, vooral Diz en Bird. Webs – zo noemden we hem – overleed in Chicago aan een overdosis heroïne, die was bedoeld voor Sonny Stitt. Sonny had altijd iedereen geld uit de zak geklopt om z'n verslaving te bekostigen. Dat deed hij ook in Chicago toen Freddie en hij daar optraden. Degene die hij daar geld had afgetroggeld zorgde dat hij slecht spul kreeg, waarschijnlijk accuzuur of strychnine. Ik weet niet wat het was. Hoe dan ook, Sonny gaf het aan Freddie, die er een shot van nam en toen dood ging. Ik was er een hele tijd niet goed van. We waren haast broers, ik en Freddie, en ik denk nog altijd aan hem, ook nu nog.

We gingen in november 1947 op tournee naar Detroit. We zouden daar in een club optreden die El Sino heette, maar het werd afgelast nadat Bird in die club was geweest en kwaad was weggelopen. Als Bird niet in New York was, had hij altijd moeite om heroïne te kopen. Dan ging hij veel drinken, wat hij ook op die avond had gedaan en dan kan hij niet spelen. Nadat hij ruzie met de manager had gemaakt en was weggelopen, hing hij terug naar het hotel en hij werd zo kwaad dat hij z'n saxofoon uit het raam gooide, die op straat kapot viel. Maar Billy Shaw kocht een andere voor hem, een gloednieuwe Selmer.

Terug in New York nam de groep nog een plaat op (met J. J. Johnson) en daarna gingen we weer naar Detroit om het contract dat we met de El Sino club hadden en dat verbroken was, na te komen. Deze keer ging alles goed en Bird speelde z'n kloten eraf. Betty Carter zong bij ons op deze reis. Onmiddellijk daarna verliet ze ons om naar de band van Lionel Hampton te gaan. Ik geloof dat het in Detroit was dat Teddy Reig Bird benaderde om nog een plaat op te nemen voor Savoy. Billy Shaw, die veel invloed op Bird had en zoiets als een co-manager was, zei tegen Bird dat hij op moest houden platen te maken voor kleine labels als Dial en dat hij zich bij een groot merk zoals Savoy moest houden. Kijk, iedereen wist dat de Amerikaanse muziekvakbond unaniem opriep geen platen meer te maken in verband met een contract-kwestie. De actie zou ingaan op de laatste dag van 1947, een paar dagen later. Dus Bird, die altijd geld nodig had, tekende een contract met Reig en Savoy en ging gelijk de studio in. Ik geloof dat het de zondag voor kerst was. Toen die plaat af was – ik denk dat dat *Charlie Parker Quintet* was – en die plaat die we in Detroit maakten, vertrok Bird naar Californië om met Jazz at the Philharmonic van Norman Granz door het zuidwesten te gaan toeren. Ik ging naar Chicago om mijn zuster en haar man Vincent Wilburn te bezoeken met Kerstmis. Daarna reisde ik terug naar New York, waar ik weer met Bird ging spelen. Hij was naar Mexico geweest om met Doris te trouwen en daardoor had hij een concert gemist en ruzie gekregen met Norman Granz. Bird was de grote ster van hun tournee. Hij was de hoofdattractie, dus toen hij niet kwam opdagen bij dat concert werden de mensen woest en verweten het Norman. Maar Bird maalde niet om dergelijke onzin. Hij kon zich altijd weer bij iemand in de gratie ouwehoeren.

Bird was vol zelfvertrouwen na die Philharmonic-tournee. Hij was net door het tijdschrift *Metronome* uitgeroepen tot de beste altsaxofonist van het jaar. Hij leek gelukkiger dan ik hem ooit heb meegemaakt. We speelden weer in de Three Deuces en de rijen werden elke avond langer. Maar het leek erop dat Bird steeds als hij de zaken op een rijtje begon te krijgen, de boel weer liet ontploffen. Het was alsof hij bang was een normaal leven te leiden; de mensen zouden kunnen denken dat hij burgerlijk was of zoiets. Dat was tragisch, want hij was zo geniaal en ook zo aardig, als hij wilde. Maar het voortdurende heroïnegebruik ging nu echt zijn tol eisen. De drugdealers liepen ons overal achterna. In 1948 begon het uit de hand te lopen.

Ik kan me die keer in '48 nog herinneren dat we in Chicago waren om op te treden in die Argyle Show Bar. De band zat klaar voor de start, maar Bird was nog niet op komen dagen. En toen hij kwam, zat hij zo vol heroïne en alcohol dat hij niet kon spelen. Hij zat half te slapen op het podium. Ik en Max speelden telkens vier maten om te proberen hem wakker te krijgen. Stel dat het nummer in F stond, dan begon Bird iets anders te spelen. En dan begon Duke Jordan, die sowieso niet kon spelen, Birds verkeerde partij te volgen. Het was zo slecht dat ze ons ontsloegen. Bird ging de zaal uit en piste in een telefooncel, hij dacht dat het een toilet was. De blanke gozer, die de eigenaar was van die club, zei dat we ons geld konden halen op het kantoor van de zwarte bond. Nu hebben ze in Chicago zo'n hele strenge afdeling van de bond. Dus kregen we geen geld. Ik maakte me daar geen zorgen over, omdat m'n zuster in Chicago woont en daar kon ik wel logeren. Maar ik maakte me wel zorgen over de rest van de band. Hoe dan ook, Bird sprak af dat we hem de volgende dag bij het kantoor van de zwarte muziekvakbond zouden ontmoeten om ons geld te incasseren.

Bird gaat het kantoor van Gray, de voorzitter van de bond binnen en zegt dat hij zijn geld wil. Nu moet je weten dat niemand van die kerels überhaupt van de manier waarop Bird speelt houdt. Ze zien hem als een overschatte junkie en hartstikke gek ook nog. Dus als Bird dat zegt tegen Gray, de voorzitter, grijpt Gray alleen maar in een la en haalt een pistool te voorschijn. Hij zegt ons dat we hem moeten smeren, anders schiet hij ons overhoop. In een mum van tijd staan we buiten. Op weg naar huis zegt Max Roach tegen me: 'Maak je geen zorgen, Bird krijgt dat geld wel.' Max geloofde dat Bird alles voor elkaar kreeg. Bird wilde terug om met die vent te vechten, maar Duke Jordan hield hem tegen. Die zwarte klootzak Gray zou Bird hebben neergeschoten, want het was een schift en het maakte hem geen moer uit wie Bird was.

Maar Bird kreeg z'n wraak op de eigenaar van de Argyle toen we daar later dat jaar terugkwamen. Terwijl iedereen aan het spelen was, legde Bird na z'n solo z'n saxofoon neer, hij klom van het podium af en liep de lobby van de Argyle in. Hij stapte een telefooncel binnen en piste hem helemaal onder, man. En dan heb ik het niet over zo'n klein beetje. Het liep die cel uit tot op het verdomde vloerkleed. Toen kwam hij naar buiten, lachend, hij deed z'n gulp dicht en liep terug naar het podium. Al die blanken stonden te kijken. Toen begon hij weer te spelen en hij speelde fantastisch. Hij was niet stoned of zo die avond, hij zei alleen maar met zoveel woorden tegen die eigenaar – zonder echt iets te zeggen – dat hij geen spelletjes moest spelen. En weet je wat er toen gebeurde? De eigenaar zei helemaal niks, hij deed net of hij niet had gezien wat Bird deed. Hij betaalde hem. Maar wij hebben dat geld nooit van Bird gekregen.

Rond die tijd begon 52nd Street achteruit te gaan. De mensen bleven wel naar de clubs komen voor de muziek, maar er liep overal politie. Er werd flink getippeld en daarom oefende de politie druk uit op de eigenaars om de optredens netjes te houden. De politie begon ook sommige muzikanten en veel van de hoertjes op te pakken. De mensen kwamen om de groep van Bird te horen, maar de andere bands deden het niet zo goed. Sommige clubs in de straat waren opgehouden met het programmeren van jazz en waren nu stripteasetenten. En daar kwam bij dat een groot deel van het publiek vroeger bestond uit dienstplichtigen, die weleens flink wilden stappen, maar nu de oorlog voorbij was waren de mensen stijver en niet meer zo gemakkelijk.

De muziekscene leed onder het verval van de Straat en het nog immer voortdurende verbod op het maken van platen. De muziek werd niet vastgelegd. Als je een bebop in de clubs hoorde, vergat je het. We speelden regelmatig in een paar clubs, de Onyx en de Three Deuces. Maar Bird rotzooide met ons geld en daar kregen we ruzie door. Vroeger zag ik Bird als een god, maar zo keek ik nu niet meer tegen hem aan. Ik was eenentwintig jaar oud, ik had een gezin en ik had net de *Esquire* New Star Award van 1947 voor trompet gewonnen en ik was samen met Dizzy op de eerste plaats geëindigd in de *Down Beat*-poll van critici. Niet dat ik naast m'n schoenen liep, maar ik begon te ontdekken wie ik zelf muzikaal gezien was. Dat Bird ons niet betaalde was niet oké. Hij gaf ons totaal geen blijk van respect en dat nam ik niet langer.

Ik herinner me een moment dat we van Chicago naar Indianapolis gingen voor een gig. Max en ik sliepen op dezelfde kamer en we deden alles samen. Onderweg stopten we bij een kleine snackbar ergens in Indiana, waar zowel zwarten als blanken naar binnen mochten, om iets te eten. We zaten daar te kauwen en bemoeiden ons nergens mee, toen vier blanke kerels binnenkwamen en tegenover ons gingen zitten. Ze dronken bier en ze werden dronken, ze werden luidruchtig, zoals zatte boeren dat kunnen worden. Omdat ik uit St. Louis kom had ik wel in de gaten wat voor soort blanken dat waren, maar Max die uit Brooklyn komt kende dat niet. Ik zag dat het stupide klootzakken waren. En al dat bier maakte het alleen maar erger, dat begrijp je. Nou, op een gegeven moment buigt er zich eentje naar ons toe en zegt: 'Wat doen jullie eigenlijk voor de kost, jongens?'

En Max, die wel intelligent is maar niet door heeft wat ze met hem van plan zijn, draait zich naar die gozer toe en zegt met een glimlach: 'Wij zijn muzikanten.' Kijk, Max begrijpt niets van dat idiote racistische gedoe. Omdat hij uit Brooklyn komt had hij er nog nooit mee te maken gehad. Dus toen zei die bleekscheet: 'Waarom spelen jullie niet eens een moppie voor ons, als jullie zo goed zijn?' Toen hij dat zei wist ik wat er zou gaan gebeuren, dus ik pakte het tafelkleed met alles erop en eraan en gooide het over die klootzakken heen, voordat ze iets konden zeggen of doen. Max deed 't in z'n broek en gilde. En die blanken waren zo geschrokken dat ze met open mond bleven zitten, zonder iets te zeggen. Toen we buiten waren zei ik tegen Max: 'De volgende keer negeer je ze, het is hier geen Brooklyn.'

Toen ik in Indianapolis aankwam om die avond op te treden was ik inmiddels spinnijdig. En dan komt Bird na de voorstelling om te zeggen dat hij geen geld heeft en dat we moeten wachten tot de volgende keer dat we spelen om ons geld te krijgen, omdat de clubeigenaar hem niet heeft betaald. Iedereen slikt het, maar ik en Max gaan naar boven, naar Birds kamer. Z'n vrouw Doris is er en als we binnenkomen zie ik Bird een hele stapel geld onder z'n kussen stoppen. Hij begint gelijk te schreeuwen: 'Ik heb geen geld. Ik heb dit voor iets anders nodig. Ik zal jullie betalen als ik terug ben in New York.'

Max zegt: 'Oké, Bird, zoals je wilt.' Toen zei ik: 'Kom nou, Max, hij pikt ons geld weer in, hij naait ons.'

Max haalde alleen z'n schouders op en zei niets. Hij stond namelijk altijd aan Birds kant, wat die ook uitvoerde. Dus zei ik: 'Ik wil mijn geld, Bird.'

Bird, die mij altijd Junior noemde, zei: 'Je krijgt geen stuiver, Junior, niks, geen cent.'

Max weer: 'Ja, oké, ik kan wel wachten, Bird, dat lukt me wel. Dat moet kunnen, Miles, omdat Bird ons zoveel heeft geleerd.'

Ik pakte een bierflesje en sloeg dat kapot en met de scherpe kant naar voren zei ik tegen Bird: 'Klootzak, geef me m'n geld of ik vermoord je.' En ik greep hem bij z'n kraag.

Hij graaide vliegensvlug onder z'n kussen en toen gaf hij me het geld en hij zei met een schijterig lachje op z'n smoezelige porem: 'Kijk, daar werd je kwaad hè? Zag je dat Max, Miles werd kwaad op me, na alles wat ik voor hem heb gedaan.'

Max ging naast hem staan en zei: 'Miles, Bird probeerde alleen maar uit hoever je zou gaan. Hé, hij bedoelde er niets mee.'

Vanaf dat moment begon ik serieus te overwegen de groep te verlaten. Bird altijd stoned, en ik die moest werken als een paard om de band en de muziek op orde te houden. Hij draaide door. Ik had mezelf te hoog zitten om op die manier behandeld te worden. En Doris, z'n vrouw vond ik net Olijfje uit Popeye. Ik kan het van niemand hebben als er tegen me gepraat wordt alsof ik er niet bij hoor. Vooral niet als ze je rondcommanderen zoals blanken doen die denken dat ze de baas zijn. Maar zo was Doris. Ze was maar al te aardig als Bird erbij was, maar ze hield ervan de baas te spelen, vooral over zwarten. Als we ergens heen gingen om op te treden, stuurde Bird Doris altijd naar het station met de kaartjes. En dan stond die teef daar net als Olijfje, middenin Penn Station, een groep fantastische musici te betuttelen alsof ze onze moeder was of zoiets. Ik hield er niet van als lelijke vrouwen deden alsof ik hun bezit was. Maar Doris geilde erop om omringd te worden door die fijne zwarte kerels. Ze was in de zevende hemel. En Bird zat ergens high te zijn of te proberen high te worden. Het kon hem allemaal geen donder schelen. Hij merkte het gewoon niet.

Nu 52nd Street in de vernieling raakte, verhuisde de jazzscene naar 47th Street en naar Broadway. Eén van de kroegen was de Royal Roost, van een vent die Ralph Watkins heette. Vroeger was daar een kiprestaurant. Maar in 1948 haalde Monte Kay Ralph over om Symphony Sid er een concert te laten organiseren, op een avond waarop hij anders dicht was. Monte Kay was een jonge blanke die altijd rond jazzmusici hing. In die tijd liet hij zich altijd voor een lichtgekleurde neger doorgaan. Maar toen hij wat geld begon te verdienen, was hij weer gewoon een blanke. Hij verdiende miljoenen met het promoten van zwarte musici. Tegenwoordig woont hij als miljonair in Beverly Hills. Maar goed, Sid koos de dinsdagavond en organiseerde een concert met mij en Bird, Tadd Dameron, Fats Navarro en Dexter Gordon. Ze hadden ook een alcoholvrije ruimte daar, waar de kids konden zitten om voor negentig cent naar de muziek te luisteren. Birdland deed dat later ook.

In die tijd leerde ik Dexter Gordon kennen. Dexter was in 1948 naar het oosten gekomen (of ergens rond die tijd) en hij en ik en Stan Leverey begonnen samen uit te gaan. Ik had hem voor het eerst ontmoet in Los Angeles. Dexter was echt hip en hij kon blazen als een bezetene, dus gingen we meestal naar jamsessies. Stan en ik hadden in 1945 een tijdje samengewoond, we waren goede vrienden. Stan en Dexter gebruikten allebei heroïne, maar ik was nog altijd clean. We gingen vaak naar 52nd Street om wat te drinken. Dexter zag er altijd hartstikke hip en flitsend uit, met van die breedgeschouderde pakken die iedereen in die dagen droeg. Ik droeg een driedelig pak van Brooks Brothers, waarvan ik dacht dat het ook nog superhip was. Je weet wel, die St. Louis-stijl. Nikkers uit St. Louis waren toonaangevend op het gebied van kleding. Dus mij hoefde je niks meer te vertellen.

Maar volgens Dexter was mijn manier van kleden allesbehalve hip. Dus hij begon telkens weer: 'Jim' (zo noemden veel muzikanten elkaar toen onderling), 'je kunt niet met me uitgaan als je er zo bij loopt. Waarom draag je niet eens wat anders, Jim? Je moet 's een paar mooie kleren kopen. Ga eens naar f&m.' Dat was een kledingzaak in het centrum, op Broadway.

'Hoezo Dexter, zijn dit dan slechte pakken? Ik heb me blauw betaald aan die troep.'

'Daar gaat het niet om, Miles. Dat spul is niet hip. Kijk, het heeft niks te maken met geld, het gaat erom of het hip is Jim en wat jij daar aanhebt is verre van hip. Je moet een paar van die breedgeschouderde pakken kopen en een paar Mr. B-overhemden als je hip wilt zijn, Miles.'

En dan zei ik, behoorlijk aangebrand: 'Maar Dex, man, dit zijn toch mooie kleren?'

'Ik weet wel dat je denkt dat ze hip zijn, Miles, maar dat zijn ze niet. Ik kan me niet laten zien met iemand die zulke burgerlijke shit draagt als jij. En dat speelt in Birds band? De hipste band ter wereld? Kom op, man, jij zou toch beter moeten weten.'

Ik voelde me echt gekwetst. Ik had altijd tegen Dexter opgekeken, omdat ik hem superhip vond – één van de snelste jonge gozers in de hele muziekscene van die dagen. Toen zei hij op een dag: 'Man, waarom laat je je snor niet staan? Of een baard?'

'Hoe dan, Dexter? Bij mij groeit er nergens veel haar, behalve op m'n hoofd en een beetje onder m'n armen en rond m'n jongeheer! Er zit een hoop Indiaans bloed in mijn familie en negers en Indianen hebben geen baarden of haar op hun gezicht. Mijn borst is zo glad als een tomaat, Dexter.'

'Nou Jim, je moet toch wát. Je kunt niet met ons uitgaan en eruitzien zoals je doet, want dan breng je me in verlegenheid. Waarom koop je niet een paar hippe kleren, als je geen baard kan laten groeien?'

Dus ik spaarde zevenenveertig dollar en ging naar F&M en daar kocht ik een grijs, breedgeschouderd kostuum, dat eruitzag of het te groot voor me was. Dat is het pak dat ik aanhad op al die foto's van Birds band in 1948 en ook op die krantenfoto toen ik dat proces aan m'n kont kreeg. Nadat ik het pak had gekocht bij F&M,

kwam Dexter naar me toe. Hij grijnsde die brede grijns van 'm, torende boven me uit en terwijl hij me schouderklopjes gaf, zei hij: 'Juist, Jim, nu lijkt het ergens op, nu ben je hip. Je kunt met ons uitgaan.' Hij was een aparte.

Ik begon nu meer en meer als leider van Birds band op te treden, omdat hij er nooit was, behalve om te spelen en z'n geld te innen. Ik liet Duke elke dag akkoorden horen in de hoop dat hij er iets van zou oppikken, maar hij luisterde nooit. We hebben het nooit met elkaar kunnen vinden. Bird wilde hem niet ontslaan en ik kon dat niet doen omdat het mijn band niet was. Ik vroeg Bird steeds weer hem de zak te geven. Ik en Max wilden Bud Powell in de band in plaats van Duke Jordan. Maar Bird hield het bij Duke.

Er was echter wel een probleem met Bud. Een paar jaar eerder was hij op een avond naar de Savoy Ballroom in Harlem gegaan, in zijn zwarte outfit die hij altijd graag droeg. Hij had z'n maatjes uit de Bronx bij zich, over wie hij altijd opschepte dat ze 'iedereen in elkaar konden slaan'. Dus hij naar de Savoy, platzak en de uitsmijter, die hem kende, zei dat hij zonder geld niet binnenkwam. Maar dat zegt hij wel tegen Bud Powell, de beste jonge pianist ter wereld en dat wist Bud zelf ook. Dus Bud liep gewoon langs die vent heen. De uitsmijter deed toen datgene waarvoor hij werd betaald: hij sloeg Bud een gat in z'n kop. Hij mepte hem met een pistool op z'n hoofd.

Na dat incident begon Bud heroïne te spuiten of het niks was, terwijl hij de laatste was die dat had moeten doen, want het maakte hem knettergek; en hij had nooit tegen drank gekund, maar nu begon hij te zuipen alsof dat ook niks was. En toen begon Bud zich idioot te gedragen, hij kreeg aanvallen van razernij en soms sprak hij weken tegen niemand, ook niet tegen z'n moeder en tegen z'n oudste vrienden. Tenslotte stuurde zijn moeder hem naar de psychiatrische afdeling van het Bellevue in

New York, dat was in 1946. Ze begonnen hem met elektrische schokken te behandelen. Ze dachten daar ook echt dat hij gek was.

En dat was dat. Na die shocktherapie werd Bud nooit meer de oude. Niet als musicus en niet als mens. Voordat Bud het Bellevue inging had alles wat hij speelde een tinteling in zich, er was altijd iets speciaals aan de manier waarop de muziek eruit kwam. Man, nadat ze z'n kop kapot hadden geslagen en hem shocktherapie hadden gegeven, hadden ze net zo goed z'n handen eraf kunnen hakken; nu hadden ze zijn creativiteit geamputeerd. Soms vroeg ik me af of die dokters hem die schokken met opzet hadden gegeven, om hem te isoleren van zichzelf, zoals ze bij Bird deden. Maar Bird en Bud waren verschillende persoonlijkheden. Bird was een straatvechter, Bud was passief. Bird overleefde z'n shocktherapie en Bud niet.

Voordat dat allemaal gebeurde was Bud een te gekke vent. Hij was de ontbrekende schakel met wie onze band misschien de beste band aller tijden had kunnen worden. Met Max die Bird opstuwde en Bird die Bud opstuwde en ik die boven al die fantastische muziek zou improviseren – man, het is te pijnlijk om over na te denken. Al Haig, de pianist die Bird in 1948 in de groep had, was goed genoeg. Hij was oké. En John Lewis, die ook weleens meedeed, was ook goed genoeg. Maar Duke Jordan zat daar maar in de weg. En Tommy Potter had de bas altijd zo stevig vast alsof hij iemand die hij haatte aan het wurgen was. We zeiden altijd tegen hem: 'Tommy, laat die vrouw los!' Hoewel Tommy's maatgevoel niet slecht was. Maar als Bud erbij was geweest, tja, wat moet je ervan zeggen; 't is niet gebeurd, maar het had kunnen gebeuren.

Om de een of andere reden vertrouwde Buds moeder mij en ze vond me aardig. Maar ja, veel mensen vonden me aardig, ik bedoel allerlei soorten mensen. Ik denk weleens dat het iets te maken had met het feit dat ik als kind in St. Louis een krantenwijk had. Door zo'n krantenwijk moest je leren om met allerlei soorten mensen om te gaan. Dus Buds moeder vond me aardig, omdat ik altijd als ik 'r zag met haar praatte. Toen Bud zo gek werd, liet ze hem nog wel met mij uitgaan. Ze wist dat ik niet dronk en geen drugs gebruikte, zoals veel anderen die altijd rond Bud hingen.

Ik ging af en toe bij hem langs, gaf hem stiekem een flesje bier – meer dan dat kon hij niet hebben zonder uit zijn bol te gaan. Dan nam hij af en toe een slok, zat daar maar en zie niks. Hij zat voor de piano in hun huis op St. Nicholas Avenue in Harlem. Dan vroeg ik hem om *Cherokee* te spelen en dat deed hij dan, briljant. Hij was als een volbloed paard op de piano, zelfs toen hij ziek was. En na zijn ziekte probeerde hij ook te spelen, want hij kon zich gewoon niet voorstellen dat hij het niet zou kunnen. Maar hoe fantastisch hij *Cherokee* of iets anders ook kon spelen, hij speelde nooit meer als voor die tijd. Maar niet weten hoe je moest spelen, man, Bud wist niet eens wat dat was, althans niet in z'n kop. Bird was net zo. In feite zijn Bird en Bud de enige twee muzikanten die ik heb gekend die zo waren.

Toen ik in Harlem woonde, kwam Bud af en toe naar mijn appartement op 147th Street en dan zei hij niets. Hij kwam soms elke dag, twee weken aan een stuk. Zei niets, tegen niemand, niet tegen mij of Irene of onze twee kinderen. Hij zat daar maar en staarde ins Blaue hinein met die vriendelijke glimlach op z'n gezicht.

Jaren later, in 1959, gingen we op tournee, Lester Young en ik – het was in hetzelfde jaar waarin Lester overleed – en Bud. Bud zei nooit iets tegen iemand. Hij zat maar te glimlachen. Meestal keek hij naar een muzikant die Charlie Carpenter heette. Op een dag zat Bud zoals gewoonlijk, hij zweeg in alle talen, hij lachte alleen naar Charlie. Charlie zei: 'Maar waar lach je toch altijd om?' En Bud zei, zonder een spier van z'n gezicht te vertrekken: 'Om jou.' Lester Young rolde van z'n stoel van het lachen, want die Charlie was een droevig portret en daarom zat Bud aldoor te glimlachen.

Voor die tijd, toen Bud uit het gekkenhuis kwam waar ze hem ingestopt hadden, kwam hij op een avond naar de stad om naar Birds band te luisteren, met z'n gebruikelijke zwarte pak aan, z'n zwarte paraplu, witte overhemd, zwarte das, zwarte schoenen, zwarte sokken en z'n zwarte hoed. In de pauze kwamen we naar buiten en daar stond hij dan, helemaal clean en nuchter. Nu moet je weten dat de reden dat Bird Bud niet in de band wilde hebben niet was dat hij niet van z'n speeltrant hield. Hij zei tegen Max en mij dat hij Bud er niet bij wilde hebben omdat die 'te high werd'. Kun je het je voorstellen? Bird die zegt dat iemand 'te high' wordt? De pot en de ketel.

Dus deze keer zeiden Max en ik: 'Bud, blijf hier, we zijn zo terug. Ga niet weg.'

Hij grijnsde tegen ons en zei niets. We renden de club in, speelden onze set en zeiden tegen Bird: 'Buiten staat Bud en hij is clean.' Bird zei: 'O, ja? Dat geloof ik niet.' Wij zeiden: 'Kom op, Bird, dan laten we je het zien.' Dus ik en Max namen Bird mee naar buiten en daar stond Bud bij de auto waar we hem hadden achtergelaten, als een zombie. Hij keek Bird aan en z'n ogen rolden helemaal naar boven in z'n hoofd. Toen begon hij zo in elkaar te zakken, langs de zijkant van die rottige auto, op de grond. 'Bud, waar ben je geweest?' zei ik. Hij mompelde dat hij even om de hoek naar café The White Rose was geweest. Zo snel was hij dronken geworden.

Later, toen hij al ver heen was, wilde hij echt nauwelijks meer met iemand praten. Het was zonde. Hij was een van de grootste pianisten van deze eeuw. Met de band ging het nu slecht. Bird verpandde z'n instrument de hele tijd. Meestal had hij er niet eens een, dus leende hij de saxofoons van anderen. Het werd zo erg dat er een kerel was in de Three Deuces, ik denk de portier of zo, die elke dag naar de lommerd ging om Birds toeter eruit te halen en hem dan weer terugbracht als Bird klaar was met z'n optreden.

In die tijd waren Max en ik ervan overtuigd dat we voor onszelf zouden kunnen beginnen, we hadden meer dan genoeg van Birds kinderachtige, stompzinnige gedoe. Het enige dat we wilden was goede muziek spelen en Bird gedroeg zich als een idioot, als een of andere debiele clown. Hij behandelde ons alsof we lucht waren, alsof we drie turven hoog waren, maar wij wisten wel beter.

Op een keer kwam Bird laat binnen in de Three Deuces en hij ging naar de kleedkamer, waar hij wat sardientjes en crackers te voorschijn haalde. De clubeigenaar probeerde hem snel het podium op te sturen, terwijl Bird daar nonchalant zat te eten, grinnikend als een imbeciel. De eigenaar smeekte hem te beginnen en Bird bood hem een paar crackers aan. Dat was een grappige situatie. Ik lachte me haast kapot. Uiteindelijk kwam hij de kleedkamer uit en speelde hij. Maar tegen die tijd had hij de eigenaars al voor schut gezet en dat vergaten ze nooit meer. Daarna verhuisde Bird de groep dan ook naar de Royal Roost en we speelden nooit meer in de Three Deuces.

Ik geloof dat we van september 1948 tot december van dat jaar in de Royal Roost optraden. We hadden het daar goed, omdat Symphony Sid van daaruit uitzond, zodat we door een breder publiek werden gehoord. Ik begon ook met andere groepen naast die van Bird op te treden en met een eigen band. De muziek die ik in die tijd speelde was dezelfde die ik met Bird en met andere ensembles speelde. Maar ik deed ook eigen muziek, die nogal verschilde van dat andere spul. Ik vond m'n eigen stijl en daarin was ik hoofdzakelijk geïnteresseerd.

Net in die tijd maakte Birds groep haar eerste opnames van 1948, ik geloof dat het in september was. Ik liet Bird Duke Jordan vervangen door John Lewis voor die plaat. Duke werd echt kwaad op mij, maar het kon me niet schelen wat hij dacht, omdat ik alleen belang stelde in de muziek. Curly Russell deed ook mee op die plaat.

Later kwam Al Haig in de groep als permanente vervanger voor Duke. Dat was ongeveer in december 1948. Ik was er niet zo weg van dat Bird Al naar voren schoof. Ik had niets tegen hem persoonlijk, maar ik vond John Lewis en Tadd Dameron betere pianisten. Ik vermoed dat Birds beslissing iets te maken had met het aan iedereen laten zien dat hij en niet ik de leiding had. Iedereen wist wie ik in de groep wilde hebben, dus voor Bird was het misschien iets om zijn gezicht te redden. Ik weet het echt niet. Bird en ik spraken niet zoveel met elkaar, misschien op z'n hoogst een kwartier aan één stuk in al die tijd dat ik hem kende. En in 1948 praatten we nog minder dan we daarvoor hadden gedaan. Nadat Al Haig erbij was gekomen, verving Bird Tommy Potter door Curly Russell. En toen keerde hij weer om en verving Curly door Tommy. Vlak daarna trad ik met een nieuw ensemble op in de Roost. Ik had Max Roach, John Lewis, Lee Konitz, Gerry Mulligan, Al McKibbon op bas en Kenny Hagood als zanger. En dan nog Michael Zwerin op trombone, Junior Collins op hoorn en Bill Barber op tuba. Ik was een tijdje daarvoor met Gil Evans gaan werken en hij had de arrangementen gemaakt.

Gil was in de zomer van 1948 gestopt met het arrangeren voor de band van Claude Thornhill. Hij hoopte dat hij voor Bird zou kunnen gaan schrijven en arrangeren. Maar Bird had nooit tijd om te luisteren naar wat Gil deed; voor Bird bood Gil hem alleen een geschikte plaats om te eten, te drinken, te schijten en om in de buurt van 52nd Street te blijven, omdat Gil een appartement had op 55th Street. Toen Bird tenslotte wel naar Gils muziek luisterde vond hij die mooi. Maar toen wilde Gil niet meer met Bird werken.

Gil en ik waren al begonnen samen dingen te doen en alles ging echt de goede kant op voor ons. Ik was op zoek naar een groep waarbij ik meer kon soleren in de stijl die ik in me hoorde. Mijn muziek was een beetje langzamer en niet zo vurig als die van Bird. Ik vond het opwindend om met Gil te discussiëren over het experimenteren met een subtielere stemming. Gerry Mulligan, Gil en ik kregen het erover een dergelijke band te formeren. We dachten dat negen musici het goed zouden doen in de groep. Gil en Gerry hadden al besloten welke instrumenten erin vertegenwoordigd zouden zijn, voordat ik me met de discussie bemoeide. Maar de theorie, de muzikale interpretatie en het repertoire kwamen van mij.

In huurde de repetitieruimte, riep oefensessies bijeen en zorgde dat alles voor elkaar kwam. Ik deed al die dingen samen met Gil en Gerry vanaf de zomer van 1948 totdat we gingen opnemen in januari en april 1949 en later in maart 1950. Ik versierde een stel optredens en sloot een contract af met Capitol Records voor de opnames. En de samenwerking met Gil verlokte me ook tot het schrijven van eigen composities. Ik speelde ze dan voor aan Gil, op de piano bij hem thuis.

Ik weet nog dat ik bij het samenstellen van dat nonet Sonny Stitt op altsaxofoon wilde hebben. Sonny klonk net als Bird, daarom moest ik gelijk aan hém denken. Maar Gerry Mulligan wilde Lee Konitz, omdat die een lichte sound had, in tegenstelling tot het harde bebopgeluid. Hij had het idee dat die sound de plaat en de band anders zouden maken. Gerry dacht dat het met mij, Al McKibbon, Max Roach en John Lewis in de groep allemaal weer hetzelfde oude liedje zou worden, omdat we allemaal uit de bebop kwamen, dus luisterde ik naar zijn raad en nam Lee Konitz aan.

Max zat vaak met Gil en Gerry en mij bij Gil thuis, John Lewis ook, dus zij waren op de hoogte van wat wij wilden. Dat gold ook voor Al McKibbon. We wilden ook J. J. Johnson graag hebben, maar die reisde toen met de band van Illinois Jacquet, daarom dacht ik aan Ted Kelly, die trombone speelde in Dizzy's band. Maar hij had het druk en kon niet komen. Dus besloten we Michael Zwerin te nemen, een blanke jongen die nog jonger was dan ik. Ik had hem op een avond bij Minton's ontmoet, toen hij mee-jamde en ik vroeg of hij de volgende dag in de Nola-studio met ons kon repeteren. Dat deed hij en zo kwam hij bij de band.

Kijk, het hele idee begon als experiment, een experiment in samenwerking. En toen vielen er een heleboel zwarte musici over me heen omdat zij geen werk hadden en daar was ik bezig blanken te contracteren voor mijn band. Ik zei tegen hen dat ik iemand die net zo goed was als Lee Konitz – want over hen waren ze het kwaadst, omdat er heel wat zwarte altisten rondliepen – onmiddellijk zou aannemen, al was hij groen met rode stippen. Ik neem een gozer aan om te spelen en niet vanwege zijn kleur. Daarna hielden er een hoop op met zeuren. Maar er waren er een paar die kwaad op me bleven.

Maar goed, Monte Kay boekte ons voor twee weken in de Royal Roost. Op de openingsavond liet ik de club een bord buiten ophangen waarop stond: Het Miles Davis Nonet. Arrangementen van Gerry Mulligan, Gil Evans en John Lewis. Het kostte me heel wat moeite om Ralph Watkins, de eigenaar van de Royal Roost, dat te laten doen. Hij wilde ons überhaupt al niet engageren, omdat hij het eigenlijk te veel van het goede vond om negen man te betalen, terwijl het ook met vijf had afgekund. Maar Monte Kay haalde hem over. Ik mocht die Watkins niet zo, maar ik respecteerde hem omdat hij die gok waagde. We traden dus twee weken op in de Royal Roost, eind augustus en begin september 1948 en we waren, na het orkest van Count Basie, de op één na grootste attractie.

Er waren veel mensen die het repertoire dat we speelden maar vreemd vonden. Ik weet nog dat Barry Ulanov van het tijdschrift *Metronome* een beetje in de war raakte van onze muziek. Count Basie kwam elke avond waarop hij zelf vrij was luisteren en hij waardeerde ons. Hij zei tegen mij dat het 'langzaam en vreemd, maar goed, echt goed' was. Veel andere musici die naar de band kwamen luisteren waren ook enthousiast, Bird incluis. Maar Pete Rugolo van Capitol Records ging écht uit z'n bol en hij vroeg me of hij een opname van ons mocht maken voor Capitol als de boycot zou zijn afgelopen.

Later in september trad ik met een andere groep op in de Roost, met Lee Konitz, Al McKibbon, John Lewis, Kenny Hagood en Max Roach. Symphony Sid zond dat concert uit en hij nam het ook op, dus werd alles wat we speelden vastgelegd. Die groep liep als een trein, man. Het eerste schot was gelijk raak, weet je wel. Max speelde als een bezetene.

Maar rond die tijd raakte Gil in een componeer-crisis. Het kostte hem een week om acht maten op papier te krijgen. Hij kwam er uiteindelijk doorheen en schreef het nummer *Moon Dreams* en ook *Boplicity* voor *Birth of the Cool*. Die plaat, *Birth of the Cool*, kwam voort uit een aantal sessies waarin we probeerden net als de band van Claude Thornhill te klinken. We zochten dat geluid, met dien verstande dat we het zo subtiel mogelijk wilden doen klinken. Volgens mij moest er net zo gestemd worden als in een kwartet, met sopraan, alt, bariton en bas. We moesten dus een tenor hebben, een half-alt en een half-bas. Ik was de sopraan, Lee Konitz de alt. We hadden nog een stem met de hoorn en een baritonstem, namelijk de bastuba. We hadden dus een alt en een sopraan bovenaan – Lee Konitz en ik. We gebruikten ook de hoorn voor de altstem en de baritonsax voor de baritonstem en de bastuba was ook basstem. Ik zag de groep als een koor, een koor dat bestond uit een kwartet. Veel mensen gebruiken de baritonsax voor de lagere registers, maar daar is het helemaal geen instrument voor, zoals de tuba. De tuba is een basinstrument. Ik wilde dat de instrumenten als menselijke stemmen klonken en dat lukte.

Gerry Mulligan dubbelde soms met Lee, dan weer met mij of met Bill Barber, die altijd heel laag op de bastuba speelde. Soms kwam Bill een register omhoog en soms lieten we hem de klank naar boven stuwen. En het werkte.

Op een dag zaten we in de studio met het nonet, ik denk dat het in januari 1949 was. Kai Winding had Michael Zwerin vervangen, die terug naar school moest en Al Haig zat in plaats van John Lewis achter de piano, terwijl Joe Shulman Al McKibbon verving. Tijdens die eerste sessie namen we geloof ik *Jeru*, *Move*, *Godchild* en *Budo* op. We gebruikten niets van Gils arrangementen bij die sessie, omdat Pete Rugolo de snelle en de mediumtempo stukken het eerst wilde opnemen. Die eerste sessie liep gesmeerd. Iedereen speelde goed en Max zweepte iedereen op. Ik genoot van de manier waarop iedereen meedeed die dag. Capitol Records vond de muziek zo goed dat ze *Move* en *Budo* uitbrachten als 78-toeren plaat, ongeveer een maand na de opname, gevolgd door *Jeru* en *Godchild* in april. Later hadden we nog twee opnamesessies, één in maart of april 1949 en een andere in 1950. Toen was er nog meer veranderd in de bezetting: J.J. Johnson verving Kai Winding op trombone, Sandy Siegelstein verving Junior Collins op hoorn en toen werd hij weer afgelost door Gunther Schuller. Al Haig werd vervangen door John Lewis op de piano, Joe Shulman door Nelson Boyd op bas en hij weer door Al McKibbon; Max Roach werd vervangen door Kenny Clarke op drums, hij op zijn beurt weer door Max en bij de laatste sessie zong Kenny Hagood. De enige constanten op alledrie de opnames waren ikzelf, Gerry Mulligan, Lee Konitz en Bill Barber.

Ik en Gil schreven *Boplicity*, maar we deden het onder de naam van mijn moeder, Cleo Henry, omdat ik het bij een andere uitgeverij wilde uitbrengen dan die waarmee ik een contract had. Dus ik zette haar naam er maar boven. *Birth of the Cool* werd een collector's item, ik vermoed als reactie op de muziek van Bird en Dizzy. Bird en Diz speelden van dat hippe, supersnelle gedoe en als je niet zo snel kon luisteren, snapte je niets van de humor of het gevoel in hun muziek. Hun geluid was niet lieflijk en had geen harmonieuze refreinen, die je gemakkelijk mee kon neuriën als je met je vriendin over straat liep, terwijl je haar tot een zoentje probeerde te verleiden. Bebop had niet de menselijkheid van een Duke Ellington. Het had zelfs niet dat herkenbare. Bird en Diz waren groots, fantastisch, uitdagend... maar ze waren niet lieflijk. *Birth of the Cool* was anders omdat je alles kon volgen en ook kon meezingen. *Birth of the Cool* had zwarte muzikale roots. Duke Ellington was er de vader van. We probeerden wel zo te klinken als Claude Thornhill, maar die had alles weer van Duke Ellington en Fletcher Henderson. Gil Evans was zelf een grote fan van Duke en van Billy Strayhorn en Gil was de arrangeur van *Birth of the Cool*. Duke en Billy gebruikten ook dat dubbelen van de akkoorden, wat wij op *Birth* ook deden. Je hoort Duke dat aldoor doen en hij had ook altijd mensen met een herkenbare sound. Als ze alleen speelden in Dukes band kon je ze altijd herkennen aan hun geluid. En als ze in hun sectie speelden kon je dat nog steeds, aan de manier waarop er gestemd was. Ze legden hun persoonlijkheid in bepaalde akkoorden.

Dat deden we dus ook op *Birth*. En daarom kwam die plaat volgens mij zo goed over. In die tijd hielden de blanken van muziek die ze konden begrijpen, die ze konden *horen* zonder zich in te spannen. Bebop zei hen niets en daarom was het voor velen van hen moeilijk om te horen wat er allemaal aan de hand was in de muziek. Het was een totaal zwarte aangelegenheid. Maar je kon *Birth* niet alleen meezingen, er speelden ook blanken op, die een belangrijk aandeel hadden. De blanke critici vonden dat prettig. Ze genoten van het feit dat *zij* iets te maken leken te hebben met wat er allemaal gebeurde. Het leek net of iemand je extra krachtig de hand schudde. Wij trokken de mensen ietsje zachter aan hun oren dan Bird of Diz, we maakten meer *mainstream*-muziek. Dat was alles.

Aan het eind van 1948 was voor mij de maat wel vol wat betreft Bird, maar ik bleef toch af en toe met hem spelen in de hoop dat hij zou veranderen, zou opknappen, omdat ik zo graag met hem samenspeelde áls hij tenminste speelde. Maar naarmate hij beroemder werd werkte hij steeds meer solo, met de band op de achtergrond. Ik weet dat hij zo meer verdiende voor zichzelf, maar we gingen door voor een groep en we hadden heel veel voor hem opgeofferd. Hij versierde nauwelijks werk voor ons en als hij z'n soli had afgewerkt verliet hij gewoon het podium, zonder ook maar naar ons om te kijken. Hij telde ook nooit af voor een nummer, dus we wisten vaak niet eens wát hij ging spelen.

Het enige dat Bird moest doen was op het podium verschijnen en spelen. Maar hij verziekte de boel altijd. Ik weet nog dat Bird een keer in de Three Deuces naar me keek met die geïrriteerde, verbitterde blik die hij voor je in petto had als hij zich ergens aan ergerde – jij kon het wezen, het kon zijn dat z'n dealer niet was komen opdagen, of dat z'n vrouw hem niet naar behoren had gepijpt, het kon de zaaleigenaar zijn, of iemand in het publiek, het kon van alles zijn, je wist het nooit... nooit. Omdat Bird zijn gevoelens altijd achter een masker verborg, één van de beste maskers die ik ooit heb gezien. Maar goed, hij keek me aan en boog zich naar me toe om me te vertellen dat ík te hard speelde. Ik heb er nooit iets over gezegd, want wat had ik verdomme moeten zeggen? Het was tenslotte zíjn band.

Bird zei altijd dat hij er een hekel aan had om als entertainer beschouwd te worden, maar zoals ik al zei, hij werd echt een spektakel. Ik hield er niet van dat er blanken kwamen in de club waar we speelden, enkel en alleen om Bird zich als een zot te zien gedragen, in de verwachting dat hij wel iets geks zou doen, als ze maar konden lachen. Bird mag dan een beetje maf geweest zijn toen ik hem voor het eerst ontmoette, hij deed niet zo gestoord als nu. Ik herinner me dat hij eens een nummer aankondigde waarvan hij zei dat de titel *Suck You Mama's Pussy* was, maar het publiek wist niet zeker of hij dat wel had gezegd, of ze hem wel goed verstaan hadden. Het was beschamend. Ik was niet naar New York gekomen om met zo'n pias te werken.

Maar toen hij de band zomaar naar de verdommenis liet gaan, nadat ik al die tijd had gespendeerd aan de repetities met iedereen terwijl hij er niet was, alleen maar om de mensen te horen lachen omdat ze dachten dat we grappig waren, dat was te veel voor me. Het maakte me razend en ik verloor mijn respect voor hem. Ik hield van Charlie Parker, als musicus – misschien niet als mens – maar ik hield van hem als creatief, vernieuwend artiest en kunstenaar. Maar nu veranderde hij in een zakkige komediant, recht voor m'n neus.

Er begonnen andere dingen met me te gebeuren. Zelfs de meester zelf, Duke Ellington, was aangenaam getroffen door wat ik deed, wat ik speelde in 1949, want hij stuurde iemand om me te halen. Ik kende Duke niet eens; ik had hem ooit zien optreden en ik had al z'n platen beluisterd. Maar ik was echt dol op hem, vanwege zijn muziek en z'n houding en z'n stijl. Ik voelde me gevleid toen hij die vent op me af stuurde om me naar zijn kantoor te brengen om met hem te praten. Die vent heette Joe, geloof ik, en hij zei dat Duke me goed vond, dat mijn manier van kleden hem aansprak en de wijze waarop ik me gedroeg. Nou, dat was nog eens wat voor een tweeëntwintigjarige, uit de mond van één van mijn idolen. Man, ik verloor m'n hoofd zowat, mijn ego vloog hoog boven de wolken. Joe gaf me het adres van zijn kantoor, in het oude Brill-gebouw, op de hoek van Broadway en 49th Street.

Ik op bezoek bij Duke, tot in de puntjes opgedoft. Ik ga naar boven, naar z'n kantoor, klop op de deur en daar zit Duke, in z'n onderbroek, met een of andere vrouw op schoot. Hier zat degene die ik beschouwde als de coolste, hipste, zuiverste persoon in het hele muziekbedrijf in z'n onderbroek achter z'n bureau met een vrouw op z'n knieën en een grote grijns op z'n gezicht. Man, ik was helemaal van de wereld. Maar hij zegt dat ik deel uitmaak van z'n plannen en dat hij mij in zijn band wil hebben. Daar was ik wel even stil van. Ik was ontzettend blij, echt gevleid, ik bedoel dat ik ondersteboven was van het feit dat één van mijn idolen vroeg of ik in z'n band wilde spelen, de beste big band die er was. Dat hij überhaupt aan me dacht, dat hij van me had gehoord en mijn speelwijze waardeerde vond ik al te gek.

Maar toch moest ik zeggen dat het niet zou gaan, omdat ik de laatste hand moest leggen aan *Birth of the Cool*. Dat zei ik en het was de waarheid, maar de echte reden waarom ik niet naar Duke ging – niet kon gaan – was dat ik het niet zag zitten mezelf op te sluiten in een muziekdoos om avond aan avond hetzelfde te spelen. Ik had andere plannen. Ik wilde een andere kant op dan hij, hoewel ik van Duke hield en hem onvoorwaardelijk respecteerde. Maar dat kon ik hem niet zeggen. Dus ik zei hem alleen dat ik *Birth of the Cool* af moest maken en hij begreep het. Ik bekende hem ook dat hij één van mijn idolen was en dat ik me gevleid voelde omdat hij aan mij had gedacht. Ik hoopte dat hij me niet zou verwijten dat hij geen succes had gehad. Hij zei dat ik daar niet bang voor moest zijn, dat ik de weg moest gaan die voor mij de beste was.

Toen ik uit Dukes kantoor kwam, vroeg Joe me waarom ik nee had gezegd en ik zei dat ik na het werken met Billy Eckstines big band zoiets niet nog eens kon doen. Ik zei dat ik Duke zo bewonderde dat ik niet met hem wilde werken. Ik ben daarna nooit meer met Duke alleen geweest en ik heb hem nooit meer gesproken. Soms vraag ik me af wat er gebeurd zou zijn als ik inderdaad bij zijn band zou zijn gegaan. Eén ding is zeker, ik zal het nooit weten.

In die tijd kwam ik veel bij Gil Evans om te luisteren naar wat hij over muziek te berde bracht. Het klikte gelijk tussen Gil en mij. Ik snapte zijn muzikale ideeën en hij de mijne. Het rassenvraagstuk heeft in de relatie tussen Gil en mij nooit een rol gespeeld; het ging altijd over muziek. Het kon hem niks schelen wat voor kleur je had. Hij was een van de eerste blanken die ik kende die zo was. Hij kwam uit Canada en misschien verklaart dat de manier waarop hij dacht.

Door *Birth of the Cool* werden Gil en ik echt dikke vrienden. Gil was precies het soort kerel van wie je het heerlijk vindt dat hij aanwezig is, omdat hij dingen zag die niemand anders zag. Hij hield van schilderijen en hij liet mij dingen zien die ik anders nooit gezien zou hebben. Hij kon ook zitten luisteren naar een of andere orkestratie en dan zeggen: 'Miles, luister hier eens naar die cello. Hoe denk je dat die passage anders gespeeld zou kunnen worden?' Hij liet je altijd over alles nadenken. Hij ging de muziek gewoon binnen en haalde er dingen uit die een ander normaliter niet gehoord zou hebben. Later belde hij weleens om drie uur 's nachts op en dan zei hij: 'Als je je ooit depressief voelt, Miles, hoef je alleen maar naar *Springsville* te luisteren.' (Dat was een fantastisch nummer dat we op de *Miles Ahead*-plaat zetten.) En dan hing hij weer op. Gil was een denker en daar hield ik van het begin af aan van.

Toen ik hem net kende, kwam hij altijd naar Bird luisteren als ik meedeed. Hij had altijd een hele zak mierikswortel bij zich – of radijsjes – die hij opat met zout. Daar zat dan die lange, dunne, blanke Canadees, die hipper dan hip was. Ik kende geen enkele blanke man zoals hij, bedoel ik. Ik was zwarte lui gewend in St. Louis, die overal binnenliepen met zakken vol broodjes geroosterde varkenssnuit die ze te voorschijn haalden en ter plekke opaten, in een bioscoop of een club of wat dan ook. Maar radijsjes meenemen naar een nachtclub en ze dan zo uit de zak met zout verorberen, een blanke? Daar zat Gil in de flitsende 52nd Street tussen al die superhippe zwarte musici in strakke broeken of wijde kostuums, daar zat hij met een pet op. Man, wat een figuur.

Er zaten altijd veel muzikanten in Gils souterrain op 55th Street. Gils huis was zo donker dat je niet wist of het dag of nacht was. Max, Diz, Bird, Gerry Mulligan, George Russell, Blossom Dearie, John Lewis, Lee Konitz en Johny Carisi zaten altijd bij Gil. Gil had zo'n enorm bed, dat een hoop ruimte in beslag nam en een vreemde, gestoorde kat, die altijd overal in zat. We waren daar altijd, pratend over muziek of ruzie makend over het een of ander. Ik weet nog dat Gerry Mulligan toen altijd wel ergens woest over was. Maar ik ook en soms kregen we heibel. Niks ernstigs, alleen maar elkaar een beetje aftasten. Maar Gil was net een moeder voor ons allemaal. Hij streek alles altijd weer glad, omdat hij zo relaxed was. Hij was een prachtkerel, die er gewoon van hield zich te omgeven met musici. En wij waren graag in zijn nabijheid, omdat hij ons zoveel leerde, over de zorg voor mensen en voor muziek, vooral wat betreft het arrangeren. Volgens mij logeerde Bird er zelfs weleens. Gil kon nog met Bird overweg toen niemand anders het meer kon.

Maar goed, ik bewoog me in een andere richting, weg van Bird. Dus toen het gedonder in de glazen begon, in december 1948, had ik al precies in mijn hoofd wat ik wilde en wat ik zou gaan doen. We baalden behoorlijk in de band toen ik besloot eruit te stappen. Bird en ik wisselden nog nauwelijks een woord en er was een hoop onderlinge spanning in de groep. De laatste klote druppel viel vlak voor Kerstmis. Bird en ik kregen ruzie in de Three Deuces over mijn geld. Hij zat daar in die club, hij vrat kilo's gebraden kip, hij dronk en was zo stoned van de heroïne als een hele school garnalen en ik had al een paar weken geen geld gehad. Je moest Bird eens zien zitten, grijnzend als een opgezette Cheshire-kat, met een smoelwerk als Boeddha. Ik vroeg hem om mijn geld, maar hij bleef gewoon dooreten alsof ik er niet was. Alsof ik een slaafje was of zo. Dus ik greep die klootzak bij z'n kraag en zei iets in de trant van: 'Nu betalen, lul, of ik maak je af en dat is geen geintje, nikker!' En hij gaat heel snel wat geld voor me halen, niet alles, maar ongeveer de helft.

Ongeveer een week later, bijna kerst, speelden we in de Royal Roost. Bird en ik hadden voordat we het podium op gingen weer ruzie over de rest van het geld dat hij me schuldig was. En nu stond hij daar weer de idioot uit te hangen, hij schoot met een klapperpistooltje op Al Haig, liet de lucht uit een ballon ontsnappen voor de microfoon. De mensen lachten en hij ook, want hij dacht dat het leuk was. Ik ben gewoon van het podium af gelopen. Max ging ook weg die avond, maar hij is teruggegaan tot Joe Harris z'n plaats overnam. Ik ben ook nog een tijdje terug geweest, maar uiteindelijk, niet veel later, nam mijn oude vriend Kenny Dorham mijn plaats in Birds band in.

Toen ik de band had verlaten is er vaak geschreven dat ik gewoon het podium af liep en nooit meer terug ben gekomen. Zo is het niet gegaan. Ik liep niet zomaar weg, terwijl hij aan het werk was. Zoiets zou ik nooit doen; het is gewoon niet professioneel zoiets uit te halen en ik heb altijd in professionalisme geloofd. Maar ik had Bird al laten merken dat ik doodziek was van wat er allemaal speelde, ik had hem gezegd dat ik weg wilde en uiteindelijk *ben* ik vertrokken.

Kort daarna kwam Norman Granz en bood mij en Max $50 per avond om samen met Bird in Jazz at the Philharmonic te gaan zitten, maar ik weigerde. Toen hij Max benaderde, wilde die Norman op z'n flikker slaan. Maar ik zei: 'Max, je hoeft alleen maar nee te zeggen, je hoeft niet te dreigen die lul in elkaar te slaan.' En dat deed hij toen. Max was kwaad omdat Norman niet van onze muziek hield en haar niet serieus nam en omdat hij niet genoeg betaalde. Maar Norman wilde Bird in z'n programma en hij wilde dat die zich op z'n gemak zou voelen met de mensen om hem heen. Ze zochten een drummer, een pianist en een bassist en Bird wilde mij op trompet. Norman had Erroll Garner op piano, maar Bird kon met iedereen samenspelen, dus eigenlijk maakte het niet uit wie de pianist was, zolang hij de toetsen maar wist te raken. Maar Erroll kon wel spelen, dus dat was tenminste iets. Ik was echter niet in staat te doen wat

Norman en Bird me vroegen, dus zei ik nee. Het was pijnlijk om te weigeren tegenover Bird, maar ik deed het toch. Ik denk dat het feit dat ik toen 'nee' heb gezegd me later heeft geholpen als individu, het hielp me te ontdekken dat ik mezelf kende.

Daarna hebben ik en Bird nog twee of drie keer samengespeeld en we maakten een paar platen met elkaar. Ik verweet Bird niets, zo ben ik niet. Ik wilde gewoon niet zélf in Birds problemen verzeild raken. Ik geloof dat Red Rodney in 1950 Kenny Dorhams plaats innam in Birds band en Bird bleef hem vertellen hoeveel spijt hij had van de manier waarop hij ons had behandeld. Kenny vermeldde dat ook en Bird zei het ook een paar keer tegen ons. Maar dat weerhield hem er niet van hetzelfde te flikken bij iedere band die hij na ons leidde.

In januari 1949 koos *Metronome* een groep All Stars om een plaat te maken, nu de opnameboycot ten einde was, hetgeen met ingang van de eerste werkdag van 1949 het geval was. Daar was ik dus bij op trompet, samen met Dizzy en Fats Navarro, J. J. Johnson en Kai Winding op trombone, Buddy DeFranco op klarinet, Bird op alt, Lennie Tristano op piano, Shelly Manne op drums en nog een paar anderen. Pete Rugolo was dirigent. RCA bracht de plaat uit, de *Metronome All Stars*.

Bird deed nogal raar bij die sessie. Hij vond het steeds nodig de opnames over te doen, omdat hij naar zijn zeggen de arrangementen niet begreep. Maar hij begreep alles best. Hij deed alleen maar zo om wat meer te verdienen. In het nieuwe opnamecontract was een tijdlimiet van drie uur afgedwongen door de vakbond, alles wat daaroverheen ging was overwerk. Bird rekte de sessie met z'n extra opnames en dat gedoe een kleine drie uur en iedereen verdiende meer. Later noemden ze een van de nummers *Overtime*.

Het was een rotplaat, op wat Fats, Dizzy en ik speelden na. Iedereen werd kort gehouden omdat er zoveel solisten waren en het waren opnames voor 78-toeren platen. Maar wat de trompetsectie speelde was volgens mij van grote klasse. Fats en ik besloten Dizzy te volgen en net zo te spelen als hij in plaats van onze eigen stijl. Het leek zo op wat Dizzy deed dat zelfs híj nauwelijks wist wanneer hij was gestopt en wij begonnen. Man, de trompet-licks vlogen je om de oren. Dat was wat. Daarna begrepen veel muzikanten dat ik de muziek van Dizzy ook beheerste, net zo goed als m'n eigen stijl. Zij – de Dizzy-adepten – kregen een hoop respect voor mij toen ze die plaat hoorden.

Na de Onyx speelde ik in de Royal Roost met de band van Tadd Dameron. Tadd was een zeer goed arrangeur en componist en ook een prima pianist. Het was vast werk en nadat ik bij Bird was weggegaan had ik dit nodig om mijn gezin te onderhouden. Fats Navarro was Tadds vaste trompettist geweest, maar hij was inmiddels een volslagen junkie en werd steeds magerder. Hij was aldoor ziek en miste veel klussen. Tadd had heel wat geschreven voor de trompet van Fat Girl, maar in januari 1949 was Fat Girl te ziek om te spelen, dus ik nam het van 'm over. Soms kwam hij nog wel binnen en speelde hij mee, maar hij was niet meer de musicus die hij geweest was.

Onmiddellijk nadat Tadd en ik in de Royal Roost hadden gestaan, ging ik naar de band van Oscar Pettiford en we speelden in de Three Deuces met Kai Winding op trombone. De eigenaars van de Three Deuces openden in januari 1949 een nieuwe club op Broadway, de Clique genaamd. Ze hoopten het jazzpubliek dat van 52nd Street naar Broadway was verhuisd binnen te krijgen, maar een halfjaar na de opening moesten ze alweer dicht. Toen verhuurden de nieuwe eigenaars de locatie en daar werd in de zomer van 1949 Birdland geopend.

Maar goed, in Oscar Pettifords band zaten een paar

fantastische musici: Lucky Thompson, Fats Navarro, Bud Powell en ikzelf. Maar die band speelde nooit als groep. Iedereen speelde van die lange soli en zo om te proberen de rest te overtroeven. Er klopte geen moer van en dat was jammer, want het had heel anders kunnen zijn.

In het begin van 1949 namen Tadd en ik een groep mee naar Parijs en we traden op met Bird, net als vroeger in de Royal Roost. Dit was mijn eerste reis naar het buitenland en hij veranderde mijn kijk op de wereld voorgoed. Ik vond het geweldig om in Parijs te zijn en ik genoot van de manier waarop ik werd behandeld. Ik kocht een paar nieuwe pakken, die ik speciaal liet maken, ik voelde me dus prima.

De band bestond uit Tadd, Kenny Clarke, James Moody en ik en een Franse bassist die Pierre Michelot heette. We waren de sterren van het Parijse Jazz Festival, samen met Sidney Bechet. Daar ontmoette ik Jean-Paul Sartre en Pablo Picasso en Juliette Greco. Datzelfde gevoel heb ik daarna nooit meer ervaren. De enige andere keer dat ik me zo goed voelde was toen ik Bird en Diz voor het eerst hoorde in B's band. En die keer in Dizzy's big band in de Bronx. Maar dat ging alleen maar om muziek. Dit was iets anders. Dit had met leven te maken. Juliette Greco en ik werden verliefd op elkaar. Ik gaf 'n hoop om Irene, maar zoiets als dit had ik in m'n hele leven nog niet ervaren.

Ik zag Juliette voor het eerst bij een van onze repetities. Ze kwam vaak binnen en ging naar de muziek zitten luisteren. Ik wist niet dat ze een beroemde zangeres was of iets dergelijks. Ze zat daar alleen maar zo prachtig – het lange zwarte haar, het prachtige gezicht, klein, stijlvol, zo verschillend van iedere andere vrouw die ik ooit had ontmoet. Ze zag er anders uit en ze gedroeg zich anders. Dus ik vroeg aan iemand wie zij was. Hij zei: 'Wat moet je van haar?' En ik: 'Hoe bedoel je, wat moet je van haar? Ik wil haar spreken.' Toen zei hij: 'Nou, weet je, ze is een van die existentialisten.' Dus zei ik hem recht voor z'n raap: 'Dat zal mij 'n worst wezen, het maakt mij niet uit wat ze is. Die meid is prachtig en ik wil haar ontmoeten.' Ik kreeg er genoeg van te wachten tot iemand me aan haar zou voorstellen, dus toen ze weer eens naar de repetitie kwam, wenkte ik haar gewoon met m'n wijsvinger en ze kwam naar me toe. Toen ik dan uiteindelijk met haar praatte, zei ze dat ze niet van mannen hield, maar dat ze mij aardig vond. Daarna waren we onafscheidelijk.

Ik voelde me als nooit tevoren. Het was de vrijheid van het leven in Frankrijk; dat ik als mens behandeld werd, als een belangrijk iemand zelfs. Zelfs de band en de muziek die we maakten klonken daar beter. En de geuren waren anders. Ik raakte gewend aan de geur van odeur in Parijs en de geur van Parijs vond ik een soort koffiegeur. Later ontdekte ik dat je 's ochtends diezelfde soort geur aan de Franse Riviera kunt ruiken. Ik heb sindsdien nooit meer zoiets geroken. Het heeft iets van kokos en citroensap en rum en dan alles door elkaar. Bijna tropisch. Hoe dan ook, in Parijs leek alles anders voor me te worden. Ik kondigde zelfs de nummers in het Frans aan.

Juliette en ik liepen vaak samen langs de Seine, hand in hand en we zoenden elkaar en keken elkaar in de ogen en dan zoenden we weer en we knepen in elkaars handen. Het was sprookjesachtig, ik voelde me haast gehypnotiseerd, was in een soort trance. Ik had me nog nooit zo gedragen. Muziek was mijn hele leven geweest, totdat ik Juliette Greco ontmoette en zij me leerde wat het betekende om iets anders dan muziek lief te hebben.

Juliette was waarschijnlijk de eerste vrouw van wie ik als een gelijkwaardig menselijk wezen hield. Ze was een fantastisch persoon. We moesten door middel van gelaatsuitdrukkingen en lichaamstaal met elkaar communiceren. Zij sprak geen Engels en ik geen Frans. We praatten met onze ogen en onze vingers en zo. Als je op die manier communiceert weet je dat de ander je niet belazert, je moet op gevoelens afgaan. Het was april in Parijs. En ja, ik was verliefd.

Kenny Clarke had al gelijk besloten om daar te blijven en hij verklaarde mij voor gek omdat ik terugging naar de Verenigde Staten. Ik voelde mezelf ook bedroefd, elke avond ging ik met Sartre en Juliette naar de cafés en dan zaten we op het terras en we dronken wijn en we aten en praatten. Zelfs Sartre zei: 'Waarom trouwen Juliette en jij niet?' Maar dat deed ik niet. Ik bleef een week of twee, werd verliefd op Juliette en op Parijs en vertrok weer.

Toen ik klaar stond om te vertrekken zag ik een hoop droevige gezichten, waaronder dat van mezelf. Kenny was er om me uit te zwaaien. Man, wat voelde ik me klote toen ik met het vliegtuig in dit land terugkwam. De hele terugreis kon ik niets zeggen. Ik had niet verwacht dat het me zo zou aangrijpen. Ik was zo depressief na mijn terugkomst dat ik voor ik het wist verslaafd was aan heroïne, het kostte me vier jaar om eraf te komen en voor het eerst kwam ik tot de ontdekking dat ik de boel niet meer in de hand had en dat ik sneller dan een baksteen naar de kelder ging.

# 6

Toen ik in de zomer van 1949 terug in dit land kwam was het precies zoals Kenny Clarke me had voorspeld – er was niets veranderd. Ik weet niet waaróm ik had verwacht dat het anders zou zijn dan het was; vermoedelijk vanwege alles wat er met mij in Parijs was gebeurd. Ik was nog altijd in de wolken over wat me daar was overkomen. Maar in m'n hart wist ik wel dat er in de Verenigde Staten niets was veranderd. Ik was maar een paar weken weg geweest. Maar ik koesterde me in de illusie van het potentiële, misschien was er wel een wonder gebeurd.

In Parijs had ik begrepen dat niet alle blanken hetzelfde waren, dat er sommigen waren die geen vooroordelen hadden en anderen wel. Eigenlijk wist ik dat al door Gil Evans en nog een paar mensen, maar ik kwam er pas achter in Parijs. Het was voor mij heel belangrijk dat te ontdekken en het maakte me bewust van wat er politiek gezien allemaal aan de hand was om mij heen. Ik begon dingen op te merken die me nog nooit waren opgevallen, politieke dingen – wat er echt gebeurde met de zwarten. Ik wist er wel iets van doordat ik bij mijn vader was opgegroeid. Maar ik was zo met muziek bezig dat ik er nooit echt aandacht aan had geschonken. Alleen als ik persoonlijk ergens tegenaan liep, deed ik er iets aan.

In die tijd waren Adam Clayton Powell uit Harlem en William Dawson uit Chicago de twee invloedrijkste zwarte politici. Ik zag Adam weleens in Harlem, omdat hij veel van muziek hield. Ralph Bunch had net de Nobelprijs gekregen. Joe Louis was al eeuwen wereldkampioen zwaargewicht en hij was de held van iedere zwarte en ook van veel blanken. Sugar Ray Robinson was bijna even populair. Ze gingen allebei wel uit in Harlem. Ray bezat een nachtclub op Seventh Avenue. Jackie Robinson en Larry Doby speelden honkbal in de hoogste klasse. De bal kwam aan het rollen voor de zwarten in het land.

Ik was nooit zo politiek bewust geweest, maar ik wist hoe de blanken de zwarten behandelden en het viel niet mee voor mij om terug te keren in de ellende die de blanken de zwarten in dit land bezorgden. Het is klote om je te realiseren dat je de macht niet hebt om dingen te veranderen.

In Parijs werd alles wat we maar speelden, goed of slecht, toegejuicht, geaccepteerd. Dat is ook niet goed, maar zo was het nu eenmaal en toen kwamen we terug en konden we zelfs geen baantje vinden. Internationale sterren, maar werk, ho maar. De blanke musici die mijn *Birth of the Cool*-spul na-aapten kregen de contracten. Man, ik was op m'n ziel getrapt. Af en toe hadden we hier of daar een optredentje en ik geloof dat we die zomer met een band van 18 personen repeteerden, maar dat was alles. Ik was nog maar drieëntwintig in 1949 en ik denk dat mijn verwachtingen te hoog gespannen waren. Ik verloor mijn zelfdiscipline en de controle over mijn leven en ik begon los te slaan. Niet dat ik niet in de gaten had wat er met me gebeurde, want dat zag ik best, maar het kon me niet meer schelen. Ik had zo'n vertrouwen in mezelf dat ik, zelfs toen ik de greep op m'n leven kwijtraakte, echt dacht dat ik alles in de hand had. Maar je bewustzijn kan je voor de gek houden. Toen ik zo over de schreef ging, moet dat veel mensen die dachten dat ik de zaken wel op een rijtje had enorm verbaasd hebben, denk ik. Het verbaasde mezelf ook hoe snel ik eigenlijk de controle over mezelf verloor.

Ik weet nog dat ik veel in Harlem begon rond te struinen nadat ik uit Parijs was teruggekomen. Er ging altijd veel dope rond in de muziekwereld en veel musici waren zwaar verslaafd, vooral aan heroïne. De mensen – muzikanten – werden in sommige kringen pas echt hip gevonden als ze heroïne spoten. Een paar van de jongeren, zoals Dexter Gordon, Tadd Dameron, Art Blakey, J.J. Johnson, Sonny Rollins, Jackie McLean en ik – wij allemaal – begonnen ongeveer tegelijkertijd zwaar te gebruiken. *Ondanks* het feit dat Freddie Webster aan slecht spul was overleden. En bovendien, Bird, Sonny Stitt, Bud Powell, Fats Navarro en Gene Ammons gebruiken ook allemaal heroïne en niet te vergeten Joe Guy en Billie Holiday. Die spoten al jaren. En er waren ook veel blanke musici – Stan Getz, Gerry Mulligan, Red Rodney en Chet Baker – die behoorlijk aan de spuit zaten. Maar in die dagen probeerde de pers het te doen voorkomen alsof het beperkt was tot zwarte muzikanten.

Ik zat nooit op de toer dat je als je heroïne spoot net zo zou kunnen spelen als Bird. Ik kende veel figuren die dat geloofden en Gene Ammons was er één van. Dát bracht mij niet aan de heroïne. Wat mij ertoe dreef was het klotegevoel toen ik terug in Amerika kwam. Dat en het missen van Juliette.

En dan was er ook nog cocaïne, zeer geliefd bij de Latino's. Jongens als Chano Pozo zaten flink aan de cocaïne. Chano was percussionist in de band van Dizzy. Hij was een zwarte Cubaan en de beste conga-speler in de toenmalige scene. Maar hij was een tiran. Hij kreeg altijd drugs van anderen die hij nooit betaalde. Iedereen was bang voor hem omdat hij zo'n gore straatvechter was die je stante pede in elkaar kon slaan. Hij terroriseerde iedereen in de stad. In 1948 werd hij vermoord, nadat hij een of andere Zuid-Amerikaanse cokedealer had verbouwd in Harlem, in het Rio Café op Lenox Avenue, bij 112th of

113th Street. Die vent vroeg Chano om geld dat hij nog van hem te goed had en Chano gaf hem een klap op z'n smoel. Toen trok die dealer z'n pistool en schoot Chano dood. Man, dat was een schok voor iedereen. Dat speelde zich al af voordat ik naar Parijs ging, maar het laat goed zien hoe het eraan toeging in de drugsscene.

Omdat ik in de stad achter drugs aanzat kwam ik nog minder vaak thuis. We waren verhuisd naar een appartement in Jamaica, in Queens, en daarna naar St. Albans. Dus ik reed maar heen en weer in mijn open Dodge uit 1948 – Sonny Rollins noemde hem altijd 'de Blauwe Duivel'.

Irene en ik hadden toch al niet wat je noemt een echt gezinsleven. We hadden niet zoveel geld te spenderen met twee kinderen en wijzelf die moesten eten en zo. We gingen nooit uit. Soms zat ik een paar uur voor me uit te staren, alleen maar bezig met muziek. Irene dacht dan dat ik aan andere vrouwen zat te denken. Ze vond altijd haar op mijn pakken en op mijn overjas en dan was ze ervan overtuigd dat ik vreemd was gegaan. Een van de redenen waarom Irene me van slippertjes beschuldigde was dat ik kleren had gekocht van Coleman Hawkins, die een berucht versierder was en dus allerlei kleuren haar op z'n pakken had zitten. Maar ik had niet zoveel op met vrouwen in die tijd. Dus hadden we steeds van die ruzies over niets. Ik werd daar goed ziek van. Ik mocht Irene hartstikke graag hoor. Ze was een prima type, een goede vrouw, maar dan voor iemand anders. Ze had klasse en zag er goed uit. Ik was degene die iets anders wilde. Ik en niet zij liet de boel finaal in het honderd lopen. Nadat ik Juliette Greco had leren kennen wist ik ongeveer wat ik wilde zien in een vrouw. Als het Juliette niet zou worden, dan toch iemand met haar kijk op het leven en met haar stijl, zowel in bed als daarbuiten. Ze was onafhankelijk en ze dacht voor zichzelf en dat sprak me aan.

Ik liet Irene voornamelijk thuis zitten met de kinderen, omdat ik daar zelf niet wilde zijn. Een van de redenen waarom ik niet meer thuiskwam, was dat ik me zo beroerd voelde dat ik mijn gezin niet onder ogen wilde komen. Irene had altijd zo'n vertrouwen en geloof in mij gehad. Gregory en Cheryl, de kinderen, waren nog jong en begrepen niet precies wat er aan de hand was. Maar Irene wist het wel. Dat las ik in haar ogen.

Ik liet haar over aan de zorgen van Betty Carter, de zangeres. Als Betty Carter er niet geweest was, weet ik niet wat Irene zou hebben gedaan. Ik geloof dat Betty Carter me zelfs nu nog niet mag vanwege de manier waarop ik Irene toen heb behandeld. En ik kan haar geen ongelijk geven, want ik was in die tijd wat betreft de zorg voor m'n gezin geen knip voor mijn neus waard. Ik wilde Irene niet zo uitzichtloos laten zitten als ik heb gedaan, maar ik was gewoon ziek door m'n heroïneverslaving en door mijn dromen over de vrouw die ik wilde hebben en over iets anders kon ik me niet druk maken.

Als je aldoor heroïne gebruikt, vergaat je ook de lust om met een vrouw te vrijen, tenminste zo ging het met mij. Maar mensen als Bird leken wel altijd zin in seks te hebben, of ze nu clean waren of elke dag spoten. Het leek net of het voor hen geen verschil uitmaakte. Ik vond het altijd heerlijk om met Irene te vrijen, net als met Juliette. Maar toen ik eenmaal verslaafd was geraakt, moest ik er niet eens aan denken en als ik het deed, vond ik er niets aan. Het enige waaraan ik kon denken was hoe ik aan nog meer heroïne kon komen.

Ik spoot het toen nog niet in mijn aderen, maar snoof alles wat ik te pakken kon krijgen. Op een dag stond ik in Queens op een hoek van een straat ellendig te wezen en m'n neus liep. Ik voelde me alsof ik koorts had of snipverkouden was. Toen kwam die vriend van mij, die pusher die zich 'Matinee' noemde, voorbij en hij vroeg wat ik aan het doen was. Ik zei dat ik heroïne en cocaïne snoof, elke dag, en dat ik die dag nog niet naar Manhattan was geweest, waar ik het spul normaliter haalde. Matinee keek me aan of ik gek was en zei dat ik verslaafd was.

'Hoe bedoel je, verslaafd?' vroeg ik.

Matinee zei: 'Je neus loopt, je hebt het koud en je voelt je slap. Je bent verdomme verslaafd, nikker.' Toen kocht hij wat heroïne voor me in Queens. Ik had nog nooit heroïne gekocht in Queens. Ik snoof het spul dat Matinee voor me had versierd en ik was weer boven Jan. Ik had het niet koud meer, mijn neus liep niet meer en ik voelde me niet meer slap. Ik ging door met snuiven, maar toen ik Matinee weer tegenkwam zei hij: 'Miles, verspil dat beetje geld nou niet aan het kopen van snuifwaar, want dan blijf je ziek. Ga nou maar spuiten, dan voel je je veel lekkerder.' Dat was het begin van een vier jaar durende angstdroom.

Na een tijdje móest ik gewoon dope hebben, want ik wist dat ik doodziek zou worden als ik het niet kreeg. En als je zo ziek werd, leek het net of je griep had. Je neus ging lopen, je gewrichten deden ontzettend zeer en als je niet snel wat heroïne in je aderen kreeg, begon je te kotsen. Dat was afschuwelijk. Dus vermeed ik die toestand koste wat kost.

Toen ik begon met spuiten, deed ik dat in m'n eentje. Later begon ik in de stad rond te hangen. Ik en een tapdanser die Leroy heette en een gozer die we Laffy noemden, hosselden altijd in 110th, 111th en 116th Street in Harlem. We hingen rond in bars als de Rio, de Diamond, Sterling, de La Vant biljartzaal en dat soort tenten. We snoven de hele dag coke en heroïne. Als ik niet samen met Leroy was, zat ik meestal bij Sonny Rollins of Walter Bishop en wat later bij Jackie McLean of soms Philly Joe Jones, die daar toen ook zat. We kochten porties heroïne van $3 en spoten dat gelijk op. Meestal gebruikten we vier of vijf porties per dag, het hing ervan af hoeveel geld we hadden. We gingen naar de kamer van Fat Girl in het Cambridge Hotel op 110th Street tussen Seventh Avenue en Lenox Avenue, of soms naar het huis van Walter Bishop om te spuiten. En daarna gingen we naar Minton's om naar de tapdansers te kijken die daar duels uitvochten.

Ik genoot ervan naar de tapdansers te kijken en te luisteren. Ze staan zo dicht bij de muziek wat betreft de manier waarop ze hun taps laten klinken. Het zijn haast drummers en je kunt veel van hen leren door alleen de ritmes die ze met hun taps voortbrengen te beluisteren. Overdag kwamen de tapdansers allemaal naar de stoep voor Minton, naast het Cecil Hotel, om elkaar daar uit te dagen. Ik kan me met name de duels tussen de dansers Baby Laurence en een hele lange, magere gozer die Ground Hog heette nog levendig voor de geest halen. Baby en Ground Hog waren junkies en daarom dansten ze vaak voor Minton om aan drugs te komen, want de dealers zagen hen ook graag. Ze gaven gratis dope weg als ze waren uitgedanst. Er stond altijd een massa mensen omheen en ze dansten als gekken. Baby Laurence was te gek, man, er zijn geen woorden voor om te beschrijven hoe geweldig. Maar Ground deed nauwelijks voor hem onder. Hij was echt hip en hij zag er netter uit dan een gecastreerd schoothondje, weet je wel, z'n kleren en alles. Barney Biggs was ook zo'n goede tapdanser en dan was er nog een vent die L.D. heette en Fred en Sledge van de Step Brothers. Het gros van die jongens was verslaafd, alleen van de Step Brothers weet ik het niet. Hoe dan ook, als je niet tot de incrowd behoorde, begreep je niets van dat gedans voor Minton. Die tapdansers hadden het altijd over Fred Astaire en al die andere blanke dansers alsof die helemaal niets voorstelden en ze stelden ook niets voor vergeleken met hoe deze jongens konden dansen.

Maar zíj waren zwart en hoefden geen hoop te koesteren dat ze ooit een kans zouden krijgen om voor echt geld en echte roem te dansen.

Rond die tijd werd ik wel echt beroemd en er waren veel muzikanten die mijn reet likten alsof ik een belangrijk iemand was. Ik ging me bezighouden met de vraag of ik zo of juist zo moest gaan staan, of ik mijn trompet op deze of op die manier moest vasthouden als ik speelde. Moest ik me zus of zo gedragen, met het publiek converseren, de maat met mijn linker- of met m'n rechtervoet tikken? Of moest ik m'n voet binnen in mijn schoen bewegen, zodat niemand het kon zien? Met dat soort onzin hield ik me bezig toen ik vierentwintig werd. En daar kwam bij dat ik in Parijs had ontdekt dat ik helemaal niet zo beroerd speelde als veel van die antieke zakkenwassers beweerden. Mijn ego was een stuk groter dan voordat ik wegging. Ik veranderde van een zeer bleu typetje in iemand met zelfvertrouwen.

In 1950 woonde ik weer in Manhattan, in Hotel America in 48th Street. Daar woonden veel muzikanten, onder wie Clark Terry, die eindelijk naar New York was gekomen. Clark speelde toen in de band van Count Basie, geloof ik, en dus was hij vaak op pad. Baby Laurence kwam ook veel in het hotel. Er woonden ook een boel junkies.

Ik zat echt zwaar aan de heroïne en begon ook veel rond te hangen met Sonny Rollins en z'n vrienden uit de Harlemse wijk Sugar Hill. Die groep bestond behalve uit Sonny uit Gil Coggins, de pianist, Jackie McLean, Walter Bishop, Art Blakey (die eigenlijk in Pittsburgh woonde, maar veel in Harlem rondhing), Art Taylor en Max Roach, die uit Brooklyn kwam. Ik denk dat ik ook John Coltrane in die tijd voor het eerst ontmoette, toen hij in één van Dizzy's bands speelde. Ik hoorde hem geloof ik voor het eerst in een club in Harlem.

Sonny had een grote reputatie onder veel van de jongere musici in Harlem. De mensen in Harlem en elders hielden van Sonny Rollins. Hij was een legende, bijna een god voor veel jongeren. Er waren mensen die zeiden dat hij op de saxofoon het peil van Bird evenaarde. Ik weet één ding: het zat er dichtbij.

Hij was een agressief, vernieuwend artiest, die altijd frisse muzikale ideeën had. Ik was toen erg op hem gesteld als instrumentalist, maar hij kon ook fantastisch schrijven. (Volgens mij werd hij later beïnvloed door het spel van Coltrane en daardoor veranderde hij van stijl. Als hij was doorgegaan met wat hij deed toen ik hem voor het eerst hoorde, was hij volgens mij een nog groter musicus geworden dan hij nu is, vandaag – en hij is nog altijd een héle grote.) Sonny was net terug van een optreden in Chicago. Hij kende Bird en Bird vond Sonny, of 'Newk', zoals we hem noemden, erg goed, omdat hij op de werper van de Brooklyn Dodgers, Don Newcombe, leek. Op een dag zaten Sonny en ik in een taxi nadat we ergens dope hadden gehaald en plotseling draaide de blanke taxichauffeur zich om en zei: 'Verrek, jij bent Don Newcombe!' Man, die kerel was helemaal van de kook. Ik stond versteld, want ik had er nog nooit eerder aan gedacht. We speelden een vreselijk spelletje met die chauffeur. Sonny begon over de worpen die hij die avond zou gaan loslaten op Stan Musial, de geweldige slagman van de St. Louis Cardinals. En Sonny was die dag in een boosaardige stemming, dus hij beloofde de taxichauffeur dat hij vrijkaartjes op zijn naam bij de kassa zou laten leggen. Daarna behandelde die man ons als goden.

Ik kreeg werk in de Audubon Ballroom en vroeg Sonny om bij m'n band te komen en dat deed hij. Coltrane zat er ook in en Art Blakey op drums. Alledrie, Sonny, Art en Coltrane gebruikten in die tijd heel wat heroïne en omdat ik zoveel met ze omging, trokken ze mij er ook nog verder in mee. Fats Navarro was toen echt een zware junkie, meelijwekkend gewoon. Fat Girls vrouw, Lena, maakte zich altijd zorgen om hem. Ze was blank. Ze hadden een dochtertje dat Linda heette. Hij was een vrolijke Frans, kort en dik, voordat de dope hem te pakken kreeg. Nu was hij vel over been en hij liep altijd rond met zo'n akelige hoest die zijn lichaam verwoestte. Hij stond letterlijk te schudden op zijn benen telkens als hij hoestte. Het was triest hem zo te zien. Het was zo'n prachtvogel, man, en een fantastische trompettist. Ik hield echt van hem. Soms ging ik bij hem langs en soms spoten we ook samen. Fat Girl en ik en Benny Harris, ook een trompettist. Fat Girl haatte hem. Dat wist ik wel, maar volgens mij was Benny wel oké. Als we stoned waren zaten we altijd te ouwehoeren over muziek, over die goeie ouwe tijd bij Minton, toen Fat Girl iedereen die de deur binnenkwam er weer uit blies. En ik legde allerlei dingen uit, want kijk, Fat Girl was een natuurtalent, iemand die vanzelf geniaal blies en daarom liet ik hem dingen zien om te spelen. Hij kon bijvoorbeeld absoluut geen ballads spelen. Dan zei ik hem zachter te spelen of een paar akkoorden om te draaien. Hij noemde mij altijd 'Millie'. Hij had het er steeds over dat hij wilde stoppen met de heroïne, maar dat deed hij niet. Het is hem nooit gelukt.

Fat Girl maakte in mei 1950 zijn laatste plaat met mij. Hij overleed een paar maanden daarna. Hij was nog maar zevenentwintig. Het was triest om hem die laatste keer bezig te horen, terwijl hij probeerde de noten te halen die hij vroeger tussen neus en lippen door speelde. Ik geloof dat die plaat de *Birdland All Stars* heette, omdat hij daar werd opgenomen. J. J. Johnson, Tadd Dameron, Curly Russell, Art Blakey, Fat Girl, een saxofonist die Brew Moore heette en ikzelf deden eraan mee. Later maakte ik een plaat met Sarah Vaughan, toen ik trompet speelde in de band van Jimmy Jones. En ergens in die buurt speelde ik ook nog in een andere All Star band met Fat Girl en dat zou weleens de laatste keer geweest kunnen zijn dat we samenspeelden. Ik weet het niet zeker, maar volgens mij was dat ook een Birdland All Star band, met Dizzy, Red Rodney, Fat Girl en Kenny Dorham op trompet, J.J., Kai Winding en Bennie Green op trombone, Gerry Mulligan en Lee Konitz op sax, Art Blakey op drums, Al McKibbon op bas en Billy Taylor op piano.

Ik weet nog dat iedereen van die prachtige soli speelde om dan de hele boel in de war te schoppen als we allemaal samen probeerden te spelen. Als ik me goed herinner kende niemand de arrangementen, die uit het muziekboek van Dizzy's big band kwamen. Ik geloof ook nog dat de eigenaars van Birdland de band Dizzy Gillespie's Dream Band wilden noemen, maar daar was Diz het niet mee eens, omdat hij niemand op de tenen wilde trappen. Toen wilden ze hem Symphony Sid's Dream Band noemen. Is dat geen blanke racistische klote streek? Maar zelfs Sid was nog te hip en te cool om daarin te trappen. Dus werd het uiteindelijk de Birdland All Star Band. Volgens mij hebben ze die band ook opgenomen.

Daarna speelde ik geloof ik in de Black Orchid Club, de vroegere Onyx. Samen met Bud Powell, Sonny Stitt, Wardell Gray en ik dacht Art Blakey op drums, maar van de drummer ben ik niet helemaal zeker. Dat was ergens in juni 1950. Ik weet dat Fat Girl in juli doodging.

Aan het einde van die zomer was het afgelopen met 52nd Street, Dizzy stopte met z'n big band en de muziekscene leek uit elkaar te vallen. Ik begon te geloven dat het allemaal een bepaalde oorzaak had, hoewel ik niet wist welke. Kijk, ik ben nogal 'n intuïtief ingesteld persoon. Ik ben altijd in staat geweest dingen te voorspellen. Maar ik sloeg de plank mis toen ik moest voorspellen wat er met mezelf zou gaan gebeuren in verband met de drugs. Volgens de getallenleer ben ik een zes, een volmaakte zes en zes is het getal van de duivel. Volgens mij heb ik veel van de duivel in me. Toen ik daar achter was gekomen, realiseerde ik me ook dat het moeilijk voor me was de meeste mensen – zelfs vrouwen – langer dan zes jaar aardig te vinden. Ik weet niet wat het is, noem het voor mijn part bijgeloof. Maar in mijn hart geloof ik dat al die onzin waar is.

In 1950 woonde ik zes jaar in New York, dus misschien speelde het idee dat al die klote toestanden waren voorbestemd door mijn hoofd en het leek alsof ik er zelf geen invloed op had. Ik wilde stoppen met spuiten, eigenlijk al vanaf het moment dat ik me realiseerde dat ik verslaafd was. Ik wilde niet dat het met mij net zo zou aflopen als met Freddie Webster of met Fat Girl. Maar het leek alsof ik niet op kon houden.

Het spuiten van heroïne veranderde mijn persoonlijkheid. Ik was altijd een aardige, rustige, eerlijke, zorgzame figuur geweest, maar nu was ik volledig het tegenovergestelde. De drang om aan heroïne te komen maakte me zo. Ik zou alles doen om maar niet strontziek te worden en dat hield in dat ik altijd, dag en nacht, heroïne zocht of spoot.

Ik begon geld dat ik van hoeren kreeg te gebruiken om mijn heroïnehonger te stillen. Ik was pooier voor ik in de gaten had waarmee ik eigenlijk bezig was. Ik werd een zogenaamde 'beroepsjunkie'. Alleen dáárvoor leefde ik. Ik koos m'n baantjes zelfs uit met het oog op de verkrijgbaarheid van drugs ter plekke. Ik werd één van de beste ritselaars, omdat ik elke dag heroïne nodig had, ongeacht wat ik verder te doen had.

Ik jatte zelfs een keer geld van Clark Terry om dope van te kopen. Ik zat bij Hotel America, waar Clark ook woonde, op de stoep te bedenken waar ik poen kon versieren om stoned te worden, toen Clark eraan kwam. Mijn neus liep en m'n oren waren helemaal rood. Hij betaalde een ontbijtje voor me en daarna bracht hij me naar zijn hotelkamer en zei dat ik wat moest gaan slapen. Zelf moest hij op tournee met Count Basie en hij stond op het punt te vertrekken. Hij vroeg me de deur gewoon achter me op slot te doen als ik me goed genoeg zou voelen om weg te gaan, maar ik mocht blijven zolang als ik wilde. Zo goed waren we bevriend. Hij wist wat ik uitvrat, maar hij dacht gewoon dat ik hem nooit een kunstje zou flikken, snap je? Mis dus.

Clark was nog niet vertrokken om z'n bus te halen of ik trok al zijn laden en kasten open en nam alles wat ik kon dragen met me mee. Een trompet en een stapel kleren gingen gelijk naar de lommerd en wat ik niet kon belenen, verkocht ik voor het beetje geld dat ik voor dat spul kon krijgen. Ik verkocht zelfs een overhemd aan Philly Joe Jones, waarin Clark hem later tegenkwam. Achteraf ontdekte ik dat Clark toch niet met de bus was gegaan. Hij had wel zitten wachten, maar het duurde allemaal langer dan hij had voorzien. Dus hij kwam terug naar z'n kamer om even te kijken hoe ik het maakte en toen ontdekte hij dat z'n deur wijdopen stond. Toen heeft hij naar huis gebeld, naar St. Louis, en hij vroeg zijn vrouw Pauline, die daar nog woonde, mijn vader te bellen om hem te vertellen hoe slecht ik eraan toe was. Toen ze dat deed werd mijn vader kwaad op haar.

'Het enige dat er mis is met Miles is dat hij met die verdomde muzikanten zoals jouw man omgaat,' zei hij tegen haar. Mijn vader had veel vertrouwen in mij en hij kon moeilijk geloven dat ik echt zwaar in de problemen zat, dus gaf hij de schuld aan Clark. Volgens hem was Clark namelijk de kwade genius achter mijn beslissing om in de muziek te gaan.

Omdat Clark mijn vader kende, begreep hij wel waarom hij zich zo gedroeg, en dat slaat alles, hij vergaf me ook wat ik hem had aangedaan. Hij wist dat ik zoiets nooit zou hebben gedaan als ik niet doodziek was geweest. Maar in de periode daarna vermeed ik het ergens heen te gaan waar ik dacht dat Clark zou kunnen zijn. Toen we elkaar uiteindelijk toch tegen het lijf liepen, bood ik m'n excuses aan en daarna deden we alsof er niets was voorgevallen. Kijk, dat is nu nog eens een goeie vriend. Nog lang daarna stak hij telkens als hij me in een café tegenkwam het geld dat voor de betaling van mijn drankjes op de bar lag in z'n zak, als aflossing van wat ik had gejat. Man, dat was geestig.

Irene en ik liepen achter met de huur in Hotel America. Ik had veel van mijn spullen verpand, ook mijn eigen trompet, daarom huurde ik een trompet van Art Farmer voor $10 per avond. Ooit moest hij zelf een keer optreden terwijl ik hem wilde huren, dat kon dus niet en ik raakte helemaal van de kook. En wanneer hij z'n trompet wel verhuurde, kwam hij altijd naar de plaats waar ik optrad, zodat hij hem weer mee kon nemen. Hij vertrouwde me niet verder dan hij me zag. Ik liep ook achter met het afbetalen van mijn auto. De lui die me de Blauwe Duivel hadden verkocht zaten me aldoor op de huid om hem in beslag te nemen, dus moest ik steeds geheime plekjes vinden om hem te parkeren. Alles liep in het honderd.

In 1950 reed ik met Irene en de kinderen in de Blauwe duivel terug naar East St. Louis. We maakten onszelf wijs dat als we weg waren uit New York we alles wel weer op 'n rijtje zouden krijgen. In m'n achterhoofd wist ik wel dat het over was tussen ons. Ik weet niet wat Irene er toen van dacht, maar ik weet wel dat ze mijn stompzinnige gedrag spuugzat was.

Op het moment dat we in East St. Louis aankwamen en ik mijn auto voor het huis van m'n vader parkeerde, dook de kredietmaatschappij op en nam de auto in beslag. Iedereen vroeg zich af wat er aan de hand was, maar niemand had commentaar. Er gingen daar wel geruchten dat ik verslaafd was, maar het was nog niet algemeen bekend. En daar kwam bij dat de mensen in East St. Louis nog niet zoveel verslaafden hadden gezien, dus ze wisten niet hoe die eruitzagen of hoe ze zich gedroegen. Voor hen was ik alleen maar Miles, die gekke zoon van dokter Davis die muzikant was in New York en daar tussen al die andere gekke muzikanten woonde. Tenminste, ik dacht dat ze dat dachten.

Een vriend van me had verteld dat Irene zwanger was van een andere kerel. Deze keer wist ik dat het niet van mij kon zijn, omdat ik nooit meer met haar vree. Die vriend zei dat hij haar met die gozer uit een hotel in New York had zien komen. We waren nooit wettig getrouwd, dus we hoefden ook niet te scheiden. We hadden uiteindelijk ook geen ruzie of zo; het was gewoon voorbij. Kijk, Irene was met me meegegaan naar New York en ze liep altijd achter me aan, de hele stad door, zoals naar oom Ferdinand (de broer van mijn vader) in Greenwich Village. Oom Ferdinand was alcoholist. Ik ging weleens bij hem en bij een paar van z'n zwarte journalistenvriendjes op bezoek. Die figuren zopen veel en ik was er niet zo weg van dat zij daarbij was en al die kerels lazarus om zag vallen, vooral m'n oom niet. Mijn moeder vroeg een keer waar ik was geweest. Toen ik zei dat ik oom Ferdinand had bezocht zei ze: 'O, een paar apart, hè; de lamme helpt de blinde.' Ze probeerde me te zeggen dat we dezelfde soort persoonlijkheid hadden – gauw verslaafd. Maar toen ze me zo waarschuwde, was mijn enige drug de muziek. Pas later toen ik aan de heroïne was begreep ik wat ze had willen zeggen.

Irene bleef in East St. Louis en daar werd in 1950 Miles IV geboren. Ik ging een tijdje terug naar New York en daar kreeg ik een baan in de band van Billy Eckstine. Ze gingen in Los Angeles optreden en ik ging mee. Ik had geld nodig en ik had niets beters te doen. Ik hield niet van de muziek die ze maakten, maar Art Blakey zat ook in die band en nog een paar musici die ik waardeerde, dus ik dacht dat het wel zou gaan tot ik er een beetje bovenop zou zijn.

Los Angeles was de laatste stop van de tournee, het was zo'n lange bustour geweest van stad naar stad. We hadden onderweg geen idee waar we dope konden kopen en omdat ik dus niet regelmatig was voorzien van goede heroïne, begon ik te denken dat ik niet meer verslaafd was. Dexter Gordon, Blakey en ik geloof Bird waren erbij toen we naar het Burbank-vliegveld reden. Art wilde ergens stoppen om drugs te kopen van iemand die hij kende. Dat deden we en op het vliegveld werden we opgepakt door de politie. Ze hadden ons vanaf het huis van de dealer gevolgd. Ze zetten ons in hun auto en zeiden: 'Oké, we weten wie jullie allemaal zijn en wat jullie doen.' Ze waren allemaal blank en er viel niet mee te spotten. Ze wilden onze namen hebben. Ik zei hoe ik heette en Bird ook en toen Dexter. Maar bij Blakey aangekomen zegt die dat hij Abdullah Ibn Buhaina heet, dat was zijn moslim-naam. Dus zegt die smeris, terwijl hij z'n pen neerlegt: 'Hou op met die onzin en geef me verdomme je Amerikaanse naam, je echte naam!' Blakey zegt dat hij dat net gedaan heeft. Toen werd die agent kwaad, we moesten mee, hij noteerde alles en zette ons in de cel. Ik geloof echt dat hij ons had laten gaan als Blakey hem z'n echte naam had gegeven. Dus zaten we in de bak en ik moest m'n vader bellen om hulp, om ons eruit te krijgen. Hij belde een vriend van hem die in L.A. woonde, een tandarts met wie hij had gestudeerd, ene dokter Cooper. En die schakelde een advocaat, Leo Branton, in. Die kwam en kreeg me uit de cel.

Mijn arm zat vol oude naaldsporen en dat had de politie gezien, maar ik gebruikte toen niets. Dat vertelde ik aan Leo Branton, maar die zei iets waarvan ik me rot schrok. Art Blakey had verklaard dat ík gebruikte om er zelf beter vanaf te komen. Ik geloofde het niet, maar één van die smerissen bevestigde het. Ik heb er nooit een woord over tegen Art gezegd en dit is de eerste keer dat ik er in het openbaar iets over loslaat.

Dat was voor het eerst dat ik ergens voor gearresteerd werd, de eerste keer dat ik een cel vanbinnen zag en ik moest er absoluut niets van hebben. Ze ontmenselijken je en je voelt je verdomme hulpeloos achter al die ijzeren tralies, terwijl je lot in handen ligt van iemand die geen moer om je geeft.

Sommige blanke bewakers zijn doorgewinterde racisten en ze trappen je om niks in elkaar, of ze maken je af als een vlieg of een kakkerlak.

Zo opende mijn tijd in de cel me de ogen, het was een openbaring. Toen ik uit de bak kwam, logeerde ik een tijdje bij Dexter in Los Angeles. We werkten af en toe, maar meestal niet. Dexter spoot ontzettend veel heroïne en was het liefst thuis, waar hij echt goed spul kon krijgen. En ik begon ook weer te spuiten.

Ik had Art Farmer de eerste keer dat ik daar was ontmoet en toen ik in 1950 terugkwam, leerde ik hem beter kennen. Na een poosje bij Dexter gewoond te hebben, verhuisde ik naar het Watkins Hotel op West Adams Avenue, vlakbij Western Avenue. Ik kwam veel bij Art en dan praatten we over muziek. Volgens mij was ik de eerste die hem over Clifford Brown vertelde, die ik ergens had gehoord. Ik vond hem goed en Art wilde hem ook weleens horen. Clifford was nog niet bekend, maar veel musici uit de buurt van Philadelphia hadden de mond al vol van hem. Art was – en is – een aardige kerel, heel rustig, een fantastische trompettist.

Tegen het einde van het jaar stond er een verhaal in het tijdschrift *Down Beat* over de manier waarop heroïne en andere drugs de muziekwereld ruïneerden en ze vermeldden dat Art Blakey en ik in Los Angeles waren gearresteerd. Nou, toen was alles openbaar en ik kon nog maar nauwelijks werk vinden. De clubeigenaars moesten me niet meer.

Ik kreeg al snel genoeg van L.A., dus koerste ik oostwaarts. Ik wipte even bij m'n vader aan, maar ging toen spoorslags naar New York. Daar kwam ik echter ook niet verder dan spuiten met Sonny Rollins en al die figuren uit Sugar Hill. Ik kon nergens optreden.

Het wachten op het proces in L.A. was geen pretje omdat haast niemand geloofde dat ik onschuldig was. Rond Kerstmis vond ik eindelijk een baantje met Billie Holiday in de Hi-Note in Chicago. Dat duurde een week of drie en ik genoot ervan.

Het was een te gekke ervaring. Tijdens die optredens leerde ik haar heel goed kennen en Anita O'Day ook, die blanke jazz-zangeres. Ik vond Billie een heel lieve, mooie en ontzettend creatieve vrouw. Ze had zo'n sensuele mond en ze droeg altijd een witte gardenia in d'r haar. Ik vond haar niet alleen mooi, maar ook sexy. Maar ze was ziek van alle drugs die ze gebruikte en dat kon ik begrijpen, want ik was het ook. Toch was ze een heel warme vrouw, prettig om mee op te trekken. Jaren later, toen ze echt ziek was, ging ik altijd bij haar langs op Long Island waar ze woonde en ik deed wat ik kon. Dan nam ik m'n zoontje Gregory mee op wie ze dol was en dan zaten we uren te praten, terwijl we de ene gin na de andere dronken.

Er was een jonge blanke knul, Bob Weinstock, die een nieuw jazzlabel, Prestige, had opgericht en hij was naar me op zoek om me een plaat te laten maken. Hij kon me nergens vinden en toen moest hij voor zaken naar St. Louis. Omdat hij wist dat ik daar vandaan kwam, belde hij alle Davissen uit de telefoongidsen van St. Louis en

East St. Louis tot hij bij mijn vader terechtkwam, die hem vertelde dat ik in Chicago werkte. Vlak na Kerstmis van 1950 vond hij me in de Hi-Note, waar ik met Billie optrad. We tekenden een contract voor een jaar, ingaande in januari, wanneer ik weer terug in New York zou zijn. Het ging niet om zoveel geld – $750 dacht ik – maar het gaf me de kans een groep van eigen keuze te leiden en het bracht wat geld in het laatje. De rest van de tijd in Chicago bracht ik door met nadenken over wie ik zou kiezen voor de opnames.

Ik werd in januari 1951 vrijgesproken en dat was een pak van mijn hart. Maar het kwaad was al geschied. Mijn vrijspraak haalde de koppen van *Down Beat* niet, zoals m'n arrestatie wel gedaan had en voor wat betreft de eigenaars van de nachtclubs was ik gewoon nog altijd zo'n junkie.

Ik dacht dat de platen die ik met het nonet gemaakt had goed voor mijn carrière zouden zijn en dat waren ze tot op zekere hoogte ook wel. Capitol Records, dat die nonet-sessies had opgenomen, haalde er niet het verwachte geld uit en dus hadden ze er niet zoveel trek in ook de rest van het materiaal op de plaat te zetten. En omdat ik geen exclusief opnamecontract met Capitol had, was ik vrij om met Prestige in zee te gaan en dat deed ik. Ik kreeg nog steeds niet de erkenning die ik volgens mij verdiende.

Tegen het einde van 1950 werd ik door de lezers van het tijdschrift *Metronome* in hun All Star Band gekozen. Maar iedereen in die band was blank, behalve Max en ik. Bird kwam er niet eens in – ze verkozen Lee Konitz boven hem, Kai Winding boven J.J. Johnson en Stan Getz in plaats van al die goede zwarte tenorspelers. Het was een wat vreemd gevoel om boven Dizzy verkozen te worden.

Daar kwam nog bij dat veel blanke musici zoals Stan

Getz, Chet Baker en Dave Brubeck – die door mijn platen waren beïnvloed – overal opnames maakten. Ze noemden de muziek die ze speelden 'cool jazz'. Ik denk dat dat bedoeld was als alternatief voor de bebop, ofte wel de zwarte muziek, de 'hot jazz', die volgens de blanken exclusief zwart was. Maar het was weer gewoon het oude liedje, het zwarte spul werd gejat waar we bij stonden.

Bird en Doris Sydnor – Olijfje – gingen in 1950 uit elkaar en hij ging met Chan Richardson samenwonen. Chan was een verbetering ten opzichte van Doris. Ze zag er tenminste behoorlijk uit en ze begreep de muziek en de musici. Doris niet.

Het ging niet zo goed met Bird, maar met mij ook niet. Hij was veel dikker geworden en zag er een heel stuk ouder uit dan hij was. Het zware leven kreeg hem bij de staart. Maar nu was Bird verhuisd naar downtown Manhattan, naar East 11th Street en het zag er wat beter voor hem uit. Hij had een nieuw platencontract met een vooraanstaand label, Verve, en hij vroeg of ik samen met hem wilde opnemen in januari 1951. Ik stemde toe en ik zag ernaar uit.

Ik verlangde naar het nieuwe jaar, ik wilde mijn leven opnieuw organiseren, nieuwe muziek maken. Prestige gaf me ook goede hoop. 1950 was het slechtste jaar van mijn leven geweest. Ik ging ervan uit dat het alleen nog maar beter kon gaan. Ik zat al totaal aan de grond.

## 7

Ik keerde vol goede moed terug naar New York. Ik had geen eigen onderkomen, dus logeerde ik bij Stan Levey, de drummer, tot ik voor mezelf zou kunnen zorgen. Half januari 1951, omstreeks de 17de, deed ik mee op drie plaatopnames, eentje met Bird voor Verve, dat was 's ochtends vroeg, een eigen opname voor Prestige en toen nog eentje met Sonny Rollins. Bij die van Bird waren hij en ik aanwezig, Walter Bishop op piano, een jongen die Teddy Kotick heette op bas en Max Roach op drums. Bird was goed in vorm die dag en hij speelde fantastisch. De rest ook trouwens. De muziek was Latin georiënteerd, heel boeiend. Het was één van de best georganiseerde sessies die ik Bird ooit heb zien leiden. Alles liep van een leien dakje, hoewel er zoals gewoonlijk niet veel was gerepeteerd. Ik weet nog dat ik dacht dat de toekomst er rooskleurig uitzag voor Bird. Hij leek gelukkig en dat was een goed teken. Na de sessie met Bird vertrok ik om mijn eerste opname als bandleider te maken. Ik had Sonny Rollins, Bennie Green, John Lewis, Percy Heath en Roy Haynes gecontracteerd. Bob Weinstock, de producer, zag het niet zo zitten dat ik Sonny had gevraagd, dacht dat hij er niet klaar voor was, maar ik wist hem te overtuigen en ik haalde hem er zelfs toe over Sonny een eigen plaat te laten maken, wat dus nog diezelfde dag gebeurde.

Ik speelde niet zo goed tijdens die sessie, omdat ik moe was van het spelen met Bird. Ik weet nog dat het zo'n kille, rillerige dag was, zo'n dag waarop de sneeuw niet kan besluiten of ze wel sneeuw wil zijn, een rottige klote dag. Ik was weer heroïne gaan spuiten, dus m'n lijf en m'n embouchure waren niet in zo'n geweldige vorm. Maar ik geloof dat de anderen allemaal wel goed speelden, vooral Sonny op een paar nummers. Bob Weinstock was op de hoogte van het feit dat ik een junkie was, maar hij was bereid erop te gokken dat ik er weer bovenop zou komen.

John Lewis moest weg toen we aan Sonny's opnames toekwamen, dus draaide het erop uit dat ik achter de piano belandde. Voor de rest was de bezetting dezelfde als bij mijn sessie. Toen we klaar waren plaagde iedereen mij ermee dat ik beter piano had gespeeld dan trompet bij m'n eigen opname. Ik geloof dat Sonny die keer één nummer heeft opgenomen en ik vier, dat was alles. Ik herinner me nog dat ik toch tevreden was toen we klaar waren. Ik was terug in New York, speelde weer en had een contract voor nóg twee platen. En ik weet ook nog dat ik, toen Sonny en ik door de natte sneeuw naar het centrum liepen om heroïne te kopen, dacht: Als ik nu ook nog eens met die troep kon stoppen, zal alles wel in orde komen. Maar ik was nog heel ver weg van het stoppen en ik zat diep in de stront en dat wist ik.

Om de eindjes aan elkaar te knopen en om aan geld voor heroïne te komen, begon ik muziek uit te schrijven vanaf platen, voor de inhoudsopgaven van bladmuziek, steeds de eerste acht maten van een melodie voor 25 of 30 dollar. Het werk was gemakkelijk en ik deed maar een paar uur over een klus. Ik ving het geld en ging de stad weer in om stoned te worden. Maar algauw was zelfs dat niet meer voldoende om in m'n behoefte te voorzien. Ik had een zwakke gezondheid en er was niet zoveel gelegenheid om regelmatig op te treden en mijn embouchure was slecht. Een trompet is een heel veeleisend instrument. Om hem goed te bespelen moet je in behoorlijk goede fysieke conditie verkeren. En daar kwam nog bij dat ik, terwijl ik altijd gekleed was geweest als een modepop, nu alles maar aantrok, zolang het mijn lichaam maar bedekte. Ik begon voordat ik verslaafd raakte net te denken dat ik het helemaal gemaakt had, met m'n gewatergolfde haar tot op mijn schouders. Shit man, mij hoefde je niet te vertellen dat ik een spetter was. Maar toen de heroïne begon toe te slaan, bleef daar niets van over, ook niet van mijn air en ik kon me zelfs niet veroorloven mijn haar te laten ontkroezen of te laten fatsoeneren, omdat ik daar geen geld meer voor had. Na een tijdje begon ik een vreselijke kop te krijgen, mijn haar zat helemaal in de knoop en zo, m'n hoofd zag eruit als een speldenkussen. Ik leek op een stekelvarken dat op de kast was gejaagd. De vijf dollar die de kapper me altijd had berekend, stak ik nu in mijn arm om het monster te voederen. Ik spoot de heroïne in mijn aderen, zodat het monster daar binnenin geen honger zou krijgen, want dan maakte het me ziek. In 1951 was ik nog niet zover dat ik mezelf wilde bekennen dat ik ziek was, dus ik bleef gewoon op die lange, donkere, glibberige weg lopen, die me steeds verder de verslaving in voerde.

Een paar dagen na die Prestige-opname ging ik weer de studio in om voor Capitol Records een plaat met de *Metronome All Stars* van 1951 te maken. Die sessie was niet om over naar huis te schrijven. Het klonk allemaal professioneel en daarmee is alles gezegd, maar er gebeurde niets schokkends. Ik weet nog dat ze Lennie Tristano in het zonnetje wilden zetten en dat we een paar nummers van George Shearing uitvoerden. Alles bij elkaar waren het niet meer dan een paar minuten muziek, het zat goed in elkaar en het was goed gearrangeerd. Er kon ook niets voortkomen uit de sfeer die daar hing. Het was gewoon een stomme publiciteitsstunt, om te proberen blanke musici voor het voetlicht te krijgen, waarbij ik en

Max – de enige zwarten van de elf musici – als alibi dienden. Het maakte niet uit, alleen verdienden de blanken het meeste. Iedereen wist dat het de zwarte musici waren die het zo lekker deden klinken. Ik incasseerde mijn geld en ging de stad in om te scoren.

Ongeveer een maand later of zoiets speelde ik met mijn band in Birdland. Daarin zaten Sonny Rollins, Kenny Drew, Art Blakey, Percy Heath en Jackie McLean. Bud Powell had me op het hart gedrukt dat ik Jackie moest nemen, want hij kende hem en hij vond hem het einde. Ik had Jackie weleens gezien, hij kwam namelijk uit Sugar Hill in Harlem. Hij kende Sonny Rollins goed, omdat ze uit dezelfde buurt kwamen, de kant van Edgecombe Avenue op. Jackie was nog niet eens twintig toen hij daar in Birdland optrad. Die eerste avond was hij zo zenuwachtig en stoned dat hij na zeven of acht maten van z'n solo opeens van het podium af vluchtte, de achterdeur uit. Je moet je voorstellen, de ritmesectie speelt nog steeds en het publiek zit zich met open mond af te vragen wat er in godsnaam aan de hand is. Ik klim van het podium af om achter te gaan kijken wat er met Jackie loos is, hoewel ik ergens wel vermoedde dat hij ziek was van de heroïne, want ik wist dat hij gebruikte. Oscar Goodstein, de eigenaar van Birdland, komt achter me aan. En daar staat Jackie vreselijk over te geven in een vuilnisbak, z'n hele smoel zit onder de kots. Ik vroeg hem of het ging en hij knikte van ja. Ik zei tegen hem dat hij z'n instrument af moest vegen en weer naar binnen moest komen om verder te spelen. We konden de ritmesectie nog steeds door horen rommelen. Oscar stond daar, met zo'n walgende uitdrukking op zijn gezicht en hij zei tegen Jackie toen die langs hem liep: 'Hier kid, veeg je gezicht af' en hij gooide hem een handdoek toe, draaide zich om en liep voor ons uit weer naar binnen. En Jackie ging het podium weer op en speelde de pannen van het dak. Hij was gewoonweg fantastisch.

Na het optreden ging ik naar Long Island, waar ik inmiddels woonde met Stan Levey en ik dacht na over Jackie. De volgende dag belde ik hem en vroeg hem langs te komen om een paar nummers met me door te nemen en dat deed hij. Daarna vroeg ik hem bij de band te komen, die ik aan het samenstellen was – Art Blakey, Sonny Rollins, Percy Heath en Walter Bishop – en zo werden we kamergenoten voor zo'n jaar of twee, drie, met tussenpozen.

Jackie en ik trokken vanaf die tijd veel met elkaar op, we spoten samen dope en gingen naar de film in 42nd Street. Nu ik uit het huis van Stan Levey weg was, woonde ik meestal in allerlei hotels, met meiden die me gaven wat ik nodig had om in mijn behoefte aan drugs te voorzien. Ik zat in University Hotel, in 20th Street en ook vaak in Hotel America, in 48th Street. Jackie en ik stapten vaak ape-stoned in de metro om te lachen om de truttige schoenen en kleren die de mensen aanhadden. Dan keken we naar iemand en als we hem of haar er raar uit vonden zien, dan sloegen we dubbel. Jackie was een leuke gozer, man, en hij haalde dolgraag grappen uit met mensen. Soms bleef ik bij hem en zijn vriendin in 21st Street slapen, als ik te stoned was om naar huis te gaan. En soms gingen we naar de Stillmans sportschool om naar de training van boksers te kijken, maar meestal waren we samen op jacht naar dope, we kochten en spoten samen. Ik was vierentwintig, bijna vijfentwintig, toen Jackie en ik elkaar tegen het lijf liepen en ik had al veel achter de rug. Hij was nog maar negentien en zo groen als gras. Ik had naam gemaakt, dus Jackie keek tegen me op, hij behandelde me met veel respect, als een mentor.

Ik ging ook om met Sonny Rollins. Ik herinner me nog dat we vaak in een café in de stad kwamen dat 'Bell' heette. (*Sippin' at Bell's* is een nummer dat ik erover schreef.) Het was een chic café op Broadway, waar verder niemand drugs gebruikte. Of we gingen naar Sonny's kamer op Edgecombe Avenue. Daar werden we stoned en we genoten van het prachtige uitzicht op dat park tegenover z'n huis. Je kon er het stadion van de Yankees zien liggen.

Als we niet bij Sonny zaten of bij Walter Bishop, gingen we naar Jackies ouders. (Ik vond zijn vader en moeder erg aardig.) Of we zaten op het pleintje tussen St. Nicholas Avenue en 149th en 150th Street, vooral 's zomers. Meestal zat ik er met Jackie en Sonny en met Kenny Drew, Walter Bishop en Art Taylor. Ik genoot in Harlem, van de clubs, van het park bij 155th Street en St. Nicholas Avenue en als ik met Max ging zwemmen in het Colonial-bad aan Bradhurst Avenue bij 145th Street. Iedereen was altijd stoned en het barstte van de plekken om het te worden, zelfs bij Art Taylor thuis. Z'n moeder, een heel aardige vrouw, die ik graag mocht, werkte de hele dag, dus hadden we daar het rijk alleen.

Als we weer nuchter waren gingen we vaak naar Bud Powell en dan zaten we alleen maar naar zijn spel te luisteren. Daar zat hij, zonder iets te zeggen, maar met die brede, lieve glimlach op z'n gezicht. Of we gingen naar de nachtclub van Sugar Ray Robinson. Ook een te gekke vent, om maar niet te spreken van Small's Paradise en van de Lucky en van de rest van al die hippe clubs. Ik bracht dus nogal wat tijd door in Harlem, op heroïnejacht. De heroïne was mijn vaste vriendin.

Na dat concert in Birdland maakte ik geloof ik een opname als begeleider van Lee Konitz, voor Prestige. Max Roach deed ook mee en George Russell en nog een paar anderen, wier namen me niet te binnen willen schieten. We vertolkten een paar composities en arrangementen van George, hij is altijd een heel interessante componist geweest. Het spel was goed, voor zover ik me nog kan herinneren, maar niet opzienbarend. Voor mij was het zo'n baantje van dertien in een dozijn, om aan geld te komen. De eigenaars van de clubs hadden me op de zwarte lijst gezet: de enige die me meer dan één keer wilde contracteren was Oscar Goodstein van Birdland.

In juni trad ik met J. J. Johnson, Sonny Rollins, Kenny Drew, Tommy Potter en Art Blakey in Birdland op. Ik geloof dat er één show werd opgenomen, tijdens één van hun reguliere zaterdagavonduitzendingen. Iedereen was goed die avond, hoewel ik me ervan bewust was dat m'n embouchure nog altijd slecht was. Daarna, in september, speelden ik en Eddie 'Lockjaw' Davis weer met een groep in Birdland, met daarin Charles Mingus, Art Blakey, Billy Taylor en een tenorsaxofonist die George 'Big Nick' Nicholas heette. De muziek was goed. Ikzelf had in tijden niet zo goed gespeeld.

Ik was altijd al weg van de manier waarop Lockjaw speelde, vanaf het moment dat ik hem voor het eerst hoorde bij Minton. Hij had zo'n energieke stijl. Als je met Lockjaw moest samenspelen kon je maar beter niet marchanderen, want dan gaf hij je lik op stuk, net als Big Nick overigens. Nick is nooit zo bekend geworden, maar iedereen in de scene wist dat hij als een tijger kon spelen; ik heb nooit begrepen waarom hij geen bredere erkenning kreeg. Met al die energie om me heen deed ik waarschijnlijk beter mijn best tijdens deze optredens dan ik in lange tijd gedaan had. Kijk, Lockjaw was één van de nestors van de muziekwereld. Big Nick idem dito, hij had met Dizzy gespeeld en een prima huisorkest in Small's Paradise Club in Harlem geleid. Hij speelde daar ook regelmatig met Monk en met Bird. Dus met die jongens kon ik geen spelletjes spelen, ze hadden me gewoon de club uitgeschopt als ik de kantjes ervan af zou hebben gelopen. Hoe stoned ik ook was, ik wist nog wel dat ik een reputatie op te houden had als ik met dit soort types speelde. Dus vóór dit optreden oefende ik wel, met als resultaat dat ik zo goed mogelijk voor de dag kwam.

Het was lekker om weer met Mingus samen te spelen. Hij had lang werkloos in New York rondgehangen, nadat hij uit het trio van Red Norvo was gestapt, omdat niemand hem engageerde. Af en toe had hij weleens een baantje en ik dacht dat die optredens in Birdland weleens positief voor hem zouden kunnen uitwerken. Hij was een fantastische bassist. Maar wel een kruidje-roer-meniet, vooral wat betreft muziek, omdat hij altijd aan z'n eigen rotsvaste ideeën vasthield over wat goed en slecht was en de moeite niet nam iemand te vertellen wat hij op z'n hart had. Wat dat betreft leken we erg op elkaar. Onze ideeën over muziek verschilden echter nogal eens. Maar ik was blij weer met hem te spelen, omdat hij een musicus was die altijd met iets nieuws kwam en die zich altijd met veel fantasie uitsloofde.

Mijn tweede opnamesessie voor Prestige was in oktober gepland en ik was van plan er een betere plaat van te maken dan de eerste keer. Prestige zou me met een nieuwe techniek gaan opnemen, die ze 'microgroove' noemden. Bob Weinstock beweerde dat die techniek het mogelijk maakte de drie-minuten-grens te overschrijden die ons voor 78-toeren platen was toegestaan. We konden onze soli verlengen en ze net zo spelen als we live in de clubs deden. Ik zou één van de eerste jazzartiesten worden die 33-toeren platen maakte, die tot dan toe uitsluitend voor live-registraties waren gebruikt en ik was opgewonden over de vrijheid die die nieuwe technologie me zou bieden. Ik had genoeg van het drie-minuten-keurslijf waarin de 78-toeren plaat de musici altijd dwong. Er was nooit ruimte om echt vrij te improviseren, je moest je solo snel afraffelen en dan ophouden. Bob vertelde dat Ira Gitler de plaat zou gaan produceren. Ik koos Sonny Rollins, Art Blakey, Tommy Potter, Walter Bishop en

Jackie McLean als medespelers. Het was Jackies debuut op de plaat.

Tijdens deze set nam ik het beste op dat ik sinds lang had gemaakt. Ik had geoefend en met de band gerepeteerd, dus iedereen kende het materiaal en de arrangementen. Sonny speelde reusachtig goed en Jackie McLean ook. Hij heette *Miles Davis All Stars*; soms werd hij ook gewoon *Dig* genoemd. We zetten *My Old Flame, It's Only a Paper Moon, Out of the Blue* en *Conception* erop. Mingus was met z'n bas met me mee naar de studio gekomen, hij speelde een paar dingetjes op de achtergrond in *Conception*. Hij werd niet genoemd op de hoes vanwege zijn exclusieve contract met Verve. Charlie Parker kwam langs en ging in het hokje bij de technici zitten. Omdat het Jackie McLeans eerste opname was, was hij al zenuwachtig, maar toen hij Bird zag ging hij helemaal uit zijn bol. Bird was zijn idool, dus bleef hij maar op en neer lopen om Bird te vragen wat hij daar deed en Bird verzekerde hem steeds weer dat hij alleen maar was gekomen om te luisteren. Man, Jackie moet het Bird wel duizend keer gevraagd hebben. Maar Bird begreep het wel en wond zich niet op. Jackie wilde dat Bird weg zou gaan, zodat hij zich wat meer ontspannen zou voelen. Maar Bird zei keer op keer hoe goed hij klonk en sprak hem op die manier wat moed in. Na een tijdje kalmeerde Jackie en hij speelde de sterren van de hemel.

Ik was tevreden over m'n eigen spel op *Dig*, omdat ik nu echt een heel eigen sound kreeg. Ik klonk als geen ander en ik kreeg ook mijn eigen klankkleur terug, met name op *My Old Flame*, dat een zeer melodieuze benadering vraagt. Ik weet ook nog dat ik mijn aandeel in *It's Only a Paper Moon* en *Blueing* goed vond. Het nieuwe langspeelformaat was geknipt voor mijn manier van spelen. Maar toen we de studio weer uitkwamen, wachtte dezelfde oude ellende me weer.

Ik bevond me in een dikke mist, was altijd high en ik had gedurende de rest van 1951 en het begin van 1952 een stel vrouwen die tippelden ten bate van mijn verslaving. Op een gegeven moment had ik een hele stal grietjes voor me op straat lopen. Ik woonde nog altijd in hotels. Maar het was niet wat de mensen dachten: die vrouwen wilden gewoon iemand om zich heen en mij vonden ze aardig. Ik nam ze mee uit eten en zo. We sliepen ook wel samen, maar dat stelde niet veel voor, want heroïne neemt al je behoefte aan seks weg. Ik behandelde die prostituees als ieder ander. Ik respecteerde hen en als wederdienst gaven ze mij geld om te spuiten. Die dames vonden me knap en voor het eerst van mijn leven begon ik te denken dat ze gelijk hadden. We leken nog het meest op een grote familie. Maar zelfs het geld dat ze me gaven was niet genoeg. Ik verkeerde steeds weer in geldnood.

In 1952 kreeg ik door dat ik iets moest ondernemen om van de drugs af te komen. Ik had altijd van boksen gehouden, dus ik dacht dat dat misschien iets was. Als ik elke dag zou trainen, misschien zou het dan lukken om van m'n verslaving af te komen. Ik kende Bobby McQuillen, die trainer was bij Gleasons sportschool in midtown Manhattan. Hij was een top-weltergewicht geweest, totdat hij iemand in de ring had doodgeslagen, toen was hij gestopt en was hij begonnen jonge boksers op te leiden. Op een dag, ik geloof in het begin van 1952, vroeg ik hem of hij mij wilde trainen. Hij zei dat hij erover na zou denken. Ik ging naar een wedstrijd in Madison Square Garden en daarna ging ik naar de kleedkamer van de bokser die door Bobby werd getraind om te vragen of het ja of nee was. Bobby wierp me zo'n blik vol walging toe en zei dat hij er niet over piekerde iemand die aan de drugs was onder z'n hoede te nemen. Dus zei ik dat ik helemaal niet gebruikte – moet je net mij hebben, ik stond daar zo stoned als ik weet niet wat, ik viel bijna om, zo high was ik. Hij zei dat ik hem niet voor de gek kon houden en dat ik terug naar St. Louis moest gaan om af te kicken. Toen gooide hij me de kleedkamer uit en hij stuurde me naar huis om er maar eens goed over na te denken.

Niemand had ooit op die manier tegen me gesproken en al helemaal niet over mijn dopegebruik. Ik ging altijd met musici om die of zelf gebruikten of het niet deden, maar nooit iets zeiden over degenen die het wel deden. Dus om zoiets naar je hoofd te krijgen, dat was wel even wat anders, man. Niet lang na die preek van Bobby belde ik in een moment van helderheid mijn vader en ik vroeg hem me te komen halen. Toen legde ik de hoorn neer en pakte ik mijn spuit weer op.

Op een avond speelde ik in de Downbeat Club. Met Jackie McLean op altsax, Jimmy Heath op tenorsax, zijn broer Percy Heath op bas, Gil Coggins op piano en Art Blakey op drums. Ik keek het publiek in en daar stond m'n vader met een regenjas aan naar me te kijken. Ik wist dat ik er slecht uitzag, ik was allerlei mensen geld schuldig en ik speelde op een geleende trompet. Ik geloof die van Art Farmer, die avond. De clubeigenaar had een hele stapel pandbriefjes die ik hem weer als onderpand had gegeven toen ik geld van hem leende. Ik liep er beroerd bij en daar was ik me van bewust. En mijn vader zag het ook. Er straalde zoveel walging uit zijn blik dat ik me net een hoop stront voelde. Ik ging naar Jackie en zei: 'Daar staat m'n vader. Als jij nu even deze set afmaakt, ga ik met hem praten.' Jackie zei: 'Oké,' terwijl hij me heel vreemd aankeek. Ik moet er nogal vreemd hebben uitgezien.

Ik verliet het podium en mijn vader kwam achter me aan naar de kleedkamer. De eigenaar kwam ook mee. M'n vader keek me recht in mijn ogen en zei dat ik er verschrikkelijk uitzag en dat ik nog diezelfde avond met hem mee terug naar East St. Louis ging. De eigenaar zei tegen mijn vader dat ik daar de rest van de week nog moest volmaken, maar m'n vader zei dat ik helemaal niets ging volmaken en dat hij maar iemand anders moest aannemen om mijn plaats in te nemen. Ik werd het met de eigenaar eens over J. J. Johnson, die ik gelijk belde en die ermee instemde om mij te vervangen, op trombone.

Toen kwam de eigenaar met die kwestie van de pand-briefjes op de proppen en mijn vader schreef een cheque voor hem uit en beval mij m'n bullen te pakken. Ik zei: 'Oké,' maar ik moest nog wel even terug om de band te vertellen wat er aan de hand was. Hij zei dat hij op me zou wachten.

Toen de set was afgelopen nam ik Jackie McLean apart en vertelde hem dat J. J. mijn plaats zou innemen en de rest van de week zou spelen. 'Ik bel je als ik terugkom, maar die ouwe komt me halen en ik moet wel met hem meegaan.' Jackie wenste me het beste en mijn vader en ik pakten de trein naar East St. Louis. Ik voelde me als een kleuter die met z'n vader uit wandelen moet. Zo had ik me nog nooit gevoeld en waarschijnlijk zal ik me ook nooit meer zo voelen.

Onderweg verzekerde ik hem dat ik van plan was de drugs eraan te geven en dat ik alleen maar een beetje rust nodig had en dat het goed zou zijn om thuis te wezen, waar ik niet zoveel dope om me heen zou hebben. Mijn vader woonde in Millstadt, Illinois, waar hij een boerde-rij had, maar hij had ook een huis in St. Louis gekocht. Ik bleef een tijdje op de boerderij, paardrijden en zo, alleen maar om me te ontspannen. Maar dat gedoe verveelde al snel en daarbij werd ik ziek, omdat het gemis aan dope zich deed voelen. Dus zocht ik het gezelschap van men-sen die wisten waar je heroïne kon kopen. Voor ik het wist was ik weer aan het spuiten en daar leende ik geld voor van mijn vader, zo'n twintig, dertig dollar per keer.

Rond die tijd begon ik om te gaan met Jimmy Forrest, een heel goede tenorsaxofonist uit St. Louis. Hij was ook een junkie en wist waar het beste spul te koop was. Jimmy en ik begonnen veel op te treden in een club op Delmar Avenue in St. Louis, die de Barrelhouse heette. Daar kwamen vooral blanken en daar ontmoette ik dat mooie, rijke, blanke meisje. Haar ouders hadden een schoenfabriek. Ze vond me erg aardig en ze had een hoop geld.

Op een dag voelde ik me ziek worden, dus ging ik naar de praktijk van mijn vader om hem om meer geld te vragen. Hij weigerde en zei dat mijn zuster Dorothy hem had verteld dat ik er alleen maar heroïne voor kocht. Eerst had m'n vader niet willen geloven dat ik nog gebruikte, omdat ik had gezegd dat ik gestopt was, maar toen Dorothy hem duidelijk had gemaakt dat ik loog, zei hij dat hij me geen geld meer gaf.

Bij het horen van zijn woorden sloeg ik finaal op tilt, man. Ik begon hem uit te vloeken, ik schold hem uit voor alles wat mooi en lelijk was. Voor het eerst van mijn leven deed ik zoiets. En hoewel iets diep binnenin me zei dat ik moest ophouden, was de behoefte aan heroïne groter dan de schroom om mijn vader uit te kafferen. Hij liet me gewoon uitrazen, zonder iets te zeggen of te doen. De mensen in zijn praktijk waren met stomheid geslagen. Ik vloekte zoveel en zo hard dat ik niet eens had gemerkt dat hij een telefoontje had gepleegd. Voor ik het wist kwamen er twee van die grote zwarte klootzakken binnen, die me in de kraag vatten en me naar een gevangenis in Belleville, Illinois, brachten, waar ik een week heb gezeten, kwaad en zo ziek als wat, terwijl ik aldoor over moest geven. Ik dacht dat ik doodging. Maar dat gebeurde niet en ik kwam voor het eerst tot de ontdekking dat ik cold turkey kon afkicken. Ik hoefde me er alleen maar toe te zetten.

Omdat mijn vader sheriff was in East St. Louis, had hij kunnen regelen dat ik niet officieel gearresteerd was, dus het geval kwam niet op mijn strafblad. Ik leerde veel over stelen en zakkenrollen van al die criminelen die daar ook zaten. Ik heb zelfs gevochten met een gozer die me steeds zat te treiteren. Ik sloeg hem bewusteloos en toen kregen ze een beetje respect voor me. Maar daarna, man, toen ze erachter kwamen dat ik Miles Davis was, toen respecteerden ze me pas *echt*, want er waren er veel die mijn platen kenden. En toen hielden ze ook op met hun flauwe geintjes. Het eerste wat ik deed toen ik weer buiten stond, was scoren en high worden. Maar mijn vader had besloten mijn probleem anders aan te pakken, hij bracht me naar de federale gevangenis voor drugsverslaving en daar moest ik me laten opnemen voor een ontwenningskuur. Doordat ik hem had staan uitvloeken dacht hij dat ik mijn verstand verloren had en dat ik echt hulp nodig had. En op dat moment was ik het met hem eens.

We reden naar Lexington in Kentucky, in mijn vaders nieuwe Cadillac, met z'n tweede vrouw Josephine (Hanes was haar meisjesnaam). Ik had mijn vader beloofd het ontwenningsprogramma te volgen, omdat het slecht met me ging en ook omdat ik hem niet teleur wilde stellen. Ik had hem al genoeg teleurgesteld, vond ik. Ik bedacht dat dit misschien wel een manier was om af te kicken van mijn verslaving, waarvan ik m'n buik vol had en om tegelijkertijd mijn vader een plezier te doen. Maar vóór alles had ik genoeg van de heroïne. Ik had het nadat ik uit de bak was gekomen maar één keer gebruikt, dus misschien dacht ik dat dit het aangewezen moment was om ervan af te komen.

Toen we in Lexington aankwamen, ontdekte ik dat ik alleen op vrijwillige basis werd toegelaten, omdat ik niet was opgepakt voor een misdrijf. Maar dat kon ik niet. Ik

*kon* en *wilde* mezelf niet in een gevangenis stoppen, ontwenningskuur of niet, Jezus, ik ging niet *vrijwillig* de bajes in. Ik ben nooit zo dol op zitten geweest en omdat ik
nu al in geen twee weken gespoten had, dacht ik misschien ook dat ik al afgekickt was. (Een aantal musici die
toen in Lexington zaten, vertelden me later dat ze in het
geruchtencircuit van de gevangenis hadden opgevangen
dat ik voor de poort stond om me aan te melden en daarom waren er een paar naar beneden gekomen om me te
begroeten, voordat ze erachter kwamen dat ik niet naar
binnen was gegaan.) Ik hield mezelf voor dat ik het eigenlijk hoofdzakelijk zou doen om mijn vader tevreden
te stellen en niet voor mezelf. Ik overtuigde hem ervan
dat alles met mij in orde was en hij gaf me wat geld. Hij
verweet me zelfs niet dat ik hem zo had uitgevloekt, tenminste, hij heeft er nooit meer een woord over vuil gemaakt, omdat hij begreep dat ik ziek was. Maar ik weet
dat hij het ergste vreesde toen ik die keer niet naar binnen wilde in Lexington, hoewel hij dus niets zei; ik kon
het aan zijn bezorgde gezicht zien toen we afscheid namen. Hij wenste me het beste en reed met zijn vrouw
door naar Louisville om haar vader te bezoeken. Ik ging
terug naar New York.

Op de terugweg naar New York belde ik Jackie Mc-
Lean om te zeggen dat ik eraan kwam. Ik had Oscar
Goodstein van Birdland gesproken en hij wilde me wel
laten optreden, dus moest ik een groep samenstellen. Ik
wilde Jackie en Sonny Rollins in de band, maar Jackie
vertelde dat Sonny in de gevangenis zat, opgepakt wegens drugbezit of iets dergelijks. Maar goed, ik bracht
Jackie ervan op de hoogte dat ik Connie Kay op drums
had, maar dat ik nog een pianist en een bassist nodig had
om in Birdland te kunnen beginnen. Jackie kwam toen
met Gil Coggins en Connie Henry voor de dag. Ik kon
bij Jackie logeren en zo gauw ik weer in New York terug

was, begon ik weer te spuiten; niet onmiddellijk, maar beetje bij beetje en voor ik het wist zat ik weer diep in de rotzooi. Ik had mezelf voor de gek gehouden door te denken dat ik niet meer verslaafd was, omdat ik die eerste keer maar een klein beetje had gebruikt. Toen werd ik kwaad op mezelf, dat ik niet in Lexington was gebleven. Toch was ik blij weer in New York te zijn, want in mijn achterhoofd wist ik dat ik de keuze had tussen afkicken of creperen en omdat ik niet klaar was om dood te gaan, dacht ik dat ik vroeger of later wel zou afkicken, hoewel ik niet wist wanneer. De cold turkey in de cel in Belleville had me het vertrouwen gegeven dat het kon, als ik me er maar op concentreerde. Maar dat concentreren bleek moeilijker dan ik me ooit had kunnen voorstellen.

In New York zette Symphony Sid een concerttournee op poten en hij vroeg me mee te doen. Ik stemde toe omdat ik het geld goed kon gebruiken. Daarnaast begonnen we in mei in Birdland met de groep die ik met hulp van Jackie McLean had samengesteld: Jackie, ik, Conny Kay op drums, Connie Henry op bas, Gil Coggins op piano en een vogel die Don Elliot heette op mellofoon.

We hadden geen tijd om te repeteren omdat ik net terug was en volgens mij kon je dat wel horen. Maar ik weet nog dat Bird op een avond in het publiek zat en dat hij maar blééf applaudisseren bij alles wat Jackie speelde, zelfs als dat niet zo goed was, wat niet zo vaak het geval was, want Jackie speelde prima bij die optredens. Op een gegeven moment kwam Bird naar voren toen we klaar waren met een set en kuste Jackie in z'n nek of op z'n wang. Maar tegen mij zei Bird helemaal niets, dus misschien had ik wel kwaad moeten worden, maar dat gebeurde niet voor zover ik me kan herinneren. Ik vond het alleen raar, omdat ik Bird nog nooit zo had zien doen. Ik vroeg me af of hij ze wel allemaal op een rijtje had, want iedere keer dat hij voor Jackie klapte, was hij één van de weinigen die dat deed. Jackie speelde wel goed, maar nu ook weer niet zó buitengewoon. Ik kon er niet achterkomen of Bird dat nu deed om mij op m'n zenuwen te werken, of dat hij mij slecht wilde laten afsteken bij Jackie door hem toe te juichen en mij te negeren. Maar al dat geklap van Bird voor Jackie zorgde er wel voor dat een heleboel critici meer aandacht aan Jackies spel gingen besteden. Die ene avond bezorgde Jackie echt een plaats op de muzikale landkaart.

Hoewel Jackie de sterren van de hemel kon spelen, had hij wel problemen met de discipline en met het onder de knie krijgen van bepaalde nummers. Kort na het optreden in Birdland hadden we een forse ruzie in de opnamestudio over de manier waarop hij *Yesterdays* of *Woody 'n' You* níet speelde. Jackie was een natuurtalent, maar hij was indertijd zo lui als een varken. Ik vroeg hem een bepaald nummer te spelen en dan begon hij weer van 'Ken ik niet'.

'Hoe bedoel je, dat ken ik niet? Leer het dan!' zei ik.

En dan begon hij te ouwehoeren dat die nummers bij een andere periode hoorden en dat hij een 'jonge vent' was en dat hij niet inzag waarom hij 'al die ouwe troep' uit z'n hoofd moest leren.

'Man,' zei ik dan 'muziek kent geen periodes; muziek is muziek. Ik hou van dit nummer, dit is *mijn* band, jij zit in mijn band, ik wil dit nummer uitvoeren, dus je leert het maar. Je moet *alle* nummers leren of je ze nu mooi vindt of niet. Leer ze!'

Op zekere dag maakte ik mijn eerste opname bij het Blue Note-label van Alfred Lion (mijn contract met Prestige was niet exclusief). Gil Coggins zat die keer achter de piano, J.J. Johnson speelde trombone, Oscar Pettiford bas, Kenny Clarke – die uit Parijs was gekomen – drums en Jackie was de altist. Volgens mij speelde iedereen goed op die plaat, bij mij liep het ook lekker. Ik geloof dat we *Woody 'n' You* opnamen, Jackies nummer *Donna* (dat op die andere plaat *Dig* heette en onder mijn naam verscheen), *Dear Old Stockholm, Change It, Yesterdays* en *How Deep is the Ocean*. Jackie begon weer te zeiken toen we aan *Yesterdays* bezig waren. Ik ontplofte gewoon en ik vloekte Jackie zo ontzettend stijf, dat ik dacht dat hij ging huilen. Hij speelde dat nummer nooit goed, dus ik zei dat hij op moest houden. Daarom doet hij op die plaat niet mee met dat nummer. Ik geloof dat het mijn enige plaat uit 1952 is.

Op een avond traden we op in een club in Philadelphia, ik en Jackie, Art Blakey, Percy Heath en Hank Jones op piano geloof ik. Hoe dan ook, daar komen Duke Ellington, Paul Quinechette, Johnny Hodges en een paar andere leden van Dukes band binnen. Ik zei tegen mezelf: 'Nu zullen we hem eens goed raken.'

Dus kondigde ik *Yesterdays* aan. Ik begon met Jackie aan de melodie, vervolgens speelde ik een solo en gaf hem een wenk ook te gaan soleren. Nu liet ik dat Jackie meestal niet doen bij *Yesterdays*, maar hij had me weer eens beloofd het in te studeren. Ik wilde kijken of hij woord had gehouden.

Hij begon met de melodie te goochelen en hij verpestte het weer, snap je? Daarna was de set voorbij en ik stelde de bandleden voor door de microfoon, dat deed ik heel vroeger altijd. En toen ik bij Jackie was zei ik: 'Dames en heren, Jackie McLean... en ik weet niet *hoe* hij zijn podiumvergunning bij de bond heeft losgekregen, want hij weet nog niet eens hoe je *Yesterdays* moet spelen.' Nou, het publiek wist niet of ik een grapje maakte of niet, of ze voor Jackie moesten klappen of hem uit moesten fluiten. Na het optreden kwam Jackie naar me toe in het steegje achter de club waar Art en ik aan het spuiten waren en hij zei: 'Miles, dat kun je niet maken, man, me zo voor schut zetten in het bijzijn van Duke, mijn muzikale vader, klootzak!' Hij huilde. Dus ik zei tegen hem: 'Je bent zelf een zak, Jackie, je bent gewoon een groot kind! Altijd dat geouwehoer dat je zo'n moderne vogel bent en daarom die ouwe muziek niet kunt leren. Daar heb ik schijt aan en aan jou ook! Ik heb je toch gezegd dat muziek muziek is. Je kunt die muziek dus maar beter leren beheersen of anders je biezen pakken, begrijp je me? Leer de muziek die ik je vraag te spelen. Je zegt nu wel dat ik je voor schut zette terwijl Duke in het publiek zat. Nou, zakkenwasser, je zette jezelf voor schut toen je *Yesterdays* verknalde. Ben je nou helemaal gek geworden? Als iemand je voor paal liet staan, dan was je het zelf wel. Hou op met dat gesim en ga naar het hotel.'

Toen kalmeerde Jackie wat en ik vertelde hem het ware verhaal van mijn eerste optreden met B's band, hoe ik altijd boodschappen voor hem moest doen, terwijl hij zich vermaakte met de een of andere vrouw. Ik vertelde Jackie hoe B altijd brulde: 'Waar is Miles!' en me zijn pakken liet ophalen en dat ik moest controleren of z'n schoenen gepoetst waren en dat hij me om sigaretten stuurde; en dat hij me op een cola-krat liet zitten toen ik voor het eerst meedeed met de trompetsectie. En dat allemaal omdat hij de leider van de band was en ik de Benjamin, nog een kind. Hij liet me boetes betalen omdat hij de baas was en zich dat kon veroorloven. Ik zei tegen Jackie: 'Dus je moet mij niet vertellen wat ik tegen jou of over jou mag zeggen, man, want ik heb je nog niet eens boetes opgelegd. Je bent een verwend kreng en je zult leren hoe je die muziek moet spelen of je kunt oplazeren uit mijn band.' Hij stond versteld, maar hij zei niets. Ik denk trouwens dat ik Jackie *als* hij toen iets had gezegd in elkaar zou hebben geschopt, want ik zei het om hem te helpen, niet om hem te kwetsen.

Later, toen Jackie niet meer in mijn band zat, speelde hij altijd als ik naar hem kwam kijken een paar van die oude nummers, met name *Yesterdays*. Na de set kwam hij dan naar me toe om te vragen hoe hij het gedaan had. Toen was hij al een kei, die verdomme álles kon spelen. Dus dan zei ik: 'Niet gek voor zo'n jong ventje' en hij lachte zich kapot. Na een tijdje zei hij tegen iedereen die hem vroeg waar hij muziek had gestudeerd: 'Aan de Miles Davis Universiteit.' Ik geloof dat dat genoeg zegt.

Ergens in dat jaar gebruikte ik John Coltrane als vervanger voor Jackie. Ik wilde twee tenors en een alt gebruiken, maar ik kon drie blazers niet betalen. Dus engageerde ik Sonny Rollins en John Coltrane op tenor bij een optreden in de Audubon Ballroom (waar Malcom X later werd vermoord). Ik weet nog dat ik Trane in plaats van Jackie koos en dat Jackie daar behoorlijk nerveus van werd. Hij dacht dat ik hem ontsloeg. Maar ik had gewoon geen geld voor drie blazers en nadat ik hem had uitgelegd dat het maar voor één avond was, was hij een beetje gerustgesteld. Maar Sonny was verschrikkelijk die avond, Trane deed het in z'n broek voor hem, net als Sonny een paar jaar later voor Trane.

Na die incidenten was de relatie tussen Jackie en mij toch niet meer helemaal wat hij geweest was. Zo'n scheldpartij als die waarover ik net vertelde, zorgde voor spanningen in onze relatie, we dreven bij wijze van spreken uit elkaar en hij verliet de band, hoewel we na die botsingen nog weleens met elkaar optraden.

Jackie bracht me in contact met heel wat goede artiesten, bijvoorbeeld met Gil Coggins. Dat was een virtuoos op de piano, maar hij besloot in onroerend goed te gaan, omdat hij de leefwijze van musici niet zag zitten. Bovendien kwam er in die dagen niet regelmatig genoeg geld binnen. Gil was best een aardige middle-class figuur en hij was erg op zekerheid gericht. Maar ik vond dat hij goed speelde en als hij was doorgegaan was hij, denk ik, één van de besten geworden. Toen Jackie hem voor het

231

eerst meenam, moest ik niet zoveel van hem hebben. Toen begeleidde hij me bij *Yesterdays* en ik stond versteld. Ik geloof dat ik Gil ontmoette toen ik net terug was van thuis, die keer dat mijn vader me naar Lexington had gebracht. Later stelde Jackie me voor aan bassist Paul Chambers en aan drummer Tony Williams. Ik geloof dat ik ook de drummer Art Taylor door Jackie of door Sonny Rollins leerde kennen, maar ik dacht door Jackie. Ik ontmoette veel van die jongens uit Harlem, uit Sugar Hill, zowel door Jackie als door Sonny. En al die Sugar Hill musici konden er toen wat van. Ze waren superhip.

Op een paar optredens na die ik hier en daar versierde, besteedde ik de rest van de tijd aan het zoeken naar drugs. Het jaar 1952 was dan ook afschuwelijk en het leek wel of het ieder jaar slechter ging na dat hoogtepunt in 1949. Ik begon voor het eerst aan mezelf te twijfelen, aan mijn bekwaamheid en aan mijn beroep. Voor het eerst begon ik me af te vragen of ik het wel zou kunnen bolwerken in de muziek, of ik die innerlijke kracht bezat om het te laten lukken.

Veel blanke critici bleven maar schrijven over alle blanke jazzmuzikanten die ons imiteerden, alsof zij helemaal *je van het* waren. Het ging over Stan Getz, Dave Brubeck, Kai Winding, Lee Konitz, Lennie Tristano en Gerry Mulligan, alsof dat goden waren of zoiets. En er waren erbij die net zulke junkies waren als wij, maar daar schreef niemand ooit iets over – over ons wel. Ze besteedden nooit enige aandacht aan de verslaving van de blanke jongens, totdat Stan Getz werd gearresteerd toen hij aan het inbreken was bij een apotheek om dope te jatten. Dat haalde de krantenkoppen, maar de meesten vergaten het weer en gingen weer gewoon verder met het afschilderen van de zwarte musici als junkies.

Nu bedoel ik niet dat die kerels geen goede musici waren, want dat waren ze wel; Gerry, Lee, Stan, Dave, Kai,

Lennie, allemaal goede musici. Maar ze vonden niets nieuws uit en dat wisten zij ook wel en ze blonken ook niet uit in wat ze wél deden. Ik ergerde me meer dan iets anders aan het feit dat de critici Chet Baker in de band van Gerry Mulligan recenseerden alsof Jezus terug was gekomen op aarde. En hij klonk net als ik – minder goed eigenlijk, terwijl ik toch een vreselijke junkie was. Soms betrapte ik me erop dat ik me afvroeg of hij echt beter was dan ik en Dizzy en Clifford Brown, die toen nog maar net kwam kijken. Nu wist ik dat Clifford met kop en schouders boven de rest uitstak, althans volgens mij. Maar Chet Baker? Man, ík zag het niet... De critici begonnen mij als één van de oudgedienden te behandelen, weet je wel, alsof ik alleen nog maar een herinnering was – en nog een slechte ook – en ik was toen in 1952 pas zesentwintig jaar oud. Maar soms zag ik mezelf ook als passé.

## 8

We zouden in het begin van de zomer van 1952 geloof ik met Symphony Sid op tournee gaan langs verschillende steden. Ik zat in Sids orkest op trompet, Jimmy Heath – de broer van Percy – op tenor, J. J. Johnson op trombone, Milt Jackson op vibrafoon, Percy Heath op bas en Kenny Clarke op drums. Zoot Sims was verhinderd en werd vervangen door Jimmy Heath. Ik had Jimmy leren kennen toen ik nog in de band van Bird speelde en we in 1948 in de Downbeat Club in Philadelphia optraden. Jimmy leende zijn saxofoon altijd uit aan Bird, omdat die van Bird bij de lommerd lag en dan bleef hij tot we klaar met spelen waren om hem daarna weer mee te nemen, anders zou Bird 'm ongetwijfeld ook belenen. Bird ging elke avond met de trein terug naar New York, want in Philadelphia waren ze niet erg zachtzinnig voor junkies, voor je het wist had de politie je in je kraag gevat.

Jimmy had kleine voeten en droeg altijd schitterende schoenen. Hij zag er altijd uit om door een ringetje te halen. Ik ging altijd even bij hem langs als ik in Philadelphia was, waar hij vandaan kwam. Zijn moeder was dol op jazzmusici. Naast Percy en Jimmy had je dan nog Albert, of 'Tootsie' zoals alle muziekjongens hem noemden, die drummer was. De gebroeders Heath kwamen uit een echt muzikale familie en hun moeder kon ontzettend goed koken, dus zaten er altijd veel muzikanten bij hen thuis. Jimmy leidde een big band, waar Coltrane bekend door geworden is. Het was een stel toffe jongens, zo hip als wat.

Jimmy was toen ook al flink aan de heroïne en voor zover ik weet spoten we al samen voordat hij in de band van Symphony Sid kwam. Hij deed het toen in ieder geval samen met Bird. Misschien heb ik hem daarom wel aanbevolen voor het orkest, omdat ik behoefte had aan iemand die net als ik heroïne nodig had. Tegen die tijd waren de meeste mensen uit de band er al mee gestopt. En toen Zoot – die ook wilde gaan afkicken – opstapte, was ik de enige die nog gebruikte.

We vonden allemaal dat we eigenlijk niet 'The Symphony All Stars' zouden moeten heten, maar we konden daar weinig aan doen als we ons geld wilden krijgen. Door zijn radioprogramma, dat vanuit Birdland werd uitgezonden, kreeg Sid meer bekendheid dan wij, een stem in de nacht die de huizen van de mensen binnenkwam om hen kennis te laten maken met al die grandioze muziek die je leven veranderde. Hij werd dus beroemd en iedereen dacht dat hij ons allemaal ontdekt had, dat *hij* voor het bestaan van deze muziek verantwoordelijk was. Nu zal ik niet ontkennen dat de *blanken* misschien wel naar ons optreden kwamen, omdat er ook een blanke meespeelde. Maar het *zwarte* publiek kwam om *ons* te zien spelen en de shows speelden zich grotendeels af voor een zwart publiek. Hij betaalde ons zo'n 250 tot 300 dollar per week en dat was voor die dagen goed betaald. Maar zelf verdiende hij twee of drie keer zoveel, alleen maar door z'n naam en omdat hij een paar woordjes zei. Dus daar was iedereen wel pissig over.

Eerst speelden we in Atlantic City. Ik weet nog goed dat de bezetting niet in een pianist voorzag, omdat Milts vibrafoon die plaats op de een of andere manier innam, dus muzikaal gezien bevonden we ons in een interessante situatie. Als er iemand was die *toch* een piano nodig had, begeleidde ik of een van de andere jongens hem op de piano, een leerzame ervaring voor iedereen. Maar als dat

235

niet het geval was, kon degene die soleerde gewoon wat 'rondstruinen', dat betekende dat je gewoon speelde wat je wilde, alleen begeleid door drums en bas en met een lege plaats achter je waar de piano normaliter stond. Het leek of je op straat kuierde, op een zonnige dag, waarbij niets of niemand je een strobreed in de weg legde. Dat bedoelde *ik* in elk geval met rondstruinen, je eigen verbeeldingskracht gebruiken dus. Het spelen zonder piano bevrijdde de muziek. Ik ontdekte tijdens deze tournee dat een piano soms een blok aan het been kon betekenen, dat je er geen nodig had als je een vrijer, losser geluid nastreefde.

Vervolgens traden we in het Apollo Theatre op, in 125th Street in Harlem, wat een enorm succes was. Man, het gebouw zat stampvol nikkers, die het te gek – *echt* te gek – vonden wat we deden. Het staat me nog levendig voor de geest hoe ik voor het eerst sinds tijden weer eens overtrof, omdat het publiek zo geweldig reageerde. Man, iedereen had z'n haar laten ontkroezen en ik had m'n pakken terug uit de lommerd, dus je kon mij niet wijsmaken dat we het niet helemaal maakten, met al die juichende mensen daar. Ik was naar Rogers geweest, die kapper op Broadway. Ik zag er goed uit en speelde mijn kloten eraf in het Apollo Theatre, met die groep fantastische musici. Ik was vrolijk en zou goed verdienen, wat kon een neger zich nog meer wensen?

Daarna begon de tournee pas echt, we gingen naar steden als Cleveland, naar de Graystone Ballroom in Detroit en zo en toen begon het slecht te gaan, omdat het moeilijk was voor Jimmy en mij om aan heroïne te komen. Het waren ook geen concerten, meer dansavondjes, waarbij Sid de hele show aan elkaar praatte. Meer deed hij eigenlijk niet, behalve dan het geld innen en ons uitbetalen.

In het Midden-Westen konden we geen dope krijgen,

er was althans heel moeilijk aan te komen. Soms kwamen we te laat voor een optreden en dan was de rest van de band al zonder ons begonnen. En dat gebeurde tijdens de pauzes ook weleens. Jimmy en ik vonden dan iemand in het publiek die drugs had en dus renden we dan snel naar onze hotelkamer om te spuiten en dan kwamen we te laat terug. Na een poosje kregen de andere leden van de band daar schoon genoeg van en dwongen ons daarmee op te houden. Vooral Jimmy's broer, Percy, legde hem het vuur na aan de schenen. Maar ik was de zondebok, voor iedereen. Ze waren het spuugzat mij en Jimmy nog langer te dekken. Degenen die het speciaal op mij gemunt hadden waren Kenny, Milt en Percy.

Tussen Sid en de musici boterde het ook steeds minder. In Buffalo kwam Sid niet opdagen, dus verdeelden wij zijn $200 onder elkaar. Toen we hem zijn geld niet wilden geven, schakelde hij de vakbond in, maar hij kreeg zijn zin niet. Toen kwamen we erachter dat Sid een engagement in Chicago had verkocht voor $2000, terwijl hij tegen ons zei dat we voor $700 zouden spelen. Milt Jackson had hem met de eigenaar van de club horen onderhandelen. Nu was Sid de boekingsagent van de show, dus inde hij het boekingspercentage, wat toen zo'n vijf tot tien procent was. Daarnaast kondigde hij de nummers aan en was hij – dacht hij – de ster van de show en daar kreeg hij ook geld voor. Dus dát streek hij allemaal op en *ook nog eens* $1300, het verschil tussen $700 en $2000. Dat verdween allemaal in zijn zakken.

Intussen verdienden *wij* over het algemeen $500 per show en dat moesten we met z'n zessen verdelen, terwijl hij $200 kreeg, alleen voor het aankondigen en voor het rondparaderen en het zich belangrijk gedragen en zo. Toen we dat tegen hem zeiden, ontkende hij dat en werd hij kwaad en noemde ons ondankbaar. Is dat niet typisch voor een blanke? Toen we eindelijk weer terug in New

York waren, had iedereen z'n buik wel vol van Sids achterbakse streken. Niet dat we hem haatten, we hadden gewoon genoeg van hem.

Toen de tournee in New York afliep, was Sid J.J. nog $50 schuldig en dus vroeg J.J. hem daarom. Sid gaf hem een grote bek. Sid was een arrogante hufter. Maar J.J. mepte gewoon Sids kunstgebit uit zijn mond, het stuiterde zo over de vloer. Ik heb het zelf niet gezien, maar Milt vertelde het toen we high en te laat binnenkwamen. Op dat moment had Sid er al een stel gangsters bij gehaald om J.J. mores te leren, misschien zelfs om hem om zeep te brengen. We waren er allemaal toen ze binnenkwamen, zó weggelopen uit een of andere misdaadfilm. Grote hoeden, sigaren, zwarte pakken en dergelijke en met een uitdrukking op hun gezicht alsof ze je ouwe moer ook nog zouden wurgen. Ze vroegen of ik bij J.J. hoorde en ik zei dat als J.J. een haar gekrenkt zou worden, ik me niet afzijdig zou houden. En alle jongens kozen partij voor J.J. Sid, die toch al fout zat, maande iedereen tot kalmte en gaf J.J. zijn geld, maar voordat dat gebeurde was het allemaal nogal eng.

Ik ging in die tijd om met een blank meisje, Susan Garvin. Ze was blond, had mooie, grote borsten en ze leek op Kim Novak. Later heb ik *Lazy Susan* voor haar geschreven. Ze was lief voor me, ze zorgde dat ik nooit zonder geld zat, het was een fijne vrouw. Ze hield van me. Ik mocht haar ook graag, maar vanwege mijn verslaving gingen we niet zo vaak met elkaar naar bed, hoewel ik er wel van genoot als we het deden. Ik had nog meer vriendinnen die me van geld voorzagen, een harem vol. Maar ik verkeerde meestal in gezelschap van Susan. Ik ging ook veel om met dat rijke blanke meisje dat ik in St. Louis had ontmoet, ze was naar New York gekomen om te kijken hoe het met me ging. Laten we haar maar 'Alice' noemen, want ze leeft nog en ik wil haar niet in moeilijkheden brengen, daarbij is ze getrouwd. Ze waren allebei oké en ze gaven me ook allebei geld. Toch gaf ik de voorkeur aan Susan, die dan ook vaak met me mee naar de clubs ging.

Verder gebeurde er niet zoveel in 1952. Ik probeerde nog steeds greep op mijn leven te krijgen. Maar volgens Cecil Taylor is er in die tijd iets gebeurd, waarvan ik me geen bliksem meer kan herinneren. Het gaat over Joe Gordon, een heel goede trompettist, die net als Cecil Taylor uit Boston kwam. Cecil zegt dat Joe op een avond in Birdland kwam, om samen met mij op te treden en dat ik, toen we zouden beginnen, gewoon van het podium stapte – omdat hij zo goed speelde – en dat Bird me toen in m'n nekvel greep en zei: 'Man, jij bent Miles Davis, dat kun je toch niet op je laten zitten?' En toen schijn ik het toneel weer te zijn opgeklommen en daar alleen maar wat rondgelummeld te hebben. Iemand heeft geschreven dat die gozer me voor joker kon zetten, omdat ik hem vanuit mijn 'vervormde perspectief van 1952' beoordeelde, maar ik kan me echt niet herinneren dat er zoiets is gebeurd. Misschien is het waar, maar ik denk van niet. (Joe Gordon kwam in 1963 bij een brand om en heeft nooit meer gepresteerd dan het begeleiden van Thelonious Monk op één van zijn platen. Dus hij kan het verhaal niet bevestigen en die andere vent, Cecil Taylor, heeft altijd de pik op me gehad, sinds ik heb gezegd dat hij er niets van kan, dus die zou alles doen om me terug te pakken.)

Negentiendrieënvijftig begon goed, ik maakte een plaat voor Prestige met Sonny Rollins (die net uit de gevangenis kwam), Bird, die op die plaat onder de naam 'Charlie Chan' speelde, Walter Bishop, Percy Heath en Philly Joe Jones op drums. Met laatstgenoemde ging ik in die tijd veel om. Bird had een contract met Norman Granz, dus moest hij op die plaat een pseudoniem gebruiken. Bird spoot geen heroïne meer, omdat hij dacht dat de politie hem in de gaten hield sinds Red Rodney was gearresteerd en naar Lexington was teruggestuurd. In plaats van zijn normale grote dosis heroïne gebruikte hij nu enorme hoeveelheden alcohol. Ik weet nog dat hij tijdens de repetitie een liter wodka dronk, dus tegen de tijd dat de technicus de band op scherp zette voor de opname, was hij al toeter lazarus.

Het leek wel of de band *twee* leiders had. Bird behandelde mij alsof ik z'n zoontje was, of een lid van *zijn* band. Maar het was *mijn* contract, dus moest ik hem in het gareel zien te krijgen. En dat was moeilijk, want er was aldoor wel iets waar hij iets op aan te merken had. Ik werd zo kwaad dat ik behoorlijk tegen hem uitviel. Ik zei dat ik hem nooit zoiets had geflikt, bij zijn opnames. En weet je wat die lul toen zei? Hij begon te zeveren van: 'Och, kom nou Lily Pons... om schoonheid te produceren moeten we pijn lijden – de oester brengt de parel voort.' En dat op dat bekakte pseudo-Britse toontje van 'm. En daarna viel meneer in slaap. Ik wond me weer zo op, dat ik me niet meer kon concentreren. Ira Gitler, die de plaat voor Bob Weinstock produceerde, kwam uit zijn hok en mopperde dat *ik* er geen klap van terecht bracht. Op dat moment was ik het zo zat, dat ik m'n trompet inpakte en weg wilde gaan, maar toen zei Bird plotseling: 'Kom op, Miles, laten we maar 's een beetje muziek gaan maken.' En daarna speelden we de sterren van de hemel.

Ik geloof dat we die plaat in januari 1953 maakten. In elk geval maakte ik een tijdje later weer een plaat voor Prestige, met Al Cohn en Zoot Sims op tenor, een vogel die Sonny Truitt heette op trombone, John Lewis op piano, Leonard Gaskin op bas en Kenny Clarke op drums. Bob Weinstock had zich nogal opgewonden over die toestand met Bird tijdens die eerste opname, dus nu had hij een groep met wat 'respectabeler' musici samengesteld, voor wat het studiowerk betrof tenminste, jongens die niet high zouden worden en de clown zouden uithangen. Maar ik en Zoot waren de junkies van het gezelschap en we spoten al voordat we die dag gingen opnemen. Toch was het resultaat goed, want iedereen deed z'n best. Er staan nauwelijks solo's op die plaat, ik geloof alleen één van mij en één van John Lewis, verder is het allemaal ensemblewerk. Ik speelde beter dan een tijdje daarvoor.

Kort daarna maakte ik een plaat voor Blue Note, met J.J., Jimmy Heath op tenor, Gil Coggins op piano, Percy Heath op bas en Art Blakey op drums. Ik weet me die opname – afgezien van de muziek die we speelden – nog te herinneren omdat ik en Jimmy Heath ons het hoofd braken over hoe we wat heroïne zouden kunnen loskrijgen van Elmo Hope, de pianist die in 46th Street woonden en die een beetje dealde. De studio was bij hem in de buurt en we wilden heroïne hebben om high te zijn voordat we begonnen. Jimmy en ik waren ziek aan het worden omdat het etenstijd was voor onze hongerige monsters. We zeiden tegen Alfred Lion, de producer en eigenaar van de Blue Note, dat Jimmy een paar rieten voor z'n instrument moest halen en dat ik mee moest om hem te helpen dragen. Iedereen begreep wel dat een doos rieten niet groter is dan een stuk zeep en dat er dus geen twee kerels voor nodig zijn om zoiets kleins te dragen. Ik weet ook niet of Alfred ons geloofde of dat hij ons maar aan liet kletsen, in elk geval waren we vreselijk high toen we die plaat maakten. Art Blakey was ook high, maar na dat akkefietje in Los Angeles, toen Art en ik werden gearresteerd en hij de schuld op mij schoof, deelde ik nooit meer heroïne met hem.

We namen één van de nummers van Jimmy Heath op en wel *CTA*, dat waren de initialen van het leuke halfchinese, halfzwarte meisje met wie hij het toen hield. Ze heette Connie Theresa Ann. Dat doet me denken aan die keer dat ik en Jimmy en Philly Joe in de Reynold's Hall in Philadelphia schnabbelden – ik was er met Susan, die blank en knap was, Jimmy met Connie en Philly Joe met zo'n mooi Portoricaans meisje. Ze zagen er alledrie aantrekkelijk uit en alle spelers waren verrukt van die meisjes. We noemden ze altijd de 'Verenigde Naties Meiden'.

Ik maakte in 1953 nog een plaat en ze namen me ook nog een keer op toen ik in Birdland optrad als invaller voor Dizzy in zijn band. Ik speelde twee avonden in Birdland en maakte tussendoor die plaat, dus het zat wel goed met mijn embouchure, omdat ik regelmatig speelde. Op de plaat kwamen we met een kwartet, ik, Max Roach, John Lewis en Percy Heath en dat was voor Prestige. Ik had de kans me flink in mijn spel uit te leven die keer, omdat ik de belangrijkste solist was. Charlie Mingus speelde piano op een nummer, *Smooch* geloof ik. Iedereen was goed op deze plaat.

Maar die optredens in Birdland waren afknappers, niet vanwege de musici in de band, die echt prima waren, maar door die zanger Joe Carroll, die niet wist hoe leuk hij steeds moest doen. Ik ben erg op Dizzy gesteld, maar ik ergerde me enorm aan dat lollige gedoe van hem om de blanken te plezieren. Natuurlijk was dat *zijn* zaak, want het was *zijn* band, maar toen ik die Joe Carroll twee avonden bezig had gezien, was ik er kotsmisselijk van. Maar ik kon het geld goed gebruiken en voor Dizzy zou ik alles doen. Ik besloot wel ter plekke dat ik me nooit zou verlagen tot dat soort onzin. De mensen die naar mij kwamen luisteren, moesten alleen komen voor de muziek die ik maakte.

Ik raakte steeds erger verslaafd. Het was al heel gewoon dat politieagenten me mijn mouwen lieten opstropen om te kijken of er verse naaldsporen te zien waren. Daarom gingen de junkies in de aderen van hun benen spuiten. Maar als de politie je van het podium haalde om je na te kijken, voelde je je wel klote. Vooral in Los Angeles en Philadelphia waren ze streng voor musici, zodra je zei dat je musicus was, dachten die smerissen al dat je een junkie was.

Ik sloeg me erdoorheen met hulp van vrouwen, steeds als ik in die tijd iets nodig had, moest ik dat bij vrouwen gaan halen. Zonder die vrouwen weet ik niet hoe ik het gerooid zou hebben zonder dagelijks uit stelen te gaan, zoals veel junkies deden. Maar zelfs ondanks hun hulp deed ik dingen, waar ik later spijt van had. Zoals wat ik Clark Terry flikte, of die keer dat ik geld jatte van Dexter Gordon om heroïne te kopen. Dat soort dingen deed ik voortdurend. Ik beleende alles wat ik had, vaak ook dingen van anderen, die ik dan nooit meer terugkreeg – instrumenten, kleren, sieraden – omdat ik het geld om ze uit de lommerd te halen niet bij elkaar kon krijgen. Ik hoefde niet te stelen en daardoor het risico te lopen de bak in te draaien, hoewel we net zo goed in de cel hadden kunnen zitten na dat verhaal in *Down Beat* over Art Blakey en mij en zeker toen Cab Calloway z'n hart had gelucht over junkies tegen Allan Marshall, die dat in *Ebony* publiceerde en waarbij hij mij met een aantal anderen met naam en toenaam noemde. We kregen toch geen werk meer.

Het was al erg genoeg dat we de muziek moesten spelen die we speelden, maar als je daarbij dan ook nog verslaafd was, was het dubbel zo erg. De mensen keken op een andere manier tegen me aan, alsof ik niet om aan te pakken was of zo. Hun blikken vertoonden medelijden en afschuw en dat was me nog nooit eerder overkomen. Bij dat artikel plaatsten ze een foto van mij en een van Bird. Ik heb Allan Marshall en Cab Calloway nooit vergeven dat ze die rotzooi naar buiten hebben gebracht. Ze veroorzaakten een hoop verdriet voor ons allemaal. En veel van die mensen waar Cab het over had, zijn de klap nooit meer te boven gekomen, omdat hij in die tijd erg populair was en iedereen hem geloofde.

Ik ben altijd een voorstander geweest van het legaliseren van drugs, om het probleem van de straat te houden. Want waarom zou iemand als Billie Holiday moeten sterven aan afkickpogingen, aan het streven een nieuw leven te beginnen? Volgens mij had ze gewoon drugs moeten krijgen, misschien via een arts, zodat ze er niet zoveel moeite voor zou hebben hoeven doen. Dat geldt ook voor Bird.

Op een avond in het late voorjaar of in de zomer van 1953 stond ik voor Birdland. Het was in de tijd dat ik voor Dizzy inviel of vlak daarna. Volgens sommige mensen speelde het volgende voorval zich in Californië af, het jaar klopt, maar ze zitten ernaast wat de plaats betreft. Het gebeurde in New York. Ik stond ape-stoned voor Birdland, te knikkebollen, je weet wel, met een stel vieze oude kleren aan, toen Max Roach eraan kwam. Hij keek me aan en zei dat ik 'er goed uitzag'. Toen stopte hij me een paar gloednieuwe briefjes van $100 in m'n zak... Hij zag er zelf uit om door een ringetje te halen, want hij zorgde goed voor zichzelf.

Max en ik waren net broers van elkaar en ik vond de situatie zo beschamend dat ik in plaats van dope te gaan scoren, wat ik normaal zou hebben gedaan van dat geld, mijn vader belde om te zeggen dat ik naar huis kwam, dat ik zou proberen met mezelf in het reine te komen. Mijn vader had het beste met me voor, dus drukte hij me op het hart naar St. Louis te komen en dat deed ik, met de eerste de beste bus.

In St. Louis zag ik mijn vriendinnetje Alice weer. Maar zoals het meestal gaat, verveelde ik me binnen de kortste keren weer kapot en greep ik naar de spuit. Niet zo vaak, maar vaak genoeg om je er zorgen over te maken. Eind augustus of begin september 1953 belde Max Roach me uit New York of uit Chicago om te vertellen dat hij naar Los Angeles zou rijden met Charles Mingus om Shelly Manne te gaan vervangen bij Howard Rumsey's Lighthouse All Stars. Hij zou via East St. Louis rijden en wilde graag langskomen. Ik zei dat het prima was en dat hij in mijn vaders huis in Millstadt kon overnachten. Ze stonden er versteld van hoe groot het huis van mijn vader was, dat hij een dienstmeisje had en een kok en dat soort dingen meer, en ook nog koeien, paarden en prijsvarkens. Ik gaf Max en Mingus zijden pyjama's om aan te trekken. Ik was gewoon hartstikke blij ze te zien. Max was clean, zoals gewoonlijk, en hij reed in een spiksplinternieuwe Oldsmobile, want hij verdiende toen veel geld. En hij had ook een vriendin die veel poen had en hem daar ruim van voorzag.

We bleven de hele nacht op om over muziek te ouwehoeren. Man, het was een feest. En ik merkte toen hoe ik alle jongens uit de muziekscene van New York miste. Ik was inmiddels mijn oude vrienden in East St. Louis ontgroeid, hoewel ik als broers van ze hield. Ik kon daar niet langer blijven. Ik paste niet meer bij hen, omdat ik me New-Yorker voelde. Toen Max en Mingus de volgende dag aanstalten maakte om te vertrekken, besloot ik met ze mee te gaan. Ik kreeg wat geld van mijn vader en vertrok naar Californië.

Die rit naar Californië is weer een verhaal apart. Ik zat de hele weg te kibbelen met Mingus, terwijl Max ons steeds sussend toesprak. We raakten verzeild in een discussie over blanken en Mingus werd heel fel. In die tijd was Mingus erg gebeten op blanken, hij kon ze absoluut niet verdragen, vooral blanke mannen niet. Wat seks betreft viel hij weleens op een blank meisje of op een oosters type, maar dat hij op blanke meisjes viel had niets te maken met zijn enorme hekel aan blanke mannen, die lui die ze WASPS noemden. En toen kregen we nog een discussie over dieren, Max, Mingus en ik. Dat was naar aanleiding van een uitspraak van Mingus, die zei dat alle blanken beesten waren. En dat bracht hem op echte dieren en hij zei: 'Als je een dier zou zien oversteken, terwijl je in je nieuwe auto zit, zou je dan het stuur omgooien en je auto in de prak rijden om 'm te ontwijken, of zou je proberen te stoppen, of zou je 'm gewoon overrijden? Wat zou je doen?'

Max zei: 'Nou, ik zou het kreng overrijden. Moet ik anders stoppen en over de zeik gaan als er een auto achter me zit, die mijn nieuwe wagen in de poeier rijdt?'

Mingus weer: 'Zie je nou wel, je bent geen haar beter dan een blanke, precies hetzelfde. Die zou het arme dier ook platrijden, maakt niet uit of het doodgaat. Ik? Ik zou liever mijn auto in de prak rijden, dan een klein beestje dat zichzelf niet kan verdedigen te vermoorden.' En zo zaten we de hele weg naar Californië te bekvechten met elkaar.

Ergens ver buiten de bewoonde wereld, ik geloof in Oklahoma, was alle kip die de kok van mijn vader voor ons had klaargemaakt op, dus stopten we om wat eten te versieren. Mingus moest het eten halen, omdat hij zo'n lichte huid had, dan hielden ze hem misschien voor een buitenlander. We wisten dat we in dat tentje niet mochten eten, dus hij moest gewoon een paar broodjes kopen om mee te nemen. Mingus stapt uit en loopt de cafetaria in. Ik zei nog tegen Max dat we hem niet in z'n eentje hadden moeten laten gaan, omdat hij zo opvliegend was.

Opeens komt Mingus naar buiten, spetterend van woede. 'Die bleekscheten willen ons daar niet laten eten, ik ga die klote tent opblazen!'

Ik zei: 'Mingus, ga zitten man. Je moet gaan zitten en voor één keer je grote bek houden. Nog één kik en ik sla je met een fles op je harses, want door jouw grote muil

246

draaien we de nor nog in.' Hij kalmeerde een beetje, want in dat deel van het land schoten ze een neger in die tijd zonder pardon overhoop. En niemand kon ze wat maken, want de wet, dat waren ze zelf. En zo ging het de hele weg door naar Californië, waar Mingus oorspronkelijk vandaan kwam.

Ik kende Mingus minder goed dan ik dacht. Ik was al vaak met Max op tournee geweest, dus we kenden elkaar van haver tot gort. Maar met Mingus was ik nog niet eerder op reis geweest, ik wist dus niet hoe hij was als hij niet op het podium stond, hoewel we die ene keer in Californië wel die ruzie over Bird hadden gehad. Ik was stil en had niet zo'n behoefte aan praten. Max idem dito, maar Mingus? Man, die lulde je de oren van je kop. Meestal had hij het over allerlei diepzinnige onderwerpen, maar soms ouwehoerde hij zo slap als een peuterpiemel. Na een tijdje werkte al dat gepraat me op de zenuwen en toen dreigde ik hem ook met die fles op z'n kop te slaan. Ik kon er gewoon niet meer tegen. Maar Mingus was een beer van een vent, dus ik denk niet dat hij bang voor me was of zoiets. Maar hij hield z'n mond – voor zolang als 't duurde – en toen begon hij weer van voren af aan.

Tegen de tijd dat we in Californië aankwamen, waren we hondsmoe, dus zetten we Mingus af en ging ik met Max mee naar z'n hotelkamer. Max moest in de Lighthouse in Hermosa Beach optreden, dat was vlakbij de zee. En op een dag leende Max z'n auto uit aan Mingus en die reed er een wiel af. Raad eens hoe dat gebeurde. Hij klapte tegen een brandkraan aan toen hij uitweek voor een kat. Man, ik kwam bijna niet meer bij van het lachen, omdat het precies zo was gegaan als toen we het er onderweg over hadden gehad. Maar Max was razend en de discussie herhaalde zich.

Er gebeurde ook een aantal positieve dingen tijdens mijn verblijf in Californië. Ik speelde een paar keer met een paar musici in de Lighthouse en daar is nog een plaat van gemaakt. In die tijd werd Chet Baker beschouwd als de meest flitsende jonge trompettist in de jazzscene en hij kwam uit Californië. Hij trad op dezelfde dag op in de Lighthouse als ik. Dat was de eerste keer dat we elkaar ontmoetten en hij leek een beetje verbluft te zijn dat hij net de *Down Beat*-prijs voor de Beste Trompet van 1953 had gewonnen. Ik denk dat hij wel wist dat hij het niet verdiend had om boven Dizzy en een aantal andere trompettisten te eindigen. Persoonlijk verweet ik hem niets, hoewel ik kwaad was op de lui die hem hadden gekozen. Met Chet was er verder niets mis, hij was oké en een prima blazer. Maar hij wist net zo goed als ik dat hij veel van mij had overgenomen. Die eerste keer dat ik hem zag vertelde hij me dan ook achteraf dat hij wel de zenuwen had gehad tijdens het spelen, met mij onder z'n gehoor. Het tweede positieve wat me tijdens deze reis overkwam was dat ik Frances Taylor leerde kennen. Ze zou later mijn vrouw worden, de eerste vrouw met wie ik voor de wet trouwde. Ik lette beter op mijn uiterlijk dan toen ik in New York zat, dus had ik me een paar aardige pakken aan laten meten en mijn haar laten ontkroezen. Op een gegeven moment kwam Buddy, een edelsmid met wie ik weleens optrok, me ophalen, want hij moest een doos sieraden bezorgen – een verjaardagscadeautje van een of andere rijke blanke – bij een meisje dat in de groep van Katherine Dunham danste. Buddy vertelde dat die danseres een stuk was, dat ze Frances heette en dat hij graag wilde dat ik haar eens ontmoette.

Toen we aankwamen op de Sunset Boulevard, kwam Frances net de trap af lopen en Buddy gaf haar de sieraden. Terwijl ze het pakje van Buddy aannam keek ze mij aan en glimlachte. Ik zag eruit om door een ringetje te halen. Ze was zo knap dat de adem me in de keel stokte, daarom pakte ik een papiertje, waarop ik mijn naam

248

en telefoonnummer schreef. Dat gaf ik haar en ik zei dat ze me niet zo moest aangapen. Ze bloosde en toen we weggingen, liep ze de trap weer op, maar ze bleef over haar schouder naar me kijken. Ik wist toen al dat ze op me viel. Buddy zat de hele weg terug over haar op te scheppen en zei dat hij zeker wist dat ze me mocht.

In die tijd had Max een knap zwart vriendinnetje, dat Sally Blair heette en hij werd knettergek van haar. Ze was een behoorlijke stoot, uit Baltimore, net een zwarte Marilyn Monroe. Hij had altijd problemen met haar. Ik moest me bij Max altijd in toom houden, omdat hij voor bepaalde dingen erg gevoelig was. Hij probeerde niet om degene met wie hij ging te belazeren, maar Sally maakte hem gek met alles wat ze deed, dus keek Max uit naar iemand anders. Hij had Julie Robinson (die nu getrouwd is met Harry Belafonte) leren kennen en die vond hij erg aardig. Hij vertelde mij dat Julie een vriendin had die mij weleens wilde ontmoeten. En volgens hem was dat meisje vreselijk knap. Dus zei ik dat hij ons dan maar eens met elkaar in contact moest brengen.

Ik had toen het idee dat ik iedere vrouw kon krijgen die ik hebben wilde. We gingen hen ophalen en dan blijkt het Frances te zijn. Als ze me ziet, zegt ze: 'Jij bent die jongen die met Buddy naar mijn motel kwam om me die sieraden te geven.' Dus ik zeg: 'Dat klopt.' Meteen daarna omhelzen Frances en ik elkaar stevig. Max stond paf. Dit was het meisje over wie hij me had verteld. De eerste keer dat ik haar ontmoette was het puur toeval. Maar nu Max ons samen had gebracht, wist ik dat we voor elkaar waren voorbestemd en zo voelde zij het ook.

Tijdens die eerste afspraak zaten Max en Julie op de voorbank in de auto van Max, terwijl Frances en Jackie Walcott, ook danseres, en ik achterin zaten. We reden wat rond tot Julie zei dat ze zin had om te schreeuwen. En Max zei: 'Wat maakt het uit, je schreeuwt maar een eind weg.' Toen begon Julie dus zo hard als ze kon te gillen. Ik riep naar Max: 'Man, ben je gek geworden? Weet je niet waar we zijn? We rijden door Beverly Hills, wij zwart en zij blank. Zo meteen heb je de politie achter je aan. Dus hou op met die onzin!' Ze hield haar mond. Maar we hadden die avond wel pret. We gingen bij B langs en bouwden een feestje en hoorden zijn geouwehoer aan. Hij zat daar maar te zeuren van: 'Dick, waar haal je die foeilelijke wijven toch vandaan? Het zijn verdomme net paarden.' En zo zat hij maar te pesten. We hadden een hoop lol.

Het duurde niet lang voor ik iemand had gevonden die me aan heroïne kon helpen en ik begon high in de Lighthouse in Hermosa Beach te verschijnen en Max schrok zich daar kapot van. Het ging Max toentertijd allemaal voor de wind. Ik viel weer ten prooi aan mijn verslaving, hoewel ik nog steeds niet wilde toegeven dat ik ook echt verslaafd was. Maar goed, ik ben weer eens met Max in de Lighthouse – ik geloof dat het op z'n verjaardag was. We staan buiten voor de deur. Nu had ik thuis in St. Louis een paar judolessen genomen en ik had een mes bij me om hem te laten zien hoe je dat moet afpakken van iemand die op het punt staat toe te steken. Ik geef het mes aan hem en vraag hem te doen of hij me wil steken. En als hij dat doet, pak ik hem het mes af en gooi hem over mijn schouder heen, snap je. 'Te gek, Miles!' roept Max. Ik steek het mes weer in mijn zak en denk er verder niet meer aan.

Later staan we aan de bar iets te drinken en Max vraagt mij om voor ons tweeën te betalen. Voor de grap zeg ik: 'Jij hebt geld en het is jouw verjaardag, dus betaal jij maar.' Maar de barkeeper, die ons gesprek had gehoord en die mij niet mocht, zegt tegen mij, als Max naar het podium loopt om te gaan spelen: 'Kom op, afrekenen!' Dus zeg ik dat Max zal betalen als hij klaar is met z'n set.

En zo gaat het nog even door tussen die barkeeper en mij, tot hij zegt dat hij me 'na zijn werk wel eventjes in elkaar zal slaan'. Hij is blank, weet je wel. Max komt weer terug en zegt tegen die hufter: 'Wat lul je nou, hij doet toch niets?' En hij betaalt, maar inmiddels is die vent ontzettend opgefokt. Max lacht hem uit en kijkt me aan of hij zeggen wil: 'Wel, wel jij bent dus een schurk. Laat maar eens zien hoe je dit stuk verdriet te grazen neemt.' Maar dan moet hij het podium weer op voor z'n laatste set. De barkeeper begint weer over knokken, dus zeg ik: 'Je hoeft niet te wachten tot je klaar bent met je werk, klootzak, kom maar op, *nu meteen*, dan vechten we het gelijk uit.' En de gek springt zo over de bar heen. Ik had gezien dat hij linkshandig was, dus ontwijk ik de klap die hij me wil geven en gooi hem tussen de stoelen en klanten in. Max zit op het toneel met een geschrokken grijns op zijn gezicht. De mensen gillen en zoeken dekking. Een groepje vrienden van die vent springt bovenop me en iemand belt de politie. Max bleef ondertussen gewoon op het podium door zitten spelen.

Voordat de vrienden van die kerel me iets konden doen, kwam de uitsmijter tussenbeide. De politie verscheen. Iedereen in die club was blank, behalve ik en Max. Zwarten mochten toentertijd de Lighthouse niet eens in. De politie nam me mee naar het bureau en ik vertelde dat die jongen me voor 'smerige zwarte rotnikker' had uitgescholden – dat was ook zo – en dat hij met vechten was begonnen. Toen dacht ik opeens aan het mes. Ik kneep 'm als een oude dief, want ik wist dat ik de cel in zou gaan als ze het zouden vinden. Maar ze fouilleerden me niet. Toen schoot me ineens te binnen dat mijn oom William Pickens iets hoogs was bij de NAACP en dat vertelde ik aan die agenten en toen lieten ze me gaan. Net op dat moment kwam Max het politiebureau binnen om me naar huis te brengen. Ik was spinnijdig en

zei: 'Klootzak, je liet ze me gewoon maar meenemen!'
Maar Max lachte zich kapot.

Het ging weer steeds slechter met me en zelfs Max
kreeg genoeg van mij. Ik belde mijn vader maar weer
eens op en vroeg of hij me geld voor de bus naar huis wilde sturen. Deze keer was ik vastbesloten om af te kicken
en ik kon op de reis naar huis nergens anders aan denken.

Terug in East St. Louis vertrok ik onmiddellijk naar de
boerderij van mijn vader in Millstadt. Mijn zuster uit
Chicago kwam ook en met z'n drieën maakten we een
lange wandeling over de landerijen. Tenslotte zei mijn
vader: 'Miles, als het om een vrouw zou gaan die je kwelde, dan zou ik je de raad kunnen geven haar te verlaten
en een ander te zoeken. Maar met drugs weet ik niets anders te doen, m'n zoon, dan je mijn liefde en steun aan te
bieden. Verder moet je het zelf doen.' Nadat hij dit had
gezegd draaiden hij en mijn zuster zich om en lieten me
alleen. Hij had een tuinhuis met een klein tweekamerappartement voor logés en daar ging ik heen. Ik deed de
deur op slot en bleef daar tot ik cold turkey was afgekickt.

Ik was doodziek. Ik kon het wel uitschreeuwen, maar
dat kon niet want dan zou mijn vader uit het grote witte
huis komen om te kijken wat er aan de hand was. Dus
moest ik me inhouden. Ik hoorde hem vaak om het tuinhuis heen lopen en stilstaan om te luisteren of hij iets kon
horen. Dan hield ik me muisstil. Ik lag daar maar in het
donker te zweten als een otter.

Wat was ik ziek toen ik probeerde af te kicken. Ik voelde me van top tot teen beroerd, mijn nek was stijf net als
mijn benen, ieder bot in mijn lichaam deed zeer. Het
voelde als reuma, of als een hele zware griep, maar dan
nog een graadje erger. Je kunt dat gevoel gewoon niet beschrijven. Al je gewrichten doen pijn en worden stijf,
maar je kunt ze niet aanraken, anders zou je het uit

schreeuwen van de pijn. Dus niemand kan je ook masseren. De pijn is vergelijkbaar met wat ik later voelde na een operatie, toen ik een nieuwe heup kreeg. Het is een rauw gevoel, dat niet overgaat. Je denkt dat je doodgaat en als iemand je zou kunnen garanderen dat je binnen twee seconden zou overlijden, dan zou je daarvoor tekenen. Je verkiest de genade van de dood boven de kwelling van het leven. Op een gegeven moment wilde ik zelfs uit het raam springen – de kamers waren op de eerste verdieping – om bewusteloos te raken en wat te kunnen slapen. Maar ik dacht dat ik dan wel weer de 'mazzel' zou hebben alleen mijn poten te breken en dan zou ik daar beneden liggen lijden.

Zo ging het een dag of zeven, acht door. Ik kon niet eten. Mijn vriendin Alice kwam langs en we neukten en ik mag hangen als dat het niet nog erger maakte. Ik was in geen drie jaar klaargekomen. Ik kreeg ontzettende pijn in mijn ballen en in elk ander plekje van mijn lichaam. Zo ging het nog een paar dagen door, toen nam ik een glas sinaasappelsap, maar ik kotste het er gelijk weer uit.

En op een dag was het voorbij. Gewoon voorbij. Helemaal voorbij. Ik voelde me gezond, lekker en gelouterd. Ik stapte naar buiten, de zuivere frisse lucht in en liep naar het huis van mijn vader en toen hij me zag trok er een grote glimlach over zijn gezicht, we omarmden elkaar en huilden. Hij begreep dat ik tenslotte had gewonnen. Toen ging ik zitten en ik verorberde alles wat er in huis was, want ik had een honger als een paard. Ik geloof dat ik nog nooit zoveel heb gegeten. Toen begon ik na te denken over de manier waarop ik mijn leven zou gaan inrichten, en dat zou geen peulenschil worden.

## 9

Meteen nadat ik was afgekickt ging ik naar Detroit. In New York, waar letterlijk alles voorhanden was, kon ik niet voor mezelf instaan. Ik had bedacht dat, zelfs als ik een kleine terugval zou doormaken, de heroïne in Detroit nooit zo zuiver zou zijn als die in New York. Ik dacht dat dat me zou helpen en ik kon iedere vorm van hulp gebruiken.

In Detroit trad ik in een paar plaatselijke clubs op, met Elvin Jones op drums en Tommy Flanagan op piano. Soms gebruikte ik een klein beetje heroïne, maar dat was geen sterke en er was niet veel van te krijgen. De drugs waren nog steeds niet helemaal uit mijn gedachten, maar wel bijna.

Ik bleef ongeveer een halfjaar in Detroit. Af en toe speelde ik nog voor pooier, ik had twee of drie vriendinnetjes. Ik genoot zelf ook weer meer van seks. Eén van die meisjes was tekenares en zij probeerde me te helpen waar ze kon. Ik wil haar naam niet noemen, want ze is nu een vooraanstaand iemand. Ze stuurde me naar een kliniek om met een zielenknijper te praten. Hij vroeg me of ik weleens masturbeerde en ik zei van niet. Dat kon hij niet geloven. Hij zei tegen me dat ik dat iedere dag moest doen in plaats van dope te spuiten. Volgens mij kon die vent zichzelf beter in het gekkenhuis laten opsluiten als dat alles was wat hij me te vertellen had. Masturberen als afkickmethode? Die zak was geschift.

Het was zo moeilijk om af te kicken. Maar uiteindelijk kreeg ik het voor elkaar. Maar jezus, wat duurde dat lang, het lukte me maar steeds niet er helemaal mee op te houden. Het ging op en neer en als ik eventjes niet gebruikte, maakte ik mezelf wijs dat ik clean was, maar dan begon ik toch weer.

Ik had zo'n mottig vriendje, Freddie Frue heette hij, of zo noemden we hem tenminste. Hoe dan ook, ik zat in een hotel en ik at zelden of nooit. In Detroit zorgde hij dat ik dope kreeg. Freddie kwam altijd naar m'n kamer om me mijn dagelijkse portie te brengen. Dat soort types maakte het zo moeilijk om af te kicken, naast het feit dat ik een slappeling was. Ik moest me er echt weer op concentreren om het voor elkaar te krijgen. Ik dacht zelfs dat het zou helpen als ik zou trouwen, ik dacht erover om Irene te vragen. Daarom ging ik naar St. Louis om mijn vader te vragen of hij ons wilde trouwen. Maar ik bedacht me weer. Ik ging toch maar liever terug naar Detroit dan me in zoiets te storten. Dus vertrok ik weer.

Ik had in Detroit een leuk jong meisje ontmoet. Ze was heel lief en mooi. Maar ik behandelde haar nogal hufterig, zoals ik met alle vrouwen deed in die tijd. Als ze geen geld hadden moest ik ze niet, omdat ik nog steeds het monster bij me had. Het verloor z'n greep op me, maar het had me nog steeds niet helemaal losgelaten. Ik dacht nog steeds als een junkie.

Ik kende een vent die Clarence heette en die zich in Detroit met de illegale loterij bezighield. Hij zei altijd: 'Man, waarom doe je die meid dat allemaal aan? Ze is zo lief en ze geeft zoveel om je. Waarom behandel je haar zo slecht?'

Ik keek hem dan aan en zei: 'Waar bemoei je je verdomme mee?'

Daar staat dan die grote sterke gangster, die overal z'n mannetjes heeft. Hij heeft een revolver op zak en ik doe uit de hoogte tegen hem, hè? Maar je moet wel begrijpen dat het door de drugs kwam dat ik zo'n toon aansloeg.

Hij keek me op een hele vreemde manier aan, alsof hij overwoog me neer te knallen of zo. Maar hij had me nogal hoog zitten, omdat hij van mijn muziek hield. Dus zei hij: '*Ik zei* waarom je dat meisje zo beroerd behandelt? Heb je me verstaan?'

Ik kon alleen maar denken aan mijn volgende shot, dus zei ik tegen hem: 'Lazer op man, dat zijn jouw zaken niet.'

Hij keek me aan alsof 'ie me kon vermoorden. Maar toen kreeg hij een blik van medelijden in zijn koude ogen. Hij keek me even onderzoekend aan, alsof ik een schurftige straathond was. 'Man, je bent gewoon zielig, een deerniswekkende, ellendige klootzak, die het niet waard is om te leven. Smerige junkie, zielig stuk verdriet. Als ik zou denken dat het je zou helpen, zou ik je heel Detroit door schoppen. Maar één ding: blijf met je tengels van die meid af want er zwaait wat als je dat niet doet, treurig spuitertje!' Toen liep hij weg.

Man, ik baalde als een stier, want hij had volkomen gelijk. Als je high bent, maal je nergens meer om, omdat je alleen maar wilt vermijden dat je pijn krijgt en ziek wordt. Maar daarna, nadat Clarence me zo de waarheid had gezegd, begon ik echt te proberen er wat aan te doen.

De dope in Detroit was waardeloos, omdat hij heel erg versneden was. Philly Joe zei weleens over bepaalde dope dat je beter een reep chocola had kunnen kopen, dan was het niet allemaal weggegooid geld geweest, nou, zo was de dope daar ook. Je tolerantiegrens gaat omhoog door zulk spul. Het spuiten deed me niets meer, ik kreeg er alleen maar meer gaten in m'n armen van. Ik deed het alleen nog maar voor dat verrekte gevoel dat je krijgt als je een naald in je arm steekt. En plotseling wilde ik er geen gaten meer bij, dus stopte ik.

Er liepen een paar goede musici rond in Detroit en ik ging met ze samenspelen. Daar had ik veel aan en de meesten waren clean. Veel musici in Detroit keken naar me op, vanwege alle dingen die ik had gedaan. Eén van de redenen waarom ik clean bleef, was het feit dat ze me zo bewonderden en omdat zij niet gebruikten, wilde ik dat ook niet meer. Er was een grandioze trompettist, Clair Rockamore heette hij geloof ik. Man, wat was die gozer goed. Eén van de besten die ik ooit heb gehoord. En dan begonnen ik en Elvin Jones ook nog eens. De mensen stonden in de rij om ons te zien spelen toen we in die kleine Blue Bird club optraden.

Eén van de dingen die ik over die tijd in Detroit wil rechtzetten is dat verhaal over mij en Clifford Brown en Max Roach in Baker's Keyboard Lounge. Ik had een paar maanden als solist in de Blue Bird gestaan – als gastsolist – met het huisorkest van Billy Mitchell. Daarin zaten ook Tommy Flanagan op piano en Elvin Jones op drums. Betty Carter deed soms mee en Yusef Lateef, Barry Harris, Thad Jones, Curtis Fuller en Donald Byrd. Het was muzikaal gezien een te gekke stad. Nou, toen Max en Clifford naar de stad kwamen met hun nieuwe groep – Richie Powell (het jongere broertje van Bud) op piano, Harold Land op tenor en George Morrow op bas – vroeg Max me mee te spelen bij Baker.

Maar er klopt geen snars van als ze zeggen dat ik van buiten uit de regen naar binnen strompelde met mijn trompet in een bruine papieren zak en het podium opstapte en *My Funny Valentine* begon te spelen. Ze zeggen dat Brownie – zo noemden we Clifford – me m'n gang liet gaan, omdat hij medelijden met me had, dat hij de band het nummer dat ze aan het spelen waren liet afbreken en dat ik toen weer het podium af wankelde en naar buiten liep de regen in. Het zou het wel goed doen in een film, maar zo is het niet gegaan. In de eerste plaats zou ik me nooit zomaar opdringen bij een optreden van Max en Brownie zonder het eerst te vragen. Ten tweede zou ik mijn trompet nooit in zo'n rotte papieren zak meenemen in de regen, omdat mijn instrument veel te veel voor me betekent. En daarnaast zou ik me nooit aan Max vertonen als het zo slecht met me ging, dat ik mijn bullen in een papieren zak moest rondsjouwen. Daar heb ik nog net even te veel trots voor.

Wat er werkelijk gebeurde bij Baker is dat Max me vroeg mee te spelen, omdat hij vond dat ik net zoals Freddie Webster kon spelen. Ik kon precies zoals Freddie blazen, net als hij kon ik mijn trompet laten zzzoemen in het lage register, je krijgt een soort staccato-zoemend geluid. Dat was de enige keer dat ik met die band optrad. Maar waar dat andere verhaal vandaan komt, is mij een raadsel. Dat is gewoon uit de duim gezogen. Ik mag dan een junkie geweest zijn, zo slecht was het toch echt niet met me gesteld. Ik was bovendien bezig om af te kicken.

Maar goed, ik kwam pas echt van mijn verslaving af door het voorbeeld van Sugar Ray Robinson. Ik vond dat als hij zo gedisciplineerd kon leven, ik dat ook moest kunnen. Ik had altijd al van boksen gehouden, maar ik was gek van Sugar Ray en ik had veel respect voor hem, omdat hij een fantastische bokser was met veel klasse en zonder meer zuiver op de graat. Hij was knap, een versierder, het zat hem allemaal mee. Sugar Ray is eigenlijk een van de weinige idolen die ik ooit heb gehad. Als je hem in de krant zag staan, zag hij er heel mondain uit als hij uit grote auto's stapte met mooie vrouwen aan zijn arm, piekfijn. Maar als hij aan het trainen was voor een wedstrijd was er nooit een vrouw bij hem in de buurt te vinden en als hij in de ring kwam om tegen iemand te boksen, lachte hij nooit zoals op die foto's die je anders altijd zag. Als hij in de ring stond was hij serieus, deed hij zijn werk.

Ik nam me voor ook op die manier te gaan leven, serieus en gedisciplineerd bezig met mijn vak. Ik besloot dat het tijd werd om terug te gaan naar New York om helemaal opnieuw te beginnen. Sugar Ray was het lichtend voorbeeld, de held die ik in gedachten hield. Hij zorgde ervoor dat ik me sterk genoeg voelde om New York weer aan te kunnen. En het was ook zijn voorbeeld dat me door een paar heel zware dagen sleepte.

In februari 1954 was ik weer terug in New York, na ongeveer vijf maanden in Detroit te hebben doorgebracht. Voor het eerst in lange tijd voelde ik me echt goed. Mijn lippen waren goed in vorm, omdat ik elke avond had opgetreden en eindelijk van de heroïne af was. Ik voelde me sterk, zowel muzikaal als fysiek. Ik kon alles aan. Ik huurde een hotelkamer. Ik weet nog dat ik Alfred Lion van Blue Note en Bob Weinstock van Prestige belde om ze te vertellen dat ik graag weer een plaat zou willen maken. Ik zei dat ik mijn verslaving had overwonnen en dat ik een paar platen wilde maken met een kwartet – alleen maar piano, bas, drums en trompet – en daar waren ze blij om.

De scene in New York was nogal veranderd sinds mijn vertrek. Het MJQ – Modern Jazz Quartet – had een grote naam in de muziekwereld gekregen, het soort 'cool' kamerjazz die ze speelden deed het goed. De mensen hadden nog altijd de mond vol van Chet Baker en Lennie Tristano en George Shearing, allemaal spul dat voortkwam uit *Birth of the Cool*. Dizzy speelde gewoon nog even geweldig als altijd, maar met Bird ging het bergafwaarts, moddervet, doodmoe en hij speelde waardeloos, als hij tenminste de moeite nam om nog ergens te verschijnen. De leiding van Birdland had hem zelfs de toegang ontzegd, nadat hij een van de eigenaars had staan uitkafferen en Birdland was nog wel naar hem genoemd.

Het enige waar ik aan kon denken toen ik terugkwam in New York was muziek maken en platen opnemen en alle tijd inhalen die ik had verloren. De eerste twee platen die ik dat jaar maakte – *Miles Davis Vol. 2* voor Blue Note

en *Miles Davis Quartet* voor Prestige waren heel belangrijk voor me. Het contract met Prestige was nog niet ingegaan, daarom kon ik voor Blue Note bij Alfred Lion
werken, en dat was wel nodig omdat ik nog steeds krap
in mijn slappe was zat. Ik voelde dat ik het goed deed op
die platen. Ik had Art Blakey op drums, Percy Heath van
het MJQ op bas en een jonge pianist, die Horace Silver
heette en die bij Lester Young en Stan Getz had gespeeld.
Ik geloof dat Art Blakey me op het spoor van Horace
bracht, want die kende hem erg goed. Horace woonde in
hetzelfde hotel als ik, het Arlington Hotel in 25th Street,
bij Fifth Avenue, dus we leerden elkaar goed kennen.
Horace had een piano op zijn kamer, waar ik vaak op
speelde en componeerde. Hij was iets jonger dan ik, een
jaar of vier denk ik. Ik leerde hem het een en ander en liet
hem een paar dingetjes op de piano horen. Ik hield van
Horace z'n speelstijl, omdat hij dat funky geluid had,
waar ik toen dol op was. Hij bracht wat vuur in mijn spel
en met Art op drums moest je er wel goed bij blijven, je
moest je kop erbij houden en blazen. Maar op die eerste
plaat liet ik Horace net als Monk spelen, bijvoorbeeld op
*Well, You Needn't* en in de ballad-achtige begeleiding bij
*It Never Entered My Mind*. We namen ook *Lazy Susan*
op.

Ik had een contract voor drie jaar getekend bij Bob
Weinstock en Prestige Records. Ik ben Bob Weinstock
altijd dankbaar geweest voor wat hij lang geleden voor
me deed, omdat hij de gok met me waagde toen iedereen
in de platenindustrie me liet vallen, behalve Alfred Lion,
die ook oké was. Voor die eerste platen bij Prestige kreeg
ik niet zoveel geld van Bob Weinstock, ik geloof iets van
$750 per plaat en hij wilde ook de rechten van al mijn
composities, maar die stond ik niet af. Maar met dat
beetje geld kon ik mijn verslaving in 1951 gedeeltelijk bekostigen en de platen die ik maakte hielpen me later een

goede bandleider te worden en ik leerde ervan hoe je platen – *goede* platen – moest maken. We konden goed met elkaar opschieten, maar hij wilde me altijd voorschrijven wat ik moest doen, hoe ik *mijn* platen moest maken, dus dan zei ik tegen hem: 'Ik ben de musicus, jij de producer, dus als jij nu de technische kant voor je rekening neemt en het creatieve gedeelte aan mij wilt overlaten...' En als dat niet overkwam, zei ik alleen maar: 'Godverdomme, Bob, rot een eind op en laat ons onze gang gaan.' Als ik dat niet had gedaan, hadden we Sonny Rollins en Art Blakey (en later Trane en Monk) nooit datgene horen spelen wat ze nu doen, want Bob wilde dat ze op de plaat heel anders zouden spelen dan ze op die sessies voor Prestige deden.

De meeste blanke producers wilden de muziek altijd blank laten klinken, dus om het zwart te houden moest je over iedere noot met ze in gevecht. Bob wilde wat afgezaagde troep opnemen, pseudo-blanke troep. Maar hij veranderde na een tijdje, dat moet ik hem nageven. Hij heeft ons nooit fatsoenlijk betaald, zelfs later niet, toen we al die verdomde meesterwerken maakten en hij wilde dat ik alles opgaf voor het beetje geld dat hij me betaalde. Maar zo werden jazzmusici in die tijd behandeld, vooral zwarte jazzmusici. En voor de meesten is het tegenwoordig niet veel beter.

Op de een of andere manier was ik mijn trompet kwijtgeraakt en moest ik die van Art Farmer diverse keren huren. Ik gebruikte hem bij *Blue Haze* op die *Miles Davis Quartet*-plaat van Prestige. We zaten in een studio in 31st Street. Dat weet ik nog omdat ik alle lichten uit wilde hebben toen we *Blue Haze* opnamen, zodat iedereen in die bepaalde stemming zou komen die mij voor ogen stond. Dus toen ik vroeg of ze het licht in de studio uit wilden doen, zei iemand: 'Maar dan kunnen we Art en Miles niet meer zien.' Dat was grappig. Dat zeiden ze omdat Art Blakey en ik zo donker zijn. Ik herinner me nog dat Art Farmer ook bij die sessie aanwezig was en ook bij de volgende opnamedag in april. Ik geloof dat Bob Weinstock toen Rudy Van Gelder aannam als technicus. Rudy woonde in Hackensack, in New Jersey, en we namen gewoon bij hem thuis in de woonkamer op. Daar zijn de meeste Prestige-platen opgenomen, tot Rudy later een grote nieuwe studio liet bouwen. Hoe dan ook, ik leende Art Farmers trompet aldoor, tot hij hem zelf voor een optreden nodig had. Dus kregen we ruzie over *zijn* trompet. Ik betaalde hem $10 voor het gebruik, daarom vond ik dat ik de exclusieve rechten had, meer nog dan hijzelf. Daarna gebruikte ik het instrument van Jules Colomby, tot ik er zelf weer een had. Jules werkte bij Prestige, hij deed de platen in de hoezen en zo, hij was amateur-musicus en een broer van Bobby Colomby, die later in de groep Blood, Sweat and Tears zat.

Bij die Prestige-sessie in april verving Kenny Clarke Art Blakey op drums, omdat ik dat gedoe met die brushes erbij wou hebben. En voor het zachte drummen met brushes kun je geen betere vinden dan Klook. Ik gebruikte een demper bij die opname en wilde iets zachts achter me, maar wel iets zachts dat swingde.

Later die maand maakte ik *Walkin'* voor Prestige en man, die plaat zette mijn hele leven en mijn loopbaan op z'n kop. Ik had J.J. Johnson en Lucky Thompson erbij, omdat ik dat weidse geluid wilde hebben dat ze allebei produceerden. Je weet wel, Lucky voor dat Ben Webster-achtige, maar ook voor bebop. J.J. was ook zo breed van geluid en klankkleur en Percy Heath speelde bas, Art drums en Horace piano. We hadden alle concepten voor de muziek op mijn kamer en die van Horace in het Arlington Hotel uitgewerkt. Veel van het materiaal kwam recht uit Horace z'n ouwe piano. Toen we die sessie hadden beëindigd, wisten we dat we iets goeds hadden gemaakt, zelfs Bob Weinstock en Rudy waren er enthousiast over, maar we konden niet voorzien wat voor effect die plaat zou hebben toen hij later dat jaar werd uitgebracht. Die plaat was een kraker, man, met Horace die die funky piano van hem bespeelt en Art die achter ons van die te gekke ritmes zit te trommelen. Het was iets totaal nieuws. Ik wilde de muziek terugvoeren naar het elan en de improvisaties van de bebop, naar dat waar Dizzy en Bird mee waren begonnen. Maar ik wilde nog verder, naar een meer funky soort blues, in de richting die Horace aangaf. En met mij en J.J. en Lucky er nog bij moest er wel iets heel nieuws ontstaan, wat ook gebeurde.

. Net in die tijd bracht Capitol Records de resterende *Birth of the Cool* opnames uit, die we in 1949 en 1950 hadden gemaakt. Capitol zette acht van de twaalf nummers op één 25-centimeter-langspeelplaat en noemde hem *Birth of the Cool.* Dat was voor het eerst dat die muziek die naam kreeg. Ze lieten *Budo, Move* en *Boplicity* weg, daar was ik nogal kwaad over. Maar door het uitkomen van die plaat en door de titel *Birth of the Cool,* wat toen heel pakkend klonk, begonnen veel mensen – vooral critici, blanke critici – weer aandacht aan me te schenken. Ik was van plan een vaste band op te richten om mee rond te reizen. Ik wilde Horace Silver op piano, Sonny Rollins op tenor, Percy Heath op bas en Kenny Clarke op drums. Maar door Sonny's drugsverslaving en omdat hij vaker in de gevangenis zat dan erbuiten, was dat moeilijk te realiseren. Maar dat was in elk geval het plan.

In de zomer van 1954 ging ik de studio weer in voor Prestige, deze keer met Sonny, Percy, Horace en Klook op drums. Ik vond dat Klook een dimensie toevoegde aan wat Art Blakey deed, met het oog op het geluid dat ik deze keer nastreefde. Hij was wat subtieler dan Art. Ik bedoel niet dat hij een betere drummer was dan Art, maar dat zijn stijl mijn toenmalige wensen beter bevredigde.

Nu was er in die tijd ook een pianostijl waar ik weg van was. Ik was diep getroffen door het spel en het muzikale inzicht van Ahmad Jamal, waar mijn zusje Dorothy me in 1953 opmerkzaam op had gemaakt. Ze belde me op vanuit de Pershing Lounge in Chicago en zei: 'Junior,' mijn familie is me pas veel later Miles gaan noemen, pas na het overlijden van mijn vader, 'ik zit hier naar een pianist te luisteren... Hij heet Ahmad Jamal en ik denk dat jij hem heel goed zult vinden.' Ik was een keer naar hem gaan luisteren toen ik in de buurt was en hij verblufte me door zijn gevoel voor ruimte, zijn lichte aanslag, zijn begrip en door de manier waarop hij de noten en akkoorden en passages fraseerde. Daar kwam nog bij dat ik ook van de nummers die hij speelde hield, zoals *Surrey with a Fringe on Top, Squeeze Me, My Funny Valentine, I Don't Wanna Be Kissed, Billy Boy, A Gal in Calico, Will You Still Be Mine, But Not for Me*, allemaal klassiekers en ik vond een paar van z'n eigen nummers ook goed, bijvoorbeeld *Ahmad's Blues* en *New Rhumba*. Ik was weg van z'n lyrisch pianospel en van het gebruik van de tussenruimte die hij door de instrumentatie van zijn groep liet ontstaan. Ik heb Ahmad Jamal sindsdien altijd een fantastische pianist gevonden, die nooit de erkenning heeft gekregen die hij verdiende.

In de zomer van 1954 had hij nog niet zoveel invloed op me als later. Maar z'n invloed was groot genoeg om *But Not for Me* ook op de plaat te zetten die ik voor Prestige opnam. De andere nummers op die plaat kwamen allemaal uit de koker van Sonny Rollins. Sonny Rollins was iets speciaals. Briljant. Hij had belangstelling voor Afrika, daarom draaide hij Nigeria om en noemde hij een nummer *Airegin*. Zijn andere nummer was *Doxy*. Hij zorgde voor de melodieën en hij herschreef ze in de studio. Dan scheurde hij een vel papier af en schreef een maat of wat noten of een akkoord of een akkoordverandering op. Als we de studio ingingen, vroeg ik Sonny: 'Waar is het nummer?' En dan speelde ik vast wat hij al had en dan ging hij ergens in een hoekje zitten en schreef allerlei dingen op snippers papier en even later dook hij weer op en dan zei hij: 'Oké, Miles, het is af.' Een voorbeeld van een nummer dat hij op die manier schreef is *Oleo*. De titel kwam van oleo-margarine, in die dagen een populair en goedkoop surrogaat voor boter. Ik gebruikte een demper en we lieten de baspartij weg, Horace viel in op de piano als wij met spelen stopten. Dat maakte het nummer uniek.

We noemden het 'pecking' (pikken) wat we deden. Je haalde de riffs als het ware uit elkaar, van die aanstellerige riffs, je brak ze af en schoot in of uit het ritme. Dat lukte pas echt goed als je een goede drummer had. Wij hadden Kenny Clarke en niemand kon dat soort dingen beter dan Klook.

Hoewel ik geen heroïne meer gebruikte, nam ik af en toe weleens een beetje cocaïne omdat ik het niet verslavend vond, ik kon het gebruiken wanneer ik wilde en ik werd niet ziek als ik het niet deed. Het was vooral lekker als je aan het schrijven was of lang in de studio moest zitten. Zo hadden we bij deze sessie wat vloeibare coke. Het was een goede sessie en mijn zelfvertrouwen groeide met de dag. Maar ik vond het jammer dat ik me nog steeds geen vaste band kon veroorloven, terwijl de band waarmee ik in de studio zat een grandioze band had kunnen worden. Kenny had getekend voor het MJQ en Percy en Art en Horace hadden het erover om het jaar daarop een groep te formeren. Dus om mezelf te kunnen bedruipen trok ik met Philly Joe Jones van stad naar stad om met plaatselijke musici op te treden. Philly ging gewoonlijk vooruit om een paar jongens bij elkaar te zoeken en daarna verscheen ik en traden we op. Maar meestal zat ik me kapot te ergeren, omdat de musici de arrangementen niet kenden en soms zelfs niet eens de nummers. Het liep allemaal nog steeds niet zoals ik wilde.

Maar we speelden in die dagen wel veel bij jamsessies in Birdland. Bij die gelegenheden was er altijd veel coke te krijgen, alle musici gebruikten het. Daar kwam ik erachter dat als je als trompettist veel coke snuift, je veel vocht nodig hebt, omdat anders je mond uitdroogt. Mijn mond werd verdoofd, maar ik had genoeg creatieve ideeën, ze kwamen in bosjes bij me boven.

Toen ik nog verslaafd was, behandelden de clubeigenaars me als oud vuil en de critici ook. Toen ik me in 1954 sterker voelde worden en geen heroïne meer gebruikte, had ik het gevoel dat ik hun stompzinnige gedrag niet langer meer hoefde te pikken. Dat gevoel zat heel ver verborgen in mijn geest, ik was me er niet eens van *bewust* dat ik er zo over dacht. Ik koesterde een hoop woede over alles wat me die afgelopen vier jaar was overkomen, ik vertrouwde bijna niemand, daar kwam denk ik die houding vandaan. Als we ergens gingen optreden, was ik heel koel tegen die hufters: betaal me, dan speel ik. Ik hoefde niemands reet te likken en tegen niemand vriendelijk te zijn. Ik kondigde in die tijd niet eens de nummers meer aan, omdat ik vond dat niet de *naam* van het nummer van belang was, maar de muziek die we speelden. Als ze het nummer kenden wat we speelden, waarom zou je het dan ook nog eens aankondigen? Ik sprak niet meer tegen het publiek, want dat was niet gekomen om me te horen praten, maar om de muziek te horen die ik vertolkte.

Veel mensen vonden me afstandelijk en dat was ook zo. Maar dat kwam voornamelijk omdat ik niet wist wie ik kon vertrouwen. Ik was op mijn hoede en dat deel van mijn persoonlijkheid sprong het meest in het oog, ik vermeed de omgang met mensen die ik niet kende. En omdat ik daarvoor verslaafd was geweest, probeerde ik mezelf ook te beschermen door niet met al te veel mensen bevriend te raken. Maar de mensen die me kenden, wisten ook wel dat ik anders was dan de kranten over mij schreven.

Ik had Bobby McQuillen ervan overtuigd dat ik clean genoeg was om bokslessen bij hem te nemen. Telkens als ik de kans had, ging ik naar de sportschool en Bobby leerde me de kneepjes van het vak. En hij trainde hard met mij. We werden vrienden, maar hij bleef in de eerste plaats mijn trainer, omdat ik net zo wilde leren boksen als hij.

Bobby en ik gingen samen naar bokswedstrijden en we trainden in de sportschool van Gleason in het centrum of in die van Silverman in Harlem, op de hoek van 116th Street en Eighth Avenue (die nu voorbij 110th Street de Frederick Douglass Avenue heet), op de vierde of op de vijfde verdieping. Sugar Ray trainde daar ook en als hij binnenkwam hield iedereen meteen op met datgene waar ze mee bezig waren om hem met vragen te bestormen.

Bobby wist alles van 'zwenken', zo noemde ik dat tenminste, het draaien met je heupen en benen als je iemand een klap verkoopt. Als je dat tijdens een stoot doet, leg je er meer kracht in. Bobby had iets weg van Blackburn, de trainer van Joe Louis, die Joe ook leerde hoe je moest draaien als je toesloeg. Daarom kon Joe zijn tegenstanders met één klap knock-out slaan. Ik denk dat Bobby het weer van Joe had geleerd, want ze kwamen allebei uit Detroit, ze kenden elkaar. Johnny Bratton deed het trouwens ook. En Sugar Ray kon ook zwenken. Het was gewoon één van die bewegingen die grote boksers tijdens een partij maken.

Het is zo'n beweging die je aldoor maar weer moet oefenen, tot je hem onder de knie hebt, tot het een reflex wordt, instinctief. Het is net als het oefenen op een muziekinstrument, je moet het steeds overdoen. Veel mensen vinden dat ik de instelling van een bokser heb en ik geloof dat dat wel klopt. Ik geloof dat ik agressief ben ten aanzien van dingen die iets voor me betekenen, bijvoorbeeld bij het maken van muziek of het doen van mijn eigen zin. Ik ga direct op de vuist, als ik denk dat iemand me iets heeft geflikt. En zo ben ik altijd geweest.

Boksen is een wetenschap en ik kan ervan genieten om een bokswedstrijd te zien tussen twee kerels die weten waar ze mee bezig zijn. Als je een bokser bijvoorbeeld een directe ziet geven in de richting van zijn tegenstander. Als die de stoot ontwijkt en naar rechts of naar links beweegt, moet je voorzien naar welke kant hij gaat en een hoek loslaten op het moment dat hij z'n hoofd wegtrekt, zodat dat recht in de lijn van jouw hoek terechtkomt. Dat is wetenschap en precisie en geen slagerij, wat de mensen ervan maken.

Bobby onderwees me in de stijl van Johnny Bratton, want dat was de stijl die ik wilde leren. Boksen heeft namelijk stijlen, net als muziek. Joe Louis had een eigen stijl, Ezzard Charles had een eigen stijl, Henry Armstrong ook, Johnny Bratton had z'n stijl en Sugar Ray Robinson de zijne – net als Mohammed Ali, Sugar Ray Leonard, Marvelous Marvin Hagler, Michael Spinks en Mike Tyson later. Archie Moore was een buitenbeentje met zijn kiekeboe-stijl.

Maar je moet stijl hebben in alles wat je doet, schrijven, musiceren, schilderen, mode, boksen, noem maar op. Sommige stijlen zijn uitgekookt en creatief en vol verbeeldingskracht en vernieuwend, andere niet. Sugar Ray Robinson had al die eigenschappen en hij was de meest nauwkeurige bokser die ik ooit heb gezien. Bobby McQuillen wees me erop dat Sugar Ray Robinson een tegenstander gewoonlijk vier à vijf keer per ronde in de val lokte en dat gedurende de eerste twee of drie rondes, enkel en alleen om te kijken hoe z'n tegenstander zou reageren. Ray raakte hem een paar keer en bleef zelf net buiten het bereik van de ander, zodat hij wist wat ervoor nodig was om 'm neer te slaan en die ander had het niet eens door, tot BENG!, hij sterretjes zag. Maar een andere tegenstander sloeg hij alleen maar hard op het lichaam – BENG! – nadat hij hem eerst een paar stoten had laten missen. Dat deed hij bijvoorbeeld in de eerste ronde. Vervolgens lanceerde hij een dreun op het hoofd. Toen hervatte hij het slaan op de ribben weer en dan was het hoofd weer het doelwit. Nou, in de vierde of vijfde rond weet die arme jongen echt niet wat Ray nu weer zal gaan doen. Daarbij doen z'n hoofd en zijn ribben hem inmiddels ontzettend zeer. Zoiets leer je natuurlijk niet vanzelf. Dat zijn dingen die iemand je heeft onderwezen, net als wanneer je iemand leert hoe hij een muziekinstrument *correct* moet bespelen. Nadat je hebt geleerd hoe je *op de juiste manier* je instrument moet bespelen, kun je je permitteren om vervolgens je eigen ideeën te gaan spelen, hoe je de muziek en de klank wilt laten horen. Maar eerst moet je leren hoe je kalm moet blijven en hoe je dat wat er gebeurt – zowel in de muziek als in het boksen – gewoon moet laten gebeuren. Dizzy en Bird leerden mij dat wat betreft de muziek en Ahmad Jamal en Bud Powell ook.

Altijd als ik naar de training van Sugar Ray in 116th Street ging kijken, zat die oude neger, die iedereen 'Soldier' noemde, er ook. Ik ben er nooit achtergekomen hoe hij werkelijk heette. Buiten zijn trainer om was Soldier de enige naar wie Sugar Ray luisterde. Als Ray naar de ring liep, schuifelde Soldier naar hem toe en fluisterde hem iets in 't oor en dan knikte Ray wat. Niemand wist wat Soldier tegen Ray zei, maar Ray ging de ring in en maakte gehakt van de eerste de beste sneue sukkel, alsof die iets met zijn vrouw had uitgespookt. Ik ging altijd graag naar hem kijken, hij was mijn idool. Toen ik hem op een gegeven moment tijdens die zomer vertelde dat hij de belangrijkste reden was waarom ik was afgekickt, lachte hij alleen maar.

Ik zie mezelf nog zo in Sugar Rays bar zitten op Seventh Avenue (tegenwoordig heet het daar de Adam Clayton Jr. Boulevard) in de buurt van 122nd of 123rd Street. Ray was er meestal ook. Er kwamen daar veel hippe vogels en mooie vrouwen en boksers en dure hoeren. Die stonden daar allemaal op te scheppen en te bluffen, de blits te maken. En soms werd Ray weleens door andere boksers uitgedaagd en dan keek Ray zo'n klootzak aan en zei: 'Geloof je niet dat ik nog altijd kampioen ben? Op dit moment, terwijl ik tegen je sta te praten? Moet ik het bewijzen, waar je bij staat, op dit moment?' En dan trok hij zijn schouders naar achteren, z'n voeten een eindje uit elkaar, schoof zijn ene hand in zijn andere en stak die voor zich uit, terwijl hij heen en weer wiegde op zijn hielen, hij zag er fantastisch uit, grijnzend en met zijn achterovergekamde, ontkroesde haar en met dat sluwe, brutale smoel dat hij altijd trok als hij iemand uitdaagde iets tegen hem in te brengen. Grote boksers zijn lichtgeraakt, net als grote artiesten en ze proberen iedereen uit. Sugar Ray was de koning op het bord en dat wist hij.

Hij bazuinde rond dat ik een heel goede musicus was, die bokser wilde worden en dan lachte hij op die schelle manier van hem. Hij ging graag met musici om, omdat hij zelf ook weleens drumde. Hij kwam altijd naar me toe als Johnny Bratton moest boksen, want Ray *wist* dat ik een fan van Johnny Bratton was en dan vroeg hij: 'Wat gaat die jongen van jou doen?'

Dan zei ik: 'Hoe bedoel je?'

'Je snapt me best, Miles, hoe gaat hij het doen in zijn komende partij? Volgens mij is die gozer te sterk voor hem en een beetje te zwaar voor een weltergewicht als Johnny.' Johnny moest tegen een middengewicht uit Canada boksen, die Ray tien ronden had beziggehouden. Dus Ray stond daar weer met zijn schoenen te schuifelen en zijn schouders op te trekken, zijn handen voor z'n onderbuik in elkaar geslagen en keek me rechtstreeks aan en lachte. En dan vroeg hij weer: 'Wat denk je, Miles, denk je dat hij zal winnen?'

Hij *wist* dat ik niets in het nadeel van Johnny zou zeggen. Dus toen ik zei: 'Ja, ik denk dat hij gaat winnen,' bleef Sugar sarcastisch lachen. En toen zei hij: 'Nou Miles, we zullen zien, we zullen zien.'

En toen Johnny Bratton die Canadees in de eerste ronde knock-out had geslagen, zei ik: 'Zie je wel, Ray, Johnny wist heus wel waar hij mee bezig was.'

'Ja, ik geloof het wel. *Dit* keer althans. Maar wacht maar tot hij tegen mij moet, dan zal hij niet zoveel geluk hebben.' En toen Ray Johnny *inderdaad* versloeg, kwam hij naar me toe, ging staan zoals hij altijd stond, heen en weer wippend op z'n hielen, sluwe lach op zijn gezicht en zei: 'Zo Miles, wat denk je nu van jouw jongen?' En daarna begon hij zo schel te lachen, dat ik dacht dat hij erin bleef.

De reden waarom ik het zo lang over Sugar Ray heb is omdat hij in 1954 het belangrijkste in mijn leven was, naast de muziek. Ik merkte dat ik me net als hij ging gedragen, snap je, in alles. Ik nam zelfs zijn arrogante houding over. Ray was een ijskouwe en in 1954 wilde ik alleen maar zijn zoals hij. Ik leefde volgens een strak patroon toen ik naar New York kwam. Het enige dat me te doen stond was de draad weer oppakken waar ik hem had laten vallen voordat ik in de val van die smerige dopescene liep. Daarom wilde ik ook niet meer zomaar naar de eerste de beste luisteren. Ik vond een Soldier, net als Sugar Ray, en mijn praatpaal werd Gil Evans. En ik besloot dat als iemand me niets belangrijks te vertellen had, ik zou zeggen: 'Rot op'. Dat bracht me weer op het rechte pad.

Van alle mensen die ik kende, was Gil Evans de enige die mijn muzikale ideeën kon bijbenen. Soms kwam hij bijvoorbeeld naar mijn spel luisteren en dan schoof hij bij me aan en zei: 'Miles, je hebt zo'n mooie open klankkleur in je trompet, waarom maak je daar niet wat vaker gebruik van?' En dan was hij weer weg, zomaar, en dacht ik na over wat hij had gezegd. Meestal kwam ik ter plekke tot de conclusie dat hij gelijk had. Of hij kwam op het podium naar me toe en fluisterde – altijd vertrouwelijk, zodat niemand het kon horen – 'Miles, laat ze niet zo aanmodderen. Speel ze eruit, laat jouw geluid eens horen.' Of, als ik met blanken optrad, 'Laat nu *jouw* geluid eens horen, boven het hunne uit!', waarmee hij hun *blanke* geluid en interpretatie bedoelde. Hij zei het om me op te jutten, zodat het zwarte element de boventoon zou voeren. Dat wist ik ook wel, maar Gil gaf me dat extra duwtje en zorgde dat ik het niet vergat.

In 1954 ging ik regelmatig naar de sportschool om in conditie te blijven, zowel fysiek als psychisch. Ik *wist* dat ik sterk genoeg kon zijn, want ik was ook zo voordat ik naar New York kwam en daar ging wonen, maar wat ik na Parijs in 1949 was kwijtgeraakt. Ik realiseerde me ook wat een gelukkig mens je bent als je *een* Soldier of Gil Evans hebt, iemand die je zo vertrouwd is, dat hij je aan je jasje kan trekken als er iets mis dreigt te gaan. Want wie weet wat ik gedaan zou hebben of wat er van me geworden zou zijn als ik niet iemand als Gil zou hebben gehad. Heel diep vanbinnen ben ik altijd zo geweest als toen ik mijn verslaving overwon. Die verslaafde figuur was ik zelf eigenlijk niet. Dus toen ik van de heroïne af was, vond ik mezelf terug en probeerde mezelf te ontplooien, daar draaide mijn hele komst naar New York eigenlijk om, om zelfontplooiing.

Die zomer kwam Juliette Greco naar New York, om te praten met de producers die het boek *The Sun Also Rises* van Ernest Hemingway gingen verfilmen. Ze wilden Juliette een rol in de film geven. Ze was inmiddels de grootste vrouwelijke ster in Frankrijk – of ze zat er dichtbij – dus kreeg ze een suite in het Waldorf Astoria op Park Avenue. Ze nam contact met me op. We hadden elkaar sinds 1949 niet meer gezien, er was dus veel gebeurd. We hadden elkaar wel af en toe geschreven en via gemeenschappelijke vrienden de groeten gedaan, maar dat was alles. Ik was benieuwd wat het me zou doen om haar weer te zien en ik weet zeker dat dat bij haar net zo was. Ik wist niet of ze iets afwist van alle ellende die ik had doorgemaakt en ik was benieuwd of er iets bekend was geworden in Europa over mijn heroïneprobleem.

Ze nodigde me uit en ging naar haar toe. Maar ik weet nog dat ik wat op mijn hoede was om alles wat er met me gebeurd was voor ik uit Parijs vertrok, toen zij mijn gedachten vulde en mijn hart en mijn bloed. Ik denk dat zij de eerste vrouw was van wie ik echt hield en door zo gescheiden te worden van elkaar brak mijn hart en stortte ik de afgrond in, naar de heroïne. Ik wist diep in mijn hart wel dat ik haar wilde, nee, *moest* zien. Maar voor het geval dat, nam ik een vriend van me mee, de drummer Art Taylor. Op die manier kon ik de situatie zo goed mogelijk meester blijven.

We reden naar het Waldorf in mijn MG-sportwagen, die ik zelden gebruikte en ik liet de motor flink razen toen we de parkeergarage in reden. Man, al die blanken gingen over de zeik: twee nikkers in een MG bij het Waldorf. We liepen naar de receptie en iedereen in de lounge zat te kijken, weet je wel. Ze schrokken zich rot, twee negers die zomaar in de hal van het Waldorf liepen, die daar niet eens in dienst waren. Ik vroeg bij de receptie naar Juliette Greco. De man achter de balie zei: 'Juliette wie?' En de hufter keek erbij alsof hij wist dat dit niet waar kon zijn, die nikker moest niet goed bij z'n verstand zijn. Ik herhaalde haar naam en gaf hem opdracht naar boven te bellen. Dat deed hij en tijdens het draaien keek hij zo van 'ik kan het niet geloven...' Toen ze hem zei ons naar boven te laten komen, dacht ik dat die zak ter plekke dood zou vallen.

We lopen dus de hal weer door, waar de stilte van een mausoleum is neergedaald, pakken de lift en gaan naar de kamer van Juliette. Ze deed de deur open, omhelsde me en gaf me een dikke zoen. Ik stelde haar voor aan Art, die achter me stond en nogal gechoqueerd was, en zag de vreugde wegebben uit haar gezicht. Ik bedoel dat ik gewoon *voelde* dat ze die neger daar liever niet had gezien. Ze was echt teleurgesteld. We gaan naar binnen en ze zag er echt te gek uit, knapper dan ik me kon herinneren. Mijn hart begon sneller te kloppen en ik probeerde mijn emoties de baas te blijven, daarom deed ik heel koeltjes tegen Juliette. Ik vluchtte in mijn rol van zwarte pooier. Hoofdzakelijk omdat ik bang was, maar die houding van een pooier had ik me ook aangeleerd toen ik een junkie was.

Ik zeg tegen haar: 'Juliette, geef me wat geld, ik heb onmiddellijk geld nodig!' Ze pakt haar handtas en haalt er wat geld uit. Ze ziet er ontdaan uit, alsof ze niet kan geloven wat hier gebeurt. Ik neem het geld aan en loop de kamer op en neer, terwijl ik haar koel opneem – maar eigenlijk zou ik haar het liefst in m'n armen nemen en met haar naar bed gaan, maar ik ben bang voor wat me dat zal doen, bang dat ik mijn emoties niet de baas zal kunnen blijven.

Na een kwartiertje zeg ik dat ik ergens anders heen moet. Ze vraagt of ze me hierna nog terugziet, of ik misschien met haar mee wil naar Spanje als zij bezig is met die film. Ik zeg dat ik erover na zal denken en dat ik nog wel zal bellen. Volgens mij was ze nog nooit zo behandeld, er waren zoveel mannen die haar wilden hebben, dat ze vermoedelijk in alles haar zin kon krijgen. Terwijl ik de gang op loop, vraagt ze nog: 'Miles, kom je echt nog terug?'

'Kop dicht, teef, ik zei toch dat ik je nog zou bellen?' Maar in m'n hart hoop ik dat ze iets bedenkt om me te laten blijven. Maar ik had haar tijdens dit eerste weerzien zo afgebekt, dat ze te verbluft was om me nog langer vast te houden. Later belde ik haar op dat ik het te druk had om mee naar Spanje te gaan, maar dat ik haar wel zou komen opzoeken als ik weer eens in Frankrijk was. Het huilen stond haar nader dan het lachen, maar ze vond het goed dat ik haar in Frankrijk op zou zoeken als ik daar weer eens zou zijn. Ze gaf me haar adres en telefoonnummer en hing op en dat was dat.

Later hebben we elkaar toch weer gevonden en waren we jarenlang geliefden. Ik heb haar toen ook verteld wat er toen in het Waldorf met me aan de hand was. Ze begreep het en vergaf het me, hoewel ze me wel bekende dat ze erg in de war en teleurgesteld was geweest door de manier waarop ik haar toen had behandeld. In één van Juliettes latere films, ik geloof een film van Jean Cocteau, zet ze een foto van mij op haar nachtkastje en dat is in de film te zien. Dat was dus een voorbeeld van de verandering die mijn verslaving bij mij teweeg had gebracht. Ik was in mezelf gekeerd om me te beschermen tegen een wereld, die volgens mij alleen maar vijandig was. En soms, zoals in het geval van Juliette Greco, wist ik het onderscheid niet tussen vriend en vijand en vaak nam ik de tijd niet om daar achter te komen. Ik was gewoon koel tegen bijna iedereen. Zo beschermde ik mezelf, door niemand mijn gevoelens te tonen. En dat heeft een tijd gewerkt.

Op kerstavond in 1954 ging ik met Milt Jackson, Thelonious Monk, Percy Heath en Kenny Clarke naar de studio om voor Prestige de plaat *Miles Davis and the Modern Jazz Giants* te maken. We gingen daarvoor naar de studio van Rudy Van Gelder in Hackensack. Er doen overigens een hoop verhalen de ronde over die sessie, dat er spanningen en ruzies waren tussen Thelonious Monk en mij. Voor het grootste gedeelte gaat het daarbij om roddel en achterklap, zo vaak herhaald dat het feiten zijn geworden. Wat er *werkelijk* plaatsvond op die dag is dat we een schitterend stuk muziek produceerden. Maar ik wil hier eens en voor altijd uitleggen wat er zich tussen Monk en mij afspeelde.

Ik vroeg hem alleen maar om mij niet te begeleiden, behalve bij *Bemsha Swing*, een nummer dat hij zelf had geschreven. En dat vroeg ik omdat Monk blazers niet kón begeleiden (de enige blazers die hij adequaat begeleidde, waren John Coltrane, Sonny Rollins en Charlie Rouse). Maar met de meeste blazers was Monk niet zo'n held, vooral niet met trompettisten. Op de trompet zitten maar een paar noten, dus moet je steeds je vinger aan de pols van de ritmesectie houden en dat was aan Monk niet besteed. De ritmesectie moet fel blijven om een trompet te begeleiden, zelfs als je een ballad speelt, en dat lag niet in Monks lijn. Daarom vroeg ik hem z'n handen stil te houden als ik speelde, omdat ik niet tevreden was over zijn akkoordliggingen en ik was de enige blazer daar. Ik wilde de ritmesectie zonder pianogeluid horen 'struinen'. Het ruimtelijke van de muziek moest hoorbaar blijven. Ik begon toen net dat ruimteconcept dat de hele muziek moest kleuren te gebruiken, zowel in composities als in arrangementen. Dat had ik overgenomen van Ahmad Jamal. We namen dan ook een nummer op, dat hij altijd speelde en waar ik erg veel van hield, *The Man I Love*.

Het spel van Monk klinkt goed op deze plaat en heel

natuurlijk, precies zoals ik bedoeld had. Ik had hem verteld hoe ik het wilde hebben, maar het bleek toch al zijn bedoeling zo te spelen. Ik vroeg hem alleen maar vooraf of hij steeds net even na mij wilde inzetten en zo geschiedde. Er was geen sprake van ruzie. Dus waar het verhaal vandaan komt dat Monk en ik als kat en hond tegenover elkaar stonden, snap ik niet.

Monk zei wel altijd van die rare dingen en hij zag er meestal uit alsof hij ze niet allemaal op een rijtje had. Maar dat was nou eenmaal zijn manier van doen, dat begreep iedereen die hem kende. Hij kon ten overstaan van een groot publiek plotseling in zichzelf gaan praten en dan zei hij alles wat hem voor de mond kwam. Bovendien was hij een komediant, die door zich idioot te gedragen de mensen van z'n lijf hield. Misschien heeft hij dat verhaaltje wel in de wereld gebracht, toen de sessie ter sprake kwam, om de mensen op de kast te jagen. Ik weet *een* ding zeker: Monk was net een klein kind. Hij had een groot hart en ik weet dat hij mij daar had ingesloten, dat was overigens wederzijds. Hij zou nooit ruzie met me maken, zelfs al haalde ik een week lang het bloed onder zijn nagels vandaan, zo was hij gewoon niet. Monk was vriendelijk, vriendelijk en goedhartig, maar zo sterk als een os. En als ik ooit de indruk zou hebben gewekt dat hij een klap van me zou kunnen krijgen – wat ik nooit heb gedaan – dan hadden ze me beter in het gekkenhuis kunnen opsluiten, want Monk had me zo bij m'n lurven gegrepen en me door de muur heen gekwakt.

We maakten die dag fantastische muziek en die plaat werd dan ook een klassieker, net als *Walkin'* en *Blue 'n' Boogie*. Maar het was pas op deze *Modern Jazz Giants* dat ik begon te begrijpen hoe je ruimte kon scheppen door de piano weg te laten en iedereen zijn eigen spel te laten spelen. Ik zou dat concept later, in 1954 en 1955, uitbouwen en vaker gebruiken, ik zag het toen nog niet zo helder voor me als later.

Negentienvierenvijftig was een fantastisch jaar voor me, hoewel ik me op dat moment nog niet realiseerde *hoe* fantastisch wel niet. Ik was niet meer verslaafd en speelde beter dan ooit en door de platen die dat jaar werden uitgebracht, zoals *Birth of the Cool* en *Walkin'*, kreeg iedereen, met name de musici, weer belangstelling voor me. De critici hadden het nog niet zo in de gaten, maar er waren mensen die mijn platen begonnen te kopen. Dat leidde ik af uit het feit dat Bob Weinstock me rond die tijd $3000 bood voor een volgende plaat en dat was meer dan hij me ooit had gegeven. Ik had het gevoel dat ik iets aan het bereiken was, op mijn eigen voorwaarden. Ik had mijn integriteit niet verkocht om erkenning te krijgen. En als dat tot nu toe niet nodig was geweest, zou dat in de toekomst ook niet hoeven.

Zo ging ik vol goede hoop het jaar 1955 in. Toen overleed Bird in maart en iedereen voelde zich verslagen. Het was algemeen bekend dat het slecht met hem ging, dat hij niet meer kon spelen, dik was en altijd dronken en onder de dope zat, dus iedereen begreep wel dat het zo niet veel langer meer kon duren. Toch veroorzaakte zijn dood in het appartement van barones Pannonica de Koenigswarter op Fifth Avenue een schok. Haar had ik in 1949 in Parijs tijdens één van mijn optredens leren kennen. Ze was dol op zwarte muziek, op mannen en vooral op Bird.

Wat het nog erger maakte was dat Irene me in de gevangenis had laten zetten omdat ik geen alimentatie betaalde, dus zat ik vast op Rikers Island toen ik van Harold Lovett hoorde dat Bird dood was. Harold werd later mijn advocaat en mijn beste vriend. Hij verkeerde altijd in jazzkringen en was in die tijd de advocaat van Max Roach, hij kwam naar Rikers Island om te proberen mij uit de gevangenis te krijgen. Ik denk dat Max hem had gestuurd, of misschien kwam hij ook wel uit eigen beweging, omdat hij had gehoord dat ik daar zat. Hoe dan ook, toen hij me vertelde dat Bird dood was, was dat een hele klap voor me. Ten eerste zat ik in de gevangenis met allemaal van die idioten om me heen – net nu alles zo goed leek te gaan – en dat deprimeerde me al. En daarbij wist ik zoals gezegd dat Bird er beroerd aan toe was, ik wist dat z'n gezondheid niet al te best was – de laatste keer dat ik Bird had gezien, man, wat zag hij er toen beroerd uit – maar toch betekende zijn dood een hele schok voor me. Ik zat daar drie dagen in de bajes en dan gaat Bird zomaar de pijp uit.

Harold betaalde de borgtocht met geld van Bob Weinstock en van een optreden dat hij voor me had geregeld in Philadelphia, ze hadden hem een voorschot gegeven. Later ontdekte ik dat Harold helemaal op en neer naar Philadelphia was gereden om het op te halen. En dat zonder dat hij me ooit had gezien. Toen ik hem zag binnenkomen in mijn cel op Rikers Island, was het of ik hem al jaren kende en ik zei: 'Juist, ik had wel gedacht dat jij zou komen, ik had het wel gedacht.' Hij baalde omdat ik niet verrast was, maar zoals gezegd, kon ik dat soort dingen vaak al van tevoren voorspellen.

We stapten in zijn kastanjebruine Chevrolet van 1950 en reden rechtstreeks naar Harlem, naar de club van Sugar Ray, de Sportsman's Bar. Nadat we daar een tijdje hadden gezeten, bracht Harold me naar het huis van mijn vriendin Susan, in de Village, in Jones Street. Toen wist ik al dat ik die vent aardig vond, door de manier waarop hij Sugar Ray behandelde toen we in diens club zaten, door zijn slimme babbel. We zagen elkaar steeds vaker en hij ging mijn zaken behartigen.

Na de dood van Bird probeerden veel mensen om af te kicken, en dat was goed. Maar het stemde me treurig dat Bird zo gestorven was, want man, hij was een genie en had ons nog zoveel kunnen geven. Maar zo is het leven.

Bird was een gulzige ouwe lul, hij wist nooit van ophouden en daaraan is hij kapot gegaan, aan zijn gulzigheid.

Bird zou een eenvoudige begrafenis krijgen, met een eenvoudige rouwdienst, tenminste dat was de bedoeling van Chan, maar ik had geen zin om naar wat voor soort begrafenis dan ook te gaan. Ik hou niet van begrafenissen. Ik vind het prettiger om me iemand te herinneren zoals hij was. Maar ik heb wel gehoord dat Doris – Olijfje – er ook was en zich met van alles bemoeide. Ze maakte er een circus van en leidde alle aandacht af van Chan. Wat een belachelijke en ook trieste toestand moest dat geweest zijn. Bird had Olijfje al in geen jaren meer gezien. Maar daar was ze dan, ze eiste het lichaam op en zorgde voor een grootse begrafenis in de Abyssinian Baptist Church in Harlem. Daar viel nog iets voor te zeggen, want dat was de kerk van Adam Clayton Powell. Maar er mocht van Doris geen jazz of blues worden gespeeld (net als later bij de begrafenis van Louis Armstrong, toen mocht het ook niet). En behalve al die stupide muziek die ze bij Birds lijk stonden te spelen – zoals Dizzy me later vertelde – lag hij er ook nog bij in zo'n pak met een krijtstreepje en met een stropdas om die Doris voor hem had gekocht. Man, ze maakte een lachertje van Birds begrafenis. Misschien lieten de dragers het lichaam ook wel daarom bijna vallen toen er eentje struikelde bij het naar buiten dragen van de kist. Dat was Bird, die tegen die idioterie protesteerde.

Daarna vervoerde ze zijn lichaam naar Kansas City, daar moest hij begraven worden. Bird had Kansas City gehaat, hij had Chan laten beloven dat hij daar nooit begraven zou worden. Ze zeggen dat de teraardebestelling een hele show werd, hij werd begraven in een bronzen kist en hij lag onder een glasplaat, die volgens iemand lichtgevend was... Iemand vertelde me dat het leek of er 'een halo rond Birds hoofd was'. Man, dat wekte weer veel beroering bij die lui die geloofden dat Bird een god was; dat was hun bewijs daarvoor.

Bird was dood, maar voor mij ging het leven verder. In juni 1955 ging ik met een kwartet naar de studio, alweer voor een plaat bij Bob Weinstock. Omdat ik een pianist wilde hebben, die in de trant van Ahmad Jamal kon spelen, besloot ik Red Garland te nemen, die me door Philly Joe was voorgesteld in 1953, bij die sessie waar Bird zich 'Charlie Chan' noemde. Hij was een fan van boksen en hij had die lichte aanslag waar ik naar op zoek was. Hij kwam uit Texas en hij speelde al een paar jaar in New York en in Philadelphia. In dat circuit had hij Philly Joe ook ontmoet en ik mocht hem wel, want hij was hip. Red wist dat ik van Ahmad Jamal hield en dat ik dat type pianist wilde hebben. Ik vroeg hem me het geluid van Ahmad Jamal te leveren en Red was op zijn best als hij op die manier kon werken. Philly Joe drumde die keer en de bassist was Oscar Pettiford. Het werd een leuk plaatje, *Miles Davis Quartet*, en de invloed die Ahmad Jamal toen op me had is er duidelijk aan af te horen. We stopten Jamals begrip voor de melodielijn en z'n lichtheid in die plaat. Als de mensen zeggen dat ik erg door Jamal ben beïnvloed, hebben ze gelijk, maar je moet er wel bij bedenken dat ik zelf altijd al die kant op neigde en dat ik ook al zo speelde, lang voordat ik ook maar van Ahmad Jamal had gehoord. Hij is er wel verantwoordelijk voor dat ik nog eens extra stilstond bij de speelwijze die ik altijd al bezat. Hij voerde me terug naar mezelf.

Hoewel ik weer met veel plezier werkte, geloof ik dat ik in het clubcircuit nog steeds een heel slechte naam had en de meeste critici gingen er waarschijnlijk nog steeds van uit dat ik een junkie was. Ik was kortom niet zo populair, maar daar kwam verandering in toen ik op het Newport Jazz Festival van 1955 was opgetreden. Dat was het eerste festival dat het echtpaar Elaine en Louis Lorillard organiseerden. Ze kozen George Wein als producent. George nodigde Count Basie, Louis Armstrong, Woody Herman en Dave Brubeck uit voor dat eerste festival en verder had hij nog een All Star Band met Zoot Sims, Gerry Mulligan, Monk, Percy Heath en Connie Kay, later voegde hij mij daaraan toe. Eerst deden ze een paar nummers zonder mij en ik kwam op bij *Now's the Time*, dat aan Bird was opgedragen. Vervolgens vertolkten we *'Round Midnight*, het nummer van Monk. Ik speelde met een demper en iedereen was dolenthousiast. Ik kreeg een langdurige, staande ovatie. Toen ik van het toneel af stapte, gaapte iedereen me aan of ik een koning was of zoiets, allerlei mensen stormden op me af om me platencontracten aan te bieden. Ook de musici deden alsof ik god zelf was en dat allemaal door die ene solo, waar ik vroeger zo'n moeite mee had gehad. Ik vond het te gek, man, de aanblik van al die mensen die me onverwacht een staande ovatie gaven.

's Avonds was er een groot feest in een enorme villa. We gingen er allemaal heen, het zat er stampvol rijke blanken. Ik zat in een hoekje en bemoeide me met niemand, toen Elaine Lorillard, de vrouw die het festival had georganiseerd, op me af kwam met een heleboel van die stompzinnig grijnzende blanken in haar kielzog. Ze zei iets van: 'O, hier zit de boy die zo mooi heeft gespeeld. Hoe heet je?'

Ze stond te lachen alsof ze me een gunst bewees, begrijp je wel. Dus ik keek haar aan en zei: 'Lazer op, ik ben geen boy! Ik heet Miles Davis en ik zou die naam maar onthouden als ik jou was, voor het geval we elkaar nog eens tegenkomen.' En toen liep ik weg en liet hen volkomen verbluft achter. Ik wilde helemaal niet onbeschoft zijn, maar ze noemde mij 'boy' en daar kan ik niet tegen.

Ik ging dus weg, samen met Harold Lovett, met wie ik daarnaartoe was gegaan. We reden met Monk terug naar

New York en dat was de enige keer dat ik ruzie met hem kreeg. In de auto zei hij dat ik 'Round Midnight die avond niet goed had gespeeld. Ik gaf hem gelijk, maar zei dat ik de begeleiding ook waardeloos had gevonden, maar daar had ik toch ook niet over geklaagd, dus wat wilde hij nou? Bovendien was het publiek wel enthousiast, ik had een staande ovatie gekregen. En toen zei ik dat hij misschien wel jaloers was of zo. Ik zei het bij wijze van grap, op een lachende toon. Maar vermoedelijk dacht hij dat ik de draak met hem stak en hem op de kast wilde jagen. Hij vroeg de chauffeur om te stoppen en stapte uit. Omdat ik wist hoe koppig Monk kon zijn – als hij iets in z'n hoofd had gehaald, kon geen span ossen dat er meer uittrekken – zei ik tegen de chauffeur: 'Laat die klootzak maar, hij is niet goed wijs. Rijden maar!' En dat deden we. We lieten Monk achter bij de veerboot en gingen terug naar New York. Toen ik Monk later daarna weer terugzag, deed hij net of er niets aan de hand was. En we hebben er nadien ook geen woord meer over vuil gemaakt.

Na mijn optreden in Newport ging het gesmeerd voor me. George Avakian, de jazzproducer van Columbia Records, wilde me een exclusief contract laten ondertekenen. Ik zei dat ik wel bij Columbia wilde gaan, omdat hij zoveel bood, maar ik verzweeg dat ik nog voor een hele tijd bij Prestige onder contract stond. Toen hij daar achter kwam, probeerde hij met Bob Weinstock tot een overeenkomst te komen, maar Bob vroeg een gigantisch bedrag en nog allerlei dingen meer. Man, ik moet toegeven dat dat gedoe me fascineerde. Die jongens hadden het over geld, *echt* geld, dus begon het er goed uit te zien. Het was een prettig gevoel dat de mensen overal gunstig over je praatten in plaats van je voortdurend af te kammen. Ze vroegen me een groep samen te stellen voor Café Bohemia, een ontzettend populaire nieuwe jazzclub in Greenwich Village. Al die positieve aandacht deed me goed, echt goed.

Ik maakte een plaat met Charlie Mingus, voor zijn Debut-label. Er werd destijds beweerd dat Mingus één van de beste bassisten ter wereld was en hij was ook een heel goede componist. Maar er liep iets mis bij die sessie, het klikte niet, dus zat er weinig vuur in ons spel. Ik weet niet waar het aan lag – misschien aan de arrangementen – maar er zat iets goed fout. Mingus had Elvin Jones als drummer en je *weet* gewoon dat die vent iedereen op kan fokken.

In die tijd was ik aan het repeteren met mijn eigen band, waarmee ik in Café Bohemia aan de slag zou gaan, dus misschien had ik er mijn hoofd niet bij, toen met Mingus. Het werd een groep met Sonny Rollins op tenor, Red Garland op piano, Philly Joe Jones op drums, ikzelf speelde trompet en er kwam een jonge bassist bij, over wie Jackie McLean me had verteld, hij had in het George Wallington Quintet gespeeld en hij heette Paul Chambers. Paul was nog maar een paar maanden in New York, maar hij had al met J.J. Johnson en Kai Winding gewerkt, in de nieuwe groep die zij hadden opgezet. Pauls naam was op ieders lippen. Hij kwam uit Detroit en toen ik hem hoorde spelen, *wist* ik gelijk dat hij het einde was.

We gaven ons eerste concert in Bohemia in juli 1955, geloof ik, en het zat er elke avond vol. Na mijn engagement in Bohemia kwam Oscar Pettiford er optreden, met een kwartet waarin Julian 'Cannonball' Adderley altsax blies. Ik kwam vaak wat drinken in Bohemia met mijn vriendin Susan. En die Cannonball bracht me in extase met zijn blues-interpretaties, terwijl toen nog niemand ooit van hem had gehoord. En iedereen wist onmiddellijk dat deze reus één van de beste spelers was van dat moment. Zelfs de blanke critici raakten niet over zijn spel uitgepraat. Alle platenmaatschappijen zaten achter hem aan. Hij stond in één klap bovenaan.

Maar goed, ik maakte vaak een praatje met hem, want behalve dat hij een ongelooflijk goede altist was, was hij ook gewoon een aardige kerel. Toen hij zo in de schijnwerpers kwam te staan en al die platenmaatschappijen hem probeerden in te lijven, probeerde ik hem uit te leggen wie wie was en met wie je rustig in zee kon gaan en met wie niet. Ik zei dat Alfred Lion betrouwbaar was en bovendien iemand die je je gang liet gaan in de studio. Maar hij luisterde niet naar me. Ik tipte hem ook over John Levy, die zijn manager werd. Hij sloot echter een contract af met Mercury-Emarcy, waar ze hem altijd voorschreven wat hij moest opnemen. Uiteindelijk bracht dat Cannonball zo van de wijs, dat hij nauwelijks nog speelde wat hij eigenlijk wilde of kon. Ze wisten gewoon niet wat ze aan moesten met zijn talent.

Hij was muziekleraar geweest in Florida, waar hij vandaan kwam, dus dacht hij dat niemand hem meer iets kon vertellen over muziek. Ik was een paar jaar ouder dan Cannonball en had al veel langer in de New Yorkse muziekscene meegelopen. Ik had heel veel over muziek opgestoken door gewoon met goede musici op te trekken, zaken die je op geen enkele school kunt leren – daarom was ik ook van Juilliard af gegaan. Maar Cannonball dacht dat hij alles al wist, dus als ik hem iets wilde uitleggen over een paar van die domme akkoorden die hij speelde – ik zei dat hij ze anders moest inzetten – liet hij me gewoon maar wat aan praten. Toch had hij toen al echt goed naar Sonny Rollins geluisterd, dus *wist* hij dat ik met mijn kritiek de spijker op z'n kop sloeg. Nadat ik in een interview, dat kort daarna werd gepubliceerd, had gezegd dat hij niets van akkoorden wist, maar dat hij wel kon spelen, kwam hij zich verontschuldigen dat hij niet naar me had geluisterd toen ik dat voor het eerst tegen hem zei.

De eerste keer dat ik naar hem ging luisteren kon ik hem al bijna in mijn eigen band horen spelen. Je weet wel, hij deed dat blues-achtige en ik hou wel van een beetje blues. Daarbij kwam dat ik me zorgen maakte over de plaats van Sonny Rollins in mijn band. Niet vanwege zijn spel of zo, maar omdat hij het er – alweer – over had om New York voorgoed de rug toe te keren. Dus was ik aan het uitkijken naar een ander, voor het geval dat Sonny weg zou gaan. Maar Cannonball pikte zijn leraarsbaantje in Florida weer op en daar baalde iedereen van. Het jaar daarop kwam hij weer terug.

In augustus, na die serie optredens in Bohemia, dook ik de studio weer in om opnieuw een plaat voor Prestige te maken. Deze keer had ik Jackie McLean op alt, Milt Jackson op vibrafoon, Percy Heath op bas, Art Farmer op drums en Ray Bryant op piano, want ik wilde een bebop-geluid. Ik weet nog goed dat Jackie zo stoned was dat hij bang was om te beginnen. Ik weet niet wat er nou allemaal precies aan de hand was, maar na die keer heb ik nooit meer van Jackies diensten gebruik gemaakt.

We namen twee composities van Jackie op: *Dr. Jackle* en *Minor March*. En toen bij *Bitty Ditty*, een nummer van Thad Jones, kreeg Art problemen met de maat. Ik wist dat hij er wel uit zou komen. Art is een gevoelige jongen en als je niet een beetje voorzichtig met hem omgaat, trekt hij zich dat vreselijk aan. Plotseling komt Jackie naar me toe, in alle staten, en zegt: 'Miles, wat ben je nu aan het doen? Je behandelt me heel anders dan Art als ik het verkeerd doe. Dan zit je er gelijk bovenop. Waarom scheld je Art niet verrot, zoals je bij mij altijd doet?'

Ik kijk 'm eens aan – want Jackie was toch een goede vriend, hoewel we onze eigen weg waren gegaan omdat hij nog steeds drugs gebruikte en ik niet – en ik zeg: 'Wat is er met je aan de hand man, moet je pissen of zo?' Jackie werd zo kwaad dat hij zijn sax pakte en de studio verliet.

Daarom doet hij maar op twee nummers mee van die plaat.

In de periode dat we die plaat opnamen, gebeurde er iets afschuwelijks. Een jonge neger van veertien jaar uit Chicago, Emmett Till, werd in Mississippi gelyncht door een blanke bende, omdat hij iets tegen een blanke vrouw had gezegd. Ze smeten zijn lijk in een rivier. Toen ze hem eruit haalden was hij helemaal opgezwollen. Er stonden foto's van in de krant. Man, wat zag dat er gruwelijk uit en iedereen in New York was er kapot van. Ik werd er misselijk van. Maar het toonde de zwarten weer eens duidelijk hoe de meeste blanken in dit land over hen dachten. Ik zal de foto's van die jongen nooit vergeten, m'n leven lang niet.

Ik was met een aantal clubs overeengekomen om daar vanaf september op te gaan treden en toen het zover was, verdween Sonny Rollins, zoals hij al had aangekondigd. Ze zeiden dat hij in Chicago zat, maar het lukte me niet hem op te sporen. (Later bleek dat hij zich in Lexington had laten opnemen om definitief af te kicken.) Ik zat vreselijk verlegen om een tenorsaxofonist, daarom waagde ik de gok met John Gilmore, die lid was van Sun Ra's Arkestra. Hij was naar Philadelphia verhuisd en Philly Joe kende hem, had een paar keer met hem opgetreden en hij beval hem aan. Hij kwam naar een paar repetities, maar het ging niet goed. Hij paste er gewoon niet in, hij had niet de sound die ik voor mijn band wilde hebben.

En toen kwam Philly Joe met John Coltrane op de proppen. Ik kende Trane al van die keer in het Audubon, een paar jaar geleden. Maar die avond had Sonny hem eruit geblazen. Dus toen Philly vertelde wie hij mee zou nemen, was ik niet erg enthousiast. Maar na een paar repetities – waarbij ik heus wel hoorde dat Trane veel beter was geworden dan op die avond dat Sonny hem het vuur na aan de schenen had gelegd – zei hij dat hij naar huis

287

moest en vertrok. Volgens mij konden we het in het begin niet zo goed met elkaar vinden, omdat Trane altijd van die stomme vragen stelde, wat hij nou wel of niet moest spelen en zo. Man, ga toch gauw, voor mij was hij een professioneel musicus en ik ben altijd van mening geweest dat iemand die met mij wilde spelen zijn eigen plaats in de muziek moest vinden. Dus misschien werd hij afgeschrikt door mijn stilzwijgen en mijn boze blikken.

Het ging dus bijna niet door met de groep toen Trane naar Philadelphia terugging om daar iets met Jimmy Smith te gaan doen. We moesten hem praktisch smeken de band te komen versterken bij het optreden dat we eind september in Baltimore hadden. Ik had namelijk een overeenkomst met de Shaw Artists Corporation gesloten om m'n boekingen te verzorgen, omdat er van de ene op de andere dag veel vraag naar me was. De gebroeders Shaw, Milt en Billy boekten optredens voor mij. Maar ik heb hen van het begin af aan op het hart gedrukt alleen te doen wat *ik* ze vroeg – ze waren blank. Ik was niet van plan om aan hun wensen tegemoet te komen. Want in die tijd commandeerden die blanke lui de zwarten altijd maar van hot naar her en daar moest ik niets van hebben en dat heb ik ze meteen aan hun verstand gebracht.

Ze stelden een gozer, Jack Whittemore, aan om voor mij te werken. Hoewel we na een tijdje goede vrienden werden, liet ik hem door Harold Lovett nauwkeurig in de gaten houden, want afgezien van het feit dat ik hem wel aardig begon te vinden, wilde ik niet dat hij zou proberen me te misbruiken. Jack was degene die mijn eerste tournee met Coltrane organiseerde, een tournee die via Baltimore, Detroit, Chicago en St. Louis weer terug naar New York leidde, waar we in Café Bohemia zouden staan.

Toen dat allemaal geregeld was en Sonny Rollins niet was teruggekomen en Trane in Philadelphia was gaan spelen met de organist Jimmy Smith, zaten we dus zonder tenor. Daarom belde Philly Joe Trane op en vroeg hem met ons mee te gaan. Trane was de enige die alle nummers *kende* en ik kon niet riskeren iemand mee te nemen die de nummers niet onder de knie had. En omdat we een tijdje hadden samengespeeld, wist ik bovendien dat hij verrekte goed was en net dat geluid had dat ik nodig had om het mijne tegen af te zetten.

We hoorden pas later dat Trane had besloten naar ons terug te keren als we hem dat zouden vragen, omdat hij onze muziek beter vond dan die van Jimmy Smith, hij vond dat hij in mijn band veel beter tot zijn recht kwam. Maar dat wisten we toen niet. En hij liet Philly Joe wel even spitsroeden lopen, samen met zijn toenmalige vriendin Naima Grubbs, voordat hij erin toestemde zich in Baltimore bij ons te voegen. En toen we daar waren en hij er ook was, trouwde hij met Naima, met ons allemaal als getuigen, de hele band, man. Als groep konden we het zowel op het podium als daarbuiten goed met elkaar vinden.

Nu hadden we dus Trane op sax, Philly Joe op drums, Red Garland op piano, Paul Chambers op bas en mezelf op trompet. En eerder dan ik ooit had kunnen bevroeden werd de muziek die we speelden gewoonweg ongelooflijk goed. Het ging zo lekker dat ik er op sommige avonden weleens kippenvel van kreeg en dat was bij het publiek net zo. Man, de muziek die we na een poosje speelden was gewoon griezelig goed, zo goed dat ik mezelf weleens in m'n arm kneep om te controleren of het wel echt was. De criticus Whitney Balliet zei niet lang na het begin van de samenwerking tussen Trane en mij dat Coltrane een 'droge, ongepolijste toon bezat, die contrasteerde met die van Davis als een ruw stuk rots met een edelsteen'. Maar het duurde niet lang voordat Trane veel meer was dan dat. Na een tijdje was hij zelf een diamant en ik wist het en ieder ander die hem hoorde wist het ook.

24 *The Bird of the Cool.* Voor Capitol namen we *Budo* op tijdens een sessie in januari 1949. Bij de opname kwamen Gerry Mulligan, Lee Konitz en Kai Winding met elkaar in contact.

25

25 Al Haig speelde piano. Ikzelf kwam steeds meer terug van de
harde bebop-sound.

26 Ik verliet het land voor het eerst met de groep van Tadd
Dameron. We vertrokken naar Parijs in 1949. Daar heb ik
Juliette Greco ontmoet die iedere avond kwam luisteren, en we
werden verliefd.

27 Kenny Clark – we noemden hem 'Klook' – was drummer van
de band in Frankrijk, waar al deze opnames zijn gemaakt.

26

27

28

29

30

28 Een optreden in de Hi Hat Club in Boston. Ik uiteraard op
trompet. De vogel aan de microfoon is Symphony Sid, een
klootzak die ik nooit gemogen heb.

29 First Lady of Jazz. Billie Holiday was al bijna aan het eind van
haar carrière toen ik haar ontmoette, maar ik vond het heerlijk om
naar haar te luisteren.

30 Ahmad Jamal. Door mijn zusje Dorothy raakte ik
geïnteresseerd in Ahmad. Ik hield van zijn lichtvoetigheid
en understatement. Hij heeft een geweldige invloed op mijn
manier van spelen gehad.

31 Sonny Rollins. Een schitterende saxofonist. Toen ik een junkie was, trokken we vaak samen op in Harlem.

32 Jackie McLean. Tijdens het hoogtepunt van mijn verslaving, begin jaren vijftig, was hij mijn beste vriend. Jackie, Sonny en ik speelden samen in de Miles Davis All Stars, de groep die ik toen nog leidde.

33, 34 Ik denk dat geen enkele groep zulke fantastische saxofonisten had als Cannonball Adderley en John Coltrane.

35 Trane, Cannonball en ikzelf.

36 Philly Joe Jones was drummer op *Milestones*
en het kwintet klonk fantastisch.
Toen ik die plaat hoorde, wist ik dat we iets speciaals hadden.

37 Toen we met de opnamesessies voor *Kind of Blue* startten,
droeg ik alleen de thema's aan. Ik schreef de muziek niet uit,
omdat ik wilde dat men spontaan zou reageren.

38 Na de hele zomer van 1956 in Café Bohemia te zijn opgetreden,
gingen we terug naar de studio en namen we *'Round Midnight* op.
De melodie was een eerste opname voor de plaat *'Round about
Midnight*.

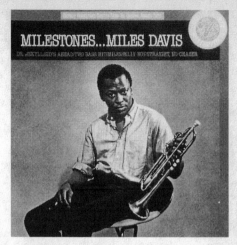

36

37

38

39 Charlie Mingus was één van de grootste bassisten en een geweldige componist. Hij was, net als ik, een vernieuwer en veranderde steeds van stijl – maar toch herkenbaar.

40 Voor de deur bij Birdland zei een blanke politieagent dat ik moest oprotten. Ik weigerde en het eind van het liedje was een bloedend hoofd en een proces wegens openlijke geweldpleging.

41 Hier kom ik net uit de gevangenis. Ik ben met mijn vrouw Frances en mijn advocaat Harold Lovett.

40

41

42

43

44

42-44 Een compositie van Joaquin Rodrigo, *Concierto de Aránjuez* was de aanleiding voor de plaat *Sketches of Spain* die Gil Evans en ik samen maakten. Gil was heel belangrijk voor mij als vriend en als musicus. Hij was de enige die meteen begreep wat ik muzikaal bedoelde.

45

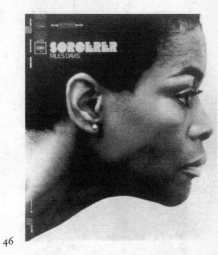

46

45  Deze foto van Frances en mij werd in onze tuin genomen,
ongeveer een week voordat ze mij definitief verliet.

46  Ik ontmoette Cicely Tyson in 1966 of 1967. Ze had een
zelfbewuste blik en een soort innerlijk vuur.

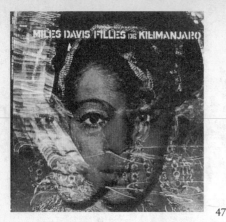

47

47, 48  Cicely en ik gingen uit elkaar toen ik Betty Mabry
ontmoette, een schitterende zangeres die ook songs schreef.
U ziet haar foto op de platenhoes en we noemden een
nummer naar haar: *Mademoiselle Mabry.*

49 Ornette Coleman verscheen rond 1960 op het toneel en zette de hele jazzwereld op z'n kop. Ik kwam vaak luisteren naar Ornette en vond hem niet zo bijzonder, vooral niet als hij 'zonder enige voorbereiding' trompet ging spelen.

50 Clive Davis was directeur van Columbia Records. Na wat moeilijkheden in het begin, konden we goed met elkaar overweg, want hij dacht als een artiest.

51 Teo Macero die mijn producer bij Columbia werd.

## 10

De groep die ik had met Coltrane, maakte ons allebei tot een legende. Ik verwierf me echt een belangrijke plaats in de muziekgeschiedenis met al die prachtige platen die we voor Prestige maakten en later voor Columbia Records – George Avakian had tenslotte zijn zin gekregen. Die groep maakte me niet alleen beroemd, maar markeerde ook het begin van een tijd waarin ik veel geld ging verdienen – meer geld naar men zegt dan enig ander jazzmusicus ooit heeft verdiend. Ik weet niet of het waar is, maar dat is wat ze zeggen. We kregen ook veel bijval in de pers, omdat de meeste critici weg waren van de band. Ze hielden van het meeste wat ik speelde en ook van dat van Trane en ze maakten sterren van alle bandleden, van Philly Joe, van Red, van Paul, van ons allemaal.

Waar we ook maar speelden, de clubs zaten stampvol, de mensen stonden tot op straat, in lange rijen in de regen en de sneeuw en de kou of de hitte. Dat was nog eens wat. En avond aan avond kwamen er beroemdheden naar ons luisteren. Mensen als Frank Sinatra, Dorothy Kilgallen, Tony Bennett (die op een avond op het podium klom en meezong), Ava Gardner, Dorothy Dandridge, Lena Horne, Elizabeth Taylor, Marlon Brando, James Dean, Richard Burton, Sugar Ray Robinson, noem maar op.

En tegelijk met al die goede kritieken leek er wel een frisse wind door het land te waaien, er groeide een nieuw bewustzijn onder de mensen, zwarten zowel als blanken. Martin Luther King leidde de busboycot in Montgomery, Alabama, en alle zwarten stonden achter hem. Marian Anderson was de eerste zwarte die de Metropolitan Opera zong. Arthur Mitchell was de eerste zwarte die bij een belangrijk blank gezelschap danste, namelijk bij het New York City Ballet. Marlon Brando en James Dean waren de nieuwe filmhelden en hun opstandige jonge 'angry young man' image werkte in hun voordeel. *Rebel Without a Cause* was toen een populaire film. Zwarten en blanken gingen meer en meer samenwerken en in de muziekwereld zag je steeds minder Oom Tom figuren. Plotseling was het mode om geëngageerd te zijn en cool en hip en subtiel en scherpzinnig. Ik voelde me op en top 'rebel' en volgens mij was ik mede daardoor zo in trek bij de media. En daarbij was ik uiteraard ook nog jong en knap en ik ging goed gekleed.

Het feit dat ik opstandig was en zwart, een non-conformist, of cool en hip, geëngageerd en subtiel, of super-flitsend, hoe je het ook maar wilt noemen, droeg z'n steentje daartoe bij. Maar ik speelde ook mijn kloten eraf op mijn trompet en ik had een fantastische groep, dus de erkenning die ik kreeg was niet alleen maar gebaseerd op dat image van een rebel. Ik speelde trompet en was leider van de beste band van dat moment, een band die creatief was en vol verbeeldingskracht zat, ingespeeld en artistiek als geen ander. En volgens mij bezorgde dat ons die waardering.

Tijdens onze eerste tournee, toen Coltrane in september 1955 bij de groep was gekomen, hadden we een hoop lol. We gingen samen stappen, uit eten, we maakten Detroit onveilig. Paul Chambers kwam uit Detroit en ik had er gewoond, dus het was alsof we thuiskwamen. Mijn vriend Clarence, die van die illegale loterij, nam al z'n jongens elke avond mee naar de show. Daarna gingen we naar Chicago om in de Sutherland Lounge op te treden aan de South Side. Dat was ook te gek, omdat ik daar veel mensen kende, onder wie mijn zuster, die daar woonde en les gaf. Ze bracht ook veel mensen mee om naar ons te luisteren.

De enige domper gedurende die hele eerste trip was dat Paul Chambers het aanlegde met de ex-vrouw van Bird, Doris Sydnor, ze sliepen in haar hotelkamer in het Sutherland Hotel. Ik verzocht Paul die teef uit mijn buurt te houden, hij kon doen en laten wat hij wilde, als hij mij maar buiten het gescharrel van haar hield, want ik kon haar aanblik alleen al niet verdragen. Dus hield hij haar bij zich toen we daar waren. Ik denk dat hij wel een beetje teleurgesteld was dat ik Doris niet mocht. Hij dacht waarschijnlijk dat hij goede sier met haar kon maken, dat ze hem aanzien gaf omdat ze Birds ex-vrouw was. Maar man, wat was dat mens lelijk, ik heb nooit begrepen wat Bird in haar zag – en ook niet wat zo'n knappe lange jongen als Paul in haar zag. Maar ik vermoed dat ze iets had wat je er aan de buitenkant' niet van af kon zien. Misschien was ze wel fantastisch in bed.

Van Chicago gingen we naar St. Louis om in Peacock Alley te spelen. Je begrijpt dat *ik* het daar naar mijn zin heb gehad, maar de rest ook. Het leek wel of East St. Louis helemaal leeggelopen was om mij te zien, die week in het midden van oktober. Alle jongens met wie ik op school had gezeten waren van de partij, het was een groot succes.

Ik was blij voor mijn familie dat ze konden zien dat het goed met me ging, van de drugs af en ik zag er verzorgd uit, was leider van een band en verdiende wat geld. Ik kon merken dat mijn vader en moeder trots op me waren, vooral toen ik ze vertelde over al die platencontracten die ik bij Columbia en zo had lopen. Columbia betekende alles voor ze en ook voor mij. Dus alles ging fantastisch toen ik in St. Louis was – dat ging het trouwens die hele tournee.

Ik geloof dat veel mensen verwacht hadden dat Sonny Rollins in de band zou zitten. Niemand in St. Louis had ooit van Trane gehoord, daarom waren de mensen teleurgesteld, totdat hij aan het spelen sloeg. Toen ging iedereen uit z'n bol, op een paar mensen na, die niets van hem moesten hebben.

Toen Sonny weer uit Lexington naar New York kwam, had Trane zich een vaste plaats in de band veroverd, hij zat stevig op de stoel die eigenlijk voor Sonny was gereserveerd. En zijn spel was inmiddels zo overdonderend dat zelfs Sonny's stijl achterhaald klonk, hij voelde zich gedwongen om 'm te herzien, terwijl hij toch een grootse stijl bezat. Maar hij kon helemaal opnieuw beginnen, hij ging zelfs een paar keer Brooklyn Bridge op – dat wordt tenminste beweerd – om op een privé-stekkie te kunnen oefenen.

Toen we in New York terugkwamen en in Café Bohemia gingen spelen, in Barrow Street in de Village, draaide de band fantastisch en Trane bleef als een bezetene blazen. George Avakian van Columbia Records kwam haast elke avond luisteren. Hij was er weg van, vond het een geweldige groep, maar hij was vooral verliefd op de manier waarop Coltrane toen speelde. Ik weet nog dat hij me op een avond toeschreeuwde dat Trane 'wel langer en breder leek te worden bij elke noot die hij speelde', dat hij 'ieder akkoord tot z'n uiterste grenzen oprekte, tot ver in de ruimte'.

Maar hoe geniaal Trane ook was, Philly Joe was de motor achter bijna alles wat er zich afspeelde. Kijk, hij *wist* exact wat ik allemaal ging doen, voorzag alles wat ik wilde spelen, hij anticipeerde daarop, voelde aan wat ik dacht. Soms vroeg ik hem zijn licks niet tegelijk met mij ten beste te geven, maar ná mij. En zo werd dat wat hij dan altijd deed nadat ik had geblazen – die haal over het vel van zijn drum – bekend als de 'Philly-lick' en hij werd er beroemd om, het bracht hem aan de top van de drum-wereld. Nadat hij daar bij mij mee was begonnen, hoor-de je vaak jongens in andere bands tegen hun drummers zeggen: 'Man, geef me die Philly-lick als ik ben uitge-speeld.' Maar ik gaf Philly in mijn muziek altijd veel ruimte om op te vullen. Philly Joe was het soort drum-mer waaraan mijn muziek volgens mij behoefte had. (Zelfs nadat hij was opgestapt, luisterde ik altijd of ik iets van Philly Joe kon herkennen in de drummers die ik later had.)

Philly Joe en Red Garland waren even oud, een jaar of drie ouder dan ik. Coltrane en ik waren van hetzelfde jaar, ik was iets ouder. Paul Chambers was de benjamin van de groep, hij was pas twintig, maar hij speelde alsof hij nooit anders had gedaan. Dat deed Red trouwens ook, hij was verantwoordelijk voor die lichte aanslag van Ahmad Jamal en voor een vleugje Erroll Garner, samen met zijn eigen interpretatie.

Waar ik dat jaar het meest van opkeek was dat Colum-bia me een voorschot van $4000 gaf voor de eerste plaat die ik bij hen zou maken plus daarna $300 000 per jaar. Maar Prestige wilde me niet kwijt, niet nadat ze het met mij hadden aangedurfd toen niemand anders me wilde, dus moest ik mijn contract voor nog ongeveer een jaar bij Prestige uitdienen. Columbia wilde gelijk met de op-names beginnen en op de een of andere manier, ik weet niet meer onder welke voorwaarden, haalde George Ava-kian Bob Weinstock over om me na een halfjaar bij hem te laten gaan opnemen, met de belofte dat Columbia niets zou uitbrengen tot ik mijn contractuele verplich-tingen met Prestige was nagekomen. Intussen was ik Prestige nog vier platen schuldig, die ik het jaar daarop voor ze maakte (uiteindelijk bleek de muziek die ik nog voor Prestige opnam vijf en een halve plaat te vullen). We begonnen eind oktober 1955 met het opnemen voor Columbia, nog tijdens ons engagement in Café Bohemia, maar die nummers werden dus later uitgebracht, na mei 1956, zoals afgesproken. George dacht dat Prestige me zou laten gaan, maar daar piekerde Bob niet over.

Ik wilde wel weg bij Prestige, omdat ze maar een schijntje betaalden, niet wat ik volgens mij waard was. Ze hadden me voor een paar rotcenten gecontracteerd toen ik nog een junkie was en nauwelijks iets extra's gegeven. Toen het gerucht de ronde deed dat ik bij Bob weg zou gaan, vonden veel mensen me harteloos, omdat hij al die platen met me had gemaakt op een moment dat niemand anders me zag zitten. Maar ik moest vooruit kijken en aan m'n toekomst denken en in mijn optiek kon ik het geld dat Columbia me bood niet afslaan. Ik zou daar gek geweest zijn. En daarbij, 't kwam allemaal uit de zak van de blanken, dus waarom zou ik me schuldig moeten voelen omdat ik pakte wat ik kon? Ik waardeerde alles wat Bob Weinstock en Prestige tot zover voor me hadden gedaan. Maar nu Columbia me zoveel geld en zoveel mogelijkheden bood, was het tijd om verder te kijken dan mijn neus lang was.

In november ging ik de studio in om mijn verplichtingen tegenover Prestige na te komen. Bij de sessie namen we *There Is No Greater Love* op en *Just Squeeze Me, How Am I to Know?, Stablemates, The Theme* en *S'posin'*, allemaal klassiekers, de verzameling kreeg de titel *Miles*. Iedereen heeft lang gedacht dat het hier om de allereerste opnames van de band ging, omdat we de eerste Columbia-sessie geheim hadden gehouden. Die plaat voor Prestige was aardig, maar was niets vergeleken bij wat we bij de volgende sessies voor ze in petto hadden.

In het begin van 1956 had ik veel lol in het spelen met mijn groep en ik genoot er ook van om naar hun individuele prestaties te luisteren. Maar de eigenaars van de clubs betaalden nog altijd dezelfde kleine gages als vroeger. Dus zei ik tegen Jack Whittemore dat we meer wilden vangen, omdat de clubs altijd vol zaten. Eerst sputterden de eigenaars tegen, maar daarna kwamen ze toch over de brug. Ik liet Jack ook weten dat ik niet langer 'veertig-twintig' sets zou spelen, zoals de clubeigenaars altijd verlangden. Ze wilden dat je je sets twintig minuten na het hele uur begon en dat je dan het uur vol speelde, om dan twintig minuten later weer terug te komen voor een volgende set. Soms draaide het erop uit dat je op die manier vier of vijf sets per avond speelde en zo moe werd als een hond. Dat is één van de redenen waarom er drugs werden gebruikt, vooral cocaïne, omdat het speelschema zo vermoeiend was. Op een gegeven moment zei ik tegen een uitbater in Philadelphia dat ik niet meer dan drie sets zou spelen, daar zou het bij blijven. Hij zei dat hij daar niet mee akkoord ging, daarom vroeg ik hem het optreden af te blazen. Maar hij veranderde wel van gedachten toen hij de rijen voor de club zag staan.

En dan was er nog dat concert dat we in die periode gaven, waarin we ongeveer $1000 per avond kregen. De organisator heette Robert Reisner (aan wie ik ooit eens $25 had gevraagd, als reserve, omdat hij me gevraagd had bij een zogenaamde 'Open Sessie' te willen spelen, die hij toen op poten zette en waar ik de hele dag zonder te spelen had gezeten). Later schreef hij een waardeloos boek over Bird. Maar goed, die Reisner wilde een extra optreden toen de eerste in een mum van tijd uitverkocht bleek te zijn. En hij bood Jack Whittemore $500 voor de tweede show. Ik zei tegen Jack dat daar niets van inkwam, het zou een uitverkocht huis worden en waarom zou ik daar op mijn trompet gaan staan blazen voor de helft van het geld dat ik met het eerste concert had verdiend? Ik stelde Jack voor dat hij tegen die gozer zou zeggen dat hij de helft van de Town Hall, waar het concert zou plaatsvinden, met touwen moest afzetten als hij me de rest van het geld niet wilde geven. Toen dat de organisatie ter ore kwam, kwamen ze met de andere helft van het geld op de proppen.

Maar zo gingen de organisatoren en clubeigenaars in die tijd met jazzmusici om, vooral als het zwarten waren. Maar nu we overal waar we speelden goed waren voor winst, gaven ze toe aan onze eisen. Daarom had ik de reputatie dat ik lastig was. Ik stond op mijn rechten en liet niet over me lopen. Ik liet Harold Lovett veel van dat soort zaakjes voor me regelen, en met hem viel niet te spotten. Alle eigenaars hadden ontzag voor hem. Harold knapte heel wat zaakjes voor me op en ik kwam erachter hoe belangrijk het is een goede advocaat te hebben, die je kunt vertrouwen en bij wie je altijd terecht kunt. En vanaf die tijd heb ik er altijd eentje gehad.

Op een keer sloeg ik zo'n organisator, ene Don Friedman, knock-out. Dat was overigens veel later, in 1959. Hij wilde me namelijk een boete van $100 opleggen omdat we te laat zouden zijn, terwijl we volgens het rooster nog niet eens op hoefden. Maar nadat ik Don had neergeslagen, riep ik Harold erbij. Harold kon iedereen plat lullen en daarmee dus de dingen weer gladstrijken en dat deed hij toen ook. Een tijdje daarvoor had ik een optreden in Toronto afgezegd, omdat de eigenaar van de club, die niet gecharmeerd was van het spel van Philly Joe, wilde dat ik hem ontsloeg. Trane en Paul Chambers waren al onderweg naar Toronto, dus toen ze daar kwamen konden ze nergens optreden. Oei, wat waren die boos op mij. Maar ik verklaarde hun mijn beweegredenen en toen begrepen ze het.

Vlak na het incident in Toronto, in februari of maart 1956, onderging ik mijn eerste keeloperatie en moest toen tijdens mijn herstelperiode de groep ontbinden. Er werd een goedaardig gezwel van mijn strottehoofd verwijderd. Ik had daar al een poosje last van. Toen ik uit het ziekenhuis kwam, liep ik zo'n platenjongen tegen het lijf die me probeerde over te halen een contract met hem af te sluiten. In de loop van het gesprek ging ik luider praten om hem iets duidelijk te maken en daarmee verknalde ik mijn stem. Ik mocht eigenlijk de eerste tien dagen niet eens praten en toen stond ik niet alleen te praten, maar zelfs te schreeuwen. Daarna kreeg mijn stem die fluistertoon, die ik nooit meer ben kwijtgeraakt. Eerst was ik me er voortdurend van bewust, maar later legde ik me erbij neer en ging het bij me horen.

Ik zou in mei weer voor Prestige gaan opnemen, maar in die tussentijd kon ik het voor het eerst weer een beetje rustig aan doen. Ik had een witte Mercedes Benz gekocht en ik verhuisde naar Tenth Avenue nummer 881, in de buurt van 57th Street. Het was een enorme kamer met een keuken, heel leuk, vooral voor een vrijgezel. John Lewis woonde in hetzelfde gebouw en Diahann Carroll en Monte Kay woonden op dezelfde verdieping pal tegenover me. Ik verdiende behoorlijk in die tijd, maar niet zoveel als ik vond dat ik zou moeten verdienen. Dave Brubeck verdiende in die tijd veel meer. Maar ik kleedde me weer heel goed: pakken van Brooks Brothers en Italiaanse maatkostuums. Ik weet nog dat ik er op een avond zo keurig uitzag, dat ik mezelf maar bleef bewonderen in de spiegel. Harold Lovett was erbij. Ik moest die avond optreden en hij zou meegaan. Dus zei ik tegen hem: 'Man, ik zie er piekfijn uit in dit blauwe pak.' Hij knikte en ik voelde me zo in de wolken, dat ik de deur uitstapte en mijn trompet vergat. Ik liep naar buiten, helemaal verrukt van mezelf, toen Harold me achterna riep: 'Hé, Miles, denk je dat de mensen alleen maar naar Bohemia komen om je uiterlijk te bewonderen zonder je trompet?' Ik moest wel lachen.

Ik ging met Susan en met wel honderd andere vrouwen, tenminste daar leek het op in die tijd. Maar Frances Taylor, de danseres die ik in 1953 in Los Angeles had ontmoet, kon ik nog steeds niet uit mijn hoofd zetten. Ik zag haar af en toe eens, maar ze was altijd onderweg naar plaatsen waar ze moest dansen. Ik was me ervan bewust dat ik haar heel graag mocht, maar ze bleef gewoon nooit lang in de buurt. Eigenlijk zat ik te wachten tot ze in New York zou komen wonen: ze zei dat ze dat graag wilde.

In de lente van 1956 maakte ik een plaat met Sonny Rollins, Tommy Flanagan (het was op Tommy's verjaardag), Paul Chambers en Art Taylor. Dat was die halve sessie die ik Prestige nog schuldig was. In mei haalde ik mijn gewone band weer bij elkaar, met Trane, Red, Philly Joe en Paul en we maakten nog een plaat voor Prestige in de studio van Rudy Van Gelder in Hackensack, New Jersey. Ik kan me die keer nog goed herinneren omdat we zo lang bezig waren en omdat we zo goed speelden. We zetten alles er in één keer op, net of we live in een nachtclub opnamen. Dat is die plaat waarop je Trane kunt horen zeggen: 'Mag ik een flesopener?' En dan aan Bob Weinstock vraagt: 'Hoe ging het, Bob?' En 'Waarom?', nadat Bob me voor de grap had gezegd dat we een nummer over moesten doen. In de maand daarop slopen we de Columbia-studio weer in en namen nog drie of vier nummers voor ze op, die later uitgebracht werden op *'Round About Midnight*, mijn eerste platenalbum voor Columbia.

Toen ik de band weer bij elkaar had, gingen we terug naar Café Bohemia, van het vroege voorjaar tot de late herfst van 1956 en we trokken elke avond volle zalen. Van het geld dat ik toen verdiende kon ik Irene de alimentatie voor onze drie kinderen sturen, dus viel zij me niet meer lastig. En door het spelen in Café Bohemia in de Village kwam ik ook in contact met een ander soort publiek. In plaats van tussen de pooiers en hoeren te zitten, zat ik nu tussen allerlei artiesten – dichters, schilders, acteurs, vormgevers, cineasten, dansers. Ik hoorde praten over mensen als Allen Ginsberg, LeRoi Jones (de huidige Amiri Baraka), William Burroughs (die *Naked Lunch* zou schrijven, een roman over een junkie) en Jack Kerouac.

In juni 1956 kwamen Clifford Brown en Richie Powell, de pianist, het jongere broertje van Bud Powell, samen om bij een auto-ongeluk. Wat was dat triest, ze waren nog zo verdomde jong. Brownie was nog niet eens zesentwintig. Iedereen was laaiend enthousiast over die jonge trompettist, die in Philadelphia en omgeving speelde en die zo steengoed was. Ik geloof dat ik hem voor het eerst hoorde toen hij in het orkest van Lionel Hampton zat en toen wist ik al dat hij goed zou worden. Hij had een eigen manier van spelen en als hij in leven was gebleven had er heel wat uit kunnen groeien. Ik heb weleens ergens gelezen dat ik en Brownie niet met elkaar konden opschieten omdat we concurrenten waren. Daar klopt geen moer van. We waren allebei trompettisten en we probeerden zo goed mogelijk te spelen. Brownie was een prachtvent, vriendelijk en hip, gewoon prettig gezelschap. Hij leefde sober en ging niet vaak uit. We konden uitstekend met elkaar overweg, hij had respect voor mij en ik ook voor hem. We waren geen maatjes of zo, maar we hadden geen hekel aan elkaar. Max Roach was helemaal van slag door Brownies dood, want hij en Brownie hadden samen een heel goede groep, maar nu Richie en Brownie er niet meer waren, moest Max die opheffen. Hij was echt van de kaart en ik geloof niet dat hij sindsdien z'n oude niveau nog heeft gehaald. Hij en Brownie waren voor elkaar geschapen, hun speelstijl kwam zo overeen: heel vlug, zodat ze elkaar konden aanvullen. Ik ben altijd van mening geweest dat goede trompettisten goede drummers nodig hebben om hun ei kwijt te kunnen, voor mij heeft het altijd zo gelegen. Max vertelde me altijd hoe plezierig hij het vond samen te werken met Brownie. Zijn dood greep Max erg aan en het duurde lang voordat hij eroverheen was.

Ons contract voor de zomer met Café Bohemia was bijna afgelopen. Eind september zaten we weer in de Columbia-studio om *'Round Midnight* en *Sweet Sue* op te nemen (wat door Teo Macero werd gearrangeerd, die later mijn producer bij Columbia zou worden). Teo had dat nummer van Leonard Bernstein, die ook had geprobeerd een jazzplaat te maken, *What Is Jazz?*, maar Teo kende het in de versie van Bix Beiderbecke. Ik nam bij deze sessie ook *All of You* op. Zo zetten we daar twee prachtige ballads – *All of You* en *'Round Midnight* – op de band, die op de plaat *'Round About Midnight* terechtkwamen. *Sweet Sue* verscheen op *Basic Miles*.

Vervolgens deed ik een paar nummers als sectielid, met een groep die zich The Brass Ensemble of the Jazz en Classical Music Society noemde. Ik was daarbij de voornaamste solist en het label waarvoor we opnamen was Columbia. Een paar dagen later nam ik Trane, Red, Philly Joe en Paul mee naar de studio voor mijn laatste opnames voor Prestige. Zoals meestal gingen we naar de studio van Rudy Van Gelder in Hackensack. Dat was de keer dat we – in één lange sessie – *My Funny Valentine, If I Were a Bell* en al die andere nummers opnamen, die verschenen op de platen *Steamin', Cookin', Workin'* en *Relaxin'* van Prestige. Al die platen kwamen eind oktober 1956 uit. Op al die sessies maakten we echt goede muziek en ik ben daar nog steeds trots op. Maar hiermee was mijn contract met Prestige afgelopen. Ik wilde hogerop.

Toen ik een poosje in de muziekwereld had rondgelopen, zag ik wat er met andere grote musici gebeurde, bijvoorbeeld met Bird. Eén van de belangrijkste dingen die ik leerde was dat succes in die wereld altijd afhankelijk is van de verkoopcijfers van je platen, hoeveel geld je verdient voor de lui die de touwtjes in handen hebben. Je kunt nog zo'n geniaal musicus zijn, maar als je geen geld in het laatje brengt van de blanke bazen, ben je niet interessant. En het echte geld zit bij het grote publiek van Amerika en Columbia Records bediende dat grote publiek. Prestige niet, daar maakten ze fantastische platen, maar niet voor het grote publiek.

Als vakman en als artiest heb ik met mijn muziek altijd zoveel mogelijk mensen willen bereiken. En daar heb ik me nooit voor geschaamd. Ik heb nooit het idee gehad dat de muziek die we 'jazz' noemen maar voor een beperkt aantal mensen is bedoeld, of in het museum thuishoort, achter slot en grendel in een vitrine, net als andere dode dingen die ooit als kunst werden beschouwd. Ik ben altijd van mening geweest dat jazz zoveel mogelijk mensen zou moeten bereiken, net als de zogenaamde populaire muziek en waarom ook niet. Ik heb nooit tot diegenen behoord die denken dat minder ook beter betekent, hoe minder mensen er naar je luisteren, des te beter ben je, omdat de goegemeente wat je doet te ingewikkeld vindt om te begrijpen. Maar stiekem willen die lui ook net zoveel mensen aanspreken als ze maar kunnen. Ik zal geen namen noemen, die doen er niet toe. Maar volgens mij kent muziek geen beperkingen, er zijn geen grenzen waarbuiten muziek zich niet zou mogen begeven, geen beperkingen voor creativiteit. Goede muziek is goed, ondanks het genre. Ik heb altijd een hekel gehad aan die hokjesgeest. Altijd. Daarvoor is mijns inziens geen plaats in de muziek.

Ik heb me er daarom ook nooit aan gestoord dat veel mensen mij gingen waarderen. Dat de muziek die ik maakte populair werd, betekende hoogstens dat mijn muziek minder complex was dan die van anderen, die minder succes hadden. Maar mijn muziek werd niet meer of minder waard door populariteit. In 1955 bood Columbia mij de gelegenheid om meer luisteraars te bereiken en die kans greep ik met beide handen aan en daar heb ik nooit spijt van gehad. Het enige dat ik wilde was op mijn trompet blazen en muziek maken, kunst voor mijn part, meedelen wat ik voelde door middel van muziek.

En inderdaad, het in zee gaan met Columbia betekende ook meer geld, maar wat is erop tegen om betaald te worden voor wat je doet, goed betaald overigens? Ik heb aan den lijve ondervonden wat armoede is toen ik verslaafd was aan de heroïne, en dat hoefde voor mij echt niet meer. Zolang ik van de blanke wereld kon krijgen wat ik nodig had, op mijn eigen voorwaarden, zonder mezelf te hoeven verkopen aan al die lui, die me het liefst uit zouden willen buiten, had ik daar geen problemen mee. Als je je eigen toekomst creëert, man, dan is geen berg te hoog.

Omstreeks die tijd ontmoette ik een blanke vrouw, die ik Nancy zal noemen. Ze kwam uit Texas en was een dure call-girl; ze woonde in Manhattan, in een prachtige flat die uitkeek op Central Park. Ik leerde haar kennen door een zwarte entertainer, die Carl Lee heette en die in Café Bohemia werkte. Ze werd verliefd op me. Ze was een geweldig stuk, had overal een mening over en was erg eigenwijs. Ook tegen mij (hoewel ze me meestal wel m'n zin gaf). Ze was een knappe, kleine vrouw, met donker haar en heel sensueel. Nancy was een kanjer en ze was een van de mensen die me van de drugs afhielden..

Nancy werkte nooit op straat, haar klanten kwamen altijd uit de hoogste kringen, het waren heel belangrijke mannen – blanken over het algemeen – ik zal hun namen niet noemen. Laten we maar zeggen dat ze tot de machtigste en rijkste mannen van dit land behoorden. Maar ze waren echt op haar gesteld en toen ik haar beter leerde kennen, begreep ik ook waarom. Ze was warm, zorgzaam en heel intelligent en heel erg knap en sexy, het soort vrouw dat nu eenmaal door mannen wordt begeerd. Ze was geweldig in bed, zo gepassioneerd en goed dat het je bijna aan het janken maakte. Ze hield echt van me en ik hoefde nooit een stuiver te betalen als ik naar haar toe ging. Ze werd een goede vriendin, ze begreep precies wat ik voelde en wilde. Ze stond voor 150 procent achter me.

Ze heeft me heel wat keertjes uit de nesten gehaald in de tijd dat we met elkaar omgingen. Als ik rondreisde om op de bonnefooi op te treden en ergens vastzat, belde ik Nancy en dan zei ze: 'Maak dat je daar wegkomt! Hoeveel geld heb je nodig?' En wat ik dan ook nodig had, ze stuurde het me altijd meteen.

Na die laatste opnames voor Prestige in oktober 1956 begonnen we weer in Café Bohemia en daar verloor ik mijn geduld met Trane. Ik had me al een tijdje zitten te verbijten. Man, het was vreselijk om te zien hoe slecht Trane zichzelf verzorgde, hij was zwaar aan de heroïne en hij dronk ook veel te veel. Hij kwam vaak te laat of viel in slaap op het podium. Op een avond werd ik zo kwaad op hem, dat ik hem in de kleedkamer een oorvijg verkocht en hem een stomp in zijn maag gaf. Thelonious Monk, die naar de kleedkamer was gekomen om ons te begroeten, zag wat ik deed. Toen Monk in de gaten kreeg dat Trane niets terugdeed, maar als een groot kind bleef zitten, wond Monk zich daar vreselijk over op. Hij zei tegen Trane: 'Kerel, zo'n goeie saxofonist als jij hoeft zoiets niet te pikken, je kunt zo bij mij komen spelen. En jij, Miles, jij mag hem niet zo toetakelen.'

Ik was zo kwaad dat het me geen moer kon schelen wat Monk allemaal zei, om te beginnen waren het zijn zaken niet eens. Ik ontsloeg Trane diezelfde avond nog en hij ging terug naar Philadelphia om te proberen af te kicken. Ik baalde ervan dat ik hem liet vertrekken, maar ik wist niet wat ik onder die omstandigheden nog had kunnen doen.

Ik verving Coltrane door Sonny Rollins en speelde de week in Bohemia uit. Onmiddellijk daarop ontbond ik de band en pakte het vliegtuig naar Parijs, waar ze me samen met Lester Young als hoofdattractie hadden uitgenodigd voor een all star groep met het hele Modern Jazz Quartet (Percy Heath, John Lewis, Milt Jackson en Connie Kay) en een stel Franse en Duitse musici. We speelden in Amsterdam, in Zürich, in Freiburg en Parijs.

In Parijs zocht ik Juliette Greco op, die inmiddels een beroemde zangeres en filmster was. Eerst aarzelde ze of ze me wel wilde zien – dat kwam door de manier waarop ik haar toen in New York had behandeld – maar toen ik had uitgelegd waar dat aan had gelegen vergaf ze me en konden we het weer uitstekend met elkaar vinden, net als in het begin. En uiteraard ontmoette ik ook Jean-Paul Sartre weer en we genoten ervan om bij iemand thuis te zitten praten, of op een terras. We spraken een mengelmoes van gebroken Engels, gebroken Frans en gebarentaal.

Na ons concert in Parijs gingen veel musici naar de Club St. Germain, een hippe jazztent op de Linkeroever. Ik nam Juliette mee en we luisterden naar Don Byas, de fantastische zwarte Amerikaanse saxofonist, die daar die avond optrad. Volgens mij waren alle leden van het MJQ er en Kenny Clarke ook. Maar goed, Bud Powell en zijn vrouw Buttercup kwamen bij ons zitten. We vonden het allemaal fijn om Bud te zien. Hij woonde nu voorgoed in Parijs. Bud en ik waren echt dolgelukkig elkaar weer te ontmoeten, we omarmden elkaar en gedroegen ons als lang verloren gewaande broers, die elkaar eindelijk hadden gevonden. Na een paar drankjes en veel geklets kondigde iemand aan dat Bud ging spelen. Ik weet nog wat 'n blij gevoel ik kreeg, omdat ik Bud al zo lang niet had horen spelen. Hij liep naar de piano en begon aan *Nice Work If You Can Get It.*

Maar na een razendsnel en goed begin gebeurde er iets met hem en begon hij gewoon te knoeien. Het was verschrikkelijk. Ik was geschokt, zoals iedereen die daar was. Niemand zei iets, we keken elkaar alleen maar aan alsof we onze oren niet konden geloven. Toen hij klaar was, bleef het even stil in de club. Toen stond Bud op en veegde het zweet van zijn gezicht met een witte zakdoek en hij maakte een soort buiging. En iedereen klapte, je moest toch wat? Man, het was gewoon meelijwekkend hem zo te horen spelen. En toen Bud van het podium kwam, liep Buttercup naar hem toe, omhelsde hem en ze zeiden iets tegen elkaar. Hij zag er triest uit, alsof hij wist wat er aan de hand was. Want weet je, hij leed in die periode zo aan schizofrenie, dat hij nog maar een schaduw van z'n oude zelf was. Ze leidde hem terug naar ons tafeltje. Man, iedereen voelde zich opgelaten hem zo te zien, te opgelaten voor woorden, dus zaten we daar maar met van die onnozele glimlachjes op ons gezicht en we probeerden te verbergen wat we werkelijk voelden. Het was overal doodstil. Overal. Je kon een speld horen vallen.

Toen sprong ik op en omhelsde Bud en zei: 'Bud, je weet toch dat je niet moet spelen als je zoveel hebt gedronken, dat weet je toch wel?' Ik keek hem recht in z'n ogen en sprak luid genoeg om door iedereen gehoord te worden. En hij knikte maar wat en glimlachte, zo mysterieus en afwezig als krankzinnigen dat doen en ging zitten. Buttercup had tranen in haar ogen, uit dankbaarheid voor wat ik had gedaan. Toen begon iedereen plotseling weer te praten en alles ging weer net zoals voor Bud begon te spelen. Maar ik had een brok in mijn keel. Man, hij was mijn beste vriend en één van de beste pianisten die er ooit heeft bestaan, tot hij in elkaar werd geslagen en in Bellevue terechtkwam. Nu zat hij daar in Parijs, in een vreemd land, tussen mensen die waarschijnlijk helemaal niet wisten wat er met hem was gebeurd – en misschien kon het ze ook niet eens schelen – die dachten dat hij een ordinaire zatlap was. Dat was triest om te zien, man, Bud zo te zien en te horen. Ik zal dat mijn leven lang niet vergeten.

In december 1956 ging ik terug naar New York en haalde de band weer bij elkaar om twee maanden te gaan toeren. Eerst naar Philadelphia, toen naar Chicago, St. Louis, Los Angeles en San Francisco, waar we twee weken in de Blackhawk stonden.

Al in de herfst van '56 waren Trane (die nu weer in de band zat) en Philly Joe me echt op de zenuwen gaan werken met hun junkiegedrag. Ze kwamen te laat of kwamen soms helemaal niet opdagen. Trane zat soms op het toneel te pitten, high van de heroïne. Trane en zijn vrouw Naima waren inmiddels van Philadelphia naar New York verhuisd, dus kreeg hij ook nog eens van dat sterke spul, waar je in Philadelphia niet aan kon komen. Zijn verslaving werd steeds erger in New York. Ik keurde het moreel niet af dat Trane en al die andere jongens spoten, ik had het zelf immers ook gedaan en ik wist dat het een ziekte was waarvan je niet snel herstelde. Dat was het dus niet wat me dwars zat. Maar ik kreeg er genoeg van dat ze te laat kwamen en zaten te slapen op het podium. Ik maakte hun duidelijk dat ik dat niet langer meer kon tolereren.

Stel je voor, we kregen $1250 per week toen Coltrane terug was en dan zitten die kerels daar te knikkebollen op het podium! Ik kon me zulk gedrag niet veroorloven. De mensen die het zagen zouden denken dat *ik* ook weer een junkie was, weet je wel, schuld door associatie. En ik was zo clean als wat, ik snoof alleen soms een beetje coke. Ik ging naar de sportschool, hield m'n conditie op peil, dronk weinig, ik was met 'm vak bezig. Ik praatte op hen in, probeerde ze aan het verstand te brengen wat ze de groep en zichzelf aandeden. Ik zei tegen Trane dat er platenproducers naar hem waren komen luisteren, met de contracten al in hun zak, die afhaakten toen ze zagen dat hij steeds maar in slaap viel. Ik dacht dat hij begreep wat ik bedoelde, maar hij bleef heroïne spuiten en drinken als een tempelier.

Als het iemand anders was geweest, had ik die na de eerste paar keer dat het weer voorkwam ontslagen. Maar ik hield van Trane, echt waar, hoewel we minder met elkaar optrokken dan Philly Joe en ik deden. Trane was een prachtkerel, hartstikke aardig, geestig en zo. Je kon er gewoon niets aan doen dat je hem mocht en dat je je zorgen om hem maakte. Volgens mij verdiende hij meer dan ooit tevoren, dus toen ik hem had toegesproken, dacht ik dat hij zijn leven wel zou beteren, maar niks hoor. En dat deed me pijn. Later ontdekte ik dat Philly Joe een slechte invloed had op Trane, toen ze samen in één band zaten. In het begin, toen Trane al gebruikte, maakte het mij niet uit hoe hij zich gedroeg, omdat de muziek zo te gek was en hij en Philly me altijd beloofden dat ze zouden stoppen. Maar het ging van kwaad tot erger. Soms zat Philly Joe ziek achter zijn drumstel en dan fluisterde hij: 'Miles, speel een ballad, ik moet kotsen, ik ga even naar de plee.' Dan ging hij van het podium af om over te geven en als hij terugkwam, deed hij net of er niets aan de hand was. Hij was onverbeterlijk.

Ik herinner me nog dat Philly Joe en ik het land afreisden om op de bonnefooi op te treden, dat was in 1954 of begin '55. We waren met z'n tweeën en dan zochten we een plaatselijke groep op. Voor $1000 traden we dan op. Ik gebruikte toen niet. We zaten in Cleveland, geloof ik, en wilden terug naar New York. Joe had net een paar uur eerder een shot genomen, dus die troep is bijna uitgewerkt. Toen ik naar het vliegveld ging om kaartjes te kopen, begon hij zich al wat onrustig te voelen. Ik sta het geld uit te tellen voor zo'n leuk blank grietje dat de tickets verkoopt, als ik opeens een vals biljet – we noemden dat 'paarse biljetten' – in m'n handen houd, dat ik wel nodig heb om de tickets te kunnen betalen. Ik probeer niet kwaad te worden op die hufter van een organisator, die ons dat valse biljet in de maag heeft gesplitst. Ik kijk naar Philly Joe en hij ziet het biljet ook en hij weet wat ik denk. Dus gaat hij tegen dat meisje zeggen hoe goed ze eruitziet en dat wij musici zijn en dat we een nummer aan haar willen opdragen, omdat we haar zo aardig vinden, dus of ze ons haar naam wil geven. Er trekt een brede grijns over het gezicht van die vrouw en ik doe net of ik niets merk als ik haar het geld geef. Ze telde het niet eens na, omdat ze niet wist hoe vlug ze ons haar naam moest geven.

We krijgen de tickets en als we naar het vliegtuig lopen, is Philly al aan het uitrekenen hoe lang het duurt voor we in New York zijn, waar hij weer aan dope kan komen, zodat hij niet ziek wordt. Maar tijdens de vlucht wijkt het vliegtuig uit naar Washington DC, omdat New York was ingesneeuwd. Philly staat inmiddels al in de wc van het vliegtuig te kotsen. Maar in Washington is New York nog steeds ingesneeuwd, dus krijg ik mijn geld terug en wil ik proberen of we met de trein terug kunnen naar New York. Maar Philly kent iemand in DC, dus smeekt hij me om bij die kerel langs te gaan. Ik baal als een stier. Hij heeft zijn drumkoffers bij zich en is te ziek om ze te dragen. Dus moet ik met mijn eigen spullen en die van hem naar een taxi zeulen en dan verzwik ik mijn pols. Intussen is hij weer naar de wc geweest om over te geven. We gaan met de taxi naar het huis van die kennis van 'm, maar die is er niet. Philly geeft over in de plee van de dealer. Zijn vrouw, die Philly wel kende, had ons binnengelaten. Eindelijk kwam die kerel thuis en kreeg

Philly z'n troep. Maar ik kon betalen. Ik hield altijd wat geld achter de hand voor noodgevallen, maar dat wist Philly niet, want anders zou hij me dat steeds proberen af te troggelen.

Tenslotte gingen we met de trein terug naar New York. Ik was inmiddels niet alleen kwaad, maar het leek ook wel of ik mijn pols had gebroken. Toen we afscheid namen van elkaar, voor het Penn Station in de sneeuw, zei ik tegen Philly: 'Probeer me nooit meer zoiets te flikken, hoor je me?' Ik hield mijn vingers vlak voor zijn gezicht en mijn ogen puilden uit.

En toen zei Philly met zo'n gekwetste uitdrukking op z'n gezicht: 'Miles, waarom schreeuw je toch zo tegen me? Man, ik voel me net een broer van je, ik hou van je. Je weet toch hoe het is als je ziek wordt? En bovendien zou je niet kwaad op mij moeten zijn, maar op al die *sneeuw*, man, daardoor kwamen we toch in de problemen? Dus kaffer God maar uit in plaats van mij, want ik ben je broer en hou van je.'

Toen moest ik toch wel erg lachen – hij was ook zo ad rem en hip. Maar ik ging toch nog steeds kwaad naar huis en nam me voor dat ik dat soort rotzooi voortaan zou proberen te vermijden.

Toen we later met de band op tournee waren, gebeurde er weer van alles. Ik ging altijd een uur van tevoren naar het hotel om Philly Joe op te halen en dan ging ik in de lobby zitten om te kijken hoe hij zich bij het hotel liet uitchecken. Hij probeerde altijd af te dingen aan de balie en dat was een komisch gezicht. Hij zei dan bijvoorbeeld tegen de receptionist dat z'n matras was verbrand en dat dat al zo was toen hij aankwam. En dan zei die man iets van: 'Dat kan wel zijn, maar hoe zit het met die vrouw die op uw kamer was?'

Dan zei Joe: 'Die is niet bij mij blijven slapen, bovendien kwam ze niet eens voor mij.'

'Maar ze vroeg naar u,' zei de receptionist dan weer.

'Ze probeerde via mij de heer Chambers te bereiken, die uw etablissement reeds heeft verlaten.'

En zo ging het dan nog een tijdje door. 'De douche heeft drie dagen niet gewerkt' of 'Twee van de vier lampen waren kapot', en dat soort dingen. Maar het eindigde er altijd mee dat hij twintig tot veertig dollar minder betaalde voor een verblijf van een week en dat gebruikte hij dan weer om dope te kopen. Een keertje, ik geloof in San Francisco, kreeg hij het niet voor elkaar. Ik zit aan de overkant van de straat in een koffiehuis en zie Philly Joe z'n koffers en de rest van zijn spullen uit een zijraam in een steegje gooien. Dan gaat hij naar beneden en ik zie hem met de receptionist staan praten. Ik loop naar de deur en hoor die receptionist zeggen dat hij moet betalen, omdat hij hem dat geintje al eerder heeft geflikt en dat hij anders naar boven zal gaan om Joes spullen in de kamer op te sluiten tot hij zal betalen. Dus zegt Joe: 'Da's goed' en dat hij geld van een kennis in de stad zal gaan lenen. En vervolgens loopt hij heel onschuldig kijkend naar buiten, terwijl de bediende naar boven gaat om de kamer op slot te doen. Eenmaal buiten rent Joe het steegje naast het hotel in, pakt z'n spullen en wandelt proestend van de lach weg.

Philly Joe was me er een. Als hij jurist was geweest en blank zou hij president van de Verenigde Staten zijn geworden, want daarvoor moet je een rappe tong en een hoop poeha hebben; en dat had Philly Joe in ruime mate.

Maar het gedonder met Coltrane was niet grappig, zoals met Philly Joe. Met Joe kon je nog eens lachen, maar Trane was alleen nog maar zielig. Hij trad op in kleren die eruitzagen of hij er nachten in had geslapen, helemaal verkreukeld en vies. En als hij niet zat te dommelen, zat hij meestal in z'n neus te peuteren en stak dat dan ook nog vaak in z'n mond. En hij viel niet op vrouwen, zoals

Philly en ik. Hij leefde alleen voor de muziek, hij gaf zich er met hart en ziel aan over en al zou er een naakte vrouw pal voor hem staan, dan zou hij haar niet eens zien. Zo ging hij op in z'n spel. Philly Joe, die wist van wanten. Hij zag er flitsend en hip uit en als wij op het podium stonden, kreeg hij bijna net zoveel aandacht als ik. Hij was me een figuur. Maar Trane was zijn tegenpool, die leefde alleen voor de muziek.

Maar er zat me tijdens deze tournee meer dwars dan het high worden van Philly Joe en Trane. Ik verdiende $1250 per week en dat was gewoon niet genoeg om de band te onderhouden. Ik nam daar $400 van af voor mezelf en de rest verdeelde ik onder de leden van de band. Op die tournee hadden ze bij elke bar rekeningen lopen die ver boven hun budget uitstegen (tegen de tijd dat ik Philly in de band zette, had hij geloof ik een schuld van zo'n $30 000).

Ik speelde en speelde, maar hield er niets aan over. Ik maakte schulden terwijl de clubs vol zaten, de rijen stonden straten ver! Dus zei ik tegen mezelf: 'Stik maar, als ze me niet betalen wat ik wil hebben, dan kap ik ermee.' Ik belde Jack Whittemore en zei dat ik niet meer voor $1250 per week kon spelen. Hij zei: 'Oké, maar je moet het nog even volhouden, want je hebt een contract getekend.' Daar had hij gelijk in, maar het was wel voor het laatst. Daarna vroeg ik $2500 per week en hij zei dat hij zou kijken wat hij voor me kon doen. En dat kregen we. En dan was $2500 per week wel veel voor een zwarte band. Veel clubeigenaren waren woest op me, maar ze gaven me wat ik vroeg.

Paul Chambers was het ergst wat betreft het laten oplopen van schulden bij de bar. Als ik hem uitbetaalde, bracht ik vaak z'n drankafrekening ter sprake en die wilde hij dan niet betalen. Op een gegeven moment gaf ik hem gewoon een stomp op zijn kaak, zo kwaad maakte hij me. Paul was een aardige jongen, maar erg onvolwassen.

We speelden een keer in Rochester, New York, in een club die niet zo goed liep. Ik kende de uitbaatster, die altijd aardig voor me was geweest, dus zei ik tegen haar dat ze me niet hoefde te betalen. Ik gaf haar haar geld terug, omdat ik het geld niet zo broodnodig had, maar ik zei dat ze de anderen wel moest betalen en dat deed ze ook. Ik deed dat wel vaker als zo'n tent slecht liep en als er aardige mensen werkten. Maar goed, daar in Rochester zat Paul cocktails te drinken. Ik vroeg: 'Waarom drink je zulk vergif? Waarom drink je trouwens helemaal zo veel, Paul?'

En hij zegt: 'Ach, man, ik kan drinken wat ik wil. Ik kan hier wel tien van op zonder er iets van te merken.'

'Doe maar, dan betaal ik,' zei ik. En hij zei: 'Oké.'

Toen dronk hij er een stuk of vijf, zes en hij zei: 'Zie je wel, het doet me niks.'

Daarna gingen we bij een Italiaan eten, Paul en ik en Philly Joe. We bestelden allemaal spaghetti en Paul gooide er een hele lading pikante saus overheen. Ik vroeg: 'Waarom doe je dat?'

Hij zegt: 'Omdat ik gek ben op pikante saus, daarom.'

Ik zit dus met Philly Joe te praten en opeens hoor ik een klap en ik kijk opzij en zie dat Paul met z'n gezicht voorover in de spaghetti en in de pikante saus is gevallen. De cocktails waren 'm naar de kop gestegen. De mafkees was volkomen buiten westen. Hij had dope gespoten en al die cocktails gedronken en dat was allemaal te veel geweest. (Zo is hij ook aan z'n eind gekomen in 1969, drugs en te veel drank, hij wist gewoon geen maat te houden, en hij was pas even in de dertig.)

We speelden ook een keer in Quebec in Canada, waar we onderdeel van een variété bleken te zijn. Paul was dronken en hij stapte op een paar heel oude vrouwtjes af

– en dan bedoel ik *echt* oud – en hij zei: 'Hebben jullie plannen voor na de show, meiden?' Ze werden kwaad en riepen de eigenaar erbij. Dus ik naar die eigenaar toe en ik zei: 'Mijn vriend zat duidelijk fout, maar ik wil ook eigenlijk niet bij een gelegenheid als deze optreden, in een variétéshow. Waarom gelasten we het niet af, u betaalt ons wat u ons schuldig bent en wij zijn weg.' Hij was het met me eens. Maar Joe werd toen ook nog eens ziek, omdat hij geen heroïne kon krijgen. Hij had niets meer en de anderen ook niet. We hadden vliegtickets, maar konden niet weg omdat Quebec was ingesneeuwd en ik had niet genoeg geld om voor iedereen een treinkaartje te kopen. Toen belde ik mijn vriendin Nancy en zij stuurde onmiddellijk het geld dat ik nodig had.

Toen we in maart 1957 terug waren in New York, was de maat wel vol en ik ontsloeg Trane tenslotte weer en Philly Joe toen ook. Trane ging bij Monk in de Five Spot spelen en Philly kon overal werk krijgen, omdat hij nu een 'ster' was. Ik verving Trane weer door Sonny Rollins en koos Art Taylor als drummer. Het viel me niet mee om Trane weer te ontslaan, maar het was nog moeilijker om Philly Joe weg te sturen, want we waren elkaars beste vrienden en we hadden samen heel wat meegemaakt. Maar ik had geen andere keus.

Tijdens de laatste weken in Café Bohemia, voordat ik Trane en Philly Joe ontsloeg, gebeurde er iets dat ik me nog steeds heel duidelijk kan herinneren. Kenny Dorham, de trompettist, kwam op een avond vragen of hij mee mocht spelen met de band. Kenny kon geweldig spelen, hij had een prachtige, geheel eigen stijl. Ik hield van zijn toon en zijn klankkleur. En hij was heel creatief, had veel fantasie, een echte trompetkunstenaar. Hij heeft nooit echt de erkenning gekregen die hij verdiende. Nu liet ik niet zomaar iedereen met mijn band meedoen. Je moest er wel iets van kunnen, maar Kenny kon er zeker wat van. Daar kwam bij dat ik hem al heel lang kende. Maar goed, de tent zat stampvol die avond, zoals altijd in die dagen. Nadat ik had gesoleerd, introduceerde ik Kenny, die het podium op kwam en geniaal begon te spelen. Hij deed alles vergeten wat ik net had staan spelen. Dus ik was woest, niemand vindt het leuk als een ander je bij je eigen optreden af laat gaan. Jackie McLean zat in het publiek, ik liep naar hem toe en vroeg: 'Jackie, hoe vond je mij?'

Ik weet dat Jackie me graag mag en dat hij mijn spel bewondert, hij zal me niet voor de gek houden. Hij keek me recht aan en zei: 'Miles, Kenny speelt vanavond zo prachtig, dat jij als een imitatie van jezelf klinkt.'

Man, ik was spinnijdig toen ik dat hoorde. Ik ging naar huis zonder nog met iemand een woord te wisselen, het was de laatste set. Ik baalde, want ik ben erg ijdel. En toen ik Kenny zag opstappen, had hij zo'n smerige grijns op z'n smoel en hij liep ongeveer twee meter naast z'n schoenen. Hij *wist* wat er was gebeurd, ook al had het publiek het niet door, hij *wist* het, maar *ik ook*.

De volgende avond kwam hij weer terug, wat ik al had verwacht, om te proberen het nog eens over te doen, omdat hij ook vond dat ik voor het grootste en hipste publiek van de stad optrad. Hij vroeg of hij weer mee mocht doen. Deze keer liet ik hem eerst spelen en daarna veegde ik de vloer met hem aan. Kijk, de vorige avond had ik geprobeerd in de trant van Kenny te spelen, om hem op zijn gemak te stellen. En dat had hij in de gaten. Maar die tweede avond pakte ik hem terug en hij zit zich nu nog af te vragen wat hem overkomen is. (Later, in de jaren '60 gebeurde hetzelfde nog een keer in San Francisco en daar werd het ook een gelijk spel, geloof ik.) Zo ging dat in die tijd, de jongens probeerden je altijd aan barrels te blazen tijdens jamsessies. Soms won je en soms verloor je, maar als je zo'n gevecht met een kei als Kenny leverde, stak je er altijd wat van op. En als je dat niet deed, zou je nooit iets over muziek te weten komen, dat je af en toe eens op je bek ging hoorde er gewoon bij.

In mei 1957 ging ik weer de studio in, met Gil Evans, en we maakten *Miles Ahead*. Het was heerlijk om weer met Gil te werken. Gil en ik hadden elkaar nog weleens gesproken na *Birth of the Cool* en we hadden afgesproken ooit weer eens samen een plaat te maken en toen ontstonden de plannen voor *Miles Ahead*. Zoals gewoonlijk genoot ik ervan om samen met Gil te werken, omdat hij zo accuraat en creatief was en ik had het volste vertrouwen in zijn arrangementen. We hadden altijd al een geweldig muzikaal team gevormd, maar ik kwam er pas echt achter dat we samen iets buitengewoon speciaals waren tijdens het maken van *Miles Ahead*. Deze keer gebruikten we een big band, Paul Chambers en de rest fungeerden hoofdzakelijk als studiomuzikanten. Later, nadat *Miles Ahead* was uitgekomen, kwam Dizzy een keer langs en hij vroeg me om nog een exemplaar van die plaat, omdat hij de zijne zo vaak had gedraaid, dat hij in drie weken was versleten! Hij vond hem 'het allerbeste'. Man, dat was een van de grootste complimenten die ik ooit heb gehad, iemand als Dizzy die zoiets zei over iets wat ik had gemaakt.

Tijdens de opnames van *Miles Ahead* werkte ik in Café Bohemia met Sonny Rollins op tenor, Art Taylor op drums, Paul Chambers op bas en Red Garland op piano. Daarna speelden we de hele zomer samen, langs de hele oostkust en in het Midden-Westen. Maar toen we terug waren in New York, ging ik vaak naar de Five Spot, om naar de band van Trane en Monk te luisteren. Trane was inmiddels cold turkey afgekickt, net als ik had gedaan, bij z'n moeder thuis in Philadelphia. En wat kon hij fantastisch spelen, het harmonieerde goed met Monk (die ook enorm goed klonk). Monk had een heel hechte groep, met Wilber Ware op bas en Shadow Wilson op drums. Trane was de perfecte saxofonist voor Monks muziek, omdat Monk altijd zoveel ruimte schiep. Trane kon al die ruimte opvullen met alle akkoorden en ademstoten waarover hij toen beschikte. Ik was trots op hem, omdat hij toch maar van zijn verslaving af was gekomen en altijd op tijd kwam voor z'n optredens. En hoe dol ik ook was op het spel van Sonny in mijn band en ook op dat van Art Taylor, het werd nooit meer zoals ik toen ik met Trane en Philly Joe werkte. Ik merkte dat ik ze miste.

In september veranderde mijn band opnieuw: Sonny stapte op om zelf een groep te formeren en na een ruzie in Café Bohemia ging Art ook weg. Art wist dat ik van de speelwijze van Philly hield. Maar Art is nogal een gevoelige jongen en ik probeerde uit te vinden hoe ik hem moest zeggen dat hij bepaalde dingen op een manier moest spelen die de muziek een paar treden omhoog zou tillen, zonder zijn gevoelens te kwetsen. Ik gaf hem hints, ouwehoerde over pedaalbekkens en zo om hem duidelijk te maken wat ik wilde en ik had wel in de gaten dat ik hem op z'n zenuwen werkte. Maar ik mocht Art, dus was ik minder direct dan gewoonlijk als ik iemand iets duidelijk wilde maken. Ik bleef er deze keer maar omheen draaien.

Maar goed, dat ging een paar dagen zo door en op de vierde of vijfde avond verloor ik mijn geduld. De tent zat vol filmsterren, ik geloof dat Marlon Brando en Ava Gardner er waren (maar die zaten er altijd). En alle maatjes van Art uit de stad waren gekomen om naar hem te luisteren. De set begon en nadat ik m'n solo had geblazen, ging ik naast z'n high-hat staan luisteren, met mijn trompet onder mijn arm, zoals ik altijd deed, en ik gaf hem wat aanwijzingen. Hij besteedde geen aandacht aan mij. Hij was zenuwachtig, met al zijn vrienden die er zaten. Maar dat kon me niets schelen, want ik wilde dat hij goed zou drummen en niet zo hard op dat bekken zou rammen zoals hij altijd deed. Dus zei ik iets over dat bekken en hij keek me aan zo van: 'Lazer op, Miles, laat me met rust.' Dus zei ik zachtjes tegen hem: 'Hé, lul, weet je dan niet eens hoe Philly die break doet!'

Art werd zo woest dat hij meteen ophield met spelen, middenin een nummer. Hij stond op vanachter zijn drumstel, liep het podium af en verdween in de kleedkamer. Later, toen de set was afgelopen, kwam hij terug, pakte zijn drumstel en was weg. Iedereen was stomverbaasd, ik ook. Maar de volgende avond liet ik Jimmy Cobb meespelen en Art en ik hebben nooit meer een woord aan die avond vuilgemaakt. Zelfs geen toespeling, terwijl ik hem toch nog vaak heb gesproken.

Later die week of de week daarop ontsloeg ik Red Garland en ik zette Tommy Flanagan achter de piano. Ik vroeg Philly terug te komen en dat deed hij en toen verving ik Sonny door Bobby Jaspar, een saxofonist uit België, die met mijn oude vriendin Blossom Dearie was getrouwd.

Ik had Trane gevraagd weer terug te komen, maar hij had nog verplichtingen aan Monk en kon toen niet weg. Ik had ook met Cannonball Adderley gesproken, die terug in New York was, of hij soms bij de groep wilde komen. Hij had de hele zomer een groep geleid, waarin zijn broer Ned kornet speelde, maar hij kon ook niet maar misschien wel in oktober. Bobby was een goede musicus, maar hij paste er gewoon niet bij. Toen Cannonball in oktober liet weten dat hij beschikbaar was, nam ik hem aan en liet ik Bobby gaan.

Ik speelde met de gedachte om van de groep in plaats van een kwintet een sextet te maken, met Trane en Cannonball op saxofoon. Man, ik kon de muziek al in gedachten horen en ik wist dat het helemaal te gek zou worden als het me zou lukken. De tijd was er nog niet rijp voor, maar ik wist zeker dat het er snel van zou komen. Intussen toerde ik rond met een groep waarin ik Cannonball op alt had, die tournee heet Jazz for Moderns. Ik geloof dat het ongeveer een maand duurde en we sloten af met een gezamenlijk concert met andere bands in Carnegie Hall.

Daarna ging ik weer naar Parijs om een paar weken als gastsolist op te treden. Tijdens die reis stelde Juliette Greco me voor aan de Franse cineast Louis Malle. Hij vertelde me dat hij al heel lang van mijn muziek hield en dat hij graag wilde dat ik de muziek schreef voor zijn nieuwe film *Ascenseur pour l'échafaud* (*Lift naar het schavot*). Ik nam het aan en het werd een prachtige, leerzame ervaring, omdat ik nog nooit eerder filmmuziek had geschreven. Ik keek naar de rushes van de film en schreef de ideeën die ik dan voor de muziek kreeg op. Omdat het over een moord ging en een soort thriller was, maakte ik gebruik van een oud, somber, donker gebouw, waar ik de musici liet spelen. Ik dacht dat de muziek daardoor aan sfeer zou winnen en dat was ook zo. Iedereen was enthousiast over die filmmuziek.

Later werd alles uitgebracht door Columbia, op die plaat stond ook *Green Dolphin Street* en hij heette *Jazz Track*.

Terwijl ik in Parijs was om de muziek voor de film van Malle te schrijven, trad ik ook op in de Club St. Germain, met Kenny Clarke op drums, Pierre Michelot op bas, Barney Wilen op saxofoon en René Urtreger op piano. Ik kan me dat optreden nog goed herinneren, omdat veel Franse critici zich eraan stoorden dat ik niet sprak op het toneel en de nummers niet zoals ieder ander aankondigde, ik vond immers dat de muziek voor zichzelf sprak. Ze vonden me arrogant en lomp. Ze waren natuurlijk al die zwarte musici gewend, die op het podium van die grappen en grollen verkochten.

Er was maar één recensent die begreep waar ik mee bezig was en me niet afkraakte. Dat was André Hodeir, die volgens mij één van de beste muziekcritici was die ik kende.

Maar goed, al dat geschrijf liet me koud en ik ging gewoon mijn eigen gang. Het leek de mensen die kwamen luisteren niet te storen, de club zat avond aan avond stampvol.

Ik trok veel op met Juliette en ik geloof dat we toen in die tijd afspraken dat we voor altijd alleen goede vrienden en geliefden zouden blijven. Haar toekomst lag in Frankrijk en daar was ze ook graag, terwijl mijn hele gedoe zich in de States afspeelde. En hoewel ik niet graag altijd maar in Amerika wilde zitten, heb ik er nooit over gepiekerd om naar Parijs te verhuizen. Ik was dol op Parijs, maar dan om het te bezoeken, want ik geloof niet dat ik er muzikaal iets te zoeken had.

Daar kwam nog bij dat de musici die daar wel waren gaan wonen, iets verloren leken te hebben, iets van hun energie, iets van de kracht die het leven in de States hun had gegeven. Ik weet het niet zeker, maar volgens mij heeft het iets te maken met het feit dat je door een bepaalde cultuur wordt omgeven die je kent, die je aan kunt voelen, waaruit je ook voortkomt. Als ik in Parijs zou wonen, zou ik niet elke avond naar blues kunnen gaan luisteren, of naar mensen als Monk en Trane, en Duke en Satchmo, zoals in New York. En hoewel er in Parijs goede, klassiek geschoolde musici genoeg waren, interpreteerden ze de muziek toch anders dan een Amerikaanse musicus. Om al die redenen kon ik niet in Parijs wonen en dat begreep Juliette.

Toen ik terug was in New York in december 1957, was ik klaar om weer een stap voorwaarts te zetten met mijn muziek. Ik vroeg Red om terug te komen en dat deed hij.

Toen ik hoorde dat het optreden van Monk in de Five Spot bijna afliep, belde ik Trane en zei hem dat ik hem terug wilde hebben en hij ging akkoord. Toen wist ik dat er prachtige muziek zat aan te komen, dat voelde ik aan m'n water. En dat gebeurde ook, het kwam allemaal uit.

## II

De meeste muziek die tot dan toe door groepen met kleine bezetting werd gespeeld, was afkomstig van Louis Armstrong en kwam via Lester Young en Coleman Hawkins bij Dizzy en Bird terecht, en daar was de bebop voornamelijk uit voortgekomen. Wat er in 1958 werd gespeeld, kwam voor een groot gedeelte voort uit de bebop. *Birth of the Cool* was een iets andere richting ingeslagen, maar was toch vooral ontstaan uit wat Duke Ellington en Billy Strayhorn al gedaan hadden; de muziek werd er alleen maar witter door, zodat zij toegankelijker werd voor de blanken. De andere platen die ik toen heb gemaakt, zoals *Walking* en *Blue 'n' Boogie*, die de critici hardbop noemden, waren alleen maar een terugkeer naar de blues en wat dingen die Bird en Dizzy hadden gedaan. Het was prachtige muziek, goed gespeeld en zo, maar de muzikale ideeën en concepten waren bijna allemaal al eens eerder uitgevoerd, er zat alleen maar wat meer ruimte in.

Van al het werk met kleine bezetting dat ik gedaan heb, kwam wat we op *Modern Jazz Giants* speelden nog het dichtst bij wat ik toen wilde, die, laten we maar zeggen, losse, elastische sound, die we op *Bag's Groove*, *The Man I Love*, *Swing Spring* hadden. Nu zaten er in de bebop een heleboel noten. Diz en Bird speelden een hoop ontzettend snelle noten en akkoordwisselingen, zo hoorden ze 't nu eenmaal, dat was hun klankbeeld; snel en in een hoog register. Hun opvatting over muziek was dat er eerder *meer* dan *minder* moest zijn.

Maar ik wilde het aantal noten juist beperken, omdat

ik altijd al gevonden heb dat de meeste musici te veel en te lang spelen (hoewel ik het van Trane accepteerde, omdat ik het altijd heerlijk vond om hem te horen spelen). Maar zo hoorde ik het niet. Ik hoorde het in het midden- en lage register, Coltrane trouwens ook. We moesten iets vinden dat paste bij ons eigen klankbeeld, waar we het beste in waren.

Ik wilde dat de muziek die deze nieuwe groep zou spelen vrijer zou zijn, modaler, meer Afrikaans of oosters, minder westers. Ik wilde dat mijn musici verder gingen dan ze tot nu toe gedaan hadden. Want, zie je, als je een musicus dwingt om iets anders te doen dan wat hij gewend is, dan kan hij dat ook, maar hij moet dan wel anders denken. Hij moet zijn fantasie gebruiken, creatiever zijn, vernieuwender; hij moet risico's nemen. Hij moet boven z'n normale niveau spelen, ver daarboven, en dat zou z'n spel naar een hoger peil kunnen brengen, en naar een nieuw stadium, het volgende stadium, en zelfs nog verder. Dan is hij minder gebonden, heeft andere verwachtingen, en doordat hij anticipeert, zal hij in de gaten hebben dat er iets nieuws aan het ontstaan is. Ik heb altijd tegen de musici in mijn bands gezegd, dat ze eerst moesten spelen wat ze *kenden* en dan proberen daar *bovenuit* te komen. Want dan is alles, maar dan ook alles mogelijk, en zo ontstaat de mooiste kunst en muziek. Je moet niet vergeten dat het toen december 1957 was en niet december 1944 en alles was dus anders. Het klankbeeld was anders, de mensen hoorden de dingen niet meer zoals zij ze in 1944 hadden gehoord. Zo is het altijd al geweest, elke tijd heeft z'n eigen stijl; wat Bird en Diz deden was de stijl van die tijd en dat was fantastisch. Maar nu was het tijd voor iets anders.

Als er één groep was die de opvatting over muziek zou veranderen en op een totaal ander plan zou brengen, naar een nieuw terrein, geavanceerd en fris, dan was het volgens mij deze groep wel. Ik kon haast niet wachten om te gaan spelen, om te wennen aan wat iedere musicus aan het groepsgeluid zou toevoegen, wennen aan elkaars klanken in dat groepsgeluid, elkaars krachten en zwakten leren kennen. Het duurt altijd even voordat iedereen zich op z'n gemak voelt, daarom ben ik met een nieuwe band altijd een tijdje op tournee gegaan voordat we de studio in gingen.

Ik was van plan om met dit sextet door te gaan met wat ik al deed met Trane, Red, Joe en Paul en daar de blues van Cannonball Adderley aan toe te voegen, en daar dan op voort te borduren. Omdat Coltranes klankbeeld al een andere kant opging, had ik het gevoel dat het contrast tussen Cannonballs altsax en Tranes harmonische, op akkoordenschema's gebaseerde vrijere aanpak, een nieuw gevoel zou creëren, een nieuwe sound. Ik wilde toen meer ruimte scheppen in de muziek door gebruik te maken van de ideeën die ik door Ahmad Jamals werk had gekregen. Ik hoorde in gedachten mijn trompet al zweven boven deze mengeling en ik hoorde hem er doorheen snijden en ik dacht dat als dat zou lukken, de muziek bol zou staan van de spanning.

In deze groep had iedereen al meer dan twee jaar met elkaar samengespeeld, behalve Cannonball. Maar één instrument kan een totale verandering teweegbrengen in de wijze waarop een band zichzelf hoort, kan het hele ritme veranderen, de hele timing van een band, zelfs als de anderen al eeuwen samenspelen. Het wordt totaal anders als je één instrument toevoegt of schrapt.

Eind december 1957, rond Kerstmis, gingen we op tournee, die begon in de Sutherland Lounge in Chicago. Ik heb altijd geprobeerd om rond Kerstmis in Chicago te spelen, om mijn familie te kunnen bezoeken. Mijn broer Vernon uit East St. Louis en mijn kinderen, die in St. Louis wonen, en nog wat jongens met wie ik ben opgegroeid en die nu in Chicago wonen, komen dan allemaal naar het huis van mijn zus Dorothy in Chicago.

We zijn dan een hele week of zo aan het eten en drinken. Je weet wel, lol maken met elkaar. Voor ons openingsconcert met het sextet in de Sutherland kwam Darnell, mijn schoolvriend die vroeger piano speelde, helemaal uit Peoria in Illinois met zijn bus en parkeerde die drie dagen lang voor ons hotel! Hij kwam altijd kijken als we in Chicago speelden. Mijn vriend Boony zorgde er altijd voor dat ik de beste barbecue van de stad kreeg. Omdat ik uit East St. Louis kom, waar veel gebarbecued wordt, ben ik altijd gek geweest op barbecuen. Ik ben gek op de zwarte keuken: varkensingewanden, koolrolletjes, zoete aardappels, maïsbrood en van die speciale peultjes die je alleen maar in het zuiden ziet en 'southern fried chicken'. Ik vind het allemaal lekker en dan natuurlijk alles met wat van die gemene hete saus erbij.

Vanaf het begin sloeg de tournee in als een bom. BENG! We zetten de hele tent op z'n kop en toen wist ik dat dit iets heel speciaals zou worden. Die eerste avond in Chicago begonnen we ons concert met een blues en Cannonball stond daar maar met open mond naar Coltrane te luisteren, die van die krankzinnige dingen deed met de blues. Hij vroeg me wat we aan het spelen waren en ik zei: 'De blues.'

Hij zegt: 'Nou, zo heb ik anders een blues nog nooit horen spelen!' Het maakte niet uit hoe vaak Trane een nummer speelde, zie je, hij vond altijd wel een manier om het elke avond anders te doen. Na de set zei ik tegen Trane dat hij Cannonball zijn geheim maar eens moest verklappen. Dat deed hij, maar we hadden zoveel veranderd aan de twaalfmatige blues dat als je niet van het begin af aan naar de solist luisterde, het weleens zou kunnen gebeuren dat je niet meer wist waar het over ging. Cannonball zei dat wat Trane speelde wel als een 'blues' *klonk*, maar het eigenlijk niet was, dat het totaal iets anders was. Daar had hij verschrikkelijk de pest over in, want *Cannonball* was een bluesmusicus.

Maar Cannonball had het heel snel door, in een mum van tijd, zo snel pikte hij alles op. Hij was net een spons, hij nam gewoon alles in zich op. Wat die blues betreft had ik hem eigenlijk moeten vertellen dat Trane gewoon zo speelde, ver buiten het akkoordenschema, omdat Cannonball de enige in de groep was die nog nooit met hem had gespeeld. Maar toen Cannonball eenmaal doorkreeg hoe het in elkaar zat, had hij het ook zo te pakken en speelde dat de stukken eraf vlogen. Cannon en Trane waren totaal verschillende muzikanten, maar ze waren allebei fantastisch. Toen Cannonball bij de band kwam, vond iedereen hem meteen aardig, omdat hij zo'n grote, hartelijke kerel was, altijd lachen en hartstikke aardig, een heer en zo pienter als wat.

Nadat hij een tijdje bij ons had gespeeld en Trane ook weer terug was, werd het geluid van de groep steeds vetter en vetter, je zou het kunnen vergelijken met een vrouw die te veel make-up op heeft. Hoe mijn muzikanten op elkaar reageerden was haast een chemisch proces en daardoor speelde iedereen van het begin af aan boven z'n normale niveau. Trane speelde dan wat van die te gekke dingen, waar Cannonball dan weer wat anders mee deed en ik zette mijn geluid er middenin, zweefde eroverheen, of wat dan ook. en dan speelde ik ook weleens waanzinnig snel, of buzzzzz, zoals Freddie Webster. Dit zette Trane dan weer op een nieuw spoor en dan kwam hij weer terug met iets anders, afwijkends en dat gold ook voor Cannonball. Paul verankerde al die creatieve spanning tussen de blazers en Red legde er van die lekkere, lichte akkoordjes onder en Philly Joe lanceerde ons, met die onwijze dingen die hij speelde, hij hitste ons op met van die slimme 'hip-de-hip' tikken op de rand van z'n snarentrommel, van die gemene 'Philly-licks'. Man, dat was zo godvergeten goed! We waren er constant op uit om elkaar vliegen af te vangen. Ik zei dan altijd zoiets van: 'Laat die F staan tot de laatste tel. Dan kun je die reeks vijf tellen langer blijven spelen dan wanneer je hem, laten we maar zeggen, bij de vierde tel al los zou laten. Laat hem in de laatste maat pas los, dan krijgt die maat meer nadruk.' En dan luisterden ze altijd naar me. En het klonk dan weer gaver dan gaaf.

Trane was de snelste en luidruchtigste saxofonist die ik ooit heb gehoord. Hij kon ontzettend snel en tegelijkertijd ontzettend hard spelen, wat erg moeilijk is. Want de meeste blazers blokkeren als ze hard spelen. Ik heb een heleboel saxofonisten de mist in zien gaan als ze zo probeerden te spelen. Maar Trane kon het en hij was fenomenaal. Hij leek wel bezeten als hij die sax aan zijn mond zette. Hij was dan heftig en fel, maar o zo rustig en zachtaardig als hij niet speelde. Een lieve jongen.

Hij heeft me in Californië een keer de stuipen op het lijf gejaagd toen hij naar de tandarts wilde voor een stifttand. Trane kon twee noten tegelijk spelen en ik dacht dat dat kwam omdat hij een tand miste. Ik dacht dat hij zo aan z'n sound was gekomen. Dus toen hij me vertelde dat hij naar de tandarts ging voor een stifttand, raakte ik bijna in paniek. Ik zei dat ik een repetitie had ingelast op dezelfde tijd dat hij naar de tandarts moest. Ik vroeg of hij zijn afspraak niet kon verzetten. 'Nee, man, ik kan niet naar die repetitie komen, ik ga naar de tandarts.' Ik vroeg wat voor kunsttand hij zou nemen en hij zegt: 'Een vaste.' Dus ik probeer hem over te halen om een losse te nemen, die hij er elke avond uit kan halen voordat hij gaat spelen. Hij kijkt me aan of ik gek ben, gaat gewoon naar de tandarts en komt terug met een smoel als een piano, zo liep hij te grijnzen. Tijdens het optreden die avond – ik geloof dat het in de Blackhawk was – speel ik m'n eerste solo en ga daarna achterin, naast Philly Joe staan en wacht op de solo van Trane, bijna in tranen, want ik weet dat hij zichzelf verknald heeft. Maar toen de 'licks' als vanouds uit z'n sax scheurden, was ik toch zo godvergeten opgelucht!

Trane schreef nooit iets op toen hij bij mij in de band zat. Hij begon gewoon te spelen. We hadden het vaak over muziek tijdens de repetities en op weg naar optredens. Ik liet hem dan altijd een hoop nieuwe dingen zien en hij deed altijd wat ik zei. Ik zei dan: 'Trane, hier zijn een paar akkoorden, maar speel ze niet steeds zoals ze hier staan, snap je? Begin soms maar in het midden en vergeet niet dat je ze ook in tertsen kan spelen. Dus dat betekent dat je achttien, negentien verschillende dingen kunt spelen in twee maten.' Hij zat daar dan maar zo'n beetje, met grote ogen, maar nam wel alles in zich op. Trane was een vernieuwer en je moet weten wat je zegt tegen dat soort mensen. Daarom zei ik dat hij in het midden moest beginnen, omdat zijn hersens toch al op die manier werkten,. Hij hield van uitdagingen en als je het verkeerd aanpakte, dan luisterde hij gewoon niet. Maar Trane was de enige muzikant die de akkoorden die ik hem gaf, kon spelen zonder dat ze als akkoorden klonken.

Na het optreden ging hij altijd meteen terug naar z'n hotel om te oefenen, terwijl de rest dan ging slapen. Hij oefende uren achter elkaar, zelfs als hij net drie sets gespeeld had. Later, in 1960, gaf ik hem een sopraansax, die z'n tenorspel heeft beïnvloed. Ik had hem gekregen van een antiquair, een vrouw die ik in Parijs had ontmoet. Voordat hij die sopraansax had, speelde hij nog als Dexter Gordon, Eddie 'Lockjaw' Davis, Sonny Stitt en Bird. Nadat hij die sax had gekregen, veranderde zijn stijl. Vanaf dat moment had hij een totaal eigen geluid. Hij ontdekte dat hij op de sopraan lichter en sneller kon spelen dan op de tenor. Daar ging 'ie helemaal van uit z'n bol, omdat hij op tenor niet alles kon doen, dat op alt wel mogelijk was. De sopraan heeft een eerlijk, helder geluid. Aangezien hij van het lage register hield, merkte hij dat hij op sopraan ook beter kon denken en horen dan op tenor. Na een tijdje klonk zijn sopraan bijna als een menselijke stem, zo klaaglijk.

Maar hoe graag ik Trane ook mocht, buiten het podium ging ik weinig met hem om, omdat we een heel verschillende manier van leven hadden. Daarvoor kwam dat door zijn zware heroïneverslaving, waar ik net van af was. Nu was hij clean en ging maar zelden uit, hij ging altijd meteen terug naar z'n hotel om te oefenen. Hij had zijn muziek altijd al serieus genomen en altijd veel geoefend. Maar nu leek het wel alsof hij een boodschap te verkondigen had. Hij vertelde me vaak dat hij al genoeg verziekt had, dat hij te veel tijd had verknoeid en dat hij niet voldoende aandacht had besteed aan zijn privé-leven, zijn gezin en, wat het belangrijkste was, zijn spel. Het enige dat hem nu nog interesseerde was muziek en zijn ontwikkeling als muzikant. Dat was het enige waar hij aan dacht. Een knappe vrouw kon hem niet verleiden, want hij was al verleid door de schoonheid van muziek en hij bleef zijn vrouw trouw. Terwijl ik, zodra we klaar waren met de muziek, al bij de deur stond te kijken met welke knappe dame ik nu de nacht weer eens zou doorbrengen. Soms, als ik niet uitging met de een of andere vrouw, zaten Cannonball en ik te kletsen of we gingen uit. Philly en ik waren nog steeds bevriend, maar hij was altijd op jacht naar drugs, hij en Paul en Red. Maar we mochten elkaar allemaal graag en we konden goed met elkaar overweg.

Terug in New York vroeg Cannonball of ik mee wilde spelen bij de opnames van zijn plaat, waarvoor hij een contract had getekend met Blue Note. Dat heb ik toen maar gedaan om hem een plezier te doen. De plaat heette *Something Else* en was erg leuk. Ik wilde met mijn groep de studio in en in april namen we voor Columbia *Billy Boy, Straight, No Chaser, Milestones, Two Bass Hit, Sid's Ahead* en *Dr. Jackle* (vermeld als *Dr. Jekyll*) op voor het album *Milestones*. Ik speelde piano in *Sid's Ahead*, omdat Red kwaad wegliep, toen ik probeerde om hem iets uit te leggen. Maar ik vond het prachtig hoe onze groep klonk op deze plaat en ik wist toen dat het klikte. Trane en Cannon speelden als waanzinnigen en waren tegen die tijd helemaal op elkaar ingespeeld.

Dit was de eerste plaat waarvoor ik echt modaal ging schrijven en in *Milestones*, het titelnummer, heb ik die vorm pas goed benut. Modale muziek bestaat uit zeven noten, die op elke noot van een toonladder kunnen worden gebouwd. Je kunt op elke noot een toonladder bouwen, een noot die in mineur staat. De componist-arrangeur, George Russell, zei altijd dat in modale muziek de C op de plaats staat waar eigenlijk de F zou moeten staan. Hij zegt dat de hele piano bij F begint. Ik had ontdekt dat, wanneer je modaal speelt, wanneer je die richting ingaat, je dan eindeloos door kan blijven gaan. Je hoeft je niet druk te maken om akkoordwisselingen en dat soort onzin. Je kunt meer met de melodielijn doen. De uitdaging, als je modaal werkt, is om te kijken hoe creatief je kunt zijn op melodisch gebied, het is heel anders dan wanneer je aan akkoordenschema's vastzit, dan weet je dat de akkoorden na tweeëndertig maten op zijn en dan zit er niks anders op dan te herhalen wat je al gedaan hebt, maar dan met variaties. Daar was ik op uitgekeken en ging wat meer melodisch werken. En in de modale manier zag ik allerlei mogelijkheden.

Nadat Red Garland bij me was weggelopen, vond ik een nieuwe pianist, Bill Evans. Ik had Bill Evans ontmoet via George Russell, met wie Bill had gestudeerd. Ik kende George nog uit de tijd dat we allemaal bij Gil over de vloer kwamen in 55th Street. Omdat ik steeds meer bezig was met modale muziek, vroeg ik George of hij een pianist kende die zou kunnen spelen wat ik wilde en hij raadde me toen Bill aan.

Ik raakte geïnteresseerd in modale muziek toen ik een voorstelling van het Ballet Africaine uit Guinee zag. Ik ging weer om met Frances Taylor, ze woonde toen in New York en danste in een show. Ik kwam haar tegen in 52nd Street en ik vond 't ontzettend leuk om haar te zien. Ze ging naar alle dansvoorstellingen en ik ging dan altijd met haar mee. Kortom, we gingen naar die voorstelling van het Ballet Africaine en wat ze daar deden maakte een enorme indruk op me, de dansstappen en al die enorme sprongen en zo. En toen ik ze die avond voor het eerst op de duimpiano hoorde spelen en dat lied hoorde zingen, terwijl die andere gozer erbij danste, man, dat was pas goed. Het was prachtig. En dat ritme! Het ritme van de dansers was geweldig. Ik zat onder het kijken mee te tellen. Ze waren ontzettend acrobatisch. Ze hadden één drummer, die heel goed keek naar wat zij dansten, als zij hun flips en zo deden en als ze dan sprongen, speelde hij DA DA DA DA POW!, in dat moorddadige ritme. Hij gaf steeds een klap als ze neerkwamen. En man, hij ondersteunde elke beweging. Dat gold ook voor de andere drummers. Dan speelden ze in 5/4, in 6/8 en in 4/4 en het ritme veranderde steeds en spetterde als een gek. Daar draait het allemaal om, die geheime, innerlijke kracht die ze hadden. Dat is Afrikaans. Ik wist dat ik dat niet zou kunnen door ze alleen maar te zien dansen, omdat ik geen Afrikaan ben, maar ik vond het prachtig wat ze deden. Ik wilde dat niet nadoen, maar ik haalde er wel een idee uit.

Toen Bill Evans — we noemden hem soms Moe — pas bij de band was, was hij zo ontzettend stil, man. Op een dag zei ik, alleen maar om hem uit te proberen: 'Bill, je weet toch wat je moet doen om in deze band te blijven?'

Hij keek me heel verbaasd aan, schudde zijn hoofd en zei: 'Nee, Miles, wat moet ik dan doen?'

Ik zei: 'Bill, je weet toch dat we allemaal broers zijn en zo, en we zitten allemaal in hetzelfde schuitje, dus wat ik voor jou bedacht heb is dat je het met iedereen moet doen, snap je. Je moet de band neuken.' Nou, ik maakte maar een geintje, maar Bill was ontzettend serieus, net als Trane.

Hij dacht er een kwartier over na, kwam toen terug en zei: 'Miles, ik heb erover nagedacht, ik kan 't gewoon niet. Ik wil het iedereen naar z'n zin maken en iedereen gelukkig maken, maar dat kan ik gewoon niet.'

Ik keek hem aan, glimlachte en zei: 'Zo mag ik het horen!' En toen had hij pas door dat ik hem zat te pesten.

Bill wist veel over klassieke muziek, mensen als Rachmaninov en Ravel. Hij was het die tegen me zei dat ik naar de Italiaanse pianist Arturo Michelangeli moest luisteren, dat deed ik dus en werd meteen verliefd op zijn spel. Bill had die ingetogen bezieling die ik zo mooi vond op de piano. Zijn benadering van het instrument gaf hem de klank van kristallen noten of het sprankelende water van een heldere waterval. Voor de stijl van Bill moest ik het groepsgeluid weer veranderen door andere, in het begin zachtere nummers te gaan spelen. Bill speelde onder het ritme en dat vond ik mooi, hoe zijn toonladders in het geluid van de band pasten. Het spel van Red droeg het ritme, maar Bill speelde eronder en omdat ik nu modaal bezig was, vond ik wat Bill deed mooier. Ik vond Red nog steeds goed en ik heb hem een paar keer teruggehaald, maar ik vond hem vooral goed als wij iets uit het repertoire van Ahmad speelden. Bill kon wel een beetje zoals Ahmad spelen, maar als hij dat deed, dan klonk het altijd een beetje wild.

In het voorjaar van 1958 verhuisden we van het Café Bohemia, waar we twee jaar hadden gespeeld, naar de Village Vanguard, een club van Max Gordon, die de zaak ook zelf leidde. De massa's mensen die in de Bohemia altijd naar ons kwamen kijken, verhuisden gewoon mee naar de Vanguard en zolang we daar stonden, speelden we voor een uitverkochte zaal. Ik verhuisde naar de Vanguard, omdat Max beter betaalde dan de Bohemia. Hij moest me $1000 voorschot in cash geven, anders zou ik niet spelen.

Maar de belangrijkste gebeurtenis in het voorjaar van 1958 was dat Frances Taylor weer in mijn leven kwam. Man, dat was nog eens een fantastische vrouw en ik vond het heerlijk om bij haar te zijn. Ik bemoeide me met niemand meer en was in die tijd alleen maar bij haar. We pasten zo goed bij elkaar (ik ben een Tweeling en zij is een Weegschaal). Ik vond haar het absolute einde. Ze was tamelijk lang, honingbruin, mooi, met een gladde, zachte huid, ze was gevoelig en artistiek. Een charmante, bevallige, elegante vrouw. Ik doe wel m'n best om haar perfect te laten lijken, of niet soms? Nou, ze was dan ook bijna volmaakt. Iedereen was gek op haar. Ik weet dat Marlon Brando haar fantastisch vond, net als Quincy Jones, die toen ook al in het wereldje rondliep. Quincy heeft haar zelfs nog een keer een ring gegeven en hij weet nog steeds niet dat ik daar achter ben gekomen. Frances trok bij me in, in mijn appartement op Tenth Avenue, en overal waar wij kwamen, gaapten de mensen ons aan.

Ik ruilde mijn Mercedes Benz in voor een witte Ferrari Cabriolet, die me zo'n $8000 kostte, wat in die tijd een bom duiten was. Nou, we rijden dus door de stad in die spectaculaire kar. Zo'n roetzwarte vent als ik met zo'n verpletterend mooie vrouw! Als ze uit die onwijs gave auto stapte, leek ze één en al been, want ze had van die lange, schitterende ballerina-benen en ze had zo'n prachtige ballerina-houding. Man, het was het einde, overal bleven de mensen staan om haar met open mond aan te gapen.

Ik zag er altijd puntgaaf uit als ik uitging en Frances ook. Ik heb zelfs in de internationale editie van *Life* gestaan, als een zwarte Amerikaan die iets goeds voor zijn eigen volk deed. Dat was prima. Maar ik heb me wel altijd afgevraagd waarom ze me niet in de editie die hier in Amerika uitkomt hebben gezet.

Frances kwam uit Chicago en ik kwam ook uit het Midden-Westen, dus dat kan er iets mee te maken hebben gehad dat we zo snel voor elkaar vielen, want we hoefden elkaar nooit iets uit te leggen. En ze was zwart, dat was ook heel gunstig, hoewel ik de vrouwen met wie ik omga nooit racistisch behandeld heb, als ze tof zijn, zijn ze tof en dan maakt het niet uit wat voor kleur ze hebben. Dat geldt trouwens ook voor blanke mannen.

Frances was heel goed voor me, want ze heeft me van de straat gehaald en me rust gegeven en ervoor gezorgd dat ik me beter op m'n muziek kon concentreren. Ik was in de grond van m'n hart, net als zij, een 'loner'. Ze zei altijd: 'We hebben hier vier jaar voor gerepeteerd, Miles, dus laten we nou zorgen dat 't goed gaat.' Ik hield zoveel van Frances, dat ik voor het eerst in m'n leven jaloers was. Ik herinner me dat ik haar eens heb geslagen toen ze thuiskwam met het verhaal dat Quincy Jones zo knap was. Voor ik het wist, had ik haar tegen de grond geslagen en toen is ze poedelnaakt het huis uitgerend, naar Monte Kay en Diahann Carroll. Daar heeft ze wat kleren gekregen en is toen naar Gil Evans gegaan en heeft daar geslapen, omdat ze bang was dat ik Diahanns en Montes deur in zou trappen en haar weer zou slaan. Gil heeft me opgebeld om te zeggen dat ze veilig bij hem thuis was. Ik heb tegen haar gezegd dat ze het nooit meer over Quincy Jones mocht hebben en dat heeft ze daarna ook niet meer gedaan.

We hadden, zoals alle stellen, weleens woorden, maar dit was de eerste keer dat ik haar had geslagen – daar zou het niet bij blijven. Elke keer als ik haar had geslagen voelde ik me rot, omdat het meestal echt haar schuld niet was maar de mijne, omdat ik zo'n jaloers opgewonden standje was. Ik bedoel, ik had nooit gedacht dat ik jaloers zou kunnen zijn, totdat ik Frances had. Vóór die tijd kon het me niet schelen wat een vrouw deed, het maakte me niet uit, omdat ik zo druk met m'n muziek bezig was. Maar nu maakte 't wel wat uit en dat was iets nieuws voor me en moeilijk te begrijpen.

Ze was een ster en op weg om een superster te worden, waarschijnlijk was ze de 'premier' zwarte danseres toen ze met mij omging. Ze kreeg allerlei aanbiedingen om te dansen toen ze als Best Dancer was uitgeroepen voor haar rol in *West Side Story* op Broadway. Maar ik dwong haar om te stoppen, want ik wilde haar bij me thuis hebben. Later, toen Jerome Robbins haar persoonlijk vroeg of ze in de filmversie van *West Side Story* wilde spelen, vond ik dat niet goed. Ook in *Golden Boy*, met Sammy Davis jr., die het haar zelf vroeg toen we in Philadelphia speelden, mocht ze van mij niet meedoen. Hij zou de volgende dag audities houden en hij vroeg haar of ze wilde komen. De volgende ochtend om acht uur zaten we in mijn Ferrari op de snelweg terug naar New York. Dat was mijn antwoord.

Ik wilde gewoon dat ze *altijd* bij me was. Ze maakte vaak ruzie met me over dat gezeik, dat zij ook een carrière had, dat zij ook een artiest was, maar ik wilde gewoon geen gelul daarover, want dat zou betekenen dat we niet steeds bij elkaar konden zijn. Na een tijdje hield ze erover op en begon ze dansles te geven aan mensen als Diahann Carroll en Johnny Mathis. Dat vond ik niet erg, want dan was ze elke avond bij me thuis.

Frances was daarvoor getrouwd geweest en had een

zoontje dat Jean-Pierre heette. Hij woonde bij haar ouders, Maceo en Ellen, in Chicago, terwijl zij aan haar danscarrière werkte. Toen we samen gingen wonen, belde haar vader op een gegeven moment op uit Chicago en wilde met me praten. Hij draaide er een tijdje omheen voor hij durfde te vragen of ik van plan was met Frances te trouwen. Hij zei: 'Wel, Miles, het lijkt me dat als je ergens lang genoeg tevreden mee bent geweest, als je ermee geleefd hebt en het geproefd hebt, dat je dan wel weet hoe de snoepjes smaken, dat je dan wel weet of je ze wilt kopen of niet. Dus hoe zit 't nou met jou en Frances, wat gaan jullie nou doen, wanneer gaan jullie trouwen?'

Ik mocht haar vader wel, hij was een erg aardige man. Maar ik wist hoe hij was en we hebben van man tot man met elkaar gepraat. Ik wist dat hij bezorgd was over z'n dochter, omdat hij nou eenmaal zo was. En toen zei ik: 'Dat gaat je geen moer aan, Maceo. Het kan Frances niets schelen, dus wat heb jij er dan mee te maken, man? We zijn allebei volwassen hoor!'

Daarna heeft hij er een tijdje niks meer over gezegd, maar als hij er af en toe toch over begon, dan zei ik weer precies hetzelfde, dat heeft net zo lang geduurd totdat we later gingen trouwen.

Op het moment dat ik Frances weer tegenkwam, danste ze in *Porgy and Bess*, in City Center, dus daar ging ik toen vaak heen en daar kwam ik op het idee van het *Porgy and Bess* album, dat Gil en ik in de zomer van 1958 zouden opnemen. Behalve muzikaal, had mijn verhouding met Frances nog een andere grote invloed op me; omdat ik steeds naar haar ging kijken wanneer ze danste, raakte ik geïnteresseerd in dans en theater, want we gingen een heleboel toneelstukken zien. Ik heb zelfs een liedje voor haar geschreven, *Fran Dance*, dat we op die *Green Dolphin Street* plaat hebben opgenomen. Nadat Frances met *Porgy and Bess* klaar was, stond ze in *Mr.*

*Wonderful*, samen met Sammy Davis jr.

Tegen die tijd begonnen de mensen het te hebben over 'de Miles Davis Mystiek'. Ik weet niet *waar* dat gelul vandaan kwam, maar je hoorde het overal. Zelfs de critici lieten me toen met rust en velen van hen noemden me 'de opvolger van Charlie Parker'.

De eerste belangrijke plaat die het sextet met Bill Evans maakte was *Jazz Track*, waarvoor we *Green Dolphin Street, Stella by Starlight, Love for Sale* en *Fran Dance* opnamen. Dat was in mei 1958. Philly Joe was toen al weg en was vervangen door Jimmy Cobb, die al eens eerder met me had gespeeld toen hij Art Taylor voor een korte periode verving in het Café Bohemia. Iedereen was het junkiegedoe van Philly zat en we konden er gewoon niet meer tegen. Uiteindelijk ging hij weg en begon hij met een eigen band, waar Red Garland af en toe ook in meespeelde. Ik zou de 'Philly thing' missen, die 'Philly-lick' op de trommelrand. Maar Jimmy was een goeie drummer en ook hij leverde zijn eigen bijdrage aan het geluid van de groep. En omdat ik op de ritmesectie speelde, hun spel gebruikte om zelf weer iets nieuws te doen, wist ik dat Paul en Billy en Jimmy daar dan weer op zouden reageren en elkaar zouden stimuleren. Ik zou Philly missen, maar ik wist dat ik Jimmy ook goed zou gaan vinden.

Columbia zette alle opnamen van *Jazz Track*, met onder andere *Green Dolphin Street*, op de achterkant van de soundtrack die ik had gemaakt voor *Lift naar het schavot*, een film van Louis Malle, en bracht die hier uit onder de titel *On Green Dolphin Street*. Maar *Jazz Track* was de eerste opname van de nieuwe groep als vaste band. Daarna heb ik in juni voor Columbia een gastoptreden gedaan op een plaat van de Fransman Michel Legrand met zijn grote orkest. Coltrane, Paul Chambers en Bill Evans speelden ook op die plaat mee. Daarna hebben we in

New York in de Vanguard en vervolgens op het Newport Jazz Festival gespeeld.

Toen ik terugkwam ben ik met Gil de studio in gegaan om *Porgy and Bess* te maken. We begonnen eind juli en werkten er tot half augustus aan. Ik heb Trane en Cannon niet gebruikt op deze plaat, omdat zij in de saxofoonsectie te veel zouden hebben overheerst. Ik wilde hier alleen maar de kale tonen hebben. Niemand kon aan hen tippen, dus ik heb alleen maar jongens gebruikt, die van die doodgewone klanken, in van die doodgewone liedjes speelden. Bill Evans heb ik ook niet gebruikt, want we hadden geen piano nodig. Paul en Jimmy Cobb heb ik wel gebruikt en ik heb Philly Joe ook een paar dingen laten spelen. De rest bestond voornamelijk uit studiomuzikanten, en één van hen, de tubaspeler Bill Barber, had ook op *Birth of the Cool* gespeeld. Het was lekker om te doen, omdat ik in sommige passages het menselijke stemgeluid moest benaderen. Dat was moeilijk, maar het is me gelukt. Gils arrangementen waren fantastisch. Hij schreef een arrangement voor me dat ik op *I Loves You, Porgy* moest spelen en hij noteerde een toonladder die ik moest spelen. Geen akkoorden. Hij had twee akkoorden gebruikt voor de andere stem, dus mijn toonladders in combinatie met die twee akkoorden creëren een hoop vrijheid en ruimte om andere dingen te horen.

Behalve voor Ravel en nog heel veel anderen had Bill Evans mijn interesse gewekt voor Aram Katsjatoerian, een Armeens-Russische componist. Wat me in hem boeide waren al die verschillende toonladders die hij gebruikte. Klassieke componisten, tenminste een aantal van hen, componeerden al lang zo, maar niet veel jazzmuzikanten. De muzikanten gaven me steeds maar nummers met akkoorden, maar toen wilde ik die niet spelen. De muziek was te vol. Hoe dan ook, we maakten *Porgy and Bess* en daarna trokken we naar het Zuiden, om in de Showboat in Philadelphia te spelen, en daar probeerde iemand van de narcoticabrigade Jimmy Cobb en Coltrane wegens bezit van drugs te arresteren, maar iedereen was clean. Ze probeerden zelfs mij een keer te naaien toen we in die tent speelden, ze zochten drugs. Ik heb gewoon m'n onderbroek laten zakken en zei tegen die klootzakken dat ze maar goed in m'n reet moesten kijken, omdat dat waarschijnlijk de enige plaats was waar ze shit konden vinden. God allemachtig, man, die teringpolitie in Philadelphia probeerde je altijd te naaien, dat was het corruptste zooitje van de wereld en nog racistisch ook.

Maar 't ging fout in de groep. Na zo'n zeven maanden wilde Bill uit de band stappen, omdat hij genoeg had van al dat gereis en zijn eigen muziek wilde maken. Cannonball had het daar ook al over en wilde zijn oude groep weer bij elkaar halen en zelfs Coltrane wilde zijn eigen groep. Cannon vond het bovendien niet zo leuk om roadmanager te zijn, de jongens uitbetalen en zo. Ik had hem dat werk gegeven, omdat hij daar zo goed in was en ik vertrouwde hem volkomen. Ik gaf hem ook meer geld, omdat hij dit werk erbij deed, dus hij verdiende, afgezien van mezelf, het meest van allemaal. Toen hij bij de band kwam, had hij gezegd dat hij een jaar zou blijven en in oktober 1958 was dat jaar om. Ik probeerde hem over te halen nog een tijdje te blijven en dat wilde hij wel, maar Harold Lovett en ik moesten stevig op hem inpraten om hem te houden.

Een paar van de dingen waarom Bill de band wilde verlaten, hebben me heel erg dwars gezeten, zoals dat gelul van sommige zwarten die erover zaten te zeiken dat we een blanke jongen in onze band hadden. Veel zwarten vonden dat ik, omdat ik de beste kleine jazzgroep had en dus het meest betaalde, een zwarte pianist zou moeten hebben. Nou, ik ben het niet eens met dat soort gelul, ik heb gewoon altijd de beste spelers in mijn groep willen hebben en het kan me niet schelen of ze zwart, wit, blauw, rood of geel zijn. Als ze maar kunnen spelen wat ik wil en dan ben je uitgeluld. Maar ik weet dat dit gezeik Bill dwarszat en hem ongelukkig maakte. Bill was een heel gevoelige man en er was niet veel voor nodig om hem van zijn stuk te brengen. Een hoop mensen zeiden ook nog eens dat hij, naar hun smaak, niet snel en krachtig genoeg speelde, dat hij te gevoelig was. Dus bij al dit gezeik kwam dan ook nog eens zijn hekel aan reizen, dat hij zijn eigen groep wilde hebben en zijn eigen muziek wilde spelen en dat wilden Coltrane en Cannonball ook.

We speelden elke avond hetzelfde programma en dat bestond voor een groot gedeelte uit 't gewone repertoire en mijn muziek. Ik weet dat ze hun eigen dingen wilden spelen en hun eigen muzikale gezichten wilden laten zien. Ik nam het ze niet kwalijk dat ze er zo over dachten. Maar we hadden de beste groep die er in dat genre was en het was *mijn* groep, dus die wilde ik zo lang mogelijk bij elkaar houden. Dat was een probleem, maar na een tijdje gebeurt dat met de meeste bands. Mensen groeien gewoon uit elkaar, net zoals ik Bird ontgroeide, en dan moeten ze iets anders gaan doen.

Bill stapte in november 1958 uit de band en ging bij z'n broer in Louisiana wonen. Toen hij terugkwam, formeerde hij z'n eigen band. Niet lang daarna had hij Scott LaFaro op bas en Paul Motian op drums en hij werd erg populair met die groep, hij heeft zelfs een paar Grammy Awards gewonnen. Hij was werkelijk een geweldige pianist, maar ik vind dat hij nooit meer zo goed is geweest als toen hij bij mij speelde. Het is typisch dat een heleboel blanke musici, niet allemaal, maar wel de meesten, nadat ze het in een zwarte groep gemaakt hebben, altijd met alleen maar blanke jongens gaan spelen, hoe goed die zwarte jongens ook voor ze zijn geweest. Bill ook, je hoort mij niet zeggen dat hij zwarte jongens had kunnen vinden die beter waren dan Scott en Paul, ik zeg alleen maar dat ik het heel vaak heb zien gebeuren.

Ik vroeg Red Garland of hij wilde invallen voor Bill, tot ik een vervanger had gevonden en hij is drie maanden gebleven, tot hij wegging om zijn eigen trio te beginnen. Toen hij bij mij was, ging Red een tijdje mee op tournee, na die tournee speelden we in Town Hall en zelfs Philly Joe speelde mee, omdat Jimmy Cobb ziek was, geloof ik. Het leek wel een reünie en we speelden de sterren van de hemel. Maar nu we weer op tournee gingen, moest ik iets regelen met Trane, die toen echt weg wilde. Hij had zichzelf gevonden, speelde beter en met meer overtuiging dan hij ooit had gedaan. Bovendien was hij gelukkig, vond het gezellig thuis en werd steeds dikker. Ik begon 'm zelfs te pesten met z'n omvang, maar dat soort dingen kon hem nooit zoveel schelen, dat hij te zwaar was bijvoorbeeld, of er zo onverzorgd bij liep. Het enige waar hij zich druk over maakte, was muziek en hoe hij speelde. Ik maakte me zorgen, want in plaats van heroïne te spuiten, stopte hij zich nu vol met snoep, dus wilde ik een trimtoestel voor hem kopen om z'n gewicht een beetje in de gaten te houden.

Trane noemde me altijd 'de meester' en het kostte hem moeite om te zeggen dat hij weg wilde. Ik hoorde het via anderen, aan wie hij het had verteld. Maar uiteindelijk begon hij er toch zelf over en we sloten een compromis: ik stuurde hem naar Harold Lovett, die zijn manager werd en zijn financiële zaken ging behartigen. Toen heeft Harold voor een platencontract met Nesuhi Ertegun van Atlantic Records gezorgd, die het spel van Trane sinds hij bij mij was van begin af aan mooi had gevonden. Als bandleider had Trane al het een en ander gedaan voor Prestige, daar had ik voor gezorgd, maar Bob Weinstock betaalde, zoals gewoonlijk, niet zo best. Harold richtte een muziekuitgeverij op voor Trane (hij heeft die zaak tot zijn dood, in 1967, gehouden en Harold Lovett is ook al die tijd z'n manager gebleven). Ik dacht dat als Trane op eigen benen wilde staan, hij het een en ander over zaken moest leren en iemand moest hebben die hij kon vertrouwen. Om Trane nog wat langer in mijn groep te houden, heb ik aan mijn agent, Jack Whittemore, gevraagd om te proberen het zo te regelen dat de groep van Trane alleen maar geboekt kon worden als wij niet speelden. Dus begin 1959 bevond Trane zich in een goede positie om aan zijn eigen carrière te bouwen en op tournee te gaan en natuurlijk greep hij die kans. Als hij niet bij mij speelde, dan speelde hij altijd wel ergens als de grote attractie met zijn eigen band.

Cannonball werkte op dezelfde manier, zodoende hadden we in 1959 drie bandleiders in de groep en het begon allemaal een beetje problematisch te worden. Tegen die tijd had Trane de ideale drummer gevonden in Elvin Jones, een oude vriend van me uit Detroit, en hij liep constant met hem te dwepen, maar ik wist allang dat Elvin te gek was. En Cannonball speelde met zijn broer Nat, dus ze wisten allebei waar hun toekomst lag. Het was leuk voor hen, maar rot voor mij, want ik voelde al nattigheid, ik wist dat het einde van mijn band in zicht was. Ik zou liegen als ik zei dat het me niks kon schelen, want ik had het altijd fantastisch gevonden om met deze band te spelen, en ik vind dat het 't beste kleine jazzensemble aller tijden was, of in ieder geval het beste dat ik tot dan toe had gehoord.

In februari vond ik een nieuwe pianist: Wynton Kelly. Er was nog een pianist die ik goed vond: Joe Zawinul (hij zou later in mijn band spelen). Maar Wynton kwam in de band. Wynton kwam van Jamaica en had heel even bij Dizzy gespeeld. Ik was gek op Wyntons manier van spelen, omdat hij een synthese was tussen Red Garland en

Bill Evans, hij kon bijna alles spelen. Bovendien kon hij godverdomme als een beul een solist begeleiden. Cannonball en Trane vonden hem net als ik het einde.

Wynton kwam bij ons voordat ik de studio in ging om *Kind of Blue* te maken, maar m'n plannen voor die plaat waren gebaseerd op het pianospel van Bill Evans, die nog wel een keertje met ons mee wilde spelen. De eerste of tweede dag van maart 1959 gingen we de studio in om *Kind of Blue* op te nemen. Het sextet bestond uit Trane, Jimmy Cobb, Paul, Cannon, mijzelf en Wynton Kelly, maar hij speelde maar op één nummer: *Freddie Freeloader*. Dat nummer was genoemd naar een zwarte jongen die ik kende en die altijd aan het bietsen was, je kwam hem overal tegen. Bill Evans speelde op de rest van de nummers.

We maakten *Kind of Blue* in twee sessies, één in maart en de andere in april. In de tussentijd hebben Gil Evans en ik een televisieprogramma gemaakt met een groot orkest, we speelden een heleboel muziek van *Miles Ahead*.

*Kind of Blue* kwam ook voort uit de modale muziek waarmee ik op *Milestones* was begonnen. Dit keer voegde ik daar een sound aan toe, die ik me nog kon herinneren uit Arkansas, toen we uit de kerk naar huis liepen en er onderweg van die mooie gospels werden gespeeld. Dat gevoel kwam dus weer bij me boven en ik kon me de klank en het gevoel van die muziek weer herinneren. Die klank probeerde ik te benaderen. Die stroomde door mijn aderen, vervulde mijn verbeeldingskracht; ik was vergeten dat hij er zat. Ik schreef een blues, waarin ik probeerde terug te keren naar het gevoel dat ik kende toen ik zes jaar was en met mijn neef langs die donkere weg in Arkansas liep. Ik schreef dus zo'n, pakweg, vijf maten en nam die op, maar ik voegde er wel een soort doorlopende klank aan toe, want dat was de enige manier waarop ik de duimpiano erin kon verwerken. Maar je schrijft iets en de jongens gebruiken dat dan om op te improviseren en omdat zij hun creativiteit en verbeelding gebruiken, geven ze er weer een andere wending aan, zodat je toch weer ergens anders uitkomt. Het eindresultaat was anders dan ik me had voorgesteld.

De muziek voor *Kind of Blue* had ik niet helemaal uitgeschreven, maar iedereen kreeg wel een schetsje waarop stond wat ze ongeveer moesten spelen, omdat ik veel spontaniteit in hun spel wilde horen, dezelfde spontaniteit die er volgens mij zat in het samenspel tussen die dansers en drummers en die muzikant die duimpiano speelde van het Ballet Africaine. We hebben alles in één keer opgenomen, wat wel aangeeft op welk niveau iedereen speelde. Het was prachtig. Nou waren er mensen die beweerden dat Bill de muziek van *Kind of Blue* samen met mij had geschreven. Dat is niet waar, het is allemaal van mij en het concept was van mij. Hij beïnvloedde me wel door mijn aandacht te vestigen op bepaalde klassieke componisten. Maar Bill zag die muziek pas voor het eerst toen ik hem, net als alle anderen, een schetsje liet bekijken. We hebben niet eens gerepeteerd voor die muziek, dat hadden we maar vijf of zes keer gedaan in de afgelopen twee jaar, omdat ik weergaloze muzikanten in die band had en me dat daarom wel kon permitteren.

Ik liet Bill op *Kind of Blue* in mineur spelen. Bill was, wanneer je met hem speelde, het type muzikant dat niet alleen ergens aan begon, maar het ook afmaakte, bovendien deed hij er altijd wel iets mee. Onbewust wist je dat wel, maar het veroorzaakte toch altijd wat spanning in het spel van de anderen, wat een goede zaak was. En omdat we bezig waren met Ravel (met name zijn Pianoconcert voor de Linkerhand) en het Vierde Pianoconcert van Rachmaninov, zat dat ook allemaal een beetje in onze muziek. Als ik tegen mensen zeg dat wat ik van plan was met *Kind of Blue* me niet gelukt is, dat het me niet gelukt is het exacte geluid van de Afrikaanse 'finger piano' in die sound te verwerken, kijken ze me aan alsof ik gek ben. Iedereen zei dat die plaat een meesterwerk was en ik vond het ook prachtig hoor, dus zij dachten gewoon dat ik probeerde ze in de maling te nemen. Maar toch probeerde ik op het grootste gedeelte van die plaat, vooral in *All Blues* en *So What*, dat effect te bereiken. Het is me gewoon niet gelukt.

Ik weet nog dat Billie Holiday in juli 1959 overleed. Ik kende Billie niet zo goed, we gingen niet met elkaar uit of zo. Billie was gek op mijn zoon Gregory. Ze vond hem een scheet. Ik wist dat het tussen haar en haar man niet zo goed ging, want ze zei een keer tegen me: 'Miles, ik heb tegen hem gezegd dat hij me met rust moet laten, hij mag ons huis hebben, alles, maar hij moet gewoon van me afblijven.' Maar dat is het enige dat ze me vertelde over haar privé-leven, voor zover ik me kan herinneren. Ze vertelde me wel dat ze dol was op mannen die net zo gebouwd waren als Roy Campanella, de vroegere catcher van de Brooklyn Dodgers, omdat ze dacht dat dat soort mannen de seksuele potentie had, die zij zo lekker vond bij het vrijen. Ze was gek op die korte, stevige, wijd uit elkaar staande benen, van die lage kontjes, van die bizons zal ik maar zeggen. Als ik haar mag geloven was Billie gek op seks, als de drugs en de alcohol haar tenminste niet hadden verdoofd.

Ik herinner me haar als een aardige, hartelijke vrouw en voordat haar gezicht was verwoest door de drugs, was haar huid glanzend, zachtbruin, 'n beetje Indiaans. Zij en Carmen McRae deden me aan m'n moeder denken, Carmen misschien wel iets meer dan Billie. Billie was een mooie vrouw, voordat de drugs haar kapotmaakten.

De laatste keer dat ik haar zag was toen ze begin 1959 naar Birdland kwam, waar ik speelde. Ze vroeg me om wat geld om heroïne te kopen en ik gaf haar alles wat ik bij me had. Ik denk dat het zo'n $100 was. John, haar man (ik ben z'n achternaam vergeten), hield haar aan de drugs, zodat hij haar in zijn macht had. Hij gebruikte zelf opium. Hij zei altijd dat ik eens bij hem thuis langs moest komen om op de bank wat opium te roken, maar dat heb ik nooit gedaan. Ik heb nog nooit van m'n leven opium gerookt. Hij hield alle drugs bij zich en gaf alleen wat aan Billie als het hem goed uitkwam, dat was zijn manier om haar onder de duim te houden. John was zo'n gladde zwendelaar uit Harlem, die altijd op straat te vinden was en zijn ziel aan de duivel zou verkopen als hij er genoeg geld voor kreeg.

'Miles,' had Billie tegen me gezegd, 'die klootzak van een John is er met al m'n geld vandoor gegaan. Kun je me wat geld lenen voor een shot? Ik heb het zo hard nodig.' Ik heb haar toen alles gegeven wat ik bij me had, omdat ze er zo slecht uitzag, uitgeput, versleten, mager, met holle ogen en zo. Triest om naar te kijken. Ze liep zich altijd te krabben. Ze had vroeger zo'n mooi figuur, maar nu was ze verschrikkelijk mager geworden en had zo'n pafferig gezicht van de drank gekregen. Man, ik had zo met haar te doen.

Als ik naar Billie ging kijken, vroeg ik altijd of ze *I Loves You, Porgy* wilde zingen, want als ze zong: '...Don't let him touch me with his hot hands', kon je bijna voelen wat ze allemaal doormaakte. Wat was dat mooi en triest, hoe ze dat zong. Iedereen hield van Billie.

Zij en Bird kwamen op dezelfde manier aan hun eind. Ze kregen allebei longontsteking. In Philadelphia hebben ze Billie een keer een nacht in de gevangenis gezet voor drugs. Misschien waren het ook wel een paar dagen, dat herinner ik me niet meer. Dus toen zat ze daar, het ene moment transpirerend en het andere moment rillend van de kou en zo. Als je probeert van je verslaving af te komen, krijg je het warm en koud en als je geen behoorlijke medische verzorging krijgt, loop je gegarandeerd een longontsteking op. En dat overkwam Billie en Bird. Als je verslaafd bent – gebruiken, stoppen, gebruiken, stoppen – en als dan een longontsteking toeslaat, ga je dood en dat is wat Billie en Bird is overkomen, ze zijn gewoon gegaan. Waren alles zat en gingen de pijp uit.

Afgezien van die ellende leek ik in 1959 de hele wereld aan te kunnen. Het nieuwe sextet, met Wynton Kelly op piano, speelde in Birdland voor een afgeladen huis. Er zaten elke avond sterren als Ava Gardner en Elizabeth Taylor in het publiek en die kwamen dan altijd even naar de kleedkamer om gedag te zeggen. Omstreeks die tijd, een week of twee na de laatste opnames voor *Kind of Blue*, ging Coltrane de studio in om *Giant Steps* op te nemen. Hij deed dat op dezelfde manier als ik had gedaan met de muziek die op *Kind of Blue* stond: hij kwam de studio binnen met schetsjes, die voor de muzikanten vóór die opname volkomen nieuw waren. Dit beschouwde ik als een compliment. We hebben ook nog in het Apollo Theatre in Harlem gespeeld, als één van de voornaamste attracties natuurlijk. Daarna zijn we naar San Francisco gegaan en hebben een week of drie in de Blackhawk gestaan. De zaal was elke avond afgeladen en buiten stonden de rijen tot om de hoek.

Toen we in San Francisco waren heeft Trane een interview gegeven aan Russ Wilson. Trane vertelde hem dat hij er ernstig over dacht om uit de groep te stappen. De volgende dag stond dat in de krant. Wilson schreef er ook nog bij dat Jimmy Heath de vervanger van Trane zou worden. Het was wel waar dat Jimmy Heath Trane zou vervangen, maar ik vond dat het niet aan Trane was om aan die journalisten over te brieven wat ik hem in vertrouwen had verteld. Ik was laaiend en heb tegen Trane gezegd dat hij dat nooit meer moest doen. Ik bedoel maar, ik had het toch niet verdiend om zo behandeld te worden? Ik zei dat ik heel veel voor hem had gedaan, hem als een broer had behandeld en nu deed hij me zoiets aan. Hoe haalde hij het in z'n hoofd om zomaar al mijn zaken aan zo'n blanke vent te vertellen? Ik zei tegen hem: 'Als je weg wilt gaan, ga dan, maar zeg het eerst tegen mij voordat je er tegen iedereen over gaat lopen kletsen, en houd je bek over wie jouw vervanger wordt.' Iedereen prees Trane toen de hemel in en ik snap wel dat hij het er moeilijk mee had dat 'ie nog steeds niet op eigen benen stond. Maar hij ontgroeide de groep steeds meer. Toen we die zomer op het Playboy Jazz Festival in Chicago speelden, ging hij niet met ons mee omdat hij andere verplichtingen had. Maar Cannonball speelde waanzinnig goed, hij en ik speelden om beurten een solo. Dat was begin augustus en iedereen speelde fantastisch en toen ik terugkwam in New York, had iedereen het erover hoe goed we waren, zelfs zonder Trane.

Eind augustus begonnen we een serie concerten in Birdland, alweer voor uitverkochte zalen. Pee Wee Marquette, de beroemde lilliputter presentator, die de mascotte van Birdland was, kondigde elke avond de aanwezigheid van Ava Gardner aan. Ze gaf me altijd kushandjes vanuit de zaal en kwam naar de kleedkamer om me te omhelzen. Op een keer kwam Pee Wee naar achteren, om te zeggen dat Ava in de zaal zat en naar achteren wilde komen om met me te praten. Dus toen vroeg ik aan Pee Wee: 'Waarom? Waarom wil ze met me praten?'

'Ik weet het niet, maar ze zei dat ze je mee wilde nemen naar een feest.'

Toen zei ik: 'Oké, Pee Wee, laat haar maar komen.'

Hij ging haar halen, kwam grijnzend terug en liet haar bij mij achter. Ze dolde wat met me en nam me mee naar dat feest, omdat ze me wel zag zitten. Het was een beetje saai feest, dus heb ik haar voorgesteld aan Jesse, zo'n grote zwarte kerel, die al een hartstilstand kreeg als hij alleen maar naar Ava keek. Ze was ook verbijsterend mooi, donker en sensueel, met mooie volle lippen, die zo verdomd zacht waren. Man, wat was dat een waanzinnig mooi wijf. Ik zei: 'Ava, geef 'm godverdomme eens een zoen op z'n wang, dan houdt 'ie misschien wel op met dat aangapen. Straks krijgt hij nog een beroerte.' Dus zoende ze hem en hij begon met haar te praten. Toen kuste ze mij en liet hem verder links liggen. Daarna zijn we maar weggegaan en heb ik haar thuisgebracht. We zijn niet met elkaar naar bed geweest of zo. Hoewel ze een aardig mens was, heel aardig zelfs en als ik 't had gewild, hadden we wel iets met elkaar kunnen hebben. Ik weet eigenlijk niet waarom dat niet is gebeurd, maar we hadden niets met elkaar, ook al beweren een heleboel mensen dat dat wel zo was.

Wat ik in die tijd heel vervelend vond was dat Trane steeds maar bleef roepen dat hij uit de band zou stappen, maar eigenlijk keek niemand daar meer van op. En toen gebeurde er iets, echt iets heel lulligs, dat mijn hele leven en mijn hele kijk op de dingen weer veranderde, wat me weer bitter en cynisch maakte en juist op het moment dat ik een tevreden gevoel begon te krijgen over alles wat er in dit land was veranderd.

Ik had net een radio-uitzending ter gelegenheid van de 'Dag van de Strijdkrachten' gemaakt, je weet wel, de Voice of America en al die bullshit. Ik was net met Judy, een knap blank meisje, naar buiten gelopen om een taxi voor haar te zoeken. Ze stapte in en ik sta daar voor de deur van Birdland, drijfnat, omdat het zo'n hete, vochtige, benauwde avond in augustus is. Komt er zo'n blanke politieman naar me toe en zegt dat ik door moet lopen. In die tijd deed ik veel aan boksen, dus ik dacht bij mezelf, ik moet die klootzak eigenlijk een knal voor z'n kop verkopen, want ik wist waar hij op uit was. Maar in plaats daarvan zei ik: 'Doorlopen? Waarom? Ik werk hier in Birdland. Daar staat mijn naam, Miles Davis,' en ik wees naar m'n naam, die in neon op de luifel stond.

Hij zei: 'Kan me niet schelen waar je werkt, ik zei dat je door moet lopen! Als je niet doorloopt, arresteer ik je.'

Ik keek hem alleen maar heel strak aan en verroerde geen vin. Toen zei hij: 'Je bent gearresteerd!' Hij greep naar z'n handboeien, maar hij deed tegelijk een stap achteruit. Nou had ik van boksers gehoord dat als iemand van plan is je te slaan, je naar hem toe moet lopen, zodat je kunt zien wat hij van plan is. Ik zag aan zijn houding dat die agent een ex-bokser was. Dus stapte ik naar voren, omdat ik hem de ruimte niet wilde geven om me voor m'n kop te slaan. Hij struikelde en al z'n rotzooi viel op de stoep en ik dacht bij mezelf: 'O, shit, nu zullen ze wel denken dat ik hem godverdomme iets geflikt heb of zo.' Dus ik sta te wachten tot hij mij de handboeien omdoet, omdat al zijn rotzooi op de grond ligt. Dan ga ik wat dichterbij hem staan, zodat hij me niet in elkaar kan slaan. Opeens, alsof ze uit het niets kwamen, stonden er drommen mensen om ons heen en kwam er een blanke rechercheur aan rennen en BAM!, die geeft me een klap op m'n kop. Ik zag 'm niet eens aankomen. Het bloed stroomde over m'n kaki pak. Ik weet nog dat Dorothy Kilgallen met een gezicht vol afschuw naar buiten kwam (ik kende Dorothy al jaren en ik ging vaak met een goede vriendin van haar uit, Jean Bock was dat) en dat ze zei: 'Miles, wat is er gebeurd?' Ik kon geen woord uitbrengen. Illinois Jacket stond er toen ook bij.

Het liep bijna uit op een rassenrel, dus de politie werd bang en nam me als de donder mee naar het bureau in 54th Street, waar ze foto's van me maakten, terwijl ik nog onder het bloed zat. Ik zit daar dus en ik kook van woede, logisch nietwaar? En op dat bureau zeggen ze tegen me: 'Dus jij bent nou die lefgozer?' En dan liepen ze tegen me aan, weet je wel, om me kwaad te maken, zodat ze me weer een klap voor m'n hersens zouden kunnen verkopen. En ik zit daar maar, neem alles goed in me op en let op elke beweging die ze maken.

Ik kijk naar de muur en ik zie dat ze reclame maken voor officieren om naar Duitsland te reizen, als een soort vakantiereisje. Let wel, dit gebeurde veertien jaar na de oorlog. En zij gaan daarnaartoe om iets te leren wat zij in hun werk kunnen gebruiken. Dat staat tenminste in de brochure, ze zullen daar waarschijnlijk leren hoe ze je nog schofteriger kunnen behandelen, om de nikkers hier net zo te pakken als de nazi's daar met de joden gedaan hebben. Ik kon die vuiligheid haast niet geloven en dat soort lui moet ons nou beschermen! Het enige dat ik heb gedaan is een vriendin helpen om een taxi te vinden en toevallig was ze blank en die blanke jongen, die toevallig politieagent was, vond het niet leuk dat een nikker dat deed.

Ik had om een uur of drie 's nachts mijn advocaat Harold Lovett gebeld. De politie beschuldigde me van verzet bij arrestatie en gewelddadige bedreiging van een ambtenaar in functie. *Mij!* En ik heb niks gedaan! Het is al zo laat, dat Harold eigenlijk niks kan doen. Ze brengen me naar 't hoofdbureau en Harold komt dan ook naar Centre Street, waar ze me 's ochtends naartoe hadden gebracht.

Het is voorpaginanieuws in de New Yorkse kranten en de beschuldigingen worden in de koppen nog eens herhaald. Er stond ook een foto van me in, die later nog beroemd is geworden, waarop ik de gevangenis verlaat met pleisters op mijn hoofd (ze waren met me naar het ziekenhuis gegaan omdat ik gehecht moest worden) en Frances – die naar me toe was gekomen toen ze me naar het hoofdbureau brachten – loopt trots als een pauw naast me.

Toen Frances naar het politiebureau was gekomen en

zag dat ik in elkaar was geslagen, werd ze bijna hysterisch, zo stond ze te krijsen, man. Ik vermoed dat die agenten in de gaten kregen dat ze een foutje hadden gemaakt, zo'n mooie vrouw, die tekeergaat óm een nikker. En toen kwam Dorothy Kilgallen naar het bureau en die heeft er nog in haar column van de volgende dag over geschreven. Dat stuk pakte negatief uit voor de politie en dat was voor mij dan wel weer gunstig.

Kijk, dat gelul over verzet bij arrestatie en zo zou ik toen in East St. Louis wel verwacht hebben (voordat het een volledig zwarte stad werd), maar niet hier in New York, wat toch wordt beschouwd als de meest moderne, bruisende stad van de wereld. Maar ik zat er wél midden tussen de blanken en ik heb geleerd dat een zwarte geen rechten heeft in een blanke maatschappij. Geen enkel recht. Tijdens de zitting zei de officier tegen me: 'Toen die politieman zei: "Je bent gearresteerd", wat bedoelde u toen met uw blik te zeggen?'

Harold Lovett, mijn advocaat, zei: 'Wat bedoelt u met "Wat bedoelde u met uw blik?"?' Ze bedoelden natuurlijk dat ik eruitzag alsof ik die politieman neer wilde slaan of zo. Mijn advocaten hebben me maar niet als getuige opgeroepen, omdat ze dachten dat de blanke rechter en de blanke jury mijn zelfverzekerdheid als arrogantie zouden uitleggen en ook vanwege mijn opvliegendheid. Ze dachten dat ik mezelf niet in de hand zou hebben. Maar dat voorval heeft me voor eeuwig veranderd, het heeft me veel bitterder en cynischer gemaakt dan ik anders geweest zou zijn. Het heeft drie rechters twee maanden gekost om te beslissen dat mijn aanhouding onrechtmatig was geweest en de aanklacht tegen mij ongegrond te verklaren.

Later heb ik via de rechter een schadevergoeding van $500 000 van de politie geëist. Harold deed dat soort processen nooit, dus zorgde hij voor een andere advocaat, die vergeten had om de eis binnen de gestelde termijn in te dienen. We hebben het proces om schadevergoeding verloren en wat was ik godverdomme kwaad, maar ik kon er niets aan veranderen.

De politie trok mijn vergunning om in clubs te spelen in, waardoor ik een tijdje niet meer in de New Yorkse clubs kon optreden. Toen ik opgepakt werd, heeft mijn band de laatste set zonder mij gespeeld, maar de club heeft het publiek wel uitgelegd wat er gebeurd was. Ik heb gehoord dat de band waanzinnig tekeerging zonder mij, lekker lang tekeergaan en zo en ze hebben van alles gespeeld, waarschijnlijk zoals ze de nummers in hun eigen groep zouden hebben gespeeld. Toen ik weg was, kondigden Cannonball en Coltrane de nummers aan, dus reken maar dat het er heet aan toe ging. Maar nadat die klotegeschiedenis een paar dagen voorpaginanieuws voor de New Yorkse kranten was geweest, hoorde je er daarna niets meer over. Iedereen was het zo weer vergeten. Maar een heleboel musici en mensen die wisten hoe de zaak precies in elkaar zat – blank en zwart – vergaten het niet en vonden me een held omdat ik me tegenover de politie staande had weten te houden.

Vanaf die tijd begonnen sommige mensen – blanke mensen – te zeggen dat ik altijd 'angry' was, dat ik een 'racist' was en nog meer van die flauwekul. Nou, ik ben absoluut geen racist, maar dat wil nog niet zeggen dat ik me laat pakken door iemand, alleen maar omdat hij blank is. Ik ontblootte mijn tanden niet in een brede grijns en ik hield niet van draaikonterij; ik was niet schijterig en ik hield er niet van om m'n hand op te houden omdat ik minder zou zijn dan een blanke. Ik woonde in Amerika en ik was van plan alles te pakken waar ik recht op had.

Eind september ongeveer stapte Cannonball uit de band, dus nu waren we weer een kwintet. Hij is nooit meer teruggekomen. Alle anderen bleven. Door het vertrek van Cannon veranderde het geluid van de groep en toen gingen we maar weer hetzelfde spelen als vroeger, de stijl voordat we modaal gingen spelen. Wynton Kelly, op piano, was een combinatie van Red Garland en Bill Evans, dus we konden alle kanten uit. Maar door het ontbreken van Cannons alt in het klankbeeld, zat ik een beetje op een dood punt voor wat betreft mijn ideeën over het laten klinken van een kleine groep.

Ik voelde dat ik gewoon even een tijdje rust moest nemen. Ik was altijd op zoek geweest naar nieuwe dingen in mijn muziek, nieuwe uitdagingen voor m'n muzikale ideeën en meestal was me dat ook gelukt. Misschien had het wel iets te maken met alleen zijn, steeds maar onderweg zijn en naar al die muziek luisteren en altijd maar weer in het middelpunt van de belangstelling staan. Nu bleef ik veel thuis, bij Frances; we gingen naar etentjes bij vrienden en leidden het leven van een doorsnee echtpaar. Maar ik moest toen aan het eind van 1959 nog wel met Gil Evans een plaat maken, die we *Sketches of Spain* noemden.

Dat was eigenlijk gekomen omdat ik eerder dat jaar in Los Angeles was en een vriend van me ging opzoeken. Joe Mondragon was dat; hij was een fantastische studiobassist, die in de San Fernando Valley woonde. Joe was van Spaans-Indiaanse afkomst, uit Mexico, een heel knappe vent. Toen ik bij hem thuis was, draaide hij een plaat van *Concierto de Aránjuez* van de Spaanse componist Joaquin Rodrigo en hij zei: 'Miles, luister hier eens naar, dat kun jij toch ook?' Dus ik zit daar te luisteren en naar Joe te kijken en ik denk bij mezelf: Godverdomme, dat zijn sterke melodielijnen! Ik wist toen al dat ik daar een plaat van moest maken, want die melodieën bleven maar in m'n hoofd rondspoken. Toen ik terug in New York was, belde ik Gil op en besprak het met hem en gaf hem de plaat, zodat hij eens na kon denken wat we ermee konden doen. Hij vond het ook mooi, maar hij zei dat we, om een plaat vol te krijgen nog wat meer stukken nodig hadden. We kochten een plaat met Peruviaans-Indiaanse volksmuziek en gebruikten daar een motiefje van. Op onze plaat werd dat *The Pan Piper.* Toen hebben we de Spaanse mars *Saeta* genomen, die wordt in Spanje altijd op vrijdag gespeeld, wanneer ze tijdens een processie al zingend het geloof belijden. De trompettisten speelden de mars op *Saeta* op dezelfde manier als hij in Spanje wordt gespeeld.

De zwarte moren waren in Spanje terechtgekomen omdat, heel lang geleden, de Afrikanen Spanje hadden veroverd. In Andalusië vind je nog veel Afrikaanse invloeden terug in de muziek, de architectuur en in de hele cultuur en de bevolking heeft nog flink wat Afrikaans bloed. Dus er zat iets Afrikaans in die muziek, in de doedelzakken, de trompetten en de drums.

De *Saeta* was een Andalusisch lied, dat bekend staat als het lied der liederen, en het was één van de oudste vormen van religieuze muziek in Andalusië. Het is een lied dat men gewoonlijk alleen zingt, zonder begeleiding, tijdens de ceremonies van de Stille Week in Sevilla en het gaat over het lijden van Christus. Het is een processie en de zangeres staat op een balkon; ze houdt zich vast aan het traliewerk en kijkt neer op de processie, die onder haar balkon stil blijft staan als zij dit lied zingt. Ik moest haar stem op trompet spelen. En als ik dan klaar ben, geeft een groep trompetten het sein dat de processie weer verder moet gaan. Tijdens het hele lied accentueren gedempte trommels de zangeres. Het eind van het lied is een mars, want dat doen ze dan ook, ze marcheren verder en ze laten de vrouw, als ze is uitgezongen, in stilte achter. Mijn spel moest in dit lied zowel blij als droevig zijn en dat was knap lastig.

Nou, dat was het moeilijkst voor mij op *Sketches of Spain*, de trompetpartijen waar iemand eigenlijk hoorde te zingen, vooral wanneer het geïmproviseerd was, zoals meestal het geval was. De problemen ontstonden als ik de gedeelten die tussen de woorden van de zangeres in lagen, probeerde te doen. Omdat je daar al die Arabische toonladders in hebt zitten, zwart-Afrikaanse toonladders die je daar hoort. Ze moduleren en buigen en draaien en slingeren en verschuiven. Het is net alsof je in Marokko bent. Wat het nog het moeilijkst maakte is dat je het hooguit één of twee keer kon doen. Als je zo'n lied drie of vier keer speelt, raak je het gevoel kwijt dat je erin wilt leggen.

Hetzelfde zat een beetje in *Solea*; m'n trompet had daar dezelfde klank. *Solea* is een oervorm van de flamenco. Het is een liedje over eenzaamheid, over verlangen en treurnis. Het ligt heel dicht bij het zwart-Afrikaanse gevoel van de blues. Het komt uit Andalusië, dus heeft het zijn wortels in Afrika. Maar ik heb pas in *Saeta* gespeeld toen Gil het helemaal op een rijtje had.

Eerst moest hij het hele lied opnieuw orkestreren, omdat hij de partituur en de muzikale gedeelten voor alle stemmen zo compact en achterlijk dicht op elkaar had gezet. Hij had, muzikaal gesproken, alles precies opgeschreven, dus als iemand even adem zou halen, zou hij dat er ook nog bij hebben gezet. Het leek wel of Gil de partituur in microtellen had genoteerd. Het was zo compact, dat één van de trompettisten (één van mijn favoriete blanke trompetspelers, die Bernie Glow heette) helemaal rood aanliep als hij die Mexicaanse melodie probeerde te spelen. Hij heeft me later eens verteld dat dit de moeilijkste passage was die hij ooit in zijn leven heeft moeten spelen. Ik zei tegen Gil dat hij een ander arrangement moest schrijven, maar hij had niet 't idee dat er iets aan mankeerde en hij begreep niet waarom

Bernie met dit arrangement zo'n moeite had.

Nou was Gil het soort man dat er twee weken over deed om acht maten muziek tot in de perfectie op te schrijven. Hij bleef er maar mee bezig. En dan ging hij er eindeloos aan zitten bijschaven. Vaak moest ik de handel letterlijk onder z'n handen vandaan halen, omdat het zo godvergeten lang duurde voordat hij had gekozen tussen nog wat schrijven of nog wat schrappen. Hij was een perfectionist.

Dus nadat ik had gezien dat Bernie helemaal paars aanliep, ging ik gewoon naar Gil en zei: 'Gil, je hoeft die muziek niet zo op te schrijven.' Het is te compact voor de musici. Je hoeft de trompettisten niet perfect te laten klinken, want deze trompettisten zijn klassiek geschoold en die jongens maken toch al niet graag fouten. Nou, daar was hij het toen mee eens. In het begin hadden we geen goede trompettisten omdat we jongens met een klassieke scholing hadden genomen. En dat leverde problemen op. We moesten ze vertellen dat ze niet precies moesten spelen wat in de partituur stond. Ze keken ons aan, vooral Gil, alsof we gek waren. Hun improvisaties klonken als een natte krant. Dus stonden ze Gil aan te kijken alsof ze wilden zeggen: Waar heeft hij het in christusnaam over? Dit is een 'concerto', of niet soms? Ze weten dus zeker dat wij mesjogge zijn, als we 't hebben over 'spelen wat er niet staat'. We wilden alleen maar dat ze zich in de muziek zouden inleven én lezen wat er staat én spelen; maar die eerste groep kon dat niet, dus hebben we de trompettisten moeten vervangen. En daarom moest Gil de hele partituur opnieuw orkestreren. Toen hebben we een paar trompettisten gevonden, die zowel een klassieke scholing als inlevingsvermogen hadden. Ze hoefden maar een paar gedeeltes te spelen, het was net een fanfare. En nadat we dus de trompettisten hadden vervangen en het stuk opnieuw voor hen hadden georkestreerd – en Bernie liep nog steeds paars aan, maar hij en Ernie Royal en Taft Jordan en Louis Mucci speelden waanzinnig – ging alles verder goed. Op deze plaat heb ik zowel trompet als bugel gespeeld.

Toen hadden we nog een paar drummers nodig, die de sound die ik wilde hebben konden weergeven; ik wilde dat de snarentrommel klonk als scheurend papier, met van die strakke roffeltjes. Ik had dat geluid vroeger bij de Veiled Prophet Parades in St. Louis gehoord, bij die echte fanfaretrommelaars die ze daar hadden. Ze klonken een beetje als Schotse bands. Maar het zijn Afrikaanse ritmes, want daar komen de doedelzakken ook vandaan, uit Afrika.

Dat betekende dat we een stelletje echte trommelaars nodig hadden om achter drummer Jimmy Cobb en percussionist Elvin Jones te spelen. We hadden dus dat geluid van de drummers, de echte trommelaars en daar lieten we dan Jimmy en Elvin spelen wat ze normaal ook altijd doen, solo's en zo. Fanfaredrummers kunnen niet soleren, omdat ze geen muzikale verbeeldingskracht hebben om te improviseren. Net als de meeste klassieke muzikanten spelen ze alleen maar wat er voor hun neus op papier staat. Dat is nou klassieke muziek; de musici spelen alleen wat er staat en verder niks. Ze hebben een goed geheugen en beheersen hun techniek als een robot. Als één muzikant niet precies zo speelt als de anderen, geen perfecte robot is zoals alle anderen, dan is het in de klassieke muziek zo dat de andere robots hem of haar uitlachen, vooral als zo iemand nog zwart is ook. Meer is het niet, dat is nou klassieke muziek als je uitvoerend musicus bent: robot shit. En ze worden verheerlijkt alsof ze echt geweldig zijn. Natuurlijk is er fantastische klassieke muziek geschreven door fantastische componisten – en ook op dat terrein heb je knappe musici, maar dan moet je wel eerst solist worden – maar het blijven uitvoeringen en diep in hun hart weten de meesten van hen dat ook wel, hoewel je ze het nooit hardop zult horen zeggen.

Je moet dus in een stuk als *Sketches of Spain* de balans zien te vinden tussen musici die muziek kunnen lezen en met weinig of geen gevoel spelen en een paar anderen die wel met gevoel kunnen spelen. Ik denk dat het ideaal is als een muzikant zowel een partituur kan lezen als gevoel in zijn spel kan leggen. Bij mij is het zo dat er niet zoveel gevoel in zit als ik het lees en speel. Maar als ik er alleen maar naar luister en het dan speel, zit er een heleboel gevoel in. Ik merkte bij *Sketches of Spain* dat ik eerst de partituur een paar keer door moest lezen, dat ik er daarna een paar keer naar moest luisteren en het toen pas moest spelen. Bij mij ging het er alleen maar om dat ik moest weten waar het over ging, toen ik *dat* wist kon ik het spelen. Het schijnt gelukt te zijn, want iedereen vond het fantastisch.

Toen we klaar waren met *Sketches of Spain* was ik leeg. Ik voelde helemaal niets meer en ik wilde die muziek ook niet meer horen na al het bloed, zweet en tranen dat het me heeft gekost om dat te spelen. Gil zei: 'Laten we naar de bandjes gaan luisteren.' Ik zei: 'Ga *jij* maar naar die bandjes luisteren, want ik wil ze niet horen.' En ik heb het pas gehoord toen de plaat meer dan een jaar later uitkwam. Ik wilde doorgaan met iets nieuws. Toen ik het eindelijk hoorde, was ik met mijn hoofd, muzikaal gezien, allang ergens anders, dus ik vond 't eigenlijk niets bijzonders. Ik heb er maar één keer echt goed naar geluisterd. Ik bedoel, hij kan thuis best eens op de draaitafel hebben gelegen – want Frances vond hem prachtig – maar ik ben er maar één keer goed voor gaan zitten en heb toen elk nummer goed uitgeplozen. Ik vond 't een goeie plaat en ik vond dat iedereen er goed op speelde en dat Gil het waanzinnig had gearrangeerd, maar het maakte geen indruk op me.

Joaquin Rodrigo, de componist van *Concierto de Aránjuez* zei dat hij de plaat niet mooi vond en hij – zijn compositie – was nog wel de reden dat ik *Sketches of Spain* heb gemaakt. Aangezien hij royalty's kreeg omdat we zijn stuk hadden gebruikt op onze plaat, zei ik tegen de man die hem de plaat had laten horen: 'Misschien gaat hij het vanzelf mooi vinden als die vette royalty-cheques bij hem in de brievenbus vallen.'

Een vrouw vertelde me dat ze een oude, gepensioneerde stierenvechter had opgezocht, die stieren voor de arena fokte. Ze had hem iets verteld over een plaat die door een zwarte Amerikaanse musicus was gemaakt en hij geloofde niet dat een buitenlander, een Amerikaan – en dan nog wel een zwarte Amerikaan – zo'n plaat kon maken, want voor zoiets moet je de Spaanse cultuur, inclusief de flamencomuziek, heel goed kennen. Ze vroeg of ze de plaat voor hem mocht draaien en dat vond hij best. Hij ging er goed voor zitten en luisterde aandachtig. Toen de plaat afgelopen was, stond hij op, trok z'n stierenvechterspak aan en ging naar buiten. Hij vocht voor 't eerst sinds zijn pensionering met één van zijn stieren en doodde de stier. Toen ze aan hem vroeg waarom hij dat had gedaan, zei hij dat hij zo door de muziek was geraakt, dat hij gewoon met een stier móest vechten. Ik kon het verhaal van die vrouw moeilijk geloven, maar ze zwoer dat het waar was.

## 12

Na *Sketches of Spain* wilden Gil en ik een tijdje niet meer de studio in. Het was nu begin 1960 en Norman Granz had een Europese tournee voor mij en m'n band geboekt. Het was een tamelijk lange tournee, die in maart begon en helemaal doorliep tot en met april.

Trane wilde niet mee naar Europa en was vast van plan uit de band te stappen voor we weggingen. Op een avond kreeg ik een telefoontje van Wayne Shorter, een nieuwe tenorsaxofonist die net in de belangstelling begon te komen; hij zei dat Trane hem verteld had dat ik een nieuwe tenorist nodig had en dat Trane hem aanbeval. Ik ergerde me dood. Ik wilde al ophangen, maar ik zei toch nog zoiets als: 'Als ik een saxofonist nodig heb, dan zorg ik er zelf wel voor!' En toen heb ik opgehangen. KNAL!

Dus toen ik Trane tegenkwam, heb ik tegen hem gezegd: 'Je moet eens ophouden met tegen mensen te zeggen dat ze me maar op moeten bellen en als je weg wilt, ga dan, maar waarom stap je niet op als we terugkomen uit Europa?' Als hij toen meteen was opgestapt, dan had ik gehangen, want niemand anders kende de nummers en deze tournee was ontzettend belangrijk. Hij besloot toch maar mee te gaan, maar hij heeft ons de hele tournee links laten liggen en hij zat maar te mopperen en te klagen. Hij zei dat hij weg zou gaan, zodra we thuis waren. Voor hij wegging heb ik hem die sopraansaxofoon gegeven, waar ik het al eerder over heb gehad en hij begon erop te spelen. Ik hoorde meteen wat voor invloed het op zijn tenorspel zou hebben, hoe het een totale ommekeer teweeg zou brengen. Ik zei vaak voor de grap tegen hem dat hij voor de rest van z'n leven bij mij in de schuld stond, omdat hij die sopraansax nooit gehad zou hebben als hij niet met mij op tournee was gegaan. Man, daar moest hij dan altijd zo om lachen, dat de tranen hem over z'n wangen biggelden en dan zei ik: 'Trane, ik meen 't.' En dan omhelsde hij me stevig en zei steeds weer: 'Miles, je hebt gelijk.' Maar dat was pas later hoor, toen hij z'n eigen groep al had en ze iedereen met hun muziek helemaal gek maakten.

In mei, vlak na onze terugkeer in de Verenigde Staten, stapte Trane op en gaf hij zijn openingsconcert in de Jazz Gallery. Toen ik in de zomer van 1960 weer met mijn groep ging optreden, kwam m'n oude vriend Jimmy Heath Trane vervangen. Hij was net uit de gevangenis, waar hij vast had gezeten voor drugs.

Trane had vroeger in de big band gezeten, die Jimmy rond 1948 in Philadelphia had en ze hadden in dat jaar ook samen in de band van Dizzy gespeeld. Ze kenden elkaar dus al heel lang. Jimmy heeft van 1955 tot 1959 in de gevangenis gezeten, dus hij was helemaal van de muziekwereld vervreemd. Toen Trane zei dat hij nu voorgoed uit m'n band stapte, zei hij tegen me dat Jimmy net uit de bak was gekomen en waarschijnlijk werk zocht en een heleboel stukken kende die wij speelden.

Maar mijn muziek was behoorlijk veranderd sinds 1953, toen Jimmy op mijn plaat *Miles Davis All Stars* meespeelde en ik dacht dat het voor hem weleens moeilijk kon worden om van de bebop los te komen. Maar ik dacht zo bij mezelf dat we de tijd hadden en ik wilde Jimmy best een kans geven. Trane was altijd helemaal gek geweest van Jimmy's spel en ik ook. Bovendien was hij een toffe kerel om mee om te gaan, grappig en clean en erg intelligent.

We waren in Californië, dus moest ik hem bellen om te vragen of hij bij de band wilde komen. Hij zei dat hij dat ontzettend graag wilde, dus heb ik hem een ticket gestuurd om naar ons toe te komen.

De eerste plaats waar we speelden was de Jazz Serville Club in Hollywood. Toen Jimmy kwam, begon ik hem meteen uit te leggen waar we mee bezig waren en ik zag al snel dat hij niet begreep waar ik het over had. Ik bedoel, hij had wel van modale muziek gehoord, maar ik kon zien dat hij 't nog nooit had gespeeld, dat het nieuw voor hem was. Hij speelde altijd liedjes met een hoop akkoordwisselingen die netjes oplossen, zodat alles op dezelfde manier eindigt. Maar wij speelden toonladders en waren met modale dingen bezig. Ik herinner me dat Cannonball bij dat optreden ook meespeelde en dat Jimmy in het begin met de nummers worstelde; hij probeerde zich aan te passen aan onze manier van modaal spelen. Maar na een poosje kon ik horen dat hij zich begon te ontspannen en in de muziek thuis raakte. Daarna gingen we weer richting oostkust en speelden in French Lick, in Indiana (dat boerengehucht waar Larry Bird, die basketballer vandaan komt), het Regal Theatre in Chicago en in nog wat tenten.

Toen we weer in het oosten waren, stapte Cannonball voorgoed op en voor ons vertrek naar het Playboy Festival in Chicago ging Jimmy naar Philadelphia om z'n familie op te zoeken. Toen zei z'n reclasseringsambtenaar dat hij niet verder dan honderd kilometer buiten Philadelphia mocht komen; het was een voorwaarde voor z'n voorlopige invrijheidstelling. Dat heeft Jimmy's muzikale carrière jaren gekost. Hij mocht niet eens naar New York komen om te spelen en hij was tijdens de hele tournee nog wel zo clean als wat. Hij kwam alleen maar om te spelen en ging dan altijd meteen weer terug naar z'n hotel. Hij verdiende nu meer geld dan ooit en dan zet die reclasseringsambtenaar, een Italiaanse vent, hem klem. Man, 't leven is soms een hel, vooral als je zwart bent!

Toen Jimmy me vertelde dat hij in de stront zat, heb ik een paar vrienden in Philadelphia gebeld om te vragen of ze 'm konden helpen, maar zij konden er ook niks aan doen. Ik vond 't verschrikkelijk dat Jimmy om zo'n reden weg moest bij de band, want hij begon het modale improviseren net in z'n vingers te krijgen en ik denk dat hij goed geworden zou zijn. Ik weet dat het 'm een behoorlijke tik heeft gegeven en ik vond het ook zelf ook afschuwelijk. Toen dacht ik opeens aan die jongen die Trane aanbevolen had, Wayne Shorter. Ik heb 'm gebeld om te vragen of hij bij de band kon komen. Maar hij speelde bij Art Blakey en The Jazz Messengers, en hij kon niet bij ons komen. Toen heb ik Sonny Stitt genomen, die kon zowel op tenor als op alt spelen. Hij kwam bij ons toen ik bijna weer op tournee naar Europa zou gaan, met Londen als eerste bestemming.

Omstreeks die tijd kreeg ik weer een klap toen ik hoorde dat mijn moeder kanker had. Ze was in 1959 met haar man, James Robinson, weer in East St. Louis gaan wonen. De dokters hadden kanker geconstateerd toen ze haar eerder dat jaar opereerden, dus iedereen maakte zich daar zorgen over. Maar toen ik haar sprak, klonk ze heel sterk en ze zag er goed uit toen ik haar op ging zoeken.

Tijdens die Europese tournee in 1960 kwam ik geloof ik voor het eerst in Londen en onze concerten waren daar elke avond volledig uitverkocht. We speelden in van die zalen waar drie- tot achtduizend mensen in kunnen. Frances was met me meegegaan en iedereen die haar zag was kapot van haar. Man, in de Britse kranten kon je elke dag lezen hoe fantastisch ze wel niet was. Dat was te gek. Er werd bijna net zoveel over haar als over mij geschreven. Over háár geen kwaad woord, maar over mij vielen ze allemaal heen. Eerst begreep ik er niets van. Ze zeiden dat ik arrogant was, dat ik een hekel had aan hoe de Engelsen praten, dat ik lijfwachten had om me te beschermen, terwijl in werkelijkheid de enige mensen die ik, behalve de bandleden, bij me had Frances en Harold Lovett waren. Ze zeiden dat ik een hekel had aan blanken en nog meer van dat gelul. Maar toen vertelde iemand me dat de Engelse pers je altijd zo behandelt als je beroemd bent. Toen was ik gerustgesteld. Na Engeland gingen we naar Zweden, naar Parijs en daarna terug naar de Verenigde Staten om onze tournee af te maken.

Ik herinner me vooral nog dat we in Philadelphia hebben gespeeld door een voorval dat Jimmy en ik met de politie meemaakten. Jimmy was ook gek op auto's, weet je, en ik geloof dat hij een Triumph sportwagen had. In ieder geval, ik was in m'n Ferrari naar Philadelphia gereden – ik reed toen altijd met die auto naar al m'n optredens, als ik tenminste niet aan de westkust moest zijn; later reed ik in één van m'n Ferrari's soms zelfs dáárheen. Dus ik pikte Jimmy op en we reden wat rond en kletsten over muziek en zo en ik heb waarschijnlijk tegen hem zitten klagen over Sonny Stitt, dat hij de verkeerde shit in *So What* had gespeeld, want hij verpestte dat nummer verdomme altijd, dus als ik Jimmy zag, had ik het altijd daarover. Nou, in ieder geval reden we in mijn Ferrari en ik liet hem in Broad Street, waar de maximumsnelheid ongeveer veertig kilometer per uur is, zien hoe hard mijn auto kon. Ik zei tegen Jimmy dat mijn auto alle stoplichten zou kunnen halen vóór ze op rood of oranje zouden springen. Dus ik trap 'm op z'n staart en de auto rijdt negentig kilometer per uur vóór hij met z'n ogen kon knipperen, zie je 't voor je? Z'n ogen worden zo groot als schoteltjes en we halen al die tering stoplichten. De auto gaat zo hard en ligt zo laag op de weg, dat je 'm alleen maar hoort fluiten. We gaan ontzettend hard en zien het volgende stoplicht op oranje springen, ik moet op m'n rem trappen. Maar ik ken m'n auto en ik weet dat de remmen het aankunnen en dat we op de millimeter uit zullen komen. Jimmy's ogen vallen haast uit z'n hoofd, omdat hij ervan overtuigd is dat we door rood zullen rijden. Dus ik schakel terug van zo'n vijfennegentig kilometer per uur en stop op de millimeter, precies zoals ik had verwacht en Jimmy kon z'n ogen gewoon niet geloven. Als we stoppen, zitten daar twee blanke narcotica-agenten in burger, in een gewone auto. We stoppen dus pal naast ze. Ze kijken naar ons en zeggen: 'Dat is godverdomme Miles Davis, met Jimmy Heath in die klotekar.' We moeten dus langs de kant van de weg gaan staan en ze zwaaien met hun penning en zo en zeggen dat we naar hun wagen moeten komen. Dat doen we maar, want ik wil Jimmy niet in de problemen brengen, omdat hij voorwaardelijk vrij is en zo. Dus we lopen erheen en zij controleren ons, je weet wel, fouilleren en die hele poppenkast, vinden niks en laten ons gaan. Man, dat was vervelend.

Er gebeurde heel wat in 1960 en daar hoorde Ornette Coleman, een nieuwe zwarte altsaxofonist, die toen naar New York City kwam en de hele jazzwereld op z'n kop zette, ook bij. Hij was er opeens en walste iedereen plat. Het duurde niet lang voor er geen kaartje meer te krijgen was voor de Five Spot, waar hij elke avond optrad met Don Cherry – die op een zaktrompetje speelde; Ornette had ook plastic alt, geloof ik. Charlie Haden op bas en Billy Higgins op drums. Ze speelden de muziek op een manier die iedereen 'free jazz' of 'avant-garde' of 'the new thing' of zo noemde. Een heleboel sterren, die vroeger altijd naar mij kwamen luisteren – zoals Dorothy Kilgallen en Leonard Bernstein; ze hebben me verteld dat hij op een avond van z'n stoel sprong en zei: 'Dit is het mooiste wat er ooit met de jazz is gebeurd!' – gingen nu naar Ornette luisteren. Ze hebben zo'n maand of vijf, zes in de Five Spot gespeeld en ik ging, als ik in de stad was, dan altijd even kijken wat ze aan het doen waren; ik heb zelfs een paar keer meegespeeld.

Ik kon met iedereen spelen, welke stijl ze ook speelden – hoe je ook speelt, ik kan het spelen – want toen had ik werkelijk alle trompetstijlen onder de knie. Wat Don Cherry deed, was gewoon een bepaald stijltje, maar Ornette kon toen maar op één manier spelen. Ik was daar achter gekomen toen ik een paar keer naar ze geluisterd had, dus ik ging gewoon meedoen en speelde zoals zij. Het was alleen maar in een bepaald tempo, dat nummer dat we toen speelden. Ik weet niet meer hoe het heette. Don vroeg of ik mee wilde doen, dus dat deed ik dan maar. Don vond me erg goed en hij was een aardige jongen.

Maar Ornette is een jaloers mannetje, zeg. Jaloers op het succes van andere musici. Ik weet niet wat er met hem aan de hand is. Ik vind het raar dat hij – een saxofonist – zomaar een trompet en een viool oppakt en dan denkt dat hij daar zomaar, zonder te studeren, op kan spelen. Dat vind ik een klap in het gezicht van al die mensen die zo'n instrument goed bespelen. En dan gaat hij met zo'n arrogante houding zitten vertellen hoe 't moet, terwijl hij niet eens weet waar hij het over heeft. Dat vind ik niet erg fatsoenlijk. Maar ach, weet je, eigenlijk is muziek alleen maar geluid. De viool is een prima instrument en ik denk dat je het wel kan maken om hem hier en daar te gebruiken als een vulmiddel, als je er niet echt op kunt spelen. Ik bedoel natuurlijk niet soleren of zoiets, nee, gewoon hier en daar een paar nootjes neerleggen. Maar als je geen trompet kunt spelen, klinkt het afgrijselijk. Mensen die er wel op kunnen spelen er zelfs op spelen als hij helemaal afgestopt is. Zolang je maar ritmisch speelt, zelfs als het een waardeloos ding is, zolang het in de muziek past, kan je dat doen. Je moet gewoon een stijl spelen. Als je een ballade speelt, dan speel je ook een ballade. Maar Ornette kon dat niet op trompet, omdat hij helemaal niks van het instrument afwist. Maar verder is Ornette oké, ik wou alleen dat hij niet zo jaloers was.

Op het menselijke vlak zag ik Ornette en Don wel zitten en ik vond dat Ornette beter speelde dan Don. Maar ik heb niks revolutionairs in hun spel kunnen ontdekken, dat heb ik ook tegen ze gezegd. Trane ging veel vaker kijken en luisteren dan ik, maar in tegenstelling tot mij, hield hij z'n mond. Een heleboel jonge musici vlogen me naar de strot toen ik Ornette op z'n nummer zette, ze noemden me 'ouderwets' en dat soort gelul. Maar ik vond 't echt niet mooi wat ze speelden, vooral Don Cherry op dat trompetje van 'm niet. Het kwam bij me over als het spelen van een heleboel noten en interessantdoenerij, en de mensen vraten dat, omdat alles wat de mensen niet begrijpen erin gaat als koek, als 't maar genoeg wordt opgeblazen.

Ze willen hip zijn, willen altijd als eerste overal bij zijn om maar zo hip mogelijk te zijn. Blanken hebben dat heel erg, vooral als een zwarte iets doet wat zij niet begrijpen. Ze willen niet toegeven dat een zwarte misschien weleens iets zou kunnen doen wat ze niet snappen. Of dat hij misschien weleens een beetje – of heel wat – intelligenter dan zij zou kunnen zijn. Dat kunnen ze gewoon niet toegeven, dus dan rennen ze rond en babbelen over hoe fantastisch het wel niet is, tot er weer iets nieuws komt en dan weer iets nieuws, ga zo maar door. Dat was volgens mij ook het geval toen Ornette ten tonele verscheen.

Maar wat Ornette een paar jaar later deed, was te gek en dat heb ik ook tegen hem gezegd. Maar wat ze in het begin deden, was enkel en alleen maar een vorm van spelen, 'free form', lekker op elkaar kicken. Dat is oké, maar het was al eens eerder gedaan, alleen deden zij het zonder enige vorm of structuur en dat maakt wat zij deden belangrijk, en niet hun spel.

Ik geloof dat Cecil Taylor omstreeks dezelfde tijd als Ornette het wereldje in stapte, misschien iets later. Wat Ornette en Don met hun blaasinstrument deden, deed hij op de piano. Ik dacht net zo over hem als over die andere twee. Hij had een klassieke scholing gehad en was technisch goed op piano, maar zijn benadering vond ik gewoon niet mooi. Hij speelde alleen maar een hoop noten terwille van de noten; iemand die zo nodig moest laten zien hoeveel techniek hij wel niet had. Ik herinner me dat iemand mij en Dizzy en Sarah Vaughan op een avond mee naar Birdland sleepte om Cecil Taylor te horen spelen. Ik ben al snel weggegaan. Ik had geen hekel aan hem of zo, en dat heb ik nog steeds niet, maar ik vond 't gewoon niet mooi wat hij speelde, verder niets. (Iemand heeft me 'ns verteld dat Cecil, toen ze aan 'm vroegen wat hij van me vond, heeft gezegd: 'Hij speelt niet slecht voor een miljonair.' Nou, dat vind ik nou echt grappig, ik had nooit gedacht dat hij gevoel voor humor zou hebben.)

Sonny Stitt is in het begin van 1961 uit de band gegaan. Ik heb Hank Mobley als vervanger genomen en we zijn in maart 1961 de studio ingegaan om *Someday My Prince Will Come* op te nemen. Ik heb Coltrane erbij gehaald om op drie van de vier nummers mee te spelen en Philly Joe voor één nummer. Maar de rest van de band was hetzelfde: Wynton Kelly, Paul Chambers, Jimmy Cobb en Hank Mobley op twee of drie nummers. Mijn producer Teo Macero had voor *Porgy and Bess* en daarna ook voor *Sketches of Spain* een speciale montagetechniek gebruikt en dat heeft hij met deze plaat ook gedaan. We namen de solo's op die platen pas later op en Trane en ik speelden wat extra blazerspartijen. Het was een interessante manier van werken, die we daarna ook nog regelmatig hebben toegepast.

Bij *Someday My Prince Will Come* eiste ik dat Columbia zwarte vrouwen voor mijn platenhoezen zou gebruiken. Toen kon ik Frances op de hoes van *Someday My Prince Will Come* zetten. (Daarna heeft Frances op nog twee andere hoezen gestaan, Betty Mabry heeft op *Filles de Kilimanjaro* gestaan, Cicely Tyson op *Sorcerer* en Marguerite Eskridge op *Miles Davis at Fillmore*.) Ik bedoel maar, het was mijn plaat en ik was Frances' prins en *Pfrancing*, dat op die plaat stond, had ik voor haar geschreven. Vervolgens heb ik gezorgd dat ik van die stomme hoeksteksten afkwam, ik was al een tijd bezig om daarvan af te komen. Want, zie je, ik heb nooit gevonden dat iemand ook maar iets over een plaat van mij kon zeggen. Ik wil gewoon dat iedereen naar de muziek luistert en zelf maar moet weten wat hij ervan vindt. Ik heb 't nooit leuk gevonden dat iemand iets schreef over wat ik op een plaat had gezet om te proberen uit te leggen wat ik geprobeerd had te doen. De muziek spreekt voor zich.

In het voorjaar van 1961 – ik geloof dat het april was – besloot ik naar Californië te rijden voor optredens in de Blackhawk in San Francisco. Toen ik nog in New York was, stond ik in de Village Vanguard, maar de muziek begon me te vervelen omdat ik wat Hank Mobley speelde niet mooi vond. Gil en ik werkten aan een plaat die we voor Columbia wilden maken. Maar afgezien daarvan gebeurde er niet veel.

Ik vond er niks aan om met Hank Mobley te spelen, hij stimuleerde me totaal niet. Tegen die tijd ging ik hele korte solo's spelen om vervolgens het podium af te lopen. De mensen klaagden, want ze waren gekomen om mij te zien spelen, of wat ze dan ook van me wilden zien. Ze hadden een 'ster' van me gemaakt en de mensen kwamen om alleen maar naar me te kijken, om te zien wat ik zou doen, wat ik aanhad, of ik iets zou zeggen of iemand verrot zou schelden, alsof ik godverdomme een of ander gedrocht was in een glazen kooi in de dierentuin. Man, die shit begon op m'n zenuwen te werken. Ik had in die periode ook veel pijn, ik kwam erachter dat ik leed aan sikkelcelanemie, wat reuma in m'n gewrichten veroorzaakte, vooral in m'n linkerheup. Daar had ik last van en het trainen op de sportschool hielp ook niet echt veel. Toen besloot ik maar naar Californië te rijden om op te knappen, via Chicago en St. Louis naar Californië te gaan, voordat de band daar aankwam. Misschien zou het leuk zijn. Ik had het gevoel dat ik aan iets anders toe was.

Columbia heeft in de Blackhawk opnames van ons gemaakt, maar mijn bandleden en ik hadden last van al die opnameapparatuur in de club. Iedereen liep de geluidssterkte te controleren en zo en dat is niet bepaald goed voor je timing. Maar er was daar ook een jongen die ik wel mocht, hij heette Ralph J. Gleason en was journalist. Het was altijd leuk om hem te zien en wat met hem te kletsen. Hij, Leonard Feather en Nat Hentoff waren de enige muziekcritici die niet uit hun nek kletsten. De rest kon me gestolen worden. Toen we in april 1961 van de Blackhawk in New York terugkwamen, zouden we in de Carnegie Hall optreden en daar verheugde ik me erg op. We zouden niet alleen met een kleine band spelen, maar Gil Evans zou er ook zijn, met een groot orkest om de muziek van *Sketches of Spain* te spelen.

Het was muzikaal gezien een fantastische avond. Het enige dat het voor mij verpestte was dat Max Roach met een paar andere demonstranten op het podium ging zitten. Man, daar had ik zo'n last van dat ik niet eens meer kon spelen. Het was een benefietconcert voor de African Relief Foundation, maar Max en z'n vrienden vonden dat wij daarmee achter een organisatie stonden, die volgens hem door de CIA werd gesteund en die het kolonialisme in Afrika wilde handhaven. Ik vond 't niet erg dat Max dacht dat die organisatie een werktuig van de Verenigde Staten was, want die groep bestond voornamelijk uit blanken, begrijp je? Wat ik erg vond was dat hij godverdomme de muziek verpestte door net op het moment dat we zouden gaan spelen op 't podium te gaan zitten en met van die klote protestborden te gaan zitten zwaaien. Ik was net begonnen toen hij dat deed en ik raakte er helemaal van in de war. Ik begreep niet waarom hij dat deed, want ik heb Max altijd als een broer van me beschouwd. Maar later heeft hij me uitgelegd dat hij me alleen maar bewust wilde maken van waar ik mee bezig was. Toen heb ik dus tegen hem gezegd dat hij dat op een andere manier had moeten doen en daar was hij het mee eens. Nadat iemand hem van het podium had afgehaald, ben ik teruggegaan en heb ik verder gespeeld.

Niet zo lang na dit incident kregen Max en ik het weer met elkaar aan de stok. Zoals ik al eerder heb verteld, had Max de dood van Clifford Brown in 1956 niet goed kunnen verwerken en was hij gaan drinken en zo. Ik zag 'm niet zo vaak in die tijd. Hij was met de zangeres Abbey Lincoln getrouwd. Om de een of andere reden dacht hij dat ik met haar aan het rotzooien was, dus was hij van plan om me dat betaald te zetten door Frances te naaien. Hij kwam steeds bij ons langs als ik niet thuis was en bonsde dan op de deur en riep dat hij binnengelaten wilde worden. Op een avond was hij er weer en probeerde hij de deur in te trappen. Frances werd echt bang en vertelde wat er was gebeurd. Eerst kon ik niet geloven wat ik hoorde, maar toen besefte ik dat het waar was wat ze me vertelde. Ik stapte in m'n auto en ging Max zoeken. Ik vond 'm in Sugar Ray's Club, in Harlem. Ik probeerde hem duidelijk te maken dat het enige dat ik ooit met Abbey Lincoln had gedaan was dat ik haar haar had geknipt. Iemand had tegen Max gezegd dat ik Abbey 'getrimd' had en hij dacht dat dat betekende dat ik haar had genaaid. Toen hij tegen me begon te schreeuwen en m'n keel dichtkneep, heb ik 'm gewoon een uppercut gegeven en hem tegen de grond geslagen. Hij was aan het razen en tieren en ik had al een paar keer weg willen lopen, maar hij wilde me niet laten gaan. Nou, je weet dat drummers zo sterk zijn als een beer en Max liet zich door niemand pakken, man. Dat wist ik. Frances was erbij en de mensen keken naar ons of we gek waren geworden.

Man, het was echt om te huilen. Dat was de echte Max Roach helemaal niet die daar zo tegen me stond te schreeuwen in die club, net zoals ik niet de echte Miles Davis was geweest al die jaren dat ik junk was. Max liet de drugs voor hem praten en toen ik hem zo sloeg, had ik niet het gevoel dat ik de Max die ik kende had geslagen. Maar die shit heeft me verschrikkelijk aangegrepen, verschrikkelijk en ik ben naar huis gegaan en heb die nacht als een kind liggen huilen in de armen van Frances, de hele nacht. Dat was één van de moeilijkste en meest dramatische dingen die ik ooit heb meegemaakt. Maar na een poosje deden we weer normaal tegen elkaar en Max en ik hebben het daarna praktisch nooit meer over die avond gehad.

Het ging in 1961 ontzettend goed tussen Frances en mij. Ik had haar in Birdland verrast met een saffieren ring, dik ingepakt in toiletpapier. Ze was ontdaan, want dat had ze helemaal niet verwacht. Ik geloof dat Dinah Washington die avond in Birdland zong. Ik bleef ook veel thuis en leerde Frances koken. Ik hield erg van koken. Ik was gewoon gek op lekker eten en had er een hekel aan om steeds maar naar een restaurant te gaan, dus heb ik mezelf koken geleerd door boeken te lezen en te oefenen, net zoals je dat met een muziekinstrument doet. Ik kon de meeste bekende Franse gerechten klaarmaken – want ik was gek op Frans eten – plus de zwarte Amerikaanse schotels. Maar m'n lievelingsgerecht was een chili-schotel, die ik Miles' South Side Chicago Chili

Mack noemde. Ik diende het op met spaghetti, geraspte kaas en kleine toastjes. Ik heb Frances geleerd hoe ze die schotel moest maken en na een tijdje maakte ze alles beter klaar dan ik.

Ik geloof dat we toen ook zijn verhuisd naar de West 77th Street, nummer 312, naar een verbouwde Russisch-Orthodoxe kerk. Ik had dat gebouw van vijf verdiepingen in 1960 gekocht, maar we waren er nog niet in gaan wonen omdat het werd opgeknapt.

Het stond vlakbij de Hudson River, tussen Riverside Drive en West End Avenue. Er zat een kelder in, die ik gebruikte als fitnessruimte en ik had één vertrek als muziekkamer ingericht, waar ik kon repeteren zonder iemand in huis te storen. Op de begane grond hadden we een grote woonkamer en een grote keuken. Er was een trap naar de slaapkamers boven. En dan hadden we op de twee bovenste verdiepingen nog appartementen die we verhuurden. We hadden een kleine achtertuin. We zaten daar goed in die tijd. Ik verdiende zo'n $200 000 per jaar. Ik had wat aandelen gekocht en ik keek altijd in de krant om te zien hoe ze stonden.

We hadden dat huis nodig omdat onze kinderen toen allemaal bij ons woonden, mijn dochter Cheryl, mijn zoons Miles IV en Gregory en Frances' zoon, Jean-Pierre. M'n broer Vernon kwam af en toe logeren, net als m'n zus en m'n moeder. M'n vader kwam ook weleens.

Ik zag m'n moeder niet zo heel vaak, maar als ik haar zag was ze prima. Ze nam geen blad voor haar mond. Ik weet nog dat een jongen die Marc Crawford heette, een keer een groot stuk voor het tijdschrift *Ebony* over mij heeft geschreven, toen ik in Chicago in de Sutherland Lounge speelde. Marc zat aan dezelfde tafel waar ik met m'n moeder, m'n zus Dorothy en haar man Vincent zat. M'n moeder zei tegen me: 'Miles, je kunt toch op zijn minst glimlachen naar het publiek als ze zo hard voor je klappen? Ze klappen omdat ze van je houden, gek zijn op je muziek, omdat het zo mooi is.'

Ik zei: 'Wil je soms dat ik voor Oom Tom ga spelen?'

Ze keek me even heel scherp aan en zei toen: 'Als ik je dat ooit zie doen, dan kom ik je persoonlijk vermoorden!' Nou, iedereen aan die tafel zat daar maar, zonder iets te zeggen, omdat ze wisten hoe ze was. Maar Marc Crawford zette grote ogen op. Hij wist niet of hij dat nu op moest schrijven of niet. Maar zo was m'n moeder nou eenmaal, ze nam geen blad voor de mond.

In 1961 won ik weer de *Down Beat*-poll voor 'Best Trumpet' en ook voor 'Best Combo'. Tranes nieuwe groep met Elvin Jones, McCoy Tyner en Jimmy Garrison was tot 'Best New Combo' uitgeroepen en Trane won in de categorieën 'Best Tenor Saxophonist' en 'Best New Star on Soprano Saxophone'. Dus alles ging goed, behalve dan dat ik sikkelcelanemie had. Ik zou er niet aan dood gaan, maar het was erg genoeg om er depressief van te worden. Voor de rest ging alles goed.

Als ik speelde, kwamen er altijd een heleboel acteurs kijken. Marlon Brando kwam elke avond naar Birdland om naar de muziek te luisteren en naar Frances te kijken. Ik herinner me dat hij dan de hele avond aan haar tafeltje met haar zat te praten en als een schooljongen zat te grijnzen, terwijl ik stond te spelen. Ava Gardner was één van de stamgasten van Birdland en Richard Burton en Elizabeth Taylor zag je er. Paul Newman kwam vaak naar Birdland, niet alleen om naar de muziek te luisteren, maar ook om mijn houding te bestuderen voor een film over musici, die hij toen aan 't maken was: *Paris Blues*. Als ik in Los Angeles speelde, kwam Laurence Harvey langs, dan parkeerde hij z'n witte Rolls Royce (met paarse bekleding) pal voor de club, dat was de It Club geloof ik. De eigenaar van de club was een zwarte jongen, John T. McClain (zijn zoon, die ook John T. McClain heette, is nu één van de grootste platenproducenten in de business, hij produceert mensen als Janet Jackson voor A&M Records), die we altijd John T. noemden. Ik had het ook erg naar mijn zin in m'n nieuwe huis in New York. Coltrane kwam langs en dan speelden we wat in de kelder. Cannonball kwam ook op bezoek. Ik had gehoord dat Bill Evans aan de heroïne was verslaafd en daar werd ik gewoon niet goed van, man, want toen Bill het voor 't eerst ging proberen, had ik hem gewaarschuwd, maar ik neem aan dat hij zich daar niks van heeft aangetrokken. Maar ik zat er erg mee, want hij was een pracht van een muzikant en nu was hij verslaafd aan het raken, terwijl iedereen, zelfs Sonny Rollins en Jackie McLean, bezig waren om ervan af te komen.

Ik denk dat het door Bill kwam dat ik thuis altijd klassieke muziek op had staan. Het is zo rustgevend om bij te denken en te werken. Ik bedoel dat er vaak mensen langskwamen die dan verwachtten een heleboel jazz te horen, maar dat vond ik toen niet lekker en een heleboel mensen stonden versteld dat ik altijd naar klassieke muziek luisterde, weet je wel, Stravinsky, Arturo Michelangeli, Rachmaninov, Isaac Stern. Frances hield ook van klassieke muziek en ik geloof dat ze een beetje verbaasd was toen ze ontdekte dat ik er gek op was.

Frances en ik zijn op 21 december 1960 eindelijk getrouwd. Ze is voor zichzelf een vijfringige trouwring gaan kopen. Ik geloof niet in trouwringen, dus heb ik er geen gekocht. Dat was de eerste keer dat ik officieel trouwde. Frances' ouders waren daar dolgelukkig om en dat vond ik leuk voor ze. Mijn vader en moeder vonden het ook leuk, want ze waren, zoals iedereen, heel erg op Frances gesteld.

Maar zo goed als het in mijn privé-leven ging, op het gebied van de muziek wilde het voor mij in die tijd niet vlotten. Hank Mobley ging in 1961 weg en ik heb zijn plaats tijdelijk laten innemen door een jongen die Rocky Boyd heette, maar dat werd ook niks. Zoals ik al zei, was ik voor een heleboel mensen ster. In januari 1961 had *Ebony* een artikel van zeven pagina's geplaatst met een heleboel foto's van mij en mijn gezin en vrienden in m'n nieuwe huis. Foto's van m'n moeder en m'n vader, die er op zijn varkensfokkerij uitzag als een rijke stinkerd. Het was een spectaculair artikel, waarin ik voor de zwarte bevolking goed naar voren kwam. Maar dat vond ik toen minder belangrijk, want muzikaal gebeurde er niks en daar baalde ik godverdomme van. Ik begon meer te drinken en ik slikte pijnstillers voor mijn sikkelcelanemie. En ik begon meer coke te gebruiken, ik denk dat dat kwam doordat ik me zo depressief voelde. In 1962 was J.J. Johnson beschikbaar en Sonny Rollins was weer terug en heeft bij wat optredens meegespeeld, dus had ik een heel goed sextet met Wynton Kelly, Paul Chambers, Jimmy Cobb en mezelf. We gingen op tournee. We hebben in Chicago gespeeld – dat was midden mei – en we zijn in East St. Louis geweest om m'n vader op te zoeken. Hij voelde zich niet zo goed. Frances was met ons meegekomen om haar ouders in Chicago te bezoeken.

Mijn vader was een paar jaar daarvoor met zijn auto door een trein aangereden – ik geloof dat het in 1960 was – toen hij een onbewaakte spoorwegovergang overstak. Hij was godverdomme een wrak, want op de plek van het ongeluk wilden de ziekenauto's voor blanken geen zwarte meenemen en hij moest wachten op een ziekenauto voor zwarten. Ze hebben het me niet meteen verteld, omdat ze dachten dat het wel meeviel. Bovendien was ik op tournee en ze wilden me niet ongerust maken. Toen ik hem een paar weken daarna toevallig opbelde, vroeg ik hoe het met hem ging en toen zei hij : 'O, ik ben door een trein aangereden.' Hij zei het met precies dezelfde woorden, alsof 't niks bijzonders was, weet je wel.

Ik zei: 'Wat? Wat is er gebeurd?'

'Niks. Ik ben alleen maar door een trein aangereden. M'n vrouw heeft me laten onderzoeken en ze zeggen dat ik niets mankeer.'

Daarna kon hij niets meer vastpakken zonder dat z'n handen beefden. Als hij zich vooroverboog om iets op te rapen, dan lukte dat niet. Z'n vrouw had me verteld dat het erger was geworden, dus heb ik hem meegenomen naar New York om hem te laten onderzoeken door een neuroloog, maar die kon niet zeggen wat er met mijn vader aan de hand was. M'n vader was nu net een aangeslagen bokser, hij wilde niet dat iemand ook maar iets voor hem deed. Toen hij een keertje bij me logeerde en ik iets voor 'm ging halen, zei hij: 'Merk je dan niet als mensen geen prijs stellen op je hulp?'

Hij kon niet meer rechtop lopen, hij kon niet werken. Toen ik in 1962 bij hem langs ging, zag hij er net zo uit als toen ik hem de laatste keer had gezien, bevend, hij wilde van niemand hulp aanvaarden. Maar hij kon zelf niks, terwijl hij het toch bleef proberen en klaagde elke keer als iemand iets voor hem deed, want het was een erg trotse man. Hij zei steeds weer dat hij de oorzaak van z'n ziekte zou overwinnen en dat hij voor je het wist weer aan het werk zou zijn.

Maar vlak voor we naar Kansas City zouden vertrekken, gaf hij me een brief. Die gaf ik aan Frances, omhelsde hem en ging weg. Ik dacht helemaal niet meer aan die brief. Toen we een dag of drie later in Kansas City speelden, kwam J.J. naar me toe en zei: 'Je kunt maar beter even gaan zitten.'

Ik keek 'm aan en vroeg: 'Waarom, in godsnaam? Wat is er?' Maar aan de ernstige manier waarop hij me aankijkt, zie ik dat er iets ergs is gebeurd. Dus ga ik zitten, een beetje bang. 'Je vader is net overleden, man. Ze hebben de club net gebeld en het de eigenaar verteld, je vader is net overleden.' En ik zei: 'O, shit! Godverdomme, man!' Ik zal 't nooit vergeten. Ik zei alleen maar: 'O, shit!' Ik weet niet wat er toen door me heen ging, ik huilde niet. Ik leek wel verdoofd, waarschijnlijk wilde ik het niet geloven.

Toen dacht ik opeens aan die brief. Ik ben meteen terug naar het hotel gegaan en vroeg aan Frances of ze die brief nog had. Er stond in: 'Een paar dagen nadat je dit leest, zal ik dood zijn, dus zorg goed voor jezelf, Miles. Ik heb oprecht van je gehouden en ik was trots op je.' Man, ik was totaal van de kaart. Ik heb gehuild, hard gehuild, man, heel hard en heel lang. Ik was kwaad op mezelf dat ik er toen pas aan dacht om die brief te lezen. Ik voelde me klote, heel erg schuldig. Ik was gefrustreerd, zo allejezus gefrustreerd, niet te geloven, dat ik m'n vader niet had kunnen helpen toen hij ziek was, terwijl hij mij zo vaak had geholpen. Ik kon aan zijn handschrift zien hoe ziek hij was, want het was heel beverig en onregelmatig. Ik heb die brief opnieuw zitten lezen en daarna weer en ik heb hem heel goed bewaard. Hij was zestig toen hij stierf. Ik dacht vroeger altijd dat hij eeuwig zou blijven leven, omdat hij altijd voor me klaarstond. Ik wist dat ik een fantastische vader had gehad en dan bedoel ik ook fantastisch, en hij moest toch wel een verdomd sterke kerel zijn geweest om me zo rustig te schrijven dat hij dood zou gaan. Ik vond niet dat hij er goed had uitgezien toen ik hem bezocht en nadat ik nog 's over dat laatste bezoek had nagedacht en elk beeld van hem dat ik me nog voor de geest kon halen zorgvuldig had bestudeerd, herinnerde ik me dat hij zo'n blik in z'n ogen had als gelovige plattelandsmensen hebben wanneer er iets goed fout is. Hij had die blik toen ik afscheid van 'm nam, die trieste blik van 'ik zal je waarschijnlijk niet weer terugzien'. Maar daar had ik toen niet op gelet. En ik voelde me nog droeviger, nog schuldiger toen ik dat besefte, dat ik m'n vader in de steek had gelaten, de enige keer dat hij me hard nodig had. Eigenlijk had ik het gezien moeten hebben. Ik had die blik al vele malen eerder gezien, zoals in de ogen van Bird de laatste keer dat ik 'm zag en ook bij anderen.

De begrafenis van m'n vader was één van de grootste, misschien wel de grootste, die er ooit voor een zwarte man was geweest in East St. Louis. De begrafenis vond plaats in de sportzaal van de nieuwe Lincoln High School. Het was er afgeladen vol, man, de mensen kwamen overal vandaan, alle dokters en tandartsen en advocaten die hij kende, een heleboel mensen uit Afrika die hij op school had leren kennen, rijke blanken. Ik zag mensen die ik in jaren niet had gezien. Ik zat op de eerste rij, bij de rest van familie. Ik had m'n verdriet al verwerkt, dus het was niet pijnlijk, niet droevig om daar te zitten en voor de laatste keer naar hem te kijken. Het was bijna alsof hij lag te slapen in die kist. Mijn broer Vernon, die gekker is dan ik ooit zou kunnen worden, zei: 'Miles, moet je kijken, dat wijf daar probeert haar dikke kont te verbergen.' Ik keek en 't was waar, dus toen bescheurde ik me, deed 't haast in m'n broek van het lachen. Man, die nikker is echt gestoord. Maar hij stelde iedereen op z'n gemak en ik werd pas weer echt verdrietig toen ze mijn vader wegdroegen en hem op het kerkhof gingen begraven. Toen ze hem in de grond lieten zakken, drong het pas echt goed tot me door dat ik hem, zijn fysieke beeld, voor de laatste keer op deze aarde zag. Daarna zou ik hem alleen nog op foto's of in m'n gedachten zien.

Terug in New York probeerde ik te werken, zodat ik geen tijd zou hebben om aan m'n vader te denken. We speelden in de Vanguard en in andere tenten aan de oostkust. Ik speelde in clubs en deed veel aan sport en toen heb ik dat jaar, in juli, *Quiet Nights* opgenomen met Gil Evans. (We hebben ook nog opnames gemaakt in augustus en september.) De muziek die we op die plaat speelden, deed me niks. Ik wist dat ik niet zo gedreven bezig was als vroeger. We hebben geprobeerd wat bossa nova-shit op die plaat te zetten.

Toen kwam Columbia met het briljante idee om een kerstplaat te maken en ze dachten dat het wel aardig zou zijn als ik, met Gil als arrangeur, die plaat zou maken met een maffe zanger die Bob Dorough heette. Wayne Shorter speelde op tenor, een jongen die Frank Rehak heette trombone en Willie Bobo bongo's en in augustus hebben we die plaat gemaakt. Hoe minder ik erover zeg, hoe beter, maar ik kon hierdoor wel voor het eerst met Wayne Shorter spelen en ik hield van zijn stijl.

Het laatste stuk dat Gil en ik in november voor *Quiet Nights* hebben gemaakt, was gewoon niks. Het leek wel alsof we al onze energie voor niks gebruikt hadden, dus lieten we 't verder maar zitten. Columbia heeft hem toch uitgebracht om er nog wat aan te verdienen, maar als 't aan Gil en aan mij had gelegen, zouden we hem gewoon op de plank hebben laten liggen. Ik was zo kwaad over die klerezooi, dat ik daarna heel lang niet tegen Teo Macero heb willen praten. Hij heeft alles op die plaat gewoon verziekt, hing met z'n neus boven de partituur, liep iedereen in de weg, probeerde de mensen te vertellen wat ze moesten spelen, en nog meer van die onzin. Hij had gewoon met z'n sodemieter in de controlekamer moeten blijven om te zorgen dat het goed klonk, in plaats van ons lastig te vallen en alles te verzieken. Na die plaat was ik van plan ervoor te zorgen dat die klootzak ontslagen zou worden. Ik heb Goddard Lieberson opgebeld, die in die tijd directeur van Columbia was. Maar toen Goddard vroeg of ik wilde dat hij ontslagen zou worden, kon ik 'm dat toch niet aandoen.

In november, vlak voor de laatste opnames van *Quiet Nights*, heb ik er eindelijk in toegestemd een interview aan *Playboy* te geven. Marc Crawford, die dat stuk in *Ebony* over me had geschreven, stelde me voor aan Alex Haley, die het interview wilde maken. Eerst wilde ik het niet doen. Dus Alex zei: 'Waarom niet?'

Ik zei tegen hem: 'Het is een blad voor blanken. Blanken stellen je meestal alleen maar vragen om je binnenstebuiten te keren. En daarna willen ze niet geloven wat je ze verteld hebt. Daarna vertelde ik hem dat er nog een reden was waarom ik het niet wilde doen omdat er in *Playboy* nooit zwarte of Aziatische vrouwen stonden. 'Het enige dat erin staat,' zei ik tegen hem, 'zijn blonde vrouwen met grote tieten en een platte, of helemaal geen kont. Wie wil dat godverdomme steeds maar weer zien? Zwarte jongen houden van dikke konten, weet je wel, en wij houden ervan om op de mond te zoenen en blanke vrouwen hebben niet eens een mond om op te zoenen.' Alex probeerde me om te praten en ging met me mee naar de sportzaal, hij ging zelfs met me de boksring in en incasseerde een paar stoten tegen zijn hoofd. Nou, dat maakte indruk op me. Dus ik zei tegen hem: 'Luister eens man, als ik je alles vertel, waarom geeft dat bedrijf van je me geen aandelen in ruil voor alle informatie die ze over me willen hebben?' Hij zei dat hij daar niet voor kon zorgen. Toen zei ik dat, als ze hem $2500 voor het interview zouden geven, ik het zou doen. Ze gaven hun toestemming en zo zijn ze aan dat interview gekomen.

Maar ik vond het niet leuk wat hij in dat interview deed. Hoewel het wel lekker las, had Alex een paar dingen verzonnen. In zijn stuk vertelde hij dat vroeger bij de verkiezing van de beste trompettist van Illinois dat kleine gekleurde trompettistje – ik dus – het altijd moest afleggen tegen een blank trompettistje. Dat was gebeurd toen ik op high school meedeed aan een wedstrijd voor de All State Music Band. En Alex schreef dat ik daar altijd erg teleurgesteld over was. Wat een shit! Ik mag dan wel verloren hebben, maar ik was niet teleurgesteld, omdat ik *wist* dat ik hartstikke goed was en dat wist die blanke jongen ook. Trouwens, wie hoort er tegenwoordig nog iets over die klootzak? Ik had de pest aan die opgeblazen troep. Alex is een goed schrijver, maar hij overdrijft wel. Later begreep ik waarom hij het had gedaan, dat was gewoon zijn manier van schrijven, maar dat begreep ik later pas.

We hielden in Chicago op met spelen in december 1962: Wynton, ik, Paul, J.J. en Jimmy Cobb; Jimmy Heath heeft nog een schnabbeltje van Sonny Rollins overgenomen. Sonny was al opgestapt om z'n eigen groep te formeren en om nog wat meer te studeren. Ik geloof dat er toen werd beweerd dat ze hem ergens bovenin, tussen de dwarsbalken, op de Brooklyn Bridge hadden horen oefenen, dat zeiden ze tenminste. Behalve Jimmy Cobb en ik wilde iedereen uit de band, of ze wilden meer geld verdienen, of ze wilden als ieder hun eigen muziek maken. De ritmesectie wilde als trio gaan werken, onder leiding van Wynton en J.J. wilde in de buurt van Los Angeles blijven, omdat hij een heleboel geld kon verdienen met studiowerk en hij op die manier thuis bij z'n gezin zou kunnen zijn. Dus bleven alleen Jimmy Cobb en ik over en dat kon je moeilijk nog een band noemen.

In het begin van 1963 moest ik boekingen in Philadelphia, Detroit en St. Louis afzeggen. Iedere keer dat ik iets moest afzeggen, eisten de organisatoren een schadevergoeding voor de gemaakte kosten, wat me in totaal meer dan $25 000 heeft gekost. Ik had toen een contract om in de Blackhawk in San Francisco te spelen en ik besloot Paul en Wynton niet mee te nemen. Ik had moeilijkheden met ze, omdat ze meer geld wilden en hun eigen muziek wilden spelen. Ze zeiden dat ze het zat waren om alleen maar mijn repertoire te spelen, ze wilden iets nieuws doen en rond die tijd waren ze veel gevraagde muzikanten. Maar ik geloof dat Wynton nog het meest zijn eigen baas wilde zijn, bandleider, en na vijf jaar bij mij gewerkt te hebben, vond hij dat hij die verantwoordelijkheid wel aankon. Ik denk dat hij en Paul gewoon bij me weg wilden, omdat de anderen ook waren opgestapt.

Ik vroeg of ik een weekje later dan was afgesproken in de Blackhawk mocht komen spelen, om m'n zaken een beetje op een rijtje te zetten en dat vonden ze goed. Ik begon met een nieuwe groep, met Jimmy Cobb als enige uit de vorige band. Maar na een paar dagen ging hij ook weg om bij Wynton en Paul te spelen. Dus toen had ik een hele nieuwe band.

Ik had op saxofoon George Coleman aangenomen, omdat ik vond dat ik helemaal opnieuw moest beginnen. Coltrane had hem aanbevolen en hij wilde wel in de band komen. Ik vroeg hem met welke mensen hij graag werkte en hij noemde Frank Strozier op alt en Harold Mabern op piano. Toen had ik nog een bassist nodig. In 1958 had ik Ron Carter, die uit Detroit kwam, in Rochester, New York, ontmoet, toen hij na het concert naar de kleedkamer was gekomen, hij kende Paul Chambers nog uit Detroit. Ron zat in die tijd op de Eastman School of Music en hij studeerde bas. Ik kwam hem een paar jaar later weer tegen, in Toronto en ik herinner me dat hij vaak met Paul praatte over onze muziek. In die tijd waren we heel modaal bezig met *Kind of Blue*. Nadat hij afgestudeerd was, kwam Ron naar New York en heeft hij bij een heleboel verschillende bands gespeeld en in die tijd heb ik hem bij Art Farmer en bij het kwartet van Jim Hall zien spelen.

Paul had me al verteld dat Ron een beul van een bassist was. Dus toen Paul op het punt stond weg te gaan en ik hoorde dat Ron ergens optrad, ben ik meteen gaan kijken hoe hij speelde en was ogenblikkelijk verkocht. Dus ik vroeg aan hem of hij in de band wilde komen. Hij was bij Art in dienst, maar hij zei dat ik 't maar aan Art moest vragen en als Art het goed vond, dat hij dan graag bij mij wilde komen. Na de set heb ik het aan Art gevraagd en hoewel hij Ron eigenlijk liever niet wilde missen, heeft hij toch ja gezegd.

Voor ik wegging uit New York heb ik met de nieuwe bandleden gerepeteerd en zo kwam ik aan al die muzikanten uit Memphis: Coleman, Strozier en Mabern. (Ze hadden op school gezeten met de fantastische, jonge trompettist Booker Little, die kort daarna overleed aan leukemie en de pianist Phineas Newborn. Dat moet wat geweest zijn, al die gasten op één school!) Ron hoefde ik niet uit te proberen, want hem had ik al gehoord, maar hij heeft toch meegedaan met onze repetities. Ik had dat fantastische drummertje, dat pas zeventien jaar was, gehoord, hij heette Tony Williams en hij werkte bij Jackie McLean – hij was fantastisch! Meteen toen ik hem hoorde, wilde ik dat hij mee zou gaan naar Californië, maar hij zat nog voor een paar afspraken aan Jackie vast. Hij zei dat hij Jackies zegen had om bij mij te komen spelen, zodra die optredens achter de rug waren. Man, ik hoefde dat kleine opdondertje alleen maar te horen of ik sloeg al helemaal op tilt. Zoals ik al eerder zei, trompettisten vinden het heerlijk om met goeie drummers te spelen en ik kon meteen horen dat dit gozertje een topdrummer zou worden. Tony was m'n eerste keus en Frank Butler uit L.A. zou alleen maar invallen tot Tony in de band zat.

We speelden in de Blackhawk en alles ging, voor een nieuwe groep, redelijk goed, hoewel ik meteen in de gaten had dat Mabern en Strozier niet de spelers waren die ik zocht. Het waren heel goede muzikanten, maar ze hoorden gewoon in een ander soort band thuis. Daarna hebben we in L.A. gespeeld, in John T.'s It Club en daar besloot ik om wat muziek op te nemen. Ik verving Mabern op piano door een heel goede pianist uit Engeland, Victor Feldman, die waanzinnig goed speelde. Hij speelde ook vibrafoon en drums. Op die sessie gebruikten we twee van z'n nummers: het titelstuk *Seven Steps to Heaven* en *Joshua*. Ik wilde dat hij in de band kwam, maar hij verdiende een fortuin met studiowerk in L.A., dus zou hij er geld op toe moeten leggen als hij met me meeging. Ik ben teruggegaan naar New York om een pianist te zoeken en daar vond ik Herbie Hancock.

Ik had Herbie een paar jaar eerder leren kennen, toen trompettist Donald Byrd hem meebracht naar m'n huis op West 77th Street. Hij speelde nog maar net bij Donalds band. Ik vroeg of hij iets voor me op piano wilde spelen en ik zag meteen dat hij echt goed kon spelen en toen ik een nieuwe pianist nodig had, dacht ik het eerst aan Herbie. Ik belde hem op en vroeg of hij langs wilde komen. Tony Williams en Ron Carter waren ook bij me thuis, dus ik wilde weten hoe hij bij die twee zou klinken.

Daarna kwamen ze de eerste paar dagen elke dag naar me toe om te spelen, dan luisterde ik naar ze op de intercom die ik in m'n muziekkamer en verder ook overal in huis had opgehangen. Man, ze klonken te gek samen. Op de derde of vierde dag kwam ik naar beneden en speelde wat met ze mee. Ron en Tony zaten al in de band. Ik zei tegen Herbie dat hij de volgende dag maar naar de opnamestudio moest komen. We waren *Seven Steps to Heaven* aan het afronden. Herbie vroeg: 'Dus dat betekent dat ik in de groep zit?'

'Jij gaat een plaat met me maken, of niet soms?' zei ik.

Ik wist meteen al dat dit een hartstikke goeie groep zou worden. Ik merkte dat ik voor 't eerst in tijden weer de kriebels kreeg vanbinnen, want als ze na een paar dagen al zo goed speelden, hoe zouden ze dan na een paar maanden wel niet zijn? Man, ik hoorde die muziek de heleboel al op z'n kop zetten. We hebben *Seven Steps to*

*Heaven* afgemaakt en daarna heb ik Jack Whittemore gebeld en tegen hem gezegd dat hij zoveel mogelijk concerten voor ons moest boeken voor de rest van de zomer en hij heeft me volledig volgeboekt.

We hebben die nieuwe plaat in mei 1963 afgemaakt en zijn naar de Showboat in Philadelphia vertrokken. Ik weet nog dat Jimmy Heath in 't publiek zat. Nadat ik m'n solo had gespeeld, ging ik naar beneden en vroeg wat hij van de band dacht, omdat ik zijn mening belangrijk vond. 'Man, ze zijn fantastisch, maar ik zou niet graag dat podium op willen gaan om elke avond met ze te spelen. Miles, die jongens gaan godverdomme iedereen plat spelen!' Dat was precies wat ik ook dacht, alleen merkte ik dat ik het heerlijk vond om met ze te spelen. Man, ze pikten alles zo snel op. En hij had gelijk, ze waren fantastisch. We hebben gespeeld in Newport, Chicago, St. Louis (waar VGM een plaat heeft gemaakt: *Miles Davis Quintet: In St. Louis*) en in nog wat andere plaatsen.

Nadat we een paar weken in de Verenigde Staten hadden gespeeld, zijn we naar Antibes, in de buurt van Nice aan de Middellandse Zee, gegaan en hebben daar op dat festival gespeeld. Man, we hebben ze daar gewoon stuk gespeeld. Iedereen was ondersteboven van Tony, omdat ze nog nooit van hem hadden gehoord en de Fransen gaan er prat op dat ze goed bijhouden wat er in de jazz gebeurt. Hij zweepte iedereen in de groep op. Hij zorgde ervoor dat ik zoveel speelde, dat ik de pijn in mijn gewrichten, waar ik toen erg veel last van had, domweg vergat. Ik begon erachter te komen dat Tony en deze groep alles konden spelen wat ze maar wilden, Tony was altijd de spil waar het groepsgeluid om draaide. Hij was waanzinnig goed, man.

Hij was het die me zover kreeg om *Milestones* weer te gaan spelen, omdat hij daar zo gek op was. Niet lang nadat hij in de groep was gekomen, zei hij dat de plaat

*Milestones* volgens hem 'de definitieve jazzplaat aller tijden' was en dat 'die plaat de geest van iedereen die jazz
speelt in zich had'. Ik was zo verbluft dat ik alleen maar
kon zeggen: 'Lazer toch op!' Toen vertelde hij me dat de
eerste muziek waar hij 'verliefd' op werd mijn muziek
was. Ik hield van hem als van 'n zoon. Tony deed iets extra's met de sound en hij speelde gave, onwijze dingen bij
de geluiden die hij hoorde. Elke avond veranderde hij z'n
manier van spelen en speelde elke avond verschillende
tempo's voor elke sound. Om met Tony Williams te spelen moest je verdomd alert zijn en goed opletten wat hij
allemaal deed, want anders was je binnen de kortste keren het tempo en de maat kwijt en dan stond je goed
voor lul.

Nadat we in Antibes gespeeld hadden (CBS Frankrijk
heeft dat concert uitgebracht onder de titel: *Miles Davis
in Europe*), kwamen we terug in de Verenigde Staten en
zijn in augustus naar het Monterey Jazz Festival gegaan,
dat was in het noorden van Californië, iets ten zuiden
van San Francisco. Toen we daar waren heeft Tony met
twee van die oude muzikanten meegespeeld: Elmer
Snowden, een gitarist die toen achter in de zestig was en
Pops Foster, een bassist die in de zeventig was, geloof ik.
Hun drummer was niet op komen dagen. Dus speelde
hij met die twee kerels, van wie hij nog nooit had gehoord, hun muziek nog nooit had gehoord en was weer
waanzinnig goed; hij walste Pops en Elmer en het hele
festival gewoon plat. Zo godvergeten goed was dat
drummertje. Even later, nadat hij met hen was uitge-
speeld, ging hij met ons 't podium op en zorgde voor
vuurwerk. En dat allemaal van een jochie van zeventien,
van wie voor het begin van dat jaar bijna geen mens nog
iets had gehoord. Nu zeiden een heleboel mensen al dat
Tony de allerbeste drummer zou worden die er *ooit* had
bestaan. Laat ik je dit zeggen: hij had potentieel en nie-

mand heeft bij mij ooit zo goed gespeeld als Tony. Ik bedoel, het was beangstigend goed. Maar aan de andere kant, Ron Carter en Herbie Hancock en George Coleman waren ook geen klunzen, dus ik wist dat we iets goeds hadden.

Ik bleef een poosje in Californië om met Gil Evans theatermuziek te schrijven. Het was voor een toneelstuk, *Time of the Barracuda*, en Laurence Harvey was de ster. Ze zouden het toneelstuk in L.A. opvoeren en daarom logeerden Gil en ik in het Chateau Marmont, in West-Hollywood. Laurence kwam dan langs om te luisteren naar de muziek die wij aan het schrijven waren. Hij was altijd al een grote fan van me, die overal heenging waar ik in Los Angeles speelde, dus hij wilde echt graag dat ik deze muziek zou schrijven. Ik was ook een bewonderaar van zijn acteertalent en ik dacht dat het een goed idee was om voor de muziek te zorgen. We hebben de muziek afgemaakt, maar het toneelstuk ging niet door vanwege meningsverschillen tussen Laurence en een paar andere mensen, ik ben er nooit achtergekomen wat er precies aan de hand was. Ze hebben ons wel voor het werk betaald en Columbia heeft het opgenomen, maar ze hebben het nooit uitgebracht. Ik denk dat het ergens op de plank ligt. Ik vond het mooi wat we hadden gemaakt. We hadden een compleet orkest en de plaat werd geproduceerd door Irving Townsend. Ik denk dat de muzikantenvakbond waarschijnlijk een live-bezetting in de orkestbak wilde hebben bij het toneelstuk in plaats van een orkestband. Daarna hebben Gil en ik niet zoveel meer samen gedaan op muzikaal gebied. We zijn goede vrienden gebleven, maar ik was een andere weg ingeslagen met deze nieuwe band.

In augustus 1963 overleed, thuis in East St. Louis, James Robinson, de echtgenoot van mijn moeder. Ik ben niet naar de begrafenis gegaan, want dat is niks voor mij.

Maar ik heb m'n moeder wel aan de telefoon gehad en ze klonk zelf ook niet zo jofel. Ik heb al gezegd dat ze kanker had en het was er niet veel beter op geworden. Het zag er allemaal niet zo best uit en nu ging haar man ook nog dood. Mijn vader was het jaar daarvoor overleden en natuurlijk kwam al die shit nu weer bij haar boven. Mijn moeder was een sterke vrouw, maar nu maakte ik me voor het eerst zorgen over haar. Daar had ik het moeilijk mee, maar ik ben niet zo'n tobber, dus probeerde ik het maar van me af te zetten.

Ik won de *Down Beat*-poll voor trompet weer en mijn nieuwe band werd, na die van Monk, tweede in de categorie Groepen. Ik was niet van plan om de studio in te gaan, ten eerste omdat ik nog steeds kwaad was op Teo Macero, omdat die *Quiet Nights* verziekt had en ook omdat ik gewoon meer live muziek wilde maken. Ik ben altijd van mening geweest dat muzikanten live beter spelen en daarom was ik die studio-shit een beetje zat geworden. In plaats daarvan had ik een benefietconcert gepland om geld in te zamelen voor de campagne voor de burgerrechten, die werd gesponsord door de NAACP en ook door het Congress on Racial Equality (CORE) en The Student Nonviolent Coordinating Committee (SNCC). Dit was het hoogtepunt van de strijd voor de burgerrechten en het zelfbewustzijn van de zwarte bevolking nam toe. Het concert zou worden gehouden in februari 1964, in de Philharmonic Hall en Columbia zou het opnemen.

We bliezen die avond de sterren van de hemel. Iedereen speelde zo godvergeten goed en als ik iedereen zeg, bedoel ik ook iedereen. De meeste stukken speelden we in up-tempo en zakken van het ritme was er niet bij, geen enkele keer. George Coleman speelde beter dan ik hem ooit heb horen spelen. De mensen in de zaal hadden er geen idee van dat, creatief gezien, de spanning op het podium om te snijden was. We waren als band een tijdje uit elkaar geweest, iedereen had iets anders gedaan. Bovendien was het een benefietconcert en een paar jongens vonden het minder leuk dat ze niet werden betaald. Eén van de jongens, ik zal z'n naam niet noemen, omdat hij een goede reputatie heeft en omdat ik hem geen narigheid wil bezorgen en hij daarbij nog een aardige vent is ook, zei tegen me: 'Luister, man geef me m'n geld en ze kunnen van me krijgen wat ze hebben willen. Ik ben niet van plan op een benefiet te spelen. Miles, ik verdien niet zoveel als jij!' Na wat heen en weer gepraat besloot iedereen mee te doen, maar alleen voor deze ene keer. Toen we gingen spelen was iedereen pisnijdig en ik denk dus dat die woede voor het vuurwerk heeft gezorgd, een spanning die bij ieder in z'n spel kroop en misschien één van de redenen was waarom iedereen met zo'n intensiteit speelde.

Ongeveer twee weken na het concert, op de laatste dag van februari, belde m'n broer Vernon middenin de nacht op en zei tegen Frances dat m'n moeder zojuist was overleden in het Barnes Hospital in St. Louis. Frances vertelde het me toen ik 's morgens thuiskwam. Ik wist dat ze m'n moeder daar hadden opgenomen en ik was van plan geweest om op bezoek te gaan, maar had niet geweten dat het zo ernstig was. Godverdomme, dit was de tweede keer dat me dit overkwam. Eerst had ik m'n vaders briefje niet gelezen toen hij het aan me gaf en nu was ik niet bij mijn moeder op bezoek gegaan voor ze doodging.

De begrafenis zou over een paar dagen plaatsvinden en Frances en ik zouden naar East St. Louis vliegen om erbij te zijn. Het vliegtuig taxiede naar de startbaan en ging toen weer terug, omdat de piloot iets moest controleren. Toen het vliegtuig weer terug was bij de 'gate', ging ik van boord, naar huis. De piloot zei dat ze moeilijkheden met de motoren hadden en wat dat betreft ben ik zo bijgelovig als de pest. Doordat het vliegtuig met motorstoringen terug was gekomen, wist ik dat het niet de bedoeling was dat ik ging.

Frances ging wel naar de begrafenis, die plaatsvond in de St.Luke's AME Church in East St. Louis. Ik ging gewoon weer naar huis en heb de hele nacht liggen janken, jankte me gewoon ziek. Ik weet dat er heel wat mensen zijn die het raar vonden dat ik niet naar de begrafenis van mijn eigen moeder ging en misschien begrijpen ze het nu nog steeds niet, ze dachten waarschijnlijk dat ik niks om m'n moeder gaf. Maar ik hield veel van haar en heb veel van haar geleerd en ik mis haar. Ik wist pas hoeveel ik van mijn moeder hield toen ze dood was. Soms, als ik alleen thuis ben, voel ik haar aanwezigheid als een warme wind de kamer vullen, dan praat ze met me, komt ze zien hoe het met me gaat. Ze had een wijze geest en ik geloof dat haar geest nog steeds over me waakt. Ze weet en begrijpt ook waarom ik niet naar die begrafenis ben gekomen. Het beeld van mijn moeder dat ik altijd bij me zal dragen is van toen ze nog sterk en mooi was. Dat is het beeld dat ik van haar wil blijven houden.

In die periode ging het tussen Frances en mij niet zo goed. Zij wilde graag een kind, maar ik wilde geen kinderen meer, dus daar hadden we vaak ruzie over. En van het één kwam het ander en dan kregen we knallende ruzies. Ik had veel pijn door mijn sikkelcelanemie, dus ging ik meer drinken en ik snoof veel cocaïne. Van die combinatie word je knap prikkelbaar, want van de coke kan je niet slapen en als je dat probeert te blussen met alcohol, nou, dan krijg je daar weer een behoorlijke kater van en dat komt je humeur ook niet ten goede. Zoals ik al zei was Frances de enige vrouw, die me jaloers kon maken. En omdat ik jaloers was en drugs gebruikte en daarbij nog dronk, dacht ik zelfs dat ze met een homoseksueel vriendje van haar neukte, een danser, en daar beschuldigde ik haar van. Ze keek me aan of ik gek was en dat was ik toen natuurlijk ook. Alleen wist ik dat zelf niet, ik dacht dat ik bij mijn volle verstand was en alles prima voor mekaar had.

Ik wilde nergens meer heen, zelfs niet naar kennissen zoals Julie en Harry Belafonte, die vlak om de hoek woonden. Ik wilde niet naar Diahann Carroll en als Frances wel uit wilde, dan zei ik tegen haar dat ze dat maar met Roscoe Lee Brown moest doen, de beroemde acteur, of met Harold Melvin, die een fantastische kapper was. Zij namen haar dan mee uit. Omdat ik zelf niet dans, wilde ik niet dat zij met iemand anders danste. Dat soort gelul. Ik herinner me dat we een keer in een nachtclub in Parijs waren en er een Franse komiek met Frances danste. Ik liet haar gewoon op de dansvloer achter en ben teruggegaan naar ons hotel. Ik ben een Tweeling, weet je, en ik kan het ene moment heel aardig zijn, maar voor je het weet, is 't weer goed fout. Ik weet niet waarom ik zo ben, maar het is nou eenmaal zo en dat moet ik dan maar accepteren. Als het te erg werd, ging Frances meestal naar Harry en Julie Belafonte, tot ik wat afgekoeld was. En dan waren er ook nog al die vrouwen die me thuis belden. Als Frances de telefoon oppakte terwijl ik er met één aan het praten was, dan werd ik daar kwaad om en kregen we na wat gebekvecht weer ruzie. Ik was een soort Spook van de Opera geworden. Ik sloop vaak door een tunnel, die onder het gebouw liep waar ik woonde, volslagen paranoïde en zo, ik liep daar vaak als een idioot rond. Ik was een wrak en het werd alleen maar erger. Volslagen vreemden kwamen bij me thuis om cocaïne te leveren en Frances vond dat vreselijk.

Mijn kinderen moeten ook gemerkt hebben wat er aan de hand was. Mijn dochter Cheryl zat op Columbia University en Gregory probeerde bokser te worden. Gregory was een goeie bokser, ik had hem veel over boksen

410

geleerd. Hij verafgoodde mij en hij wilde net zo worden als ik, misschien zelfs trompet gaan spelen. Maar ik zei altijd tegen hem dat hij zijn eigen weg moest gaan. Hij wilde profbokser worden, maar dat vond ik niet goed, omdat ik bang was dat er iets met hem zou gebeuren. Ik was zelf gek op boksen, maar ik denk dat ik iets beters wilde voor Gregory, hoewel we geen van beiden wisten wat precies. Later ging hij naar Vietnam. Ik weet niet waarom die jongen dat heeft gedaan, maar hij zei dat hij discipline nodig had. Hij had het gevoel dat z'n leven op dat moment zinloos was. De kleine Miles was toen nog te jong om de spanningen tussen mij en Frances te voelen, maar de andere kinderen wisten wat er aan de hand was en voelden zich rot door die toestanden. Frances was wel niet hun eigen moeder, maar ze was altijd erg goed voor ze geweest en ze waren gek op haar. Ik had het idee dat het wel weer goed zou komen tussen mij en Frances.

En in de groep brak ook de pleuris uit toen George Coleman opstapte. Tony Williams was al nooit zo kapot geweest van zijn spel en nu de band een andere kant was opgegaan, draaide alles om Tony. George wist dat Tony hem niet zo zag zitten. Soms, als ik klaar was met een solo en naar achteren liep, zei hij tegen me: 'Neem George maar mee.' Tony hield niet van George, omdat George alles bijna perfect speelde en Tony hield niet van dat soort saxofonisten. Hij hield van musici die fouten maakten. Maar George speelde netjes z'n akkoorden. Hij was een muzikant van formaat, maar Tony hield niet van hem. Tony wilde iemand die verder wilde gaan, zoals Ornette Coleman. De groep van Ornette was z'n lievelingsband. Hij was ook gek van Coltrane. Ik geloof dat het ook Tony was die Archie Shepp mee naar de Vanguard had genomen om met ons mee te spelen, maar die speelde zo verschrikkelijk, dat ik gewoon van het podium ben gelopen. Hij kon niet spelen en ik was niet plan om met die incompetente klootzak op één podium te gaan staan.

George ging ook weg omdat ik soms niet kon spelen van de pijn in m'n heup en dan moesten ze als kwartet spelen. En dan zeurde hij erover hoe vrij Herbie, Tony en Ron speelden als ik er niet bij was en zij vonden dat George dan alleen maar in de weg liep. George kon best wel vrij spelen als hij dat wilde, maar hij wilde het gewoon niet. Hij hield gewoon meer van traditie. Op een avond, in San Francisco, had hij vrij gespeeld, ik denk dat hij iets te bewijzen had en toen ging Tony echt uit z'n bol.

Ik wil ook dat verhaal dat ik Eric Dolphy in de band wilde hebben toen George wegging nog even recht zetten. Eric was, als mens, een fantastische jongen, maar ik heb nooit erg van zijn spel gehouden. Hij kon wel spelen, maar ik hield alleen niet van de *manier* waarop hij speelde. Veel mensen waren er *dol* op, ik weet 't van Trane en Herbie, Ron en Tony ook. Toen George wegging, heeft Tony het over Eric gehad, maar ik heb hem nooit als een serieuze kandidaat gezien. Sam Rivers was degene die Tony echt aan het pushen was, omdat hij hem nog uit Boston kende en zo is Tony, hij was altijd mensen aan 't pushen die hij kende. Later, rond 1964, toen Eric Dolphy stierf, kreeg ik nogal wat kritiek, omdat ik in een Leonard Feather blindfold test in *Down Beat* had gezegd dat Eric net speelde 'alsof er iemand op z'n tenen was gaan staan'. Het tijdschrift kwam uit toen Eric net was overleden en iedereen vond me een harteloze klootzak. Maar ik had dat al maanden eerder over hem gezegd.

Mijn eerste keus was Wayne Shorter, maar Art Blakey had hem de muzikale leiding van de Jazz Messengers gegeven, dus die kon niet weg. Dus nam ik Sam Rivers in dienst.

We vlogen voor een paar concerten naar Tokio. Het was de eerste keer dat ik naar Japan ging en Frances ging mee en we leerden van alles over de Japanse cultuur en keuken. Mijn roadie in die tijd was Ben Shapiro, die me heel wat sores uit handen nam: de band betalen, hotels en vluchten boeken en nog meer van die shit. Ik had daardoor voldoende vrije tijd om rond te kijken. We speelden in Tokio en Osaka. Mijn aankomst in Japan vergeet ik nooit meer. Naar Japan vliegen is een hele klotezit. Ik had dus coke en slaappillen meegenomen en gebruikte het door elkaar. Toen ik niet kon slapen, ben ik er ook nog bij gaan drinken. Toen we landden, stonden er op het vliegveld een heleboel mensen op ons te wachten. We stappen het vliegtuig dus uit en ze zeggen: 'Welkom in Japan, Miles Davis!' en ik kotste de hele boel onder. Maar ze werden er niet anders van. Ze gaven me medicijnen en lapten me weer op en behandelden me als een koning. Man, wat heb ik het daar naar m'n zin gehad en sindsdien voel ik respect en genegenheid voor het Japanse volk. Prachtige mensen. Ze hebben me altijd fantastisch behandeld. De concerten waren een groot succes.

Toen ik weer terug was in de Verenigde Staten, voelde ik helemaal geen pijn meer. Ik was in Los Angeles toen ik het grote nieuws hoorde waar ik al die tijd op had gewacht: Wayne Shorter was weg bij de Jazz Messengers. Ik belde Jack Whittemore en zei dat hij Wayne moest bellen. Ondertussen had ik tegen iedereen in de band gezegd dat ze hetzelfde moesten doen, want ze hielden net zoveel van z'n spel als ik. Dus toen kreeg hij van iedereen smekende telefoontjes dat hij moest komen. Om er zeker van te zijn dat hij dat zou doen, stuurde ik hem een eersteklas ticket, zodat hij in stijl kon komen, zó graag wilde ik 'm nou hebben. En toen hij er was, werd onze muziek pas echt iets. Ons eerste optreden was in de Hollywood Bowl. Nu ik Wayne had, voelde ik me fantastisch, want ik wist dat met hem erbij de muziek geweldig zou worden. En dat was ook zo, en nog eerder dan ik gedacht had.

## 13

Er veranderde van alles in dit land en het leek allemaal erg snel te gaan. Ook de muziek veranderde sterk in 1964. Er waren veel mensen die beweerden dat de jazz dood was en ze gaven de schuld aan die maffe 'free jazz', die mensen als Archie Shepp, Albert Ayler en Cecil Taylor speelden, omdat er geen melodielijnen in zaten en je het niet kon neuriën. Nou zal je mij niet horen beweren dat die muzikanten niet serieus bezig waren. Maar de mensen begonnen hen de rug toe te keren. Met Coltrane ging het nog goed en met Monk ook; het publiek vond hen nog steeds prima. Maar die maffe 'free jazz' (zelfs Trane ging die kant op vlak voor zijn dood) was niet bepaald wat de mensen wilden horen. Nog maar een paar jaar geleden was de muziek die wij speelden het nieuwste van het nieuwste geweest, werd heel populair en was bezig om een breed publiek te veroveren. Dat hield op toen de recensenten – blanke recensenten – de 'free jazz' begonnen te steunen en bijna geen aandacht meer schonken aan wat anderen deden. De jazz begon zijn grote populariteit toen te verliezen.

In plaats van naar jazz gingen veel mensen naar rockmuziek luisteren: The Beatles, Elvis Presley, Little Richard, Chuck Berry, Jerry Lee Lewis, Bob Dylan; en de Motown sound werd de nieuwe rage – Stevie Wonder, Smokey Robinson, The Supremes. James Brown begon ook door te breken. Ik geloof dat veel blanke critici de free jazzbeweging met opzet hebben aangeprezen, omdat ze vonden dat mensen zoals ik veel te populair werden en te veel macht kregen in de muziekindustrie. Ze moesten een manier vinden om me te kortwieken. Ze vonden de melodische, lyrische muziek, die wij op *Kind of Blue* speelden prachtig, maar ze schrokken zich rot van de populariteit en de invloed die wij erdoor kregen.

Toen de critici de free jazz hadden aangeprezen en de mensen er genoeg van kregen, lieten de critici het vallen als een baksteen. Maar tegen die tijd had iedereen genoeg van wat de meesten van ons speelden; jazz was ineens passé, een dood ding dat je onder glas in een museum zet om aandachtig naar te kijken. Opeens kreeg rock 'n roll (en een paar jaar later hard rock) de volle aandacht van de media. Blanke rock 'n roll, die werd gestolen van zwarte rhythm and blues en mensen zoals Little Richard en Chuck Berry en de Motown sound. Plotseling werd op de televisie en in alle andere media de blanke popmuziek naar voren geschoven. Voor die tijd leek de zogenaamde blanke Amerikaanse populaire muziek nergens op. Maar nu ze aan het stelen waren geslagen, klonk het halfbakken nieuw, zat er een beetje diepte in, swingde het een beetje, was het net of het een beetje hip was. Maar het was nog steeds truttig, 't was het nog niet helemaal. Door de mening die de mensen nu over jazz hadden – niet melodisch en niet neuriebaar – kregen een hoop serieuze muzikanten vanaf dat moment een moeilijke tijd.

Er gingen een heleboel jazzclubs dicht en dus vertrokken veel jazzmusici naar het buitenland. Red Garland ging terug naar Dallas in Texas en klaagde dat hij nergens meer kon spelen. Wynton Kelly was plotseling overleden en Paul Chambers was zo goed als dood (als hij toen al niet was overleden).

Ik geloof nog steeds niet dat Ornette Coleman, Cecil Taylor, John Coltrane en al die andere vrije jongens in de gaten hebben hoe ze toen door al die blanke critici zijn gebruikt.

Persoonlijk vond ik veel van wat er toen werd gemaakt niet echt geweldig, ook de dingen die Coltrane deed niet. Wat hij in mijn band had gedaan vond ik mooier, misschien vooral de eerste twee, drie maanden. Nu leek het net alsof hij maar een beetje voor zichzelf stond te spelen en niet voor de groep. Ik heb altijd gevonden dat uit de samenwerking binnen een groep goede muziek ontstaat. Hoe dan ook, de houding van het publiek ten opzichte van onze muziek was in het gunstigste geval onverschillig, zelfs al waren onze concerten uitverkocht en liepen onze platen goed. Ik denk dat het kwam omdat ik een beroemdheid was. De mensen kwamen kijken naar die beroemde zwarte rebel van wie je van alles kon verwachten.

Sommigen kwamen nog steeds om naar de muziek te luisteren en de mensen die voor iets anders kwamen, vonden wat ze hoorden toch wel mooi, maar ik denk dat de meerderheid het gewoon niks kon schelen. Wij waren met onze muziek ergens naar op zoek, maar de tijden waren veranderd. Iedereen was aan het dansen.

Je moet niet vergeten dat de mensen in een band, de kwaliteit van de musici, voor een goeie band zorgen. Als je getalenteerde kwaliteitsmusici hebt, die bereid zijn om hard te werken, flink te spelen en dat met *elkaar* te doen, dan heb je een fantastische band. In de laatste jaren dat ik Coltrane in mijn groep had, begon hij voor zichzelf te spelen, vooral het laatste jaar. Als dat gebeurt, dan is de magie verdwenen en mensen die het eerst leuk vonden om samen te spelen, kan het opeens niets meer schelen. Op dat moment valt een band uit elkaar en wordt de muziek saai.

Ik wist dat Wayne Shorter, Herbie Hancock, Ron Carter en Tony Williams fantastische musici waren en dat zij bereid waren om als groep, als een muzikale eenheid te werken. Als je een goeie band wilt hebben, moet iedereen bereid zijn tot offers en compromissen, als dat niet zo is, dan kun je het vergeten. Ik dacht dat ze het konden en dat was ook zo. Als je een paar goeie kerels op het juiste moment de goeie dingen kan laten spelen, dan is het bingo: dan heb je alles wat je nodig hebt.

Als ik de inspiratie en de wijsheid en de verbindende factor was in deze band, dan was Tony het vuur, de creatieve vonk; Wayne was de man van de ideeën, de ontwerper van heel wat muzikale ideeën die wij uitvoerden en Ron en Herbie waren de ankers. Ik was alleen maar de leider die ons bij elkaar bracht. Het waren jonge gasten en ze leerden niet alleen van mij, ik leerde ook van hen, over de nieuwe muziek, de free jazz. Want om een groot musicus te blijven, moet je altijd openstaan voor nieuwe dingen, voor wat er op dat moment gebeurt. Je moet alles in je op kunnen nemen als je wilt blijven groeien en je muziek op anderen over wilt brengen. En creativiteit en genie hebben niets te maken met leeftijd, je hebt het of je hebt het niet en je zult het niet krijgen omdat je oud bent. Ik begreep dat wij iets anders moesten gaan doen. Ik wist dat ik met een paar fantastische jonge muzikanten werkte, die de vinger aan een andere pols hadden.

Eerst zeiden ze dat Wayne een vrije manier van improviseren had, maar daar is hij weer een beetje van teruggekomen, omdat hij jarenlang bij Art Blakey heeft gespeeld en hij daar de muzikale leiding had. Hij wilde vrijer spelen dan hij in de band van Art had gekund, maar hij wilde ook niet alles helemaal loslaten. Wayne is altijd iemand geweest die 'met' vorm experimenteerde in plaats van iemand die het 'zonder' vorm deed. Daarom vond ik hem perfect voor waar ik met mijn muziek heen wilde.

Wayne was de enige die ik toen kende die een beetje op de manier van Bird schreef, maar dan ook de enige. Het was de manier waarop hij op de tel schreef. Als Lucky Thompson ons vroeger hoorde spelen, dan zei hij altijd: 'Die jongen kan godverdomme nog eens muziek schrijven!' Toen hij zich aansloot bij de band, schreef hij heel veel muziek en ook nog in een snel tempo, omdat Wayne een echte componist is. Hij schrijft partituren, hij schrijft voor iedereen de partijen precies zo uit als hij vindt dat ze moeten klinken. Zo ging het precies in zijn werk, behalve als ik iets veranderde. Hij vertrouwt de interpretatie van zijn muziek niet aan veel mensen toe, daarom nam hij altijd een hele partituur mee, dan hoefde iedereen alleen maar zijn partij over te schrijven in plaats van zomaar op goed geluk door de melodie en het akkoordenschema heen te spelen.

Met de komst van Wayne kwam er in de band ook een nieuwe opvatting over het werken met muzikale regels en als die regels niet voldeden, dan hield hij zich er niet aan, maar dan wel uit een muzikaal gevoel; hij begreep dat vrijheid in muziek het vermogen is de regels te kennen om ze vervolgens naar je eigen tevredenheid en smaak te buigen. Wayne cirkelde altijd, hoog boven ons, in zijn eigen vliegtuig rond zijn eigen planeet. De rest van de band liep gewoon hier beneden op de aarde. In de band van Art Blakey kon hij niet doen wat hij in mijn band deed. Omdat hij de composities die wij van hem opnamen zelf arrangeerde, fungeerde hij, zowel intellectueel als muzikaal gezien, als de katalysator van de band.

Met die groep leerde ik iedere avond wel weer iets nieuws. Dat kwam ook omdat Tony zo'n vooruitstrevende drummer was. Als hij naar een plaat luisterde, kende hij die meteen uit zijn hoofd, alle solo's, alles. Van alle mensen die ik in mijn band heb gehad, is hij de enige geweest die tegen mij zei: 'Man, waarom ga je niet eens oefenen?' Omdat ik probeerde zijn tempo bij te houden, miste ik weleens een nootje. Het kwam dus door hem dat ik weer ging oefenen, omdat ik daar ongemerkt mee was opgehouden. Maar man, laat ik je één ding vertellen, als het op drummen aankomt, dan is er maar één Tony Williams. Er was niemand zoals hij, niet daarvoor en niet daarna. Hij is gewoon een kei! Tony speelde boven op de tel, net een fractie erboven en dat gaf alles een beetje extra, omdat het *extra* was. Tony speelde de hele tijd polyritmisch. Hij was een kruising tussen Art Blakey en Philly Joe Jones, Roy Haynes en Max Roach. Dat waren zijn idolen en hij had van allemaal wat. Maar hij had duidelijk zijn eigen stijl. Toen hij pas bij mij speelde, gebruikte hij zijn grote bekken niet, dus liet ik hem die gebruiken. Ik zei hem ook dat hij z'n voet moest gebruiken, hij had veel naar Max en Roy geluisterd en Max gebruikt z'n voet ook niet. Maar Art Blakey gebruikt die van hem wel. (Tony, Alphonse Mouzon en Jack DeJohnette waren de enige drummers die toen zo speelden. )

Ron was minder muzikaal dan Tony, in die zin dat hij op zijn gehoor speelde. Hij kende geen muzikale vormen zoals Tony en Herbie Hancock, maar hij had iets wat Wayne en Herbie nodig hadden. Tony en Herbie hadden altijd oogcontact, maar zij zouden het als eenheid niet hebben gered als Ron er niet was geweest. Het duurde vaak wel vier of vijf dagen voordat Ron er goed in kwam, maar als hij het eenmaal goed te pakken had, man, dan moest je uitkijken. Die klootzak stond me daar een partij te bassen, dat je maar beter als een waanzinnige kon gaan spelen, want anders liep je de rest van de avond achter 'm aan te sjokken en dat stond je pas goed voor lul. En daar voelde iedereen zich te goed voor. Tony bepaalde het tempo en Herbie was net een spons. Hij vond alles wat je speelde te gek, hij slurpte de hele boel naar binnen. Ik zei eens tegen hem dat z'n akkoorden te vet waren en hij zei: 'Man, soms weet ik gewoon niet meer wat ik spelen moet.'

'Speel dan niks, Herbie, als je niet weet wat je moet spelen. Gewoon ophouden, weet je wel. Je hoeft niet constant te spelen!' Hij was net iemand die maar blijft drinken omdat de fles er toch staat, net zo lang totdat hij leeg is. Zo was Herbie eerst, hij bleef maar spelen omdat hij het nu eenmaal kon, omdat hij altijd ideeën genoeg had, omdat hij het gewoon leuk vond op te spelen. Man, die klootzak zat zoveel op die piano te spelen dat ik na mijn solo vaak even bij hem langs liep en net deed alsof ik allebei z'n handen eraf wilde hakken. Toen hij pas bij ons speelde, zei ik tegen Herbie: 'Je stopt te veel noten in een akkoord. Het akkoord ligt allang vast en de klank ook. Dus je hoeft alle lage noten niet te spelen, dat doet Ron wel.' Maar dat was dan ook het enige dat ik hem moest vertellen, behalve dan dat langzaam soms beter is dan snel. En vooral geen overdrijving, soms kun je maar beter niets spelen, ook al zit je er de hele avond. Je moet niet spelen omdat je toevallig achtentachtig toetsen voor je neus hebt. Pianisten en gitaristen, man, het is altijd hetzelfde gezeik, ze spelen altijd te veel, daar moet je ze steeds op wijzen. De enige gitarist die ik tot dan toe goed vond was Charlie Christian. Hij speelde op die elektrische gitaar alsof het een blaasinstrument was en hij heeft invloed gehad op mijn manier van trompet spelen. Oscar Pettiford, de bassist, speelde ook als Charlie Christian, door de introductie van dat concept zorgde Oscar ervoor dat de bas vandaag de dag als een gitaar wordt bespeeld. Oscar en Jimmy Blanton. Charlie Christian beïnvloedde mijn benadering van de trompet en die van Dizzy Gillespie en die van Chet Baker en hij beïnvloedde ook de frasering van Frank Sinatra en Nat 'King' Cole.

Ik hoefde niet te schrijven voor de band, het enige wat ik deed was de muziek zo arrangeren, dat we het konden spelen nadat zij het hadden geschreven, door de puntjes op de i te zetten. Wayne schreef gewoon wat, gaf het aan me en liep weg. Verder zei hij geen reet. Hij zei alleen maar: 'Hier meneer Davis, ik heb een paar nieuwe songs geschreven.' Meneer Davis! En dan bekeek ik het spul en het was altijd te gek. Als we op tournee waren, werd er nog wel eens op de deur van mijn hotelkamer geklopt en dan had één van die geniale klootzakken weer een hele stapel nieuwe stukken voor me om te bekijken. Ze gaven 't aan me en liepen dan weg alsof ze bang voor me waren. Dat begreep ik nooit, want die kerels waren hartstikke goed, dus waar moesten ze dan bang voor zijn?

Meestal willen jongens die een nummer schrijven er iemand anders op horen soleren, dus staan alle verschillende solo's al op papier. Maar veel dingen die zij schreven, zaten niet zo in elkaar, dus ging ik er ook niet zo mee om. Ze hadden meer te maken met ensemble-spel en klankkleuren; het mengen van geluiden en zo. Je speelt het eerste gedeelte in 8/8 en dan kon je akkoorden gaan spelen en zo. Maar ik draaide het dan om. Vaak liet ik Herbie helemaal geen akkoorden spelen, alleen maar solo in het middenregister en dan liet ik de bas het verankeren en het klonk zo waanzinnig goed, omdat Herbie wist dat hij het kon. Herbie kwam na Bud Powell en Thelonious Monk en z'n opvolger heb ik nog niet gehoord.

Wat je in een goeie band in elk geval moet hebben, is vertrouwen in de andere jongens, dat ze kunnen wat er dan ook maar gedaan moet worden, wat je ook zegt dat je gaat spelen. Ik had vertrouwen in Tony en in Herbie en in Ron dat ze alles konden spelen wat we wilden, wat er op dat moment werd besloten. Dat krijg je als je niet constant speelt, als de muziek fris blijft. En ze konden het niet alleen maar op het podium goed met elkaar vinden en dat is altijd een goed ding. Het was net alsof Ron Herbie en Tony eerst even hun gang liet gaan tot hij begreep wat ze speelden en hij het ook kon spelen. Ron begon dan bijvoorbeeld majeur zevens in de bas te spelen en hij en Herbie hielden dat dan vast en Tony vond het prachtig en, weet je, Wayne en ik vonden het ook prachtig. Wayne zat daar dan als een engel te kijken, maar als hij zijn sax oppakte was hij godverdomme een monster. Na een tijdje waren ze in elkaar opgegaan en Tony en Herbie en Ron sloten goed op elkaar aan.

Toen we in de Hollywood Bowl gingen spelen, was het van het begin af aan fantastisch en het werd alleen nog maar beter. Er is geen houden meer aan als een band werkelijk goed begint te klinken, als je gewend bent geraakt om met elkaar te spelen. Het gebeurt gewoon door osmose. Er zitten vijf mensen in een band en het begint bijvoorbeeld bij twee mensen door te sijpelen. En dan horen de anderen dat en die zeggen: 'Wat? Wat was dat?' En dan doen zij weer iets als reactie op die eerste twee. En dan heeft iedereen het.

Ik was dol op die band, man, want als we een jaar lang hetzelfde liedje speelden en je hoorde het aan het begin van het jaar, dan zou je het aan het eind van het jaar niet meer herkennen. Toen ik met Tony speelde – dat joch was een genie – moest ik met mijn spel wel reageren op wat hij speelde. En dat gold voor de hele band. Dus de manier waarop wij samen speelden veranderde in die periode elke avond.

De manier waarop ik had gespeeld voordat deze jongens in de band kwamen, begon op mijn zenuwen te werken. Het gaat net zo als met een paar lievelingsschoenen die je steeds maar draagt, na een tijdje moet je toch andere kopen. Het goeie van Ornette Coleman was dat zijn muzikale ideeën en zijn melodieën niet vast zaten aan een stijl en die onafhankelijkheid wekte de indruk dat je spontaan iets creëerde. Ik heb een bijna perfect gevoel voor melodische ordening. Maar nadat ik eens goed had geluisterd naar de dingen die Ornette speelde en waar hij het over had – vooral nadat Tony in de band was gekomen en ik wilde weten wat hij vond van de muziek van Ornette – kwam ik erachter dat als ik één noot op de trompet speelde, ik er eigenlijk ongeveer vier speelde en dat ik bezig was om gitaarsolo's om te zetten in trompet-klanken. In mijn muziek met Tony begon ik de 'back-beat' van de drums op de voorgrond, bovenop de rest te plaatsen, net als in Afrikaanse muziek. In de westerse muziek probeerden de blanken het ritme door haar af-komst – Afrika – en haar raciale bijbetekenis te onder-drukken. Maar ritme is net als ademen. Dus dat begon ik te leren in deze groep en het wees de weg die ik moest gaan.

Op het persoonlijke vlak stond ik waarschijnlijk het dichtst bij Ron, omdat hij de betaalmeester van de band was en hij meestal met me meereed als we ergens moes-ten zijn en af en toe reed hij. We deden altijd St. Louis aan als we daar in de buurt moesten optreden en ik ge-loof dat hij de enige in de band was die mijn moeder had ontmoet voordat ze stierf. Hij maakte kennis met al mijn oude schoolmakkers, van wie sommigen beruchte gang-sters waren geworden. Op het podium stond ik altijd naast Ron, omdat ik wilde horen wat hij speelde. Daar-voor stond ik altijd naast de drummer, maar nu hoefde ik me daar geen zorgen over te maken, want die kon je toch wel horen; met Herbie was het precies hetzelfde. Maar in die tijd hadden ze geen versterkers en dus was het vaak moeilijk om Ron te horen. Maar ik stond ook naast hem om hem te steunen, want iedereen had het over mij en Wayne en Herbie en Tony, maar over Ron hoorde je niet zoveel en dat was weleens sneu voor hem.

Elke avond zaten Herbie, Tony en Ron in hun hotel-kamers tot diep in de nacht na te praten over wat ze ge-speeld hadden. En elke avond als ze opkwamen speelden ze weer anders. En elke avond moest ik daarop reageren.

De muziek die we speelden veranderde godverdomme elke avond, als je het gisteren had gehoord, was het van-avond weer anders. Man, het was te gek hoe na een tijdje die shit elke avond weer anders was. Zelfs wij wisten niet waar het allemaal naartoe ging. Maar we wisten dat het een andere kant op ging en dat het waarschijnlijk wel hip zou zijn en dat was genoeg om iedereen, zo lang als het duurde, opgewonden te houden.

Ik ging met deze groep in vier jaar tijd zes keer de studio in: *E.S.P.* (1965), *Miles Smiles* (1966), *Sorcerer* (1967), *Nefertiti* (1967), *Miles in the Sky* (1968) en *Filles de Kilimanjaro* (1968). We hebben veel meer opgenomen dan er is uitgebracht (een gedeelte is later verschenen op *Directions* en *Circle in the Round*). En er waren ook nog een paar live-opnames, waarvan ik vermoed dat Columbia ze pas uit zal brengen als ze er het meest aan kunnen verdienen, waarschijnlijk na m'n dood.

Mijn repertoire, de nummers die we elke avond weer speelden, begon de band te vervelen. De mensen kwamen voor die nummers die ze kenden van mijn platen, daarom zat het elke avond weer stampvol: *Milestones, 'Round Midnight, My Funny Valentine, Kind of Blue.* Maar de band wilde die nummers spelen die op de plaat waren gezet en die we nooit live speelden en ik weet dat het bij hen de nodige irritatie opleverde. Maar ik begreep best waar het vandaan kwam, al dat werk aan *Kilimanjaro, Gingerbread Boy, Footprints, Circle in the Round, Nefertiti,* al die fantastische nummers die we op hadden genomen. Je draagt nieuwe nummers aan en je schrijft alle partijen uit en dan deel je ze uit en dan neem je ze op. We probeerden die shit uit, keken welke partijen we nodig hadden, welke partijen veranderd moesten worden, en we schreven de akkoorden op. We schreven altijd en veranderden tijdens de repetities de beginnetjes en eindjes omdat we het nummer nog nooit eerder hadden gezien. Dus het was een lichamelijk, technisch probleem. Is deze noot een G of A? Of zit 'ie op de tweede of derde tel? Al dat werk. En als je het dan niet live speelt, zodat de mensen het in die situatie kunnen horen, dan kan dat knap vervelend zijn na al dat werk. Dit was wel leuk: de nummers die we elke avond speelden en live-opnames werden sneller en sneller en na een tijdje leverde dat beperkingen op in wat we ermee konden doen, omdat ze echt niet sneller meer konden. In plaats van de nieuwe muziek die we op hadden genomen live verder te ontwikkelen, ontdekten we manieren om de oude muziek net zo fris te laten klinken als de nieuwe muziek die we opnamen. Ik betaalde de band goed, in 1964 $100 per avond en tegen de tijd dat we uit elkaar gingen was dat geloof ik $150 of zelfs $200 per avond. Ik verdiende meer en ik betaalde meer dan iemand anders in ons vak. En ze kregen goed betaald voor de plaatopnames en omdat ze samen met mij speelden was dat heel goed voor hun reputatie. Ik zit niet op te scheppen, het was gewoon zo. Eerst speel je met mij en dan word je zelf bandleider, want daarna, zo beweerde iedereen, was dat het enige dat je nog kon doen. En dat was vleiend, maar het was tegelijkertijd iets waar ik niet om had gevraagd. Maar het kostte me geen moeite om die rol te accepteren.

Soms hadden we rare toestanden in de groep. Toen ik ze pas bij elkaar had, was het enige probleem dat ik met die band had, dat Tony te jong was om in de clubs te spelen. Iedere keer als we in clubs speelden, moest er een apart gedeelte zijn waar jongelui limonade konden drinken. Tony moest van mij z'n snor laten staan, zodat hij er ouder uitzag. Ik heb ook eens gezegd dat hij een sigaar moest roken. Toch wilden veel clubs ons niet hebben omdat hij minderjarig was.

De band draaide om Tony en Tony vond het geweldig als iedereen een beetje vrij ging spelen. Daarom hield hij zo van Sam Rivers. Hij vond het leuk als een muzikant een beetje verder probeerde te gaan en zolang ze hun nek maar uitstaken en niet alleen maar rechttoe-rechtaan speelden, vond hij 't niet erg als ze fouten maakten. Dus in dat opzicht leken Tony en ik veel op elkaar. Herbie kickte op elektronische shit en als we op tournee gingen, was hij vaak bezig om van die elektronische rommel te kopen. Herbie wilde alles opnemen en kwam altijd naar een concert met een bandrecordertje. Vaak was hij te laat, niet echt te laat – en dat kwam niet door drugs of zoiets – en dan kwam hij binnen op de eerste tel van het eerste nummer. Dus dan keek ik maar eens kwaad naar die klootzak en 't eerste wat hij dan deed, was onder die klotepiano kruipen om z'n bandrecorder op te stellen, zodat hij alles op kon nemen. Tegen de tijd dat hij daar klaar mee was, waren wij al op driekwart van het nummer en dan had hij nog geen noot gespeeld. Daarom hoor je aan het begin van die live-concerten de piano nooit. Daar maakten we altijd geintjes over in de band, of Herbie al dan niet te laat zou zijn.

Ik herinner me nog dat Tony een nieuwe bandrecorder die hij had gekocht aan iedereen liet zien. Toen Tony hem aan Herbie liet zien, ging Herbie hem vertellen hoe dat ding werkte. Daar werd Tony kwaad om, omdat hij ons zelf alles over die bandrecorder wilde vertellen. Maar nu had Herbie het al gedaan, dus was Tony pisnijdig. Als Tony kwaad op iemand was, dan wilde hij hem niet begeleiden als diegene aan het soleren was. Dus zei ik tegen Ron: 'Tony gaat Herbie niet begeleiden als hij soleert, moet je maar opletten.' En ja hoor, toen Herbie met z'n solo begon, maakte Tony van alles wat hij speelde een zootje, hij gaf hem helemaal geen steun. En toen keek Herbie naar Tony en had geen idee wat er aan de hand was. Tony, met z'n arrogante kop, liet Herbie gewoon barsten. Tony was ook weleens kwaad op Wayne, als die dronken op het podium stond en er niets van brouwde; dan hield Tony gewoon op met spelen. Zo was Tony nou eenmaal, als hij kwaad op je was dan hoefde je niet op hem te rekenen als je stond te spelen. Maar zo gauw er dan weer een ander aan de beurt was, ging hij verder waar hij daarvoor was opgehouden. We speelden een keer in de Village Vanguard en Max Gordon, de eigenaar, wilde dat ik een zangeres begeleidde. Dus ik zei tegen hem dat ik geen zangeressen begeleidde, maar dat hij het maar aan Herbie moest vragen en als Herbie het wilde doen, vond ik het best. Dus Herbie, Tony en Ron hebben haar begeleid en de mensen vonden haar geweldig. Ik heb niet gespeeld en Wayne ook niet. Ik vroeg aan Max wie het was, weet je wel, hoe ze heette. Dus Max zei: 'Ze heet Barbra Streisand en ze wordt een heel grote ster.' Dus elke keer als ik haar nu weer ergens zie, denk ik godverdomme en schud m'n hoofd maar een beetje.

In 1964 gaven Frances en ik bij ons thuis een feestje voor Robert Kennedy; hij was kandidaat voor de Senaat van New York en onze vriend Buddy Gist had gevraagd of we dat wilden doen. Er kwamen een boel verschillende mensen naar dat feest: Bob Dylan, Lena Horne, Quincy Jones, Leonard Bernstein. Maar ik kan me nog steeds niet herinneren dat ik Robert Kennedy heb ontmoet. Ze zeggen dat hij geweest is, maar als dat zo was, dan kan ik me niet herinneren hem gezien te hebben.

Ik kan me wel herinneren dat ik toen James Baldwin, de schrijver, heb ontmoet. Marc Crawford, die hem goed kende, had hem meegenomen. Ik herinner me dat ik nogal onder de indruk was omdat het zo'n kopstuk was met al die fantastische boeken die hij heeft geschreven, dus wist ik niet wat ik tegen hem moest zeggen. Later kwam ik erachter dat hij dat precies zo had met mij. Maar ik vond hem meteen aardig en hij mij. We respecteerden elkaar enorm. Hij was een eenkennig mens en ik ook. Ik vond dat we net broers waren. Als ik zeg dat we allebei eenkennig waren, dan bedoel ik dat artistiek gezien, dat je er van baalt dat mensen je tijd in beslag nemen. Ik kon dat in hem herkennen, zag dat hij zich daarvan bewust was. Maar daar zat ik dan verdomme, met James Baldwin in m'n eigen huis! Ik had zijn boeken gelezen en wat hij te zeggen had respecteerde ik niet alleen, ik vond het ook nog mooi. Toen ik Jimmy wat beter begon te leren kennen, werden we wat vrijer tegenover elkaar en toen zijn we heel goede vrienden geworden. Steeds als ik naar Zuid-Frankrijk ging om in Antibes te spelen, ging ik altijd één of twee dagen bij Jimmy in z'n huis in St. Paul de Vence logeren. En dan zaten we elkaar in dat hele grote, prachtige huis van 'm allerlei verhalen te vertellen en het meeste daarvan was gelogen. Als ik nu naar Zuid-Frankrijk ga, mis ik hem echt. Hij was een groot man.

Mijn huwelijk met Frances ging nu echt heel slecht. Dat kwam gedeeltelijk doordat ik er eigenlijk nooit was, ik was vaak op tournee en de keer dat ik zo lang in Los Angeles ben gebleven om *Seven Steps to Heaven* op te nemen, heeft er ook geen goed aan gedaan. Als het koud werd, leek de pijn in m'n heup erger te worden, dus zocht ik de warmte op, maar dat was niet alles. Alle moeilijkheden kwamen door de drugs, de drank en al die andere vrouwen met wie ik nog steeds omging. Zij was nu ook gaan drinken en onze ruzies werden steeds erger. Ik ging nu vaak naar die nachtclubs waar iedereen onder de coke zat en daar had ze een rothekel aan. Soms bleef ik gewoon een paar dagen weg zonder iets van me te laten horen. Frances maakte zich altijd zorgen om mij en ze kreeg echt de zenuwen van me. En als ik dan thuiskwam, dan was ik, omdat ik twee nachten niet geslapen had, zo moe dat ik boven m'n eten in slaap viel. Eind 1964 kregen we een uitnodiging van de Belafontes om kerst bij hen te komen vieren (dit was één van de weinige keren dat ik rond die tijd niet in Chicago speelde) en dat deden we, maar ik heb m'n mond niet opengedaan. Ik was high en alles irriteerde me. Dat heeft haar ook pijn gedaan, want Julie was één van Frances' beste vriendinnen.

Ze begon haar eigen gang te gaan, ging uit met haar vrienden en kreeg haar eigen interesses; ik kon haar geen ongelijk geven. Ik denk dat ons huwelijk gewoon z'n langste tijd had gehad. Die foto van ons, die op *E.S.P.* staat is genomen de week voordat ze definitief wegging. In die periode had ik het waanidee dat er iemand in het huis was. Dus keek ik steeds in de kasten, onder de bedden en ik herinner me nu dat ik iedereen, behalve Frances, negeerde omdat ik naar die denkbeeldige persoon op zoek was. Ik sta daar dan, als een stomme idioot, met een slagersmes in m'n hand en ik wil dat ze meegaat naar de kelder om iemand te zoeken die er helemaal niet is. Ze deed maar een beetje met me mee en zei: 'Ja, Miles, er is iemand in huis, laten we de politie maar bellen.' De politie doorzocht het huis en keek me aan of ik gek was geworden. Toen de politie kwam, ging Frances weg en is bij een vriendin blijven slapen. Ik heb haar weten over te halen weer bij me terug te komen. De knallende ruzies begonnen weer. De kinderen wisten niet wat ze moesten doen, dus gingen ze maar op hun kamer zitten huilen. Ik denk dat mijn zoons Gregory en Miles IV hier een klap van hebben gekregen, want ze wisten niet wat ze ermee aan moesten. Cheryl was de enige van de drie die goed uit al die ellende is gekomen, al weet ik dat ook *zij* littekens heeft opgelopen.

Na onze laatste ruzie, toen ik een bierfles door de kamer had gegooid en zei dat m'n eten klaar moest staan als ik thuiskwam, bleef ze bij vrienden logeren en daarna ging ze naar Californië en logeerde bij de zangeres Nancy Wilson en haar man. Totdat de kranten en de televisie zeiden dat ze uitging met Marlon Brando, wist ik niet waar ze was. Toen ik erachter kwam dat ze bij Nancy logeerde, belde ik haar op en praatte met haar (ik liet een andere vrouw voor me bellen). Ik zei dat ik haar zou komen halen en hing op. Toen realiseerde ik me pas hoe slecht ik haar had behandeld en dat het voorbij was. Er viel niets meer te zeggen, dus dat deed ik dan ook maar niet. Maar nu zeg ik het wel, Frances is de beste vrouw die ik ooit heb gehad en wie haar ook krijgt, is een gelukkige klootzak. Daar ben ik nu ook achter, maar ik wou dat ik het toen had geweten.

In april 1965 ben ik aan mijn heup geopereerd en ze vervingen m'n heupgewricht door een stuk bot uit mijn scheenbeen, maar het mislukte en dus moesten ze het in augustus opnieuw doen. Toen hebben ze er een plastic gewricht in gezet. De jongens van mijn band hadden inmiddels een behoorlijke reputatie, dus terwijl ik thuis aan het herstellen was en op de televisie naar de Watts-rellen keek, hadden zij geen enkel probleem om aan het werk te blijven. Ik begon pas in november 1965 weer te spelen, in de Village Vanguard. Ik moest Reggie Workman als bassist gebruiken, omdat Ron – en die haalde wel vaker zo'n geintje uit – z'n verplichtingen aan iemand niet kon of wilde verbreken. Het was een fantastische come-back en de muziek werd door de mensen erg goed ontvangen. Daarna gingen we op tournee; in december gingen we naar Philadelphia en Chicago, waar we in de Plugged Nickel speelden en daar maakten we ook een plaat. In die tijd kwam Teo Macero ook weer terug en hij deed die opnamen daar. Columbia heeft nog steeds een paar banden die ze niet uitgebracht hebben. Maar Ron kwam voor dit concert terug en iedereen speelde alsof we nooit weg waren geweest. Zoals ik al zei, vond ik altijd dat als je goeie muzikanten hebt, die het fijn vinden om met elkaar te spelen, het goed is voor een band om een tijdje niet met elkaar te spelen. De muziek wordt er frisser door en dat gebeurde ook in de Plugged Nickel, ook al speelden we hetzelfde repertoire dat we altijd al hadden gespeeld. De muziek waar de mensen in 1965 naar luisterden was vrijer dan ooit, het leek net alsof iedereen losser speelde. Het begon echt aan te slaan.

In januari 1966 werd ik weer ziek, nu had ik een leverinfectie en ik moest tot maart in bed blijven. Daarna ging ik met een groep op tournee naar het westen en weer kon Ron er niet bij zijn, dus nam ik Richard Davis mee. Ik gaf veel schoolconcerten en kwam erachter dat die veel minder van je vergden dan optredens in clubs. Ik was dat club-bestaan goed zat, altijd weer dezelfde mensen en alsmaar weer hetzelfde gezuip. Door die leverinfectie moest ik een hoop laten staan, maar nog niet alles, nog niet. We speelden op het Newport Jazz Festival en toen maakte ik in november *Miles Smiles*. Op die plaat kan je goed horen dat we ons aan het losmaken waren, dat we grenzen aan het verleggen waren.

In 1966 of 1967 – ik weet het niet precies meer – kwam ik Cicely Tyson tegen in het Riverside Park. Ze had een rolletje als secretaresse in de televisie-serie *East Side/West Side*, met George C. Scott in de hoofdrol. Ze maakte indruk op me, omdat ze een afrokapsel had en omdat ze altijd een intelligente indruk maakte als ik haar zag. Ik weet nog goed dat ik me afvroeg hoe ze zou zijn. Ze had een ander soort schoonheid, die je bij zwarte vrouwen op de tv meestal niet zag, ze maakte een erg trotse indruk en ze had een soort innerlijk vuur dat ik interessant vond. Toen we pas met elkaar omgingen, liet ik haar bepaalde dingen die ze had gezegd nog eens zeggen. Ik kon aan haar gezicht zien dat ze me doorhad, want ze wist dat ik dat alleen maar deed om haar pruilmondje nog een keer te kunnen zien. Dat zie je nooit in haar films. Ze verbergt het en doet het niet als ze acteert. Ik denk dat ik de enige ben die haar zo heeft zien kijken, dat heeft ze me tenminste verteld. Ze komt uit Harlem, maar haar ouders komen uit West-Indië en zij denkt ook als een West-Indische, omdat ze trots is op haar Afrikaanse afkomst.

Eerst waren we gewoon vrienden, het was heel onschuldig. Ik was gaan wandelen in Riverside Park, vlakbij waar ik woon op West 77th, met Corky McCoy, een vriend uit Los Angeles die kunstenaar is. Ik zag Cicely. Ze zat op een bankje in het park en toen ze mij zag, stond ze op. Ik denk dat ik haar toen al een paar keer had ontmoet bij Diahann Carroll of Diana Sands, ik ben vergeten bij wie. Ik stelde haar voor aan Corky, omdat ik dacht dat zij en Corky elkaar wel aardig zouden vinden. Nadat Frances was weggegaan, voelde ik niets meer voor vrouwen en dat gold eigenlijk voor iedereen, behalve voor de jongens van de band en een heel klein groepje vrienden. Maar Cicely keek niet eens naar Corky. Ze keek naar mij omdat ze wist dat ik niet meer bij Frances was en toen zei ze: 'Kom je hier elke dag?'

Ik zei: 'Ja.' Ik kon aan haar ogen zien dat ze geïnteresseerd in me was, maar ik wilde geen gedonder meer met vrouwen en dat gold ook voor Cicely. Toen zei ik tegen haar dat ik niet elke dag naar het park kwam, zoals ik net had gezegd, maar dat ik daar alleen donderdags kwam.

'Hoe laat ongeveer?' zei ze. Ze had Corky nog steeds geen blik waardig gekeurd. Gatverdarrie dacht ik bij mezelf. Maar toch zei ik hoe laat ik altijd ging. Dus telkens als ik daarna naar het park ging, was zij er al of liet ze niet lang op zich wachten. Toen vertelde ze me waar ze woonde en we begonnen met elkaar uit te gaan. Omdat ze erg aardig was en ik haar niet aan het lijntje wilde houden, zei ik: 'Luister eens Cicely, het wordt niks tussen ons. Ik voel niks. Ik weet dat je me aardig vindt en dat je hoopt dat onze relatie serieus gaat worden, maar ik kan gewoon niks doen aan de leegte die ik nu voel.' Maar Cicely was geduldig en gaf niet op en van het een kwam het ander, omdat Cicely het soort vrouw is dat je helemaal in beslag neemt. Eerst gingen we alleen maar uit om lol te maken.

We gingen al heel lang met elkaar uit voor we met elkaar naar bed gingen. Ze hielp me van de sterke drank af, daarna heb ik een hele tijd alleen nog maar bier gedronken. Ze hield me altijd in de gaten, dat had ze zichzelf tot taak gesteld. Na een tijdje was ze helemaal bij me gaan horen en ze bemoeide zich ook met mijn zaken (maar ze vertelde nooit iets over die van haar). Toen ik in 1967 *Sorcerer* maakte, zette ik haar gezicht op de hoes en iedereen die het nog niet wist, kon toen zien dat we een paar waren.

De afgelopen jaren had ik, af en aan, een paar maanden van het jaar in Los Angeles gewoond. Begin 1967 was Joe Henderson bij de band gekomen, omdat ik aan het experimenteren was met een sextet met twee tenoren. Ik denk dat ik toen ben begonnen met niet te stoppen tussen de nummers, maar alles te spelen zonder onderbrekingen, meteen van het ene naar het andere nummer. Mijn muziek ging van toonladder naar toonladder, dus ik had geen zin meer om de sfeer te laten doorbreken door pauzes en stops. Ik ging meteen door naar het volgende nummer, wat het tempo ook was, en speelde het gewoon zo. Mijn concerten werden een soort suites en zo kregen we tijd voor meer en langere improvisaties. Veel mensen vonden de nieuwe ontwikkeling te gek, maar anderen vonden me een radicale klootzak en dachten dat ik nu echt gek aan het worden was.

In april speelden we een paar keer in Californië, weer zonder Ron. Richard Davis was er weer bij. Gedwongen door storm en regen speelden we onze onafgebroken set voor 10 000 mensen binnen, in een sporthal in Berkeley. Iedereen ging uit z'n bol van onze set. Ik wist niet wat me overkwam toen zelfs *Down Beat* ons een fantastische recensie gaf.

Na Berkeley speelden we in L.A. en daar nam Buster Williams de plaats in van Richard Davis. Hampton

Hawes, een vriend van me uit L.A., had me op hem geattendeerd. Toen we in de Both And Club in San Francisco gingen spelen, stuurde hij Herbie Hancock bij de piano weg en speelde hij een paar stukken met ons mee. Hampton was een pracht van een gestoorde klootzak, die als pianist nooit de erkenning heeft gekregen die hij verdiende. We bleven vrienden tot hij in 1977 stierf. We speelden aan de Westkust totdat we in mei 1967 terug naar New York gingen om *Sorcerer* op te nemen. Ron Carter ging mee de studio in en in die maand namen we in drie dagen *Nefertiti* op. Deze keer zette ik mijn eigen foto op de hoes. Door deze plaat kregen de mensen pas in de gaten wat een fantastische componist Wayne Shorter was. Diezelfde maand deden we nog een opnamesessie die één kant van de plaat *Water Babies* beslaat. Omdat het album pas in 1976 uitkwam, staan op de rest van die plaat andere muzikanten.

In juli was iedereen kapot van de dood van John Coltrane. Zijn dood kwam totaal onverwacht. Ik wist dat hij er niet goed uitzag en kilo's was aangekomen de laatste keer dat ik hem zag, niet zo lang voor zijn dood. Ik wist ook dat hij niet al te veel meer had opgetreden. Maar ik wist helemaal niet dat hij ziek was, laat staan zo ziek. Ik weet niet of Harold Lovett, onze advocaat, het eigenlijk wel wist. Trane was een binnenvetter en ik zag hem de laatste tijd niet zo vaak meer, omdat hij met z'n eigen muziek bezig was en ik met die van mij. Daar komt nog bij dat ik ook ziek was geweest en ik denk dat ik de laatste keer dat ik hem heb ontmoet er met hem over heb gepraat hoe vervelend het was om ziek te zijn. Maar hij heeft toen niet gezegd dat hij zichzelf ook niet goed voelde. Trane was erg gesloten en ik geloof dat hij pas een dag voor hij stierf naar het ziekenhuis is gegaan, want hij stierf op 17 juli 1967; hij had levercirrose en had ondraaglijk veel pijn.

Tranes muziek en wat hij de laatste twee, drie jaar van zijn leven speelde, was voor veel zwarten het vuur en de passie en de woede en rebellie en liefde die ze voelden, vooral voor de jonge zwarte intellectuelen en revolutionairen uit die tijd. Hij drukte in muziek uit wat H. Rap Brown en Stokeley Carmichael en de Black Panthers en Huey Newton met woorden zeiden, wat de Last Poets en Amiri Baraka in gedichten uitdrukten. Hij was hun fakkeldrager van de jazz, meer nog dan ik. Hij speelde wat zij vanbinnen voelden en door middel van rellen tot uitdrukking brachten – 'burn, baby, burn' – die in de jaren zestig overal plaatsvonden in dit land. Voor veel jonge zwarte mensen ging het over revolutie – afrokapsels, felgekleurde Afrikaanse tunieken, Black Power en opgeheven vuisten. Coltrane was hun symbool, hun trots, hun mooie, zwarte, revolutionaire trots. Een paar jaar eerder was ik het geweest, nu was hij het en dat vond ik prima.

Hetzelfde gold voor een hoop intellectuele, revolutionaire blanken en Aziaten. Zelfs toen hij spirituele muziek, zoals *A Love Supreme*, wat een gebed was, ging spelen, overschreed hij grenzen en beïnvloedde hij de vredesbeweging, hippies en dat soort mensen. Ik hoorde dat hij veel op 'love-ins' speelde. Voor veel blanken in Californië was dat een soort rage geworden. Dus ook hij bereikte verschillende groepen mensen en dat was prachtig en ik was trots op hem, ook al vond ik zijn vroegere muziek mooier. Hij heeft me ooit eens verteld dat hij sommige muziek die hij vroeger had gemaakt zelf ook mooier vond dan waar hij nu mee bezig was. Maar Trane was op zoek en zijn koers leidde hem steeds op vrijere paden; hij kon niet meer terug, ook al dacht ik weleens dat hij dat best zou willen.

Zijn dood zorgde voor een chaos in de 'free thing', omdat hij de leider ervan was. Hij was een soort Bird voor alle muzikanten die zichzelf als 'free' beschouwden;

hij was als een god voor hen. Zijn dood betekende voor hen hetzelfde als de dood van Bird voor veel bebop-muzikanten was geweest. Hij wees hen de weg, ook al was hij zelf al jaren stuurloos. Ornette Coleman was er nog steeds en sommigen sloten zich bij hem aan. Maar voor de meesten was Trane een baken geweest en nu hij er niet meer was, vond ik ze net schipbreukelingen, die zonder kompas of peddels op de oceaan dobberden. Het leek alsof veel van zijn ideeën met hem zijn gestorven, ook al bleven een paar van zijn discipelen zijn boodschap uitdragen, maar er werd steeds minder naar ze geluisterd.

Net als destijds met de dood van Bird was het Harold Lovett die me van Tranes dood op de hoogte stelde. De dood van Trane maakte me echt verdrietig, omdat hij niet alleen een fantastisch musicus was, maar ook een fantastisch aardig en wijs mens van wie ik veel hield. Ik mis hem, zijn wijsheid en zijn creatieve verbeeldingskracht en de zoekende, vernieuwende benadering van waar hij mee bezig was. Hij was net zoals Bird een genie, maar zowel het leven als zijn kunst benaderde hij met grote gulzigheid, en dat gold in het bijzonder voor de drugs en de drank, die hem uiteindelijk gesloopt hebben. Maar hij heeft ons zijn muziek nagelaten en daar kunnen we allemaal van leren.

Tegen die tijd was alles in dit land weer in beweging - alles. Muziek, politiek, rassenverhoudingen, alles. Niemand scheen te weten welke kant het op ging, iedereen leek in verwarring. Zelfs veel artiesten en musici schenen opeens meer vrijheid te hebben dan ooit om te doen waar ze zin in hadden. De dood van Trane leek veel mensen in verwarring te hebben gebracht, omdat hij op veel mensen een grote invloed had gehad. Zelfs Duke Ellington ging de spirituele kant op, zoals Trane had gedaan in *A Love Supreme*, toen Duke in 1965 een partituur schreef die *In the Beginning God* heette en die hij overal in de

Verenigde Staten en in Europa in kerken speelde.

Na de dood van Trane speelden Dizzy Gillespie en ik de hele maand augustus met onze band in de Village Gate en de mensen stonden toen tot ver buiten op straat om naar ons te komen luisteren. Sugar Ray Robinson kwam samen met Archie Moore, de beroemde oud-kampioen uit St. Louis, naar ons kijken. Ik weet nog goed dat ik toen aan Dizzy vroeg of hij hen vanaf het podium wilde voorstellen en dat hij tegen me zei dat *ik* de boksliefhebber was en het dus maar zelf moest doen. Maar dat soort dingen deed ik niet graag, dus deed hij 't toch maar. Iedereen in New York had het over de muziek die onze bands daar speelden.

Ik geloof dat ik daar ook Hugh Masekela, die goede Zuid-Afrikaanse trompettist, heb ontmoet. Hij was nog maar pas in de Verenigde Staten en het ging hem goed. Hij was een vriend van Dizzy, die had geholpen met sponsors terwijl hij hier naar de muziekschool ging. Ik herinner me dat ik op een avond uptown met hem reed en dat hij nogal onder de indruk was dat hij samen met mij in één auto zat. Hij vertelde me dat ik voor hem en voor andere zwarten in Zuid-Afrika een held was, toen ik me niet had laten inpakken door die politieagent daar voor Birdland. En ik herinner me nog hoe verbaasd ik was dat ze daar in Afrika over hadden gehoord. Hugh had toen al een eigen stijl, een eigen geluid. Dat vond ik goed, hoewel ik vond dat hij zwarte Amerikaanse muziek niet zo heel goed speelde. Steeds als ik hem zag zei ik tegen hem dat hij beter zichzelf kon blijven in plaats van te proberen om hetzelfde te spelen als wat wij hier doen. Na verloop van tijd begon hij denk ik naar me te luisteren, want z'n spel werd beter.

Nadat ik met Dizzy in de Village Gate had gespeeld, ging ik voor de rest van 1967 op tournee door de Verenigde Staten en Europa. Het was een lange tournee, met een door George Wein samengesteld programma, dat New-port Jazz Festival in Europe heette. Maar er deden te veel groepen mee aan die tournee en na een tijdje werd het een zootje. Thelonious Monk, Sarah Vaughan en Archie Shepp waren erbij samen met een stel van die andere gasten. (Ik heb zelfs een paar keer met Archie gespeeld, omdat Tony dat gevraagd had, maar ik kon nog steeds niet warm lopen voor wat hij speelde.) En toen kregen George Wein en ik knallende ruzie over geld. Ik vind George een aardige vent en ik ken hem allang, maar we hebben nogal eens ruzie gehad, omdat ik dat gezeik van hem niet pik. George is een goeie vent, meestal is hij oké en hij is goed geweest voor de muziek en voor heel wat musici, mijzelf daarbij inbegrepen, die hij altijd goed heeft betaald. Ik kan er alleen niet tegen dat hij af en toe zo door kan blijven zeiken.

Zodra ik in december 1967 met de groep terug was in New York, ging ik samen met Gil Evans, die een paar dingetjes had gearrangeerd, de studio in. Ik had een jonge gitarist, Joe Beck aangenomen. Ik was toen al bezig een gitaarsound aan mijn muziek toe te voegen, omdat ik nogal veel naar James Brown luisterde en ik hield van de manier waarop hij de gitaar in zijn muziek gebruikte. Ik heb altijd al van de blues gehouden en ik heb het altijd graag gespeeld, dus luisterde ik toen naar Muddy Waters en B.B. King en ik was op zoek naar een manier om die klanken ook in mijn muziek te krijgen. Ik had veel van Herbie, Tony, Wayne en Ron geleerd. En ik had in die drie jaar dat we samen waren geweest alles wat ik had opgepakt zo'n beetje geabsorbeerd. Nu was ik aan het nadenken over hoe ik de muziek die ik wilde spelen nog meer kon benaderen, want ik kon voelen dat ik veranderingen wilde, maar ik wist nog niet precies hoe en wat. Ik wist dat het iets had te maken met de gitaarklank in mijn muziek en ik raakte ook geïnteresseerd in wat klanken van elektronische instrumenten in mijn muziek konden doen. Weet je, toen ik vroeger in Chicago, als ik in de stad was, op de hoek van 33rd en Michigan elke maandag als hij daar speelde naar Muddy Waters luisterde, wist ik dat ik iets van wat hij deed in mijn muziek moest stoppen. Je kent dat wel, het geluid van een goedkoop drumstelletje, de mondharmonika's en de twee-akkoorden blues. Daarheen moest ik terug, want waar we nu mee bezig waren, werd wel erg abstract. En dat was oké zolang het duurde, maar nu wilde ik alleen nog maar terug naar de sound waar ik vandaan kwam.

Bij deze opnames speelde Herbie voor het eerst op de elektrische piano. Ik had naar Joe Zawinul geluisterd, die er in Cannonballs groep op speelde en ik vond het mooi klinken, voor mij was het de toekomst. Maar het gebruik van elektrische instrumenten zou ook de oorzaak zijn dat een tijdje later mijn band uit elkaar ging en mij naar een nieuw soort muziek zou leiden.

Joe Beck was een goeie muzikant, maar hij kon me toen niet geven wat ik wilde. Voor de andere sessies, die plaatsvonden in januari, februari en maart van 1968, nam ik, nadat ik eerst met m'n gewone kwintet opnames had gemaakt, er nog een gitarist bij, dat was George Benson. Eén van de stukken waar hij in speelde, *Paraphernalia*, werd later dat jaar uitgebracht op *Miles in the Sky*. De rest van de stukken zijn later uitgebracht.

Ik wilde een wat krachtiger baslijn horen. Als je de baslijn hoort, dan kun je iedere noot van de sound die je speelt horen. Dus hebben we de baslijn van de stukken die we speelden veranderd; we wisselden ze af. Wanneer ik een baslijn schreef, konden we hem zo variëren, dat we een wat bredere sound dan van een vijfmansband zouden hebben. Door een elektrische piano te gebruiken en Herbie samen met de gitaar de baslijn en de akkoorden te laten spelen en door Ron ook in hetzelfde register met hem mee te laten spelen, dacht ik dat de muziek een goeie, frisse sound zou krijgen. Toen ik die opnames met deze klankkleur maakte, was ik op weg naar, wat de critici later 'fusion' zouden noemen. Ik wilde alleen maar een nieuwe, frisse aanpak.

Ongeveer in die periode wilde Columbia dat Gil en ik een jazzversie zouden maken van de filmmuziek van *Doctor Doolittle*. *Porgy and Bess* was mijn best verkochte plaat geweest en dus dacht de een of andere stomme klootzak daar dat die *Doctor Doolittle* ook wel goed zou verkopen. Nadat ik naar die shit had geluisterd, zei ik: 'Geen denken aan, Jose.'

Ik ging samen met Gil en mijn groep naar Berkeley in Californië, waar we een concert gaven met een big band erbij. Columbia heeft dat concert live opgenomen, maar de banden liggen nog steeds in de kluis. Begin april, net voor we vertrokken om die concerten te gaan geven, werd in Memphis Martin Luther King jr. vermoord. Er volgde een explosie van geweld in het hele land. King had de Nobelprijs voor de vrede gekregen en was een groot leider en een prachtkerel, maar die filosofie van geweldloosheid en iemand de andere wang toekeren, heeft mij nooit zo aangesproken. Toch is 't godverdomme een schande dat hij, net als Gandhi, zo gewelddadig is vermoord. Hij was Amerika's eigen heilige en de blanken zouden 'm toch wel hebben vermoord, omdat ze bang werden toen hij het karakter van z'n boodschap veranderde; hij sprak niet alleen de zwarten toe, maar hij had het ook over de Vietnamoorlog en de arbeid en nog meer van dat soort zaken. Tegen de tijd dat hij stierf, praatte hij met iedereen en de toenmalige regering moest daar niks van hebben. Als hij gewoon met de zwarte bevolking was blijven praten, dan zou hem niets zijn overkomen; maar hij deed hetzelfde als Malcolm toen die uit Mekka terugkwam en daarom werd die ook vermoord, dat weet ik zeker.

Toen we terugkwamen in New York, ging ik in mei weer de studio in om de plaat *Miles in the Sky* af te maken met Herbie, Wayne, Ron en Tony. In juni, toen we *Miles in the Sky* af hadden, gingen we de studio in om de plaat *Filles de Kilimanjaro* te maken. We gingen toen de zomer op tournee en maakten de plaat later in september af.

Tussen mij en Cicely ging het niet zo goed en we gingen uit elkaar omdat ik een mooie jonge zangeres had ontmoet, die ook liedjes schreef; ze heette Betty Mabry en haar foto staat op de hoes van *Filles de Kilimanjaro*. We noemden ook een nummer dat daar op stond naar haar: *Mademoiselle Mabry*. Man, ik was weer eens echt verliefd en vond haar geweldig. Toen ik haar ontmoette was ze drieëntwintig en ze kwam uit Pittsburgh. Ze zat in de nieuwe, avant-garde popmuziek. Ik was in februari 1968 van Frances gescheiden, dus trouwden Betty en ik in september van dat jaar, toen ik met de groep in de Plugged Nickel speelde. We trouwden in Gary, Indiana; mijn broer en zus waren getuige. Betty had grote invloed op me, zowel op mijn persoonlijke als op mijn muzikale leven. Ze liet me kennis maken met de muziek van Jimi Hendrix – en met Jimi Hendrix zelf – en andere zwarte rockmuziek en muzikanten. Ze kende Sly Stone en al die gasten en ze was zelf ook fantastisch. Als Betty vandaag de dag zou zingen, zou ze een soort Madonna zijn; zoiets als Prince, maar dan een vrouw. Zij heeft aan de wieg gestaan van dat alles toen ze zong als Bette Davis. Zij was haar tijd gewoon vooruit. Het kwam ook door haar dat ik me anders ben gaan kleden. Het huwelijk heeft maar een jaar geduurd, maar het was een jaar vol nieuwe dingen en verrassingen en hielp mij de weg te wijzen, zowel in mijn muziek als in zeker opzicht in mijn levensstijl.

# 14

1968 was een jaar vol veranderingen, maar voor mij waren de veranderingen in mijn muziek erg opwindend en ook de andere muziek die overal werd gespeeld was ongelooflijk. Dat alles bracht mij naar de toekomst en naar *In a Silent Way*.

Rond 1967 en 1968 was er een hoop aan het veranderen in de muziek en er werden een hoop nieuwe dingen gespeeld. Zo had je bijvoorbeeld de muziek van Charles Lloyd, die erg populair was geworden. Toen zijn band op het hoogtepunt was, had hij Jack DeJohnette en een jonge pianist, die Keith Jarrett heette. Hij was de leider, maar het waren die twee jongens die voor het vuurwerk zorgden. Ze speelden erg ritmische muziek, een kruising tussen jazz en rock. Charles heeft nooit echt kunnen spelen, maar hij had een bepaalde sound op zijn saxofoon, die licht en zwevend was en dat werkte goed met wat Keith en Jack eronder en eromheen deden. Een paar jaar lang is zijn muziek erg populair geweest. Onze twee groepen speelden aan het eind van 1967 of in het begin van 1968 samen, in de Village Gate. Man, die tent zat stampvol. Ik kende Jack van de keren dat hij voor Tony was ingevallen en als Charles' groep in de stad was, ging ik naar hem luisteren. Hij begon me ervan te beschuldigen dat ik z'n muzikanten wilde afpakken. Charles heeft het niet lang uitgehouden, maar heeft wel een hoop geld verdiend toen hij populair was. Ze zeggen dat hij rijk is en dat hij tegenwoordig in onroerend goed handelt, dus 't gaat hem goed.

De muziek waar ik in 1968 veel naar luisterde, was van James Brown, de fantastische gitarist Jimi Hendrix en een nieuwe groep die net de hit *Dance to the Music* hadden gemaakt. Deze groep heette Sly and the Family Stone en werd geleid door Sly Stewart uit San Francisco. Wat die gozer deed was helemaal te gek en hij gebruikte allerlei funky foefjes. Maar Jimi Hendrix, waar Betty Mabry me enthousiast voor had gemaakt, was het belangrijkst voor me. Ik heb Jimi voor het eerst ontmoet toen zijn manager belde en vroeg of ik hem wilde laten zien hoe ik speelde en m'n muziek in elkaar zette. Jimi vond het goed wat ik op *Kind of Blue* en zo had gedaan en wilde meer jazzelementen aan z'n muziek toevoegen. Hij hield ook van de manier waarop Coltrane speelde, met al die 'sheets of sound' en de manier waarop hij gitaar speelde had daar heel veel van weg. Bovendien zei hij dat hij had gehoord dat de manier waarop ik trompet speelde erg gitaristisch was. Dus op die manier kwamen we nogal eens bij elkaar. Betty vond zijn muziek echt mooi en later kwam ik er achter dat ze hem ook lichamelijk aantrekkelijk vond – en zo kwam hij regelmatig bij ons langs.

Hij was een heel aardige jongen, stil maar gevoelig en hij was helemaal niet zoals de mensen dachten. Hij was juist het tegenovergestelde van die wilde, krankzinnige figuur die hij op het podium uithing. Toen we pas bij elkaar kwamen en over muziek gingen praten, kwam ik er achter dat hij geen noten kon lezen. Betty gaf ergens in 1969 een feestje voor hem, in mijn huis in West 77th. Ik kon er niet bij zijn, omdat ik die avond in de studio moest zijn, dus liet ik wat muziek voor hem achter om te lezen, zodat we er later over zouden kunnen praten. (Er waren mensen die schreven dat ik niet naar dat feest ging, omdat ik 't niet zag zitten dat er in mijn huis een feest voor een andere man werd gegeven. Dat is puur gelul.)

Toen ik vanuit de studio naar huis belde om met Jimi over de muziek te praten die ik thuis voor hem had achtergelaten, ontdekte ik dat hij geen noten kon lezen. Ik heb heel wat – blanke en zwarte – muzikanten gekend en daar ook mee gespeeld die geen noten konden lezen. Dus ik vond Jimi daarom niet minder, Jimi was gewoon een fantastisch natuurtalent, een autodidact. Hij pikte van iedereen wat op en hij was vlug van begrip. Als hij iets hoorde, dan zat 't meteen in z'n hoofd. We zaten vaak te praten en dan had ik 't over technische dingen zoals: 'Jimi, weet je, als jij een dim-akkoord speelt...' En dan zag ik dat hij ineens heel erg verloren zat te kijken en dan zei ik: 'Oké, oké, ik was 't weer even vergeten.' En dan speelde ik het gewoon voor op de piano of op de trompet en dan snapte hij het verdomd snel. Hij had een ongelooflijk goed gehoor als het op muziek aan kwam. Dus dan speelde ik weer wat anders voor hem, om 't op een andere manier uit te leggen. Of ik draaide een plaat voor hem, van mij of van Trane, en legde hem uit wat we deden. Toen begon hij de dingen die ik hem vertelde in zijn platen te verwerken. Het was fantastisch. Hij beïnvloedde mij en ik beïnvloedde hem en zo ontstaat goeie muziek altijd. We moeten elkaar helpen en van daaruit verder gaan.

Maar Jimi heeft altijd dicht bij de 'hillbilly' gestaan, country-muziek die door blanke bergbewoners werd gespeeld. Daarom had hij die twee blanke Engelse jongens in z'n band, want veel blanke Engelse muzikanten hielden van die Amerikaanse 'hillbilly' muziek. Ik vond dat hij het beste klonk toen hij met Buddy Miles op drums en Billy Cox op bas speelde. Jimi speelde van die Indiase dingen of hij speelde van die gekke melodietjes die hij op zijn gitaar dubbelde. Ik hield ervan als hij dat deed. Hij speelde vroeger altijd in 6/8, toen hij met die Engelse jongens was en daarom vond ik dat hij als een 'hillbilly'

444

klonk. Toen gebruikte hij alleen maar dat concept. Maar pas toen hij met Buddy en Billy in de Band of Gypsies ging spelen, vond ik dat hij er alles uithaalde wat er in zat. Maar de platenmaatschappijen en de blanken vonden 'm beter toen hij die blanke jongens in de band had, net zoals een hoop blanken het liefst praten over de tijd dat ik met dat nonet-gedoe bezig was – die *Birth of the Cool* shit – of toen ik die andere platen maakte met Gil Evans of met Bill Evans, omdat ze het altijd wel leuk vinden om blanken met die zwarte muziek bezig te zien, zodat ze later kunnen zeggen dat ze er ook iets mee te maken hebben gehad. Maar Jimi Hendrix stamde – net zoals ik – af van de blues. Hij was een fantastische bluesgitarist. Sly en hij waren allebei natuurtalenten, ze konden spelen wat ze in hun hoofd hadden.

Dat was de muziek die ik in gedachten had. Maar ik moest eerst vertrouwd raken met de muziek die ik ging spelen. En dan moest ik nog de goeie musici zien te vinden. Ik speelde toen met veel verschillende mensen en haalde de goeie eruit. Ik besteedde veel tijd met luisteren naar wat sommige mensen konden spelen of doen en wat ze niet konden; dan koos ik die lui eruit die ik geschikt vond en liet de anderen vallen. Veel mensen schakelen zichzelf uit als er niks gebeurt, zo zou het tenminste moeten zijn.

Eind 1968 ging de groep uit elkaar. We bleven nog wel schnabbelen en gaven af en toe nog een groot concert, dat wil zeggen Herbie, Wayne, Tony en ik, maar in artistiek opzicht zijn we wel uit elkaar gegaan, toen Ron besloot om de groep voorgoed te verlaten omdat hij geen elektrische bas wilde spelen. Herbie had *Watermelon Man* al opgenomen en wilde een eigen groep beginnen. Tony ook. Dus gingen ze aan het eind van 1968 weg. Alleen Wayne bleef nog een paar jaar bij me.

Het was voor iedereen een fantastische leerschool geweest. Bands blijven nu eenmaal niet voor eeuwig bij elkaar en hoewel ik het er moeilijk mee had, was het voor ons allemaal echt tijd om iets anders te gaan doen. We zijn op een goede manier uit elkaar gegaan en meer kun je eigenlijk niet wensen.

In mijn band begonnen er dingen te veranderen toen ik Ron Carter had vervangen door Miroslav Vitous, een jonge bassist uit Tsjechoslowakije (Ron speelde nog wel op een paar studio -opnames van me mee, maar hij hield op met de live band, die in de clubs optrad). Miroslav was maar een tijdelijke vervanger, totdat ik Dave Holland kon krijgen. Ik had Dave in juni 1968 gezien toen ik in Engeland speelde en ik vond hem te gek. Omdat ik wist dat Ron snel weg zou gaan, vroeg ik of Dave in de band wilde komen. Hij had nog andere verplichtingen, dus toen hij die eind juli was nagekomen, belde ik hem in Londen en vroeg hem of hij bij ons wilde komen. Hij kwam en hij speelde voor 't eerst met ons mee toen we in Count Basie's club in Harlem speelden. Ik was geïnteresseerd in een elektrische bassist door de sound die dat aan mijn band zou toevoegen. Ik was nog steeds op zoek naar iemand die in mijn band permanent op dat instrument zou spelen, want ik wist niet of Dave wel zou willen overstappen. Maar hij kon Ron zolang vervangen op de schnabbels die ik in het vooruitzicht had en voor de rest zouden we wel zien.

Ik had zowel Chick Corea als Joe Zawinul op de elektrische piano laten spelen tijdens een paar van m'n studiosessies dat jaar. Bij een paar van die sessies had ik zelfs drie pianisten: Herbie, Joe en Chick. Bij een paar van die sessies gebruikte ik ook twee bassisten: Ron en Dave. Ik gebruikte af en toe ook Jack DeJohnette op drums in plaats van Tony Williams en ik begon 'Directions in Music by Miles Davis' op m'n hoezen te zetten, zodat niemand eraan hoefde te twijfelen wie de creatieve geest achter de muziek was. Na die affaire met Teo Macero bij *Quiet Nights* wilde ik zeggenschap hebben over alle muziek die ik op de plaat zette; ik ging steeds meer de kant op van elektronische instrumenten. Om dat geluid te krijgen dat ik wilde en ik had het gevoel dat *Directions in Music by Miles Davis* dat wel aan zou geven.

Ik had Joe Zawinul elektrische piano horen spelen op *Mercy, Mercy, Mercy* bij Cannonball Adderley en ik vond het geluid van dat instrument echt mooi en wilde dat voor mijn band. Chick Corea begon bij mij op de elektrische Fender Rhodes piano te spelen toen hij bij me kwam, evenals Herbie Hancock, die het meteen heerlijk vond om op de Rhodes te spelen, Herbie was trouwens altijd al gek geweest van elektronische speeltjes, dus hij voelde zich op de Rhodes als een vis in het water. Maar Chick wist in het begin niet of hij het wel zo leuk vond om erop te spelen, maar ik zei dat het moest. Hij vond het helemaal niet leuk dat ik zei op welk instrument hij moest spelen, maar toen hij er eenmaal aan gewend was, vond hij het ook echt leuk en hij werd er uiteindelijk beroemd door.

De Fender Rhodes heeft maar één sound en die sound is uniek. Een andere sound zit er niet in. Je herkent het meteen. Ik ben gek van de manier waarop Gil Evans zijn muziek kleurt, dus ik wilde zelf een Gil Evans-sound voor kleine bezetting hebben. Daar had je een instrument als de synthesizer voor nodig, waar je al die verschillende klankkleuren uit kan halen. Ik hoorde dat je met de klanken die Gil uit z'n big band haalde een baslijn kon schrijven. Daar overheen kon je met de synthesizer wat harmonieën leggen en zo klinkt de hele band wat voller. En zo verdubbel je tegelijk de baspartij; dat gaat op deze manier beter dan wanneer je met een gewone piano zou werken. Toen ik dat eenmaal in m'n hoofd had en in de gaten kreeg hoe het mijn muziek beïnvloedde, had ik geen piano meer nodig. Het was niet zo dat ik zo nodig op de elektrische toer moest, zoals zoveel mensen zeiden, dat ik alleen maar wat van die elektrische shit in m'n band wilde hebben. Ik wilde gewoon de klankkleur van een Fender Rhodes en die kon een gewone piano me niet geven. Hetzelfde liedje met de elektrische bas: daardoor kreeg ik het geluid dat ik toen, liever dan een akoestische bas, wilde horen. Musici moeten op instrumenten spelen die de tijd waarin we leven het beste weergeven, gebruik de technologie om die dingen te horen die je wilt horen. Al die puristen lopen maar rond te bazuinen dat elektrische instrumenten muziek kapotmaken. Slechte muziek maakt muziek kapot, niet de instrumenten waar je op wilt spelen. Er is niks aan de hand met elektrische instrumenten, als je er maar voor zorgt dat ze worden bespeeld door goeie muzikanten.

Nadat Herbie in augustus 1968 uit de live-band was gestapt, nam Chick z'n plaats in. Ik geloof dat Tony Williams me die tip gaf, omdat ze allebei uit Boston kwamen en Tony hem daar nog van kende. Hij had met Stan Getz gespeeld en toen ik hem belde om te vragen of hij bij mij wilde spelen, werkte hij bij Sarah Vaughan. In het begin van 1969 verving Jack DeJohnette Tony op drums, dus hadden we, op mij en Wayne na, een nieuwe band. (Maar Herbie en Tony bleven wel platen met me maken.)

In februari 1969 gingen we de studio in: Wayne, Chick, Herbie, Dave, Tony in plaats van Jack op drums (omdat ik Tony's sound wilde), Joe Zawinul, en ik nam er een gitarist bij, weer een jonge Engelsman, John McLaughlin, die hiernaartoe was gekomen om bij Tony Williams' nieuwe groep Lifetime te komen spelen (Larry Young speelde orgel). Dave Holland had Tony en mij aan John voorgesteld toen we daar in Engeland waren. Toen leende Dave een bandje aan Tony, waarop John speelde en Tony liet me dat horen. Ik had hem bij Tony horen spelen in de tent van Count Basie en ik vond hem geweldig, dus heb ik hem gevraagd om ook naar de studio te komen. Hij zei tegen me dat hij al heel lang naar m'n muziek luisterde en dat hij weleens knap nerveus zou kunnen zijn als hij met één van z'n idolen de studio in zou gaan. Dus zei ik tegen hem: 'Speel nou maar gewoon zo als je in de Count Basie's deed, dan komt alles dik voor mekaar!' En dat heeft hij ook gedaan.

Dat was de opnamesessie van *In a Silent Way*. Ik had Joe Zawinul opgebeld om te vragen of hij wat muziek mee wilde nemen, omdat ik z'n composities erg mooi vond. Hij nam het nummer *In a Silent Way* mee en dat werd de titel van de plaat. (De andere twee nummers op die plaat zijn van mij.) Tijdens de opnamesessies van november 1968 had ik al twee andere stukken van Joe opgenomen: *Ascent* en *Directions*. *Ascent* was een klankgedicht, dat erg op *In a Silent Way* leek, het was alleen minder meeslepend. Toen Joe *In a Silent Way* meenam, snapte ik waar hij mee bezig was, alleen had hij 't deze keer beter in elkaar gezet. (In een nummer zoals *Splash*, dat ik voor de sessie in november 1968 schreef, kun je horen dat ik meer bezig was met een ritmische blue. We veranderden wat Joe voor *In a Silent Way* had geschreven, we sneden flink in de akkoorden, haalden de melodie eruit en die gebruikten we. Ik wilde een wat meer rockachtige sound. Op de repetities hadden we het gespeeld zoals Joe het had geschreven, maar dat werkte niet, omdat het helemaal volgepropt zat met akkoorden. Maar toch kon ik horen dat de melodie die Joe geschreven had – maar helemaal verstopt zat onder die andere rommel – echt mooi was. Toen we het opnamen, gooide ik de akkoordenschema's weg en zei tegen iedereen om alleen maar de melodie te spelen, die als basis te nemen. Ze hadden niet gedacht dat ze zó zouden moeten spelen, maar ik wist nog goed van toen ik voor *Kind of Blue* met muziek aan kwam zetten die nog nooit iemand had gehoord, dat als je goeie muzikanten hebt, en dat hadden we, zowel toen als nu, dat ze het aankunnen, en dat ze meer spelen dan ze denken te kunnen. Zo heb ik het met *In a Silent Way* gedaan en de muziek die daar op staat werd mooi en fris.

Joe heeft wat ik met z'n compositie heb gedaan nooit mooi gevonden en ik geloof dat hij 't nog steeds niet mooi vindt. Maar het werkte en daar gaat het om. Vandaag de dag vinden veel mensen dat Joe's nummer een klassieker en het begin van fusion is. Als ik dat nummer had geschreven, dan denk ik niet dat het net zo geprezen zou zijn als toen de plaat uitkwam. *In a Silent Way* was iets dat Joe en ik samen hebben gedaan. Maar ik heb altijd geprobeerd om de mensen de eer te geven die ze toekomt. Sommige mensen hebben woedend rondgelopen, omdat ik zei dat ik *In a Silent Way* had gearrangeerd, maar door de veranderingen die ik erin aan heb gebracht, heb ik het wel degelijk gearrangeerd.

Toen we *In a Silent Way* af hadden, ging ik met de band op tournee; nu waren Wayne, Dave, Chick en Jack DeJohnette een live-band. Man, ik wou dat er live-opnames van deze band waren gemaakt, want ze waren echt allejezus goed. Ik geloof dat Chick Corea en een paar andere mensen een paar van onze optredens hebben opgenomen, maar Columbia heeft het godverdomme helemaal gemist!

We zijn toen vanaf het voorjaar tot augustus aan toe op tournee geweest en daarna gingen we de studio weer in om *Bitches Brew* op te nemen.

In 1969 gingen rock en funk als hete broodjes over de toonbank en dat kon je allemaal zien in Woodstock. Er waren meer dan 400 000 mensen bij dat concert. Van zoveel concertgangers wordt iedereen gek, vooral die jongens van de platenindustrie. Ze denken dan nog maar aan één ding: hoe kan ik het hele jaar door platen aan die lui verkopen? Als dat tot nu toe niet gelukt is, hoe moet het dan wel kunnen?

Dat was de sfeer die bij alle platenmaatschappijen hing. Tegelijkertijd zaten de stadions vol met mensen die hun idolen in levenden lijve wilden zien en horen. De belangstelling voor jazzmuziek, live-optredens en platenverkoop, leek weg te kwijnen. Het was voor het eerst in lange tijd dat ik niet overal voor uitverkochte zalen stond te spelen. In Europa liep het nog als vanouds, maar in Amerika speelden we vaak voor halfflege zalen. Dat was een teken aan de wand. Als ik mijn platenverkoop van vroeger vergeleek met wat Bob Dylan of Sly Stone nu verkochten, dan bleef ik nergens meer. Hun verkoopcijfers sloegen alles. Clive Davis was de directeur van Columbia Records en hij nam in 1968 Blood, Sweat and Tears en in 1969 de groep Chicago onder contract. Hij wilde van Columbia een modern bedrijf maken en al die jonge platenkopers binnenslepen. Na wat problemen in het begin konden hij en ik 't later goed met elkaar vinden, omdat hij denkt als een artiest en niet als zakenman. Hij begreep precies wat er aan het gebeuren was; ik vond het een fantastisch iemand.

Hij had het steeds over het bereiken van die jongerenmarkt en de veranderingen die daarvoor nodig waren. Hij dacht dat het wel een goed idee was om mijn muziek te spelen in de gelegenheden waar zij naartoe gingen, zalen als de Fillmore. De eerste keer dat we hierover spraken, werd ik kwaad op hem, omdat ik dacht dat hij mij en alles wat ik voor Columbia had gedaan, zat af te katten. Ik gooide de hoorn op de haak en zei dat ik wel op zoek zou gaan naar een andere platenmaatschappij. Maar ze lieten me niet gaan. Na wat heen en weer gepraat, liep uiteindelijk alles met een sisser af en kwam het weer goed. Ik heb er een tijdje over gedacht om over te stappen naar Motown Records, omdat ik hun werk wel zag zitten en dacht dat ze het mijne ook beter zouden begrijpen.

Wat Clive helemaal niet leuk vond, was de overeenkomst met Columbia die mij het recht gaf om telkens als ik geld nodig had een voorschot te krijgen op de royalty's die ik verdiende. Dus steeds als ik geld nodig had, belde ik om een voorschot. Clive vond dat ik niet genoeg geld voor de maatschappij verdiende om zo'n behandeling te krijgen. Misschien had hij achteraf gezien wel gelijk, maar dan niet op artistieke maar op zakelijke gronden. Ik vond dat Columbia moest nakomen wat ze beloofd hadden. Voor de opkomst van de nieuwe muziek waren ze tevreden geweest met de oplage van ongeveer 60 000 exemplaren van elke plaat die ik maakte, maar nu vonden ze dat opeens te weinig om mij geld te blijven geven.

En zo waren de verhoudingen tussen Columbia en mij, net voor ik de studio in ging om *Bitches Brew* op te nemen. Wat ze niet begrepen was dat ik nog niet van plan was om in de geschiedenisboekjes te verdwijnen, dat ik nog niet van plan was om alleen nog maar een naam te zijn die voorkwam in Columbia's zogenaamde 'classical list'. Ook voor mijn muziek had ik een pad naar de toekomst gevonden en dat zou ik inslaan, zoals ik altijd al had gedaan. Niet voor Columbia en hun verkoopcijfers en ook niet om een paar jonge, blanke platenverkopertjes te paaien. Ik deed het voor mezelf, voor wat ik wilde en nodig had in m'n eigen muziek. *Ik* wilde van koers veranderen, *moest* van koers veranderen om te kunnen blijven geloven in en te kunnen houden van wat ik speelde.

Toen ik in augustus 1969 de studio in ging, had ik behalve naar rockmuziek en funk ook naar Joe Zawinul en Cannonball geluisterd, die dingen als *Country Joe*

*Preacher* speelden. En ik had in Londen nog een Engelse jongen ontmoet, Paul Buckmaster. Ik had hem gevraagd om eens hierheen te komen om me te helpen bij het maken van een plaat. Ik hield van wat hij toen deed. Ik was aan het experimenteren geweest met het schrijven van een paar eenvoudige akkoorden voor drie piano's, eenvoudige dingen en ik moest vaak zomaar ineens denken aan Stravinsky, die ook teruggreep naar eenvoudige vormen. Dus ik had die dingetjes opgeschreven, bijvoorbeeld een akkoord van één tel en een baslijn en ik kwam erachter dat hoe vaak we 't ook speelden, het steeds weer anders was. Ik schreef een akkoord, een rust, misschien nog een akkoord en het leek hoe vaker we het speelden, hoe meer het veranderde. Het begon allemaal in 1968, toen ik Chick, Joe en Herbie had voor die studio-opnames. Het zette zich voort in de sessies van *In a Silent Way*. Toen begon ik te denken aan iets breders, een raamwerk voor een stuk. Ik schreef dan een akkoord op twee tellen en dan hadden ze twee tellen rust. Dus dan speelden ze één, twee, drie, da-dum, snap je? Daarna legde ik het accent op de vierde tel. Misschien stopte ik drie akkoorden in de eerste maat. Goed, ik zei in ieder geval tegen de muzikanten dat ze alles mochten doen wat ze maar wilden, alles mochten spelen wat ze in hun hoofd hadden, maar dat ik dít als akkoord móest hebben. Toen wisten ze wat ze mochten doen en dat deden ze dan ook. Spelen op dat ene akkoord en het laten klinken alsof het er een heleboel waren. Dat vertelde ik ze op de repetities en dan haalde ik van die muzikale schetsjes te voorschijn, die nog nooit iemand had gezien, net zoals bij *Kind of Blue* en *In a Silent Way*. In augustus begonnen we 's ochtends vroeg in de Columbia-studio's in 52nd Street en namen drie dagen lang op. Ik had tegen Teo Macero, die de plaat produceerde, gezegd dat hij de band maar gewoon moest laten draaien en alles op moest nemen wat we speelden en dat hij ons niet moest komen storen of vragen moest komen stellen. 'Blijf maar gewoon in de controlekamer en bemoei je gewoon met het geluid,' heb ik tegen hem gezegd en dat heeft hij gedaan, hij heeft helemaal niet lopen zeiken en alles opgenomen, alles echt goed opgenomen.

En ik gaf aanwijzingen, als een dirigent, toen we eenmaal waren begonnen met spelen en dan schreef ik of iets voor iemand op, of ik zei tegen hem dat hij andere dingen, die ik in m'n hoofd had moest spelen, terwijl de muziek groeide, bij elkaar kwam. Het moest tegelijkertijd losjes en strak. Het was slordig en alert. Iedereen was alert op de verschillende mogelijkheden die de muziek bood. Terwijl de muziek zich ontwikkelde, hoorde ik soms iets waarvan ik vond dat het kon worden uitgebreid of ingekort. Die opname was een ontwikkeling van het creatieve proces, een levende compositie. Het was net een fuga of motief, waar we allemaal op tekeergingen. Nadat het zich tot een bepaald stadium had ontwikkeld, gaf ik een muzikant de opdracht om mee te gaan doen en iets anders te spelen, zoals Bennie Maupin op basklarinet. Ik wou dat ik die sessie op video had opgenomen, want het moet heel bijzonder zijn geweest en ik zou graag gezien hebben wat er allemaal precies gebeurde, net zoals een herhaling van een voetbal- of basketbalwedstrijd. In plaats van de band gewoon door te laten lopen, zei ik ook wel eens tegen Teo dat hij hem terug moest spoelen, zodat ik kon horen wat we hadden gedaan. Als ik op een bepaalde plaats iets anders wilde hebben, dan liet ik de muzikanten komen en dan deden we dat gewoon.

Dat was een fantastische sessie, man, en we hadden, voor zover ik me kan herinneren, helemaal geen problemen. Het was net als die jamsessies van vroeger, in Minton's Playhouse, in de oude bebop-tijd. Elke dag wanneer we klaar waren, ging iedereen helemaal opgewonden naar huis.

Nou zijn er mensen die zeggen dat *Bitches Brew* een idee was van Clive Davis of Teo Macero. Dat is gelogen, want ze hadden er helemaal niets mee te maken. Wéér waren het de blanken die de eer aan andere blanken wilden geven, terwijl ze het helemaal niet hadden verdiend en dat alleen maar omdat die plaat voor een doorbraak zou zorgen, zo vernieuwend was hij. Ze zouden de geschiedenis na afloop wel weer eens gaan herschrijven, zoals ze dat altijd doen.

Wat we op *Bitches Brew* hebben gedaan, zou je nooit voor een orkest uit kunnen schrijven. Daarom schreef ik 't niet allemaal uit, niet omdat ik niet wist wat ik wilde; ik wist dat wat ik wilde uit een proces zou voortkomen en niet uit van tevoren afgesproken shit. In deze sessie ging het om improvisatie en dat maakt jazz zo fantastisch. Telkens als het klimaat verandert, dan verandert dat je hele denkwijze en dus speelt een muzikant anders, vooral als alles niet voor z'n neus wordt gezet. De denkwijze van een muzikant is de muziek die hij speelt. In Californië heb je bijvoorbeeld op het strand de stilte en het geluid van de branding. In New York heb je te maken met toeterende auto's en kletsende mensen op straat en zo. In Californië hoor je de mensen haast nooit buiten op straat praten. Californië is ontspannen, alles draait daar om de zon, lichaamsbeweging en prachtige vrouwen die om de stranden met hun mooie lijven en prachtige lange benen lopen te pronken. Mensen hebben daar tenminste wat kleur op hun huid, omdat ze steeds in de zon zijn. In New York komen de mensen ook buiten, maar toch is dat heel anders, het leven speelt zich daar voornamelijk binnen af, terwijl dat in Californië juist buiten is. En in de muziek die er vandaan komt, kun je de weidsheid en de snelwegen horen, dingen die je niet kunt horen in de

New Yorkse muziek, die over het algemeen intenser en krachtiger is.

Toen ik klaar was met *Bitches Brew* stelde Clive Davis me voor aan Bill Graham, die eigenaar was van de Fillmore in San Francisco en de Fillmore East in downtown New York. Bill wilde dat ik eerst met de Grateful Dead in San Francisco ging spelen en dat deden we ook. Dat concert was een openbaring voor me, want er waren die avond ongeveer vijfduizend mensen, voor het merendeel jonge blanke hippies, die me nauwelijks of helemaal niet kenden. We speelden in het voorprogramma van Grateful Dead, maar voor ons speelde er nog een andere groep. De zaal zat vol met van die 'spacy' blanke mensen, die lekker high waren en toen we begonnen te spelen, waren er mensen aan het rondlopen en met elkaar aan het praten. Maar na een tijdje werden ze stil en gingen ze helemaal op in de muziek. We speelden iets, *Sketches of Spain* of zo en daarna *Bitches Brew*, nou dat vonden ze dus waanzinnig. Na dat concert kwamen er, elke keer dat ik in San Francisco speelde, veel jonge blanken naar m'n optredens.

Toen liet Bill ons, samen met Laura Nyro, in de Fillmore East in New York spelen. Maar daarvoor hadden we voor Bill in Tanglewood gespeeld met Carlos Santana en een groep die de Voices of East Harlem heette. Ik kan me dat optreden nog herinneren omdat ik wat aan de late kant was en ik in mijn Lamborghini reed. Ik kwam aanrijden – het was een openluchtconcert – en ik moest nog over een stukje onverharde weg. Het stof vloog me om m'n oren. Ik stopte in die stofwolk en daar stond Bill, zo ongerust als de pieten. Toen ik uitstapte – ik had een lange bontjas aan – keek Bill me aan alsof hij kwaad wilde worden. Dus ik zeg tegen hem: 'Is er iets? Had je soms iemand anders verwacht?' Nou, toen bescheurde hij het haast.

Door de concerten voor Bill trok ik ook weer meer publiek. We speelden elke keer voor een ander soort publiek. De mensen die naar Grateful Dead en Laura Nyro kwamen luisteren, stonden midden tussen het publiek dat voor mij was gekomen. Dus iedereen deed er zijn voordeel mee.

Bill en ik konden het samen goed vinden, maar we hadden weleens verschil van mening, want Bill was godverdomme wel een keiharde zakenman en ik laat me ook niet belazeren. Dus dat botste wel eens. Ik herinner me dat we een keer – het kan ook een paar keer zijn geweest – in het voorprogramma speelden van een minkukel, die Steve Miller heette. Ik meen dat Crosby, Stills, Nash en Young – die waren een ietsje beter – ook in dat programma zaten. Maar goed, wat Steve Miller speelde, klopte dus voor geen meter en ik was pisnijdig dat ik in het voorprogramma stond van zo'n a-muzikale klootzak en dat alleen maar omdat hij twee van die zielige plaatjes had gemaakt. Dus kwam ik gewoon te laat en toen moest hij eerst spelen en toen wij daarna aan de beurt waren, speelden we die tent godverdomme gewoon plat en iedereen zag ons wel zitten, Bill daarbij inbegrepen.

En zo ging 't een paar avonden door en ik maar te laat komen en Bill maar zeuren over 'geen respect hebben voor artiesten' en nog meer van die shit. Ook de laatste avond haal ik dat geintje uit. Als ik aan kom rijden, zie ik dat Bill zo godvergeten kwaad is, dat hij niet eens binnen op me staat te wachten, zoals hij altijd doet, maar vóór de Fillmore. Hij begint op me in te hakken met dat gelul van 'geen respect hebben voor Steve' en nog meer van die flauwekul. Dus ik kijk hem aan, zo onverstoorbaar als wat, en ik zeg tegen 'm: 'Ach joh, we gaan het weer net zo doen als die andere avonden en je wéét dat het toen ook dik voor mekaar is gekomen, of niet soms?' Nou, toen stond hij met de mond vol tanden, want we hadden die tent met de grond gelijk gespeeld.

Na die concerten – in ieder geval in die periode – begon ik in de gaten te krijgen dat rockmuzikanten niets van muziek afwisten. Ze leerden er niet voor, konden niet in verschillende stijlen spelen en dan zal ik het over muziek lezen maar niet eens hebben. Maar ze waren populair en verkochten een hoop platen, omdat ze het publiek díe sound gaven, die het wilde horen. Dus ik dacht zo, als zij dat kunnen – al die mensen bereiken en al die platen verkopen, zonder dat ze eigenlijk weten waar ze mee bezig zijn – dan kan ik het ook, alleen beter. Want ik vond het leuk om in plaats van alsmaar weer in die nachtclubs in die grotere zalen te spelen. Je kon niet alleen meer geld verdienen en meer mensen bereiken, maar je was ook van het gezeik af dat je in die rokerige nachtclubs vaak had.

Via Bill ontmoette ik dus de Grateful Dead. Hun gitarist, Jerry Garcia, en ik konden het geweldig met elkaar vinden; we hadden het over muziek – wat zij mooi vonden en wat ik mooi vond – en ik denk dat we toen allemaal iets hebben geleerd, gegroeid zijn. Jerry Garcia was gek op jazz en ik kwam erachter dat hij van mijn muziek hield en er al jaren naar luisterde. Hij hield ook van andere jazzmusici, zoals Ornette Coleman en Bill Evans. Laura Nyro was, als ze niet op het podium stond, een heel stil meisje en ik denk dat ze een beetje bang voor me was. Achteraf denk ik dat Bill Graham met die concerten belangrijk werk heeft verricht, voor veel mensen de mogelijkheid heeft geschapen om heel veel verschillende soorten muziek te horen, waar ze normaal gesproken de kans niet voor zou hebben gekregen. Ik ben Bill pas weer tegengekomen toen we in '86 of in '87 een paar concerten voor Amnesty International hebben gegeven.

Omstreeks die tijd ontmoette ik Richard Pryor, een jonge zwarte komiek, die bij een paar concerten van ons in het voorprogramma zat. Man, dat was een te gekke gozer. Hij was toen nog niet bekend, maar ik had toen al door dat hij een grote ster zou worden. Daar had ik gewoon een voorgevoel van. Ik boekte onze band voor de Village Vanguard en zette Richard in het voorprogramma. Ik ben vergeten waar ik hem voor het eerst hoorde, maar ik wilde aan iedereen laten horen hoe fantastisch deze gozer was. Ik betaalde hem uit mijn eigen zak en produceerde het hele gedoe. Ik geloof dat we daar twee weekends hebben gestaan en de band en Richard hebben die tent daar helemaal plat gekregen. Richard begon en daarna kwam er wat Indiase muziek van een gitaarspeler en als laatste speelde mijn band. Het was een groot succes en ik heb er zelfs nog wat aan verdiend. Richard en ik zijn daarna goede vrienden geworden, stappen, high worden, je kent dat wel, gewoon lol maken. De meeste komieken zijn strontvervelend als ze eenmaal van het podium af zijn, maar Richard – en Redd Foxx – waren naast het podium net zo leuk als erop. Richard liet zijn vrouw meestal bij mij thuis als hij op tournee ging, omdat hij toen nog geen vaste verblijfplaats had. Maar Richard was leuk, man, ook toen al en niet alleen op het podium.

Ongeveer in diezelfde tijd ontmoette ik Bill Cosby op het vliegveld van Chicago. Toen ik hem later beter leerde kennen en we heel goede vrienden waren geworden, vertelde hij me dat ik hem ooit in Philadelphia had ontmoet, toen hij vaak naar m'n concerten kwam. Hij zei tegen me dat ik een grote invloed op zijn leven had gehad, maar ik kan me niet meer herinneren hem te hebben ontmoet. Hij speelde toen in *I Spy* en was een grote ster. Ik keek altijd graag naar z'n show. Dus toen we elkaar op het vliegveld tegenkwamen, zei ik dat ik zijn show zo leuk vond. Ik kan me nog herinneren dat hij tegen me zei: 'Bedankt Miles, maar ik hoop dat ze me vóór de show afloopt één keertje een vrouw geven met wie ik een relatie heb. Ze doen net alsof zwarte mensen nooit naar bed gaan of, net zoals blanken, een liefdesleven hebben. Ik hoop dat ze me één keer laten zoenen, al is het maar één keer.' En meer zei hij niet. Hij vertelde me dit toen hij op weg was om een vliegtuig te halen en ik was op weg naar mijn vliegtuig. Ik weet nog dat ik dacht: Ja, hij heeft gelijk. Maar ik geloof niet dat hij zijn zin heeft gekregen.

Met mijn muziek ging het tamelijk goed, maar de relatie met mijn vrouw Betty was niet al te best. Ze begon tegen me te liegen en probeerde geld van me los te krijgen. Als ik op tournee was, ging ze van alles ondertekenen, met een vriend naar een hotel gaan, weet je wel, en dan mijn naam onder de rekeningen zetten. Harold Lovett, mijn advocaat, dronk toen veel te veel en dus waren we niet meer zulke goede vrienden als we waren geweest. Hij maakte er een zootje van, maar ik liet hem niet vallen, omdat hij destijds, als enige, ook achter mij had gestaan. Maar hij begon me nu wel op mijn zenuwen te werken. Hij had Betty nooit aardig gevonden en hij zei steeds weer dat ik alleen maar bij haar was omdat ze op Frances leek. En dat was ook zo, vooral als je haar vanaf de andere kant van de kamer zag. Hij dacht dat ik daarom bij haar was en waarschijnlijk had hij gelijk. Hij vond dat ze geen stijl had en dat ze me alleen maar gebruikte en tenslotte kreeg hij – eindelijk eens – gelijk.

Ik weet nog dat we aan het eind van de zomer van 1969, toen we klaar waren met *Bitches Brew*, naar Europa gingen om te spelen. Ik kwam Bill Cosby en z'n vrouw Camille tegen. Ik geloof dat wij in Antibes speelden en Bill was daar op vakantie. Hij kwam met Camille naar het concert en na afloop zijn we met z'n allen naar een club gegaan. Bill en Camille staan op de dansvloer en Betty danst met een Franse jongen en ze is behoorlijk high. Camille heeft een heel mooie, wit kanten jumpsuit

aan, met gaten erin als van een basketbalnet. Terwijl ze daar staat te dansen, swingt Betty wild de hele tent door en blijft met haar hak in één van de gaten van de jumpsuit van Camille hangen en scheurt het pak goddomme helemaal aan flarden. Ze heeft niet eens in de gaten wat ze heeft gedaan. Als ze het merkt, biedt ze haar verontschuldigingen aan en zo en ik zeg tegen Bill dat ik het wel zal betalen, maar daar willen Bill en Camille niets van horen, omdat het een ongelukje was en ze vonden het alleen maar rot voor Betty. Maar *ik* weet dat het uit de hand begint te lopen met Betty en ik schaamde me verdomme rot over die shitzooi.

Betty was nog te jong en te wild voor de dingen die ik van een vrouw verwachtte. Ik was gewend aan een vrouw die gedistingeerd, hip en elegant was, zoals Frances of Cicely, die zich in allerlei situaties de juiste houding wisten te geven. Maar Betty was een vrije vogel – verdomd veel talent, dat wel – die van rock 'n roll hield en op straat leefde en aan heel andere dingen gewend was. Ze was vulgair en zo, één en al seks, maar dat wist ik nog niet toen ik haar ontmoette en als ik het wel wist, dan denk ik dat ik er gewoon niet op heb gelet. Maar met dat soort shitzooi was ze dus bezig en omdat ze ook nog een hoop andere geintjes met me uithaalde, kreeg ik er schoon genoeg van.

Nadat we weg waren gegaan bij Bill en Camille, ging ik naar Londen om Sammy Davis jr. op te zoeken, die daar de première had van *Golden Boy*. Ik ging ook op bezoek bij Paul Robeson. Ik probeerde altijd even bij hem langs te gaan als ik in Londen was, tot hij weer terugkwam naar de Verenigde Staten. Ik ging om met mensen met veel stijl, maar Betty voelde zich niet lekker in zulk gezelschap. Ze hield van rockers, en daar is niets op tegen, maar ik heb altijd veel vrienden gehad, die geen muzikanten waren en zo groeiden we steeds verder uit elkaar.

Later, in New York, kwam ik een heel mooi Spaans meisje tegen, dat met me naar bed wilde. Ik ga mee naar haar huis en ze vertelt me dat Betty iets heeft met haar vriendje. Als ik haar vraag wie dat is, zegt ze: 'Jimi Hendrix.' Ze was een verdomd mooi blond wijfje. Dus ze trekt haar kleren uit en ik zie een lichaam dat van wachten niets wil weten. Ik zeg tegen haar: 'Als Betty met Jimi Hendrix wil neuken, dan is dat hun zaak en daar heb ik geen zak mee te maken en dat heeft ook niks met jou en mij te maken.' Dan zegt ze tegen me dat als Betty met haar man gaat neuken, zij met mij wil neuken.

Ik zeg tegen haar: 'Zo werkt het dus niet, dat is voor mij geen reden om iemand te neuken. Als je met me wilt neuken, dan moet je het doen omdat *jij* het wilt en niet omdat Betty met Jimi neukt.'

Ze trok haar kleren aan en we hebben alleen maar gepraat. Man, ze had behoorlijk de smoor in over wat ik tegen haar had gezegd. Omdat ze zo mooi was, was ze eraan gewend dat de meeste mannen zich verschrikkelijk voor haar uitsloofden. Maar zo was ik niet en zo ben ik ook nooit geweest. Dat een vrouw alleen maar mooi is, zegt me niets en heeft me ook nooit iets gezegd; ik heb altijd mooie vrouwen gehad. Het wordt voor mij pas interessant als ze ook wat in hun mars hebben en niet alleen maar met hun uiterlijk bezig zijn. Daarna ging mijn relatie met Betty alleen nog maar bergafwaarts. Nadat ik haar had verteld wat ik wist over haar en Jimi, vroeg ik of ze van me wilde scheiden – *zei* ik tegen haar dat ik van haar ging scheiden. Ze zei: 'Dat doe je niet, van zo'n mooie vrouw scheiden, je weet best wel dat je de mooie relatie die we hebben niet op wilt geven!'

'Oh, ja? Ik ga mooi wel van je scheiden, vuile trut, en ik heb de papieren al klaar laten maken, dus ik zou maar tekenen voor ik kwaad word!' Ze heeft getekend en dat was dan dat.

Betty en ik zijn in 1969 uit elkaar gegaan, maar omdat het zo slecht ging tussen ons was ik al een relatie begonnen met twee mooie, fantastische vrouwen, Marguerite Eskridge en Jackie Battle. Ze hebben allebei heel veel invloed op mijn leven gehad. Het waren twee behoorlijk spirituele vrouwen. Ze aten macrobiotisch en nog meer van dat soort dingen. Het waren allebei nogal stille, maar erg sterke vrouwen, die zeer zelfbewust waren. Bovendien waren ze ook als mens erg aardig en gingen ze niet alleen maar met me om omdat ik een ster was, maar omdat ze echt om me gaven. Hoe mooi Betty ook was, ze had totaal geen zelfvertrouwen. Ze was op en top een groupie, met heel veel talent, maar een die daar zelf niet in geloofde. Jackie en Marguerite hadden dat probleem niet, dus voelde ik me bij hen erg op m'n gemak.

Ik zag Marguerite voor het eerst toen ze in het publiek zat tijdens één van m'n concerten en ik liet iemand tegen haar zeggen dat ik kennis met haar wilde maken, iets met haar wilde drinken. Dat gebeurde in een nachtclub in New York, misschien was het de Village Gate of de Village Vanguard. Het was begin 1969. Marguerite was één van de knapste vrouwen die ik ooit had gezien. Dus ik begon met haar uit te gaan. Maar ze wilde me helemaal voor zichzelf hebben, wilde een exclusieve relatie. Ik moest mijn relatie met Jackie geheim houden, dat mocht ze dus niet weten. We zijn af en aan ongeveer vier jaar bij elkaar geweest. Ze heeft een tijdje een appartement gehad in mijn huis in West 77th Street. Maar ze hield niet zo van het muzikantenbestaan – de clubs, de alcohol en de drugs – het was haar een beetje te ongeregeld. Ze was erg stil en vegetariër en kwam net als Betty uit Pittsburgh. Man, er zijn een hoop mooie vrouwen in Pittsburgh. En ze was vierentwintig jaar toen we elkaar ontmoetten. Echt een mooie vrouw, weet je, met een bruine en heel mooie huid, lang, mooie ogen en haar. Een fantastisch lichaam. We zijn ongeveer vier jaar samen geweest, zij is de moeder van mijn jongste zoon, Erin.

Ze was bij me in Brooklyn in oktober 1969. We hadden daar in Brooklyn net in de Blue Coronet Club gespeeld en ik had Marguerite terug naar haar huis in Brooklyn gereden (ze woonde nog in het appartement in mijn huis.) We zaten in mijn auto bij haar voor de deur een beetje te praten en te zoenen – je weet hoe dat gaat als je verliefd bent – toen er een auto met vier zwarte gasten erin naast de mijne stopte. Eerst had ik niks in de gaten, ik dacht dat het mensen waren die me net hadden zien spelen en even gedag wilden zeggen. Maar nog geen seconde later hoorde ik schoten en voelde ik een steek in mijn linkerzij. Die gozer moet wel vijf kogels op me hebben afgevuurd, maar ik had een ruimvallend leren pak aan. Als ik dat leren jasje niet aan had gehad en als ze niet door de deur van een stevig gebouwde Ferrari hadden geschoten, dan zou ik dood zijn geweest. Ik schrok zo, dat ik niet eens tijd had om bang te zijn. Geen van de kogels had Marguerite geraakt en daar was ik blij om, maar ze had het haast in haar broek gedaan van angst.

We gingen naar binnen en belden de politie en toen ze kwamen – twee blanke jongens – doorzochten ze *mijn* auto, terwijl er op mij geschoten was. Ze zeiden dat ze een beetje marihuana in mijn auto hadden gevonden en ze arresteerden Marguerite en mij en namen ons mee naar het politiebureau. Maar ze lieten ons weer gaan zonder ons iets ten laste te leggen, omdat ze geen bewijs hadden. Nou weet iedereen die mij een beetje kent dat ik nooit van marihuana heb gehouden, het nooit lekker heb gevonden. Ze probeerden me dus te pakken met een lulverhaal. Ze konden het gewoon niet hebben dat er een zwarte jongen met een heel mooie vrouw in zo'n dure buitenlandse auto zat. Dat konden ze niet volgen. Ik denk dat toen ze in mijn strafblad zagen dat ik een muzikant was, die al eerder voor drugs was gepakt, ze hebben geprobeerd om me zomaar voor de lol ergens van te beschuldigen. Misschien zouden ze wel promotie krijgen als ze een beroemde nikker op heterdaad konden betrappen. *Ik* had ze opgebeld, als ik drugs bij me had gehad, dan zou ik wel hebben gezorgd dat ik ze kwijt was voordat ze kwamen. Zo gek ben ik nou ook weer niet.

Ik heb een beloning van $5000 uitgeloofd voor informatie over wie er op mij geschoten had. Een paar weken later zat ik in een bar uptown, toen er een vent naar me toe kwam, die me vertelde dat de vent die op mij had geschoten vermoord was door iemand, die het niet leuk vond dat hij dat gedaan had. Ik weet niet hoe die vent die me dat vertelde heette en hij vertelde me ook de naam niet van de schutter die nu dood zou moeten zijn. Ik weet alleen maar wat die vent me heeft verteld en daarna heb ik hem nooit meer gezien. Later ben ik erachter gekomen dat er op mij was geschoten omdat een paar zwarte promotors in Brooklyn het niet leuk vonden dat blanke promotors al mijn concerten mochten boeken. Toen ik dus die avond in de Blue Coronet speelde, waren ze woedend op me, omdat ik mijn concert niet door zwarte promotors had laten boeken.

Nou, ik kan er wel inkomen dat zwarte jongens een graantje willen meepikken, maar niemand had het er ook maar met een woord met me over gehad en dan probeert de één of andere vent me te vermoorden voor iets waar ik helemaal niets van afweet. Man, het leven is soms één duffe ellende. Nadat dit gebeurd was, heb ik een tijdje met een boksbeugel op zak gelopen, waar ik ook heen ging, tot ik ongeveer een jaar later, in Manhattan op Central Park South, werd gepakt omdat ik geen registratiesticker op mijn auto had en de boksbeugel uit mijn tas viel toen de politie mij had gefouilleerd. Ik geef toe dat ik geen sticker op mijn auto had en dat de auto niet eens was geregistreerd. Maar de smerissen in de patrouillewagen konden dat niet zien van de overkant van de straat toen ze omkeerden en terugkwamen.

De reden waarom zij stopten en terugkwamen was alweer dat ik in mijn rode Ferrari zat, een tulband op had en een slangeleren broek en een schaapsleren jas aanhad en een heel mooie vrouw bij me had – ik geloof dat het Marguerite weer was – voor het Plaza Hotel. Die twee blanke politieagenten die dit zagen, dachten waarschijnlijk dat ik een drugshandelaar was en daarom kwamen zij terug. Onnodig te zeggen dat ze gewoon doorgereden zouden zijn als er een blanke in die Ferrari had gezeten.

Jackie Battle was ook een heel bijzondere vrouw. Ze kwam uit Baltimore en was ongeveer negentien of twintig toen ik haar ontmoette. Dat was ongeveer in dezelfde tijd dat ik Marguerite leerde kennen. Ik ontmoette Jackie bij de Verenigde Naties, waar ze de secretaresse was van iemand die ik daar kende. Ik zag haar toen veel bij concerten, omdat ze gek was op muziek, ze was zelf ook een artiest, een schilderes en modeontwerpster van dessins en modellen. Ze was een mooie vrouw, lang, lichtbruine huid – prachtige huid – met mooie ogen en een fantastische glimlach, ze had alles, het was daarbij één van de intelligentste vrouwen die ik ooit ben tegengekomen. We begonnen met elkaar uit te gaan. Ze was erg volwassen voor haar leeftijd, een persoonlijkheid die wist wat ze van het leven wilde en ze liet zich door niemand belazeren. Ze is erg vriendelijk, aardig en kalm, maar daaronder gaat iemand schuil, die weet wat ze waard is. Nadat ik van haar schoonheid was bekomen, dwong haar geest me liefde en respect af. Haar ideeën en haar kijk op de wereld waren niet alledaags. En ze gaf echt veel om mij, zelfs toen ik als een gek met cocaïne bezig was. We waren een keer in Phoenix en ik had flink wat cocaïne van een dokter gekregen. Man, wat was dat spul puur. En ik de hele dag maar snuiven voor ik naar m'n concert ging. Toen ik weer terugkwam van dat optreden, zat Jackie helemaal onder de slaappillen, ze was al bijna vertrokken. Nou is Jackie niet het type om high te worden, ze gebruikt zelfs helemaal geen drugs. Toen ik haar bij haar positieven had gebracht, vroeg ik haar: 'Jackie, waarom heb je nou toch al m'n slaappillen ingenomen? Je had wel dood kunnen zijn!' En ze zegt met tranen in haar ogen tegen me: 'Als jij druk bezig bent jezelf van kant te maken met al die coke troep, dan wou ik maar liever eerder gaan. Want als jij in dit tempo doorgaat, dan maak je het niet lang meer en ik wil niet verder zonder jou.'

Man, daar was ik godverdomme kapot van. Ik was me rot geschrokken. En toen dacht ik ineens aan de coke en ik ging naar mijn geheime bergplaats in de badkamer en het spul was weg. Ik ging naar haar toe en vroeg waar de coke was en ze zei dat ze het door de wc had gespoeld. Nou, *daar* was ik godverdomme ook goed kapot van. Man, wat een vrouw was dat.

Haar familie woonde in New York en die leerde ik goed kennen, haar moeder Dorothea en haar broer Todd 'Mickey' Merchant, die ook een heel goed kunstenaar is en vroeger nog wel eens een schilderij voor me maakte. Ik belde haar moeder – die fantastisch kon koken – vaak op en vroeg dan of ze gumbo (een soort erwtensoep) voor me wilde maken en dat deed ze dan en bracht het naar m'n huis. Als ze ergens heen moest, gaf ze het bij iemand af waar ik het op kon halen. Het is een hecht gezin en het zijn allemaal bijzondere mensen. Toen ik pas met Jackie uitging, vroeg haar broer: 'Wat wil je godverdomme met m'n zus, nikker?'

En dan zei ik dus: 'Wat bedoel je verdomme met wat ik van je zus wil? Wat wil iedere man van een mooie aardige vrouw?'

Toen zei hij: 'Oké, man, maar maak er geen zootje van

en belazer m'n zus niet, weet je, want het kan me geen moer schelen hoe beroemd je bent, als je verdomme niet goed voor haar bent, dan krijg je met mij te maken.' Dus toen ik wegging bij Betty, had ik twee mooie, jonge, spirituele vrouwen om bij te zijn. Jackie en Marguerite. Achteraf gezien is het waarschijnlijk jammer dat ik ze, zoals mij overkwam, gelijktijdig leerde kennen, want wie weet hoe het had kunnen zijn als ik één van hen de volle aandacht had kunnen geven. Maar ik hou niet zo van gissen.

In de groep had ik de regel gesteld dat niemand z'n vriendinnetje mee mocht nemen, omdat ik vond dat dat slecht was voor hun concentratie. Maar ik nam mijn vriendinnen wel mee en daar begonnen Wayne, Chick en Jack een beetje moeilijk over te doen, want zij wilden hun dames ook meenemen. Ik vond dat het *mijn* band was en dat ik het recht had om de regels te stellen. Als ze gewoon goed bleven spelen, dan zouden ze van mij hun vrouwen best mee mogen nemen, maar meestal was dat niet het geval.

Voor we naar Californië gingen, belde Jack mij op om te zeggen dat hij zijn vrouw Lydia, die acht maanden zwanger was, mee zou nemen. Eerst had hij geprobeerd om me zover te krijgen om de tournee af te gelasten, want, zei hij, Lydia zou de baby elk moment kunnen krijgen en daar hoorde hij toch wel bij te zijn. Maar ik zei tegen hem dat ik dat niet kon doen en toen zei hij dat hij haar dan wel mee moest nemen. Het probleem was dat Jack anders ging spelen als Lydia erbij was. Hij ging zich uitsloven en zo en speelde niet zoals hij normaal deed, omdat hij hip wilde zijn. Dus we kregen ruzie over Lydia en Jack dreigde om niet mee op tournee te gaan. Tenslotte zei ik tegen hem dat hij Lydia mee kon nemen en dat hij haar wat mij betreft voorop dat klote drumstel kon zetten, zolang hij verdomme maar bleef spelen. Die ruzie ging door tot in het vliegtuig naar Californië. Mijn vriendin Jackie ging zich er ook mee bemoeien en koos de kant van Jack en Lydia en ik zei dat zij ook met een schop onder haar kont naar huis kon gaan. Maar Jackie gaf het niet op en bleef maar bekvechten en zo, want ze was nergens bang voor. Uiteindelijk heb ik het maar opgegeven.

Na concerten op het Monterey Jazz Festival en in San Francisco kwamen we in Los Angeles aan. Daar speelden we in Shelly's Manne Hole. Maar nu was, behalve Lydia en Jackie, Wayne's vriendin Anna Maria er ook al bij. Dus toen kon Jane Mandy, Chicks vriendinnetje er ook nog wel bij. En Jack liep maar te grijnzen en zo, dus wist ik allang dat hij zich weer zou gaan uitsloven. Ik vind dat Jack fantastisch speelt, maar zodra er vrouwen in de buurt zijn, wil die klootzak alleen nog maar de blits maken en dat gaat hij voor het publiek zitten spelen in plaats van voor de band. Maar dat was hem niet aan z'n verstand te brengen.

De eerste twee avonden dat we daar zijn, komt Lydia beide keren backstage. Ze is ook artieste, en een heel goeie en daarbij nog een aardig mens. Ik mocht haar graag. Maar zodra ze backstage kwam, ging Jack weer rare dingen doen en daar hield ik niet van – z'n spel leek nergens meer naar. De derde avond zag ik haar vlak bij het podium zitten. Ik ging het publiek in en liet Shelly een briefje aan Jack geven, waar op stond: 'Als Lydia niet ergens anders gaat zitten, dan spelen we niet.'

Shelly denkt nu natuurlijk aan de rijen mensen, die buiten tot ver om de hoek staan te wachten. Maar ik denk aan de muziek die we niet zullen horen omdat Lydia erbij zit en er de oorzaak van is dat Jack hip in plaats van fantastisch speelt. Nu is Jack godverdomme helemaal kwaad, denkt dat ik zijn gezinnetje in de zeik probeer te zetten en nu breekt de pleuris pas *goed* uit. Na een tijdje zit iedereen in de band – zelfs Shelly – te lachen. Shelly komt naar me toe en gaat zelfs op z'n knieën zitten en begint te smeken: 'Ga alsjeblieft spelen, Miles, speel alsjeblieft.' En toen begon ik die hele toestand ook leuk te vinden. Ik ging het podium op en begon te spelen en die avond speelde Jack waanzinnig goed. Ik denk dat hij probeerde te bewijzen dat ik me vergiste en dat hij best wel kon spelen als zijn vrouw erbij was. Na dit voorval schafte ik de regel af dat mijn muzikanten hun vriendinnetjes tijdens een tournee niet mee mochten nemen, maar hun spel moest er uiteraard niet onder lijden. Later haalde Keith Jarrett, toen hij bij mij in de band zat, dezelfde flauwekul uit. Elke keer als z'n vrouw meekwam, dan speelde hij van die shit die hij wel hip vond en dan keken hij en z'n vrouw elkaar aan alsof het de mooiste muziek van de wereld was. Maar voor mij zat hij gewoon een potje bijdehand te doen en moest ik tegen hem zeggen dat ik er niet kapot van was. En toen is hij ermee opgehouden.

Ik ging tegen een heleboel dingen anders aankijken, zoals bijvoorbeeld mijn manier van kleden. Ik werkte veel in clubs die blauw stonden van de rook en die lucht ging in de stof van al m'n kostuums zitten. Iedereen, zeker de rock-muzikanten, ging zich voor concerten minder stijfjes kleden en dat heeft me misschien ook wel beïnvloed. Zwart was toen erg in, je weet wel, de zwarte bewustzijnsbeweging, en dus werden er veel Afrikaanse en Indiase stoffen gedragen. Ik ging Afrikaanse kaftans en gewaden dragen en wat lossere kleding en ook nog hemden van een jongen die Hernando heette en uit Argentinië kwam en die een zaak had in Greenwich Village. Daar kocht Jimi Hendrix meestal z'n kleren. Dus ik ging Indiase omslaghemden bij hem kopen, patchwork suède broeken van een zwarte ontwerper die Steven Burrows heette en schoenen bij een winkel in Londen, die Chelsea Cobblers heette. (Er werkte daar een jongen die Andy heette en die maakte in één avond het hipste paar schoenen dat je je maar kon bedenken.) Ik was van de elegante Brooks Brothers stijl overgestapt naar een ander soort kleding, die ik beter vond passen bij deze tijd. Ik merkte ook dat ik me op het podium veel vrijer kon bewegen. Ik wilde op het podium heen en weer kunnen lopen, omdat de muziek en het geluid op bepaalde gedeelten van het podium beter zijn dan op andere plaatsen. Ik was op zoek naar de beste plek.

## 15

Met *In a Silent Way* begon voor mij in 1969 een fantasti-sche, creatieve periode. Die plaat legde een stroom van muziek in mijn hoofd bloot, die de volgende vier jaar maar niet droog zou vallen. Ik denk dat ik in die periode niet veel minder dan vijftien keer de studio in ben gegaan en een stuk of tien albums heb gemaakt (waarvan som-mige eerder uitkwamen dan andere, maar ze zijn alle-maal in die tijd opgenomen): *In a Silent Way, Bitches Brew, Miles Davis Sextet: At Fillmore West, Miles Davis: At Fillmore, Miles Davis Septet: At the Isle of Wight, Live-Evil, Miles Davis Septet: At Philharmonic Hall, On the Corner, Big Fun, Get Up With It. (Directions* en *Circle in the Round* kwamen later uit, met opnames die ik in deze periode had gemaakt.) Maar alle muziek was anders en dat leverde voor heel wat recensenten een heleboel pro-blemen op. Recensenten willen iedereen altijd graag in een hokje stoppen, je een vast plekje in hun hoofd geven, zodat ze greep op je hebben. Ze houden er niet van als er te veel veranderingen zijn, want dan moeten ze zich gaan inspannen om te begrijpen wat je aan het doen bent. Toen ik met zo'n grote snelheid ging veranderen, begon-nen een heleboel recensenten mij de grond in te schrij-ven, omdat ze niet begrepen waar ik mee bezig was. Maar recensenten hebben nooit zoveel voor me betekend, dus ik ging gewoon door met waar ik mee bezig was, name-lijk proberen te groeien als muzikant.

Wayne Shorter ging in het late najaar van 1969 uit de band en toen heb ik de band voor een tijdje opgeheven tot ik vervangers had gevonden. Ik verving Wayne door een jonge blanke saxofonist uit Brooklyn, die Steve Grossman heette. Wayne had ruim van tevoren gezegd dat hij weg zou gaan. Dus toen ik in november de studio in ging, had ik Steve Grossman al in gedachten en wilde ik horen hoe hij bij de band zou klinken. Ik heb ook nog een Braziliaanse percussionist uit Brooklyn aangenomen, die Airto Moreira heette. Airto was al een paar jaar in dit land en speelde met Joe Zawinul in Cannonball Adderley's band. Ik geloof dat het Cannonball of Joe was die mij op hem attent maakte (ik ben vergeten hoe ik aan Steve kwam). Airto was een geweldige percussionist en sinds Airto mij heeft laten zien wat zijn soort talent en geluid voor het totale groepsgeluid kan betekenen, heb ik altijd percussionisten in mijn band gehad. Toen hij pas bij de band was, speelde hij te hard en luisterde hij niet naar wat er met de muziek gebeurde. Dan zei ik dat hij moest ophouden met beuken en zo hard te spelen en gewoon meer moest luisteren. Dan speelde hij een tijdje bijna niet en dan moest ik dus weer teruggaan en tegen hem zeggen dat hij iets méér moest spelen. Ik denk dat hij bang voor me was en dat hij gewoon in de war raakte als ik tegen hem zei dat hij niet zoveel moest spelen. Maar daarna ging hij beter luisteren en toen hij weer begon te spelen, speelde hij op de juiste plaatsen.

In die tijd, en ook in de vijf jaar daarna, gebruikte ik een heleboel verschillende muzikanten op mijn platen (en ook in mijn live-bands), omdat ik altijd wilde weten welke stukken er door welke combinaties het best werden gespeeld. Ik werkte met zoveel verschillenden mensen, dat ik ze niet meer uit elkaar kon houden, maar ik had wel een vaste kern van muzikanten: Wayne Shorter (zelfs toen hij al uit de groep was) en Gary Bartz, Steve Grossman, Airto Moreira, Mtume Heath, Bennie Maupin, John McLaughlin, Sonny Sharrock, Chick Corea,

Herbie Hancock, Keith Jarrett, Larry Young en Joe Za-
winul op piano en elektrisch keyboard; Harvey Brooks,
Dave Holland, Ron Carter en Michael Henderson op
bas; Billy Cobham en Jack DeJohnette op drums en drie
Indiërs – Khalil Balakrishna, Bihari Sharma en Badal
Roy. En nog een paar anderen, zoals Sonny Fortune,
Carlos Garnett, Lonnie Liston Smith, Al Foster, Billy
Hart, Harold Williams, Cedric Lawson, Reggie Lucas,
Pete Cosey, Cornell Dupree, Bernard Purdie, Dave Liebman, John Stubblefield, Azar Lawrence en Dominique
Gaumont. Ik heb al deze muzikanten in allerlei combi-
naties gebruikt, sommige vaker dan andere, sommige
misschien maar één keer. Na een tijdje werden ze in de
muziekwereld de 'Miles's Stock Company Players' genoemd.

De sound van mijn muziek veranderde net zo snel als
ik van muzikanten verwisselde, maar ik was nog steeds
op zoek naar de combinatie die me de sound kon geven
die ik wilde. Jack DeJohnette gaf me een bepaalde diepe
'groove', waar ik ontzettend graag overheen speelde,
maar daar staat weer tegenover dat Billy Cobham me een
rock-achtige sound gaf. Dave Holland speelde op een
akoestische bas, waar ik zo lekker achter kon spelen, op
een manier die niet mogelijk was bij Harvey Brooks, die
basgitaar speelde. Hetzelfde gold voor Chick, Herbie,
Joe, Keith en Larry. Ik zag het allemaal als een werkwijze
om al die muziek op te nemen. Het vast te leggen, terwijl
het uit mijn hoofd stroomde.

In 1970 werd ik gevraagd om te spelen in de door de tv
uitgezonden Grammy Awards Show. Toen ik klaar was
met spelen, kwam de presentator, Merv Griffin, op me
af, greep me bij mijn pols en begon allerlei stomme onzin
uit te slaan. Man, wat was dat gênant! Ik had die stomme
klootzak wel knock-out willen slaan, live-uitzending of
niet. Toen hij naar me toe kwam, liep hij dezelfde onzin

uit te kramen die alle tv-presentatoren er uitgooien, omdat ze niks anders te zeggen hebben en niets afweten – of het kan ze niets schelen – waar je echt mee bezig bent. Ze praten alleen maar om gehoord te worden. Ik hou niet van dat soort gezeik en daarna heb ik ook haast niet meer aan dat soort programma's meegewerkt, behalve aan die van Johnny Carson, Dick Cavett en Steve Allen. Steve was de enige van de drie die een heel klein beetje op de hoogte was van wat ik deed. Steve Allen probeerde tenminste piano te spelen en kon intelligente vragen stellen.

Bij Johnny Carson en Dick Cavett heb ik niet kunnen merken dat ze ook maar iets begrepen van wat ik deed, het waren geschikte jongens, maar ze schenen niets van muziek te weten. De meeste presentatoren van die talkshows probeerden alleen maar te communiceren met wat vermoeide, oude, blanke mensen, die uit plaatsen kwamen waar nog nooit iemand van had gehoord. Mijn muziek was een beetje te bijzonder voor ze, want hun oren waren gewend aan Lawrence Welk. In die tijd namen ze alleen maar een zwarte man in hun praatprogramma op als hij kon grijnzen, de clown uithing, zoals Louis Armstrong. Dat konden ze wel waarderen. Ik vond het fantastisch hoe Louis trompet speelde, maar ik ging ervan over m'n nek dat hij zo liep te grijnzen om bij een paar uitgebluste blanken in de gratie te komen. Man, ik vond het vreselijk als ik hem dat zag doen, want Louis was tof, was zich bewust van de problemen van zwarte mensen, was een ontzettend aardige man. Maar het enige beeld dat de mensen van hem hebben, is dat grijnzende mannetje van de tv.

Ik dacht zo bij mezelf dat als ik mee zou werken aan dat soort programma's, ik die klootzakken zou moeten vertellen dat ze het niet eens waard waren om ook maar één woord aan vuil te maken en ik weet zeker dat ze *dat* liever niet wilden horen. Dus meestal ging ik gewoon niet. Na een tijdje werd zelfs Steve Allens programma te blank en te dom om nog aan mee te werken. Ik heb alleen maar aan zijn programma meegewerkt omdat Steve een fatsoenlijk mens is. Bovendien kende ik hem allang. Maar hij wilde me alleen maar het vakbondstarief betalen voor mijn optreden. Na een tijdje ging ik helemaal niet meer naar dat soort programma's. Dat zat Columbia niet lekker, want zij zagen die programma's als een manier om meer platen te verkopen.

Mijn zoon Gregory was een paar jaar in Vietnam geweest en kwam in 1970 terug. Hij was een totaal ander mens geworden. Daarna heeft hij me een hoop problemen, hoofdpijn en geld gekost in de tijd dat hij bij me woonde. Uiteindelijk is hij naar boven verhuisd, naar één van mijn appartementen dat leegstond in West 77th Street. Na Vietnam raakte hij constant in moeilijkheden verzeild, Gregory en z'n broer Miles IV hebben me een hoop problemen en verdriet bezorgd. Ik hou van hen allebei, maar ik ben erg in ze teleurgesteld, dat is zo'n beetje alles wat ik erover kan zeggen. Hun zus, Cheryl, is afgestudeerd aan de Columbia University en is teruggegaan naar St. Louis, heeft me grootvader gemaakt en geeft daar les op een school. Ik ben heel blij met haar. Maar kinderen kunnen hun ouders ontzettend teleurstellen en ik moet zeggen dat mijn twee oudste zoons een teleurstelling voor me zijn. En misschien is dat wel wederzijds, door de ellende die ik Frances heb aangedaan, wat zij allemaal hebben gezien. Maar wat er ook gebeurt of is gebeurd, zij zullen toch zelf iets van hun leven moeten maken, want als puntje bij paaltje komt zijn zij de enigen die dat kunnen. Gregory was een goede bokser en heeft wat kampioenschappen gewonnen in het leger, maar ik wilde niet dat hij bokser werd en daar heb ik een fout gemaakt. Ik kan nu alleen nog maar zeggen dat het me spijt en dat ik hoop dat ze allebei iets van hun leven maken.

Tegen 1970 verdiende ik in totaal zo tussen de $350 000 en $400 000 per jaar – aandelen, platen, royalties en optredens. Ik had mijn huis weer laten verbouwen, nu helemaal in gebogen lijnen en cirkels, tenminste, de twee verdiepingen waar ik woon. Ik heb een vriend, Lance Hay, uit Los Angeles laten komen om dat te doen. Ik wilde alles rond, geen hoeken en heel weinig meubilair. Hij is met de badkamer begonnen en heeft die helemaal ingericht met *faux* zwart marmer en met een heel groot bad dat in de vloer verzonken is, zodat je er zo in kunt lopen en met een plafond in drie verschillende hoogten die hij weer gepleisterd heeft in de vorm van stalactieten. Lance heeft er een patrijspoort in gemaakt als raam. Man, dat was iets bijzonders, dus heb ik tegen hem gezegd dat hij de rest van het huis ook zo maar moest doen. Hij heeft een cilindrische keuken met houtpanelen en *faux* marmer voor me gemaakt. Hij heeft ottomanes gebruikt, Middellandse Zee-achtige bogen gemaakt en tegels en blauwe vloerbedekking gelegd. Ik vond het prachtig. Het deed me denken aan het Middellandse-Zeegebied in plaats van New York. Toen iemand aan me vroeg waarom ik dat had gedaan, zei ik: 'Ik ben het gewoon zat om in een George Washington-achtig huis te wonen.' Ik wilde liever ronde treden dan vierkante treden met hoeken in mijn huis. Ik denk dat het liedje *Circle in the Round* dat ik heb geschreven uit dezelfde opvatting is ontstaan.

In dat voorjaar heb ik *Jack Johnson* opgenomen, de soundtrack bij die film over het leven van een bokser. De muziek was oorspronkelijk bedoeld voor Buddy Miles, de drummer, maar die kwam niet opdagen om het te halen. In de tijd dat ik die nummers schreef, ging ik altijd naar Gleason's Gym om te trainen bij Bobby McQuillen, die zichzelf toen Robbert Allah noemde (hij was moslim geworden). Maar goed, ik had die boksersbeweging in gedachten, die schuifelende beweging die boksers maken. Het lijkt heel erg op danspasjes, of op het geluid van een trein. Eigenlijk deed het me denken aan het gevoel dat je hebt als je in een trein zit die 130 kilometer per uur rijdt, hoe je dan altijd hetzelfde ritme hoort door de snelheid waarmee de wielen de rails raken, het plop-plop, plop-plop, plop-plop geluid van de wielen die over de spleten in de rails gaan. Dat beeld van een trein had ik in mijn hoofd als ik dacht aan een grote bokser als Joe Louis of Jack Johnson. Als je denkt aan een grote zwaargewicht die op je afkomt, lijkt dat net een trein.

Toen ik dat eenmaal had, hield ik me verder bezig met de vraag of de muziek zwart genoeg was, het een zwart ritme had, of je van het ritme van de trein iets zwarts kan maken, of Jack Johnson erop zou dansen? Want Jack Johnson was een feestvierder, wilde graag lol maken en dansen. De titel van één van de nummers op die plaat, *Yesternow*, is verzonnen door James Finney, die mijn kapper was – en ook die van Jimi Hendrix. Maar goed, de muziek paste in ieder geval perfect bij de film. Maar toen het album uitkwam, hebben ze het doodgezwegen. Geen promotie. Ik denk dat één van de redenen daarvoor was dat het muziek was waarop je kon dansen. En er zaten een heleboel dingen in die blanke rockmuzikanten ook speelden, dus ik denk dat ze niet wilden dat een zwarte jazzmusicus dat soort muziek maakte. Bovendien wisten de recensenten niet wat ze ermee aan moesten. Dus Columbia heeft niets aan promotie gedaan. Een heleboel rockartiesten hebben die plaat gehoord en zeiden er in het openbaar niets over, maar ze kwamen wel naar me toe en zeiden dat ze de plaat fantastisch vonden. In het begin van 1970 heb ik *Duran* opgenomen en ik dacht dat ik een topper had, maar Columbia heeft het pas véél later uitgebracht, in 1981. *Duran* was genoemd naar Roberto Duran, de fantastische Panamese bokskampioen.

In het begin van de zomer had ik zowel Chick Corea als Keith Jarrett op elektrische piano in mijn live-band en wat zij toen samen speelden was verdomme compleet waanzinnig. Ze hebben zo'n drie of vier maanden samen in de band gezeten. Keith had zijn eigen groep wel toen hij bij mij speelde, maar dat gaf geen problemen omdat we onze boekingen voor concerten apart hielden, zodat hij in beide groepen kon spelen. Ik geloof dat het idee van twee piano's Chick niet zo lekker zat, hoewel hij er tegen mij persoonlijk nooit iets over heeft gezegd. Ik wist wat Keith speelde voor hij bij mij kwam en ik wist ook wat hij nog meer zou kunnen. Voor hij bij mij kwam spelen, had hij een hekel aan elektrische instrumenten, maar hij is van gedachten veranderd toen hij in mijn band zat. Bovendien leerde hij om meer buiten de akkoorden en in verschillende stijlen te spelen. In mei ging hij met de band mee de studio in en daarna op tournee.

Ik probeerde nu de muziek waar ik mee op was gegroeid te spelen, dat honky-tonk, funky spul, waar de mensen op vrijdag- en zaterdagavond altijd op dansten in die grote hotels of restaurants. Maar dit waren muzikanten die gewend waren een jazzstijl te spelen, dus dit was iets nieuws voor hen. Alles heeft z'n tijd nodig weet je, je kunt niet zomaar iets nieuws leren en denken dat je het de volgende dag al kan. Het moet in je lijf kruipen, helemaal in je bloed zitten, voordat je het kan doen zoals het hoort. Maar ze waren al een aardig eind op weg, dus ik maakte me helemaal geen zorgen.

In die zomer heb ik meegedaan aan een feest voor de zeventigste verjaardag van Louis Armstrong. Het platenlabel Flying Dutchman vroeg mij en een hoop andere musici of we een vocale plaat wilden opnemen, die dan op de verjaardag van Pops zou worden uitgebracht. Ik heb ja gezegd en we hebben allemaal gezongen – Ornette Coleman, Eddie Condon, Bobby Hackett, Dizzy geloof ik, en nog een paar andere musici. Dit soort dingen deed ik eigenlijk nooit, maar dit was voor Pops en hij was gewoon een prachtvent. Je kunt op trompet niets spelen dat niet van hem komt, zelfs geen moderne shit. Ik kan me niet herinneren dat ik hem ook maar één keer slecht trompet heb horen spelen. Nooit. Niet één keer. Hij kon fantastisch goed gevoel in zijn spel leggen en hij speelde altijd op de tel. Ik was gek op de manier waarop hij speelde en zong. Ik heb hem niet zo goed leren kennen, ik heb hem maar een paar keer ontmoet: een keer bij één of ander groot gebeuren en de andere keer toen ik ergens speelde en hij me hoorde en daarna naar me toe kwam om te zeggen dat hij het mooi vond wat ik speelde. Man, ik voelde me fantastisch toen hij dat tegen me zei. Maar ik hield niet van de manier waarop hij in de media naar voren werd gebracht, met die constante grijns van 'm en hij heeft een paar dingen gezegd over moderne muziek die me niet zo lekker zaten, hij haalde een heleboel moderne jongens neer. Ik heb toen daarna gezegd: 'Pops was ook een pionier, dus hij zou het niet moeten afkatten.' Het jaar daarna, in 1971, is Louis Armstrong overleden en zijn vrouw heeft die klotebegrafenis voor hem gehouden, waarbij ze niet eens jazzmuzikanten liet spelen. Pops had gezegd dat hij een begrafenis in de New Orleans stijl wilde, maar zijn vrouw hield daar niet van, dus heeft ze het helemaal blank gemaakt. Man, het was een schande.

Ik geloof dat het in juni 1970 was dat we in de studio begonnen te werken aan een album dat *Live-Evil* zou gaan heten. Ik zag het album als een soort uitbreiding van *Bitches Brew*, hoewel het op iets anders zou uitdraaien. Ik was bezig om te leren hoe ik op mijn trompet moest spelen over al dat elektrische geluid heen en dat was echt een openbaring. De Fender Rhodes elektrische

piano bijvoorbeeld, die legt een kussen onder een trompet en een trompet heeft altijd een buffer nodig, omdat
hij zo koperachtig klinkt, zo doordringend. Dizzy laat
zijn drummer allemaal krammetjes in zijn grote bekken
hangen, hij heeft er een stuk of vierentwintig in zitten,
zodat het bekken trilt als de drummer erop slaat en de
ruimte tussen de noten en het bekken wordt opgevuld
met die vibrerende sound die Dizzy zo mooi vindt. Maar
de Fender Rhodes doet hetzelfde, alleen beter, want als je
een akkoord aanslaat op een elektrisch instrument, dan
komt dat akkoord er zuiver uit, volkomen helder. Ik
hoorde hetzelfde soort muzikale figuurtjes voor *Live-
Evil* als ik voor *Bitches Brew* had gehoord, alleen een
beetje meer uitgewerkt, omdat ik ze al behandeld had
toen we die plaat maakten. Op *What I Say* gaf ik Jack
DeJohnette een bepaald drum-ritme, zo'n figuurtje dat
ik hem het hele nummer door wilde laten spelen. Ik wilde dat hij met dat figuurtje alleen maar alles zou vastzet-
ten, maar het moest met vuur worden gespeeld. Wat mij
betreft start het stuk die plaat op, geeft het de sfeer, het
soort ritme dat ik wilde hebben. En weet je, het is best
grappig, want op dit album hoorde ik dingen in het hoge
register. Op *What I Say* heb ik een heleboel hoge noten
op trompet gespeeld, noten die ik gewoonlijk niet speel
omdat ik ze niet hoor. Maar ik hoorde ze heel vaak nadat
ik deze nieuwe muziek was gaan spelen.

Ik maakte in die tijd zo veel opnames dat ik een heleboel van wat er in de studio gebeurde gewoon vergat en
soms lopen de beelden gewoon in elkaar over en kan ik er
niet achter komen wat wat was. Maar ik weet nog wel dat
we mijn naam hebben omgedraaid op een nummer op
*Live-Evil*, het werd *Sivad* in plaats van Davis; een ander
nummer was *Selim* in plaats van Miles. *Evil* is het omgekeerde van live en enkele opnamen waren live, in de Cellar Door in Washington DC. Maar die omkering was de

gedachte achter het album: goed en slecht, licht en donker, funky en abstract, geboorte en dood. Dat probeerde ik duidelijk te maken met die twee schilderingen op de voor- en achterkant. De ene gaat over liefde en geboorte en de andere over het kwaad en heeft een doodsfeer.

De verkoop van *Bitches Brew* liep gesmeerd, beter dan van welke plaat van mij dan ook en het is de best verkochte plaat jazzplaat uit de geschiedenis. Iedereen was opgetogen, omdat een heleboel jonge rockfans die plaat kochten en het er altijd over hadden. Dus dat was mooi. Die hele zomer was ik op tournee en speelde ik in rockzalen met Carlos Santana, de Mexicaans-Amerikaanse gitarist die latin-rock speelt. Man, die gozer kan waanzinnig goed spelen. Ik was gek op de manier waarop hij speelde en het is een bijzonder aardige man. We hebben elkaar heel goed leren kennen in de loop van die zomer en we hebben contact met elkaar gehouden. We maakten allebei opnames voor Columbia. Ik deed het voorprogramma voor Carlos en dat beviel me prima, omdat ik het goed vond wat hij deed. Zelfs als we niet samen speelden en ik in dezelfde stad was waar hij speelde, ging ik altijd naar zijn concerten. Ik geloof dat hij zijn plaat *Abraxas* in die tijd aan het opnemen was en dan ging ik naar de studio om te horen wat ze aan het doen waren. Hij heeft tegen me gezegd dat hij van mij heeft geleerd hoe hij stilte in zijn muziek moest gebruiken. We gingen vaak met z'n drieën stappen, ik, hij en de muziekrecensent Ralph Gleason.

In augustus 1970 heb ik aan het Isle of Wight Festival in Engeland meegedaan. Ze probeerden daar iets Woodstock-achtigs te doen, dus hadden ze al die rock en funkgroepen (Jimi Hendrix, Sly and the Family Stone en een hoop blanke rockgroepen) uitgenodigd om op dat eiland voor de zuidkust van Engeland te komen spelen. De mensen kwamen uit de hele wereld om naar dat concert te luisteren; ze zeiden dat er meer dan 350 000 mensen waren. Ik had nog nooit voor zoveel mensen gestaan. In die tijd maakte ik erg veel gebruik van slagwerk en ritmes in mijn muziek. De mensen leken het mooi te vinden wat we deden, vooral toen we die heel erg ritmische dingen gingen doen. Een paar van de recensenten hadden het erover dat ik zo ontoeschietelijk was, maar dat deed me niets, zo was ik m'n hele leven al geweest.

Ik nam Jackie Battle met me mee naar dat concert. Ik moest haar ompraten, omdat ze eigenlijk niet van plan was om te gaan. Man, het heeft me dagen gekost om haar zover te krijgen.

Jimi Hendrix was er ook. Hij en ik zouden elkaar na het concert in Londen ontmoeten om te praten over een plaat die we eindelijk samen wilden maken. We hadden al bijna een keer eerder een plaat gemaakt met producer Alan Douglas, maar we kregen of niet genoeg geld, of we hadden het te druk om hem op te nemen. We hadden bij mij thuis al vaak met elkaar gespeeld, maar dat was gewoon 'jammen' geweest. We dachten dat nu de tijd was aangebroken om samen iets op de plaat te zetten. Nu was het na dat concert zo druk op de weg naar Londen, dat we niet op tijd op die bijeenkomst konden zijn, dus tegen de tijd dat wij in Londen kwamen, was Jimi er niet meer. Ik geloof dat ik daarna naar Frankrijk ging voor nog een paar concerten en daarna weer terug naar New York. Gil Evans belde me op en zei dat hij en Jimi iets samen gingen doen en hij wilde dat ik ook kwam om mee te doen. Ik zei dat ik dat zeker zou doen. We zaten op de komst van Jimi te wachten, toen we hoorden dat hij in Londen was gestorven, gestikt in zijn eigen overgeefsel. Man, wat een klotemanier om dood te gaan. Ik begrijp nog steeds niet dat er nooit iemand tegen hem heeft gezegd dat je bij slaapmiddelen geen alcohol moet gebruiken. Die combinatie is dodelijk en Dorothy Dandridge,

Marilyn Monroe, mijn goede vriendin Dorothy Kilgallen en Tommy Dorsey waren daar ook al zo aan dood gegaan. Jimi's dood kwam als een schok voor me, omdat hij nog zo jong was en nog een heel leven voor zich had. Dus ik besloot om naar zijn begrafenis in Seattle te gaan, ook al had ik daar de pest aan. Die begrafenis was zo strontvervelend dat ik zei dat ik daarna nooit meer naar een begrafenis toe zou gaan en dat heb ik ook niet meer gedaan.

De blanke predikant kende Jimi's naam niet eens en sprak hem steeds verkeerd uit, gaf 'm steeds weer een andere naam. Man, wat was dat pijnlijk. En daar kwam nog bij dat die klootzak niet eens wist wie Jimi eigenlijk wel was, wat hij allemaal had bereikt. Ik kon er niet tegen dat zo'n fantastisch mens als Jimi Hendrix, na alles wat hij voor de muziek had gedaan, er zo bekaaid afkwam.

Direct na Jimi's begrafenis stapten Chick Corea en Dave Holland uit de band, en ik nam Michael Henderson op bas. Michael had met Stevie Wonders band gespeeld en met Aretha Franklin. Hij kende de basfiguren die ik wilde hebben en ik wilde hem graag in mijn groep. Maar voordat hij kwam, deed Miroslav Vitous een paar schnabbels als vervanging voor Dave. Daarna verving Gary Bartz Steve Grossman en had ik dus een geheel nieuwe bezetting.

Mijn groepsgeluid werd steeds minder bepaald door de vele solo's en de nadruk kwam, net zoals in de funk- en rockbands, te liggen op het ensemblespel. Ik wilde op gitaar John McLaughlin hebben, maar hij had het veel te veel naar zijn zin in Tony Williams' Lifetime band. Ik kreeg hem wel zo ver om met ons in de Cellar Door in Washington DC te spelen, een optreden dat later dat jaar was. Van de banden die we daar opnamen, werd de *Live-Evil* plaat gemixt. Om het geluid te benaderen van Jimi Hendrix als hij een wah-wah op zijn gitaar had staan, gebruikte ik nu steeds een wah-wah op mijn trompet. Ik had altijd al trompet gespeeld alsof het een gitaar was en met de wah-wah benaderde ik dat geluid steeds meer. In die tijd schoten de fusiongroepen als paddestoelen uit de grond: Wayne Shorter en Joe Zawinuls Weather Report; Chick Corea's Return to Forever; de groep van Herbie Hancock die Mwandishi heette en een tijdje later richtte John McLaughlin zijn groep The Mahavishnu Orchestra op. Iedereen zong over vrede en liefde. Zelfs ik was een tijdje gestopt met alcohol en drugs en ik at macrobiotisch en zorgde goed voor mezelf. Ik probeerde te stoppen met roken, maar dat vond ik moeilijker dan te stoppen met wat dan ook.

In 1971 riep *Down Beat* me uit tot Jazzman of the Year en mijn band werd verkozen tot de beste band van het jaar. Ik werd ook nog uitgeroepen tot Top Trumpet Player. Ik hecht niet zoveel waarde aan dat soort dingen, hoewel ik me ervan bewust ben wat ze voor iemands carrière kunnen betekenen. Begrijp me goed, ik ben blij dat ik ze heb gewonnen, maar het is gewoon iets waar ik niet warm of koud van word.

Airto Moreira hield er begin '71 mee op en ik liet hem vervangen door de percussionist Mtume, de zoon van Jimmy Heath. We hebben een tijdje niets meer opgenomen, omdat een band eerst ingespeeld moet zijn voor je iets op gaat nemen. We gingen op tournee en probeerden onze zaakjes voor elkaar te krijgen.

Mtume was een geschiedenis freak en door z'n vader kende ik hem al, dus we hadden al veel samen gepraat. Ik vertelde hem vaak verhalen over vroeger en hij vertelde me gebeurtenissen uit de Afrikaanse geschiedenis, omdat hij daar veel van afwist. Bovendien leed hij net als ik aan slapeloosheid. Ik kon hem dus om vier 's nachts opbellen, omdat ik wist dat hij wakker zou zijn. Ik weet nog dat Mtume in 1975 voor een knieoperatie in het ziekenhuis lag. Ik zei dat we moesten spelen en dat hij er maar eens uit moest komen. Hij zei dat hij niet wist of dat wel zou lukken. Dus ik zeg tegen 'm dat ik hem mee naar Jamaica zal nemen om hem daar weer op krachten te laten komen. Ik laat hem door een limousine ophalen en we nemen het vliegtuig naar Jamaica en daar doen we tien dagen lang niets anders dan zwemmen en zo. Door een vriend was ik in contact gekomen met een Jamaicaanse genezer, die me was aanbevolen voor de problemen die ik met mijn heup had en hij had me behandeld met massages en kruiden. Hij bracht Mtume weer op de been en hij kon weer met ons meespelen. Omdat ik hem had zien opgroeien, beschouwde ik hem als een zoon.

We maakten dezelfde tournees als andere jaren en we speelden overal voor enthousiaste zalen. We speelden in de Hollywood Bowl met The Band, een groep die toen razend populair was; ze waren een tijd lang de begeleidingsgroep van Bob Dylan geweest op zijn tournees. Tijdens dit concert ging onze groep steeds vrijer spelen en ik denk dat het publiek er toen niet zoveel van begrepen heeft.

Na de dood van Jimi realiseerde ik me, hoe fantastisch hij ook was geweest en hoeveel *ik* persoonlijk ook van zijn muziek had gehouden – vooral van zijn gitaarspel – dat maar weinig zwarte jongeren van hem hadden gehoord, omdat er naar hun smaak te veel blanke rock-elementen in zijn muziek zaten. De zwarte jongelui luisterden naar Sly Stone, James Brown, Aretha Franklin en al die andere fantastische Motown groepen. Nadat ik in veel van die blanke rocktenten had gespeeld, begon ik me af te vragen waarom ik niet zou proberen om het jonge zwarte publiek met mijn muziek te bereiken. Ze hielden van funk, muziek waarop ze konden dansen. Het duurde eventjes voor ik me helemaal in dat concept had verdiept, maar met deze nieuwe band begon ik erover na te denken.

Eind '71 ging Jack DeJohnette ongeveer gelijktijdig met Keith Jarrett uit de band. Ik wilde dat de drummer bepaalde funk-ritmes speelde, dat hij dezelfde rol vervulde als de andere groepsleden. Ik wilde niet dat de band steeds helemaal vrij speelde, omdat ik steeds meer overhelde naar de 'funk groove'. Nou kon Jack godverdomme als niemand anders een 'groove' spelen, dat kon hij echt wel, maar hij wilde ook andere dingen doen, een beetje vrijer spelen, leider zijn, de dingen op zijn eigen manier doen, dus is hij weggegaan. Ik heb Leon Ndugu Chancler uitgeprobeerd (die in de jaren tachtig op de platen van Stevie Wonder en Michael Jackson zou spelen). Chancler ging in de zomer van 1971 met me mee naar Europa, maar hij beviel me niet en toen we weer terugkwamen, speelde Jack DeJohnette weer een paar keer mee. En Billy Hart ook. Maar nadat Gary Bartz, Keith en Jack weg waren uit de live-band, haalde ik mijn muzikanten niet uit jazzgroepen, maar uit funkbands omdat ik mij in die richting aan het ontwikkelen was. Die jongens waren de laatste zuivere jazzspelers die ik tot nu toe in mijn bands heb gehad.

Tegen het eind van 1971 begon ik weer last van mijn heup te krijgen. Ik had een goed jaar gehad, maar toch kreeg ik het gevoel dat de dingen een beetje uit de hand gingen lopen. Zo had ik bijvoorbeeld in een interview gezegd dat het een racistische boel was bij Columbia Records en dat was ook zo. Ze waren toen alleen nog maar geïnteresseerd in blanke muziek. De mensen van het label waren kwaad op me geworden, maar ik had mijn contract voor $300 000 voor drie jaar verlengd; dat wil zeggen $100 000 per jaar plus royalty's. Ik wilde dat ze net zo goed hun best deden voor de zwarte muziek als voor de blanke rock en die halfgare hillbilly shit. In het begin van de jaren zestig, voordat ze naar Atlantic overstapte, heeft Columbia Aretha Franklin onder contract gehad, maar ze hebben nooit zo goed geweten wat ze met haar aan moesten. Toen ze bij Columbia weg was, werd ze een superster en dat had ze bij Columbia ook kunnen worden. Ik heb ze de waarheid verteld en toen werden ze kwaad. Stelletje klootzakken. Ik wilde alleen maar dat ze er iets aan gingen doen, maar dat deden ze niet.

Ik raakte geïnteresseerd in de ontwikkeling van de zwarte sound en daar gingen mijn gedachten naar uit, meer ritmische muziek, eerder funk dan blanke rock. Ik had Sly ontmoet en hij had me één van zijn platen gegeven; ik vond 'm goed. Hij gaf me ook die plaat van Rudy Ray Moore, een komiek uit die tijd die erg leuk was, lekker vulgair, weet je wel. De mensen van Epic – het label waar Sly bij zat en dat ook van Columbia was – wilden eens zien of ik Sly ertoe zou kunnen brengen om wat sneller platen te maken. Maar Sly had zo zijn eigen manier van muziek schrijven. Hij putte inspiratie uit de mensen van zijn groep. Als hij iets schreef dan was het eerder geschikt voor een live-uitvoering dan voor de studio. Nadat hij bekend was geworden, had hij bij hem thuis en in de studio altijd heel veel mensen om zich heen. Ik ben naar een paar van die opnamesessies geweest: overal zag je meisjes, coke en gewapende lijfwachten die er heel gemeen uitzagen. Ik zei tegen hem dat ik met hem niets kon beginnen – zei tegen Columbia dat ik niets aan zijn opnametempo kon doen. We hebben samen een lijntje coke gesnoven, maar daar hield het wel mee op.

Maar toen ik Sly voor het eerst hoorde, heb ik die eerste twee of drie platen, *Dance to the Music, Stand* en *Everybody is a Star*, zowat grijs gedraaid. Ik zei tegen Ralph Gleason: 'Moet je dit horen. Man, als je een impresario kent, dan moet je ervoor zorgen dat hij Sly onder z'n hoede neemt, want die jongen is echt te gek, Ralph. Dat was nog voordat Sly bekend werd. Daarna schreef hij nog een paar andere goeie dingen, maar toen was het afgelopen, omdat de coke hem naar de kloten had geholpen en hij geen geschoold musicus was.

Met Sly Stone en James Brown in gedachten ging ik in juni '72 de studio in om *On the Corner* op te nemen. In die tijd kleedde iedereen zich nogal opzichtig, weet je wel, gele plateauzolen en dan nog héél erg fel geel ook; zakdoeken om de nek, haarbanden, leren vestjes, enzovoort. Zwarte vrouwen hadden van die hele strakke jurkjes aan, zodat hun dikke kont zo lekker naar achteren uitstak. Iedereen luisterde naar Sly Stone en James Brown en probeerde net zo 'cool' te zijn als ik. Ik was m'n eigen voorbeeld, met een snufje Sly en James Brown en the Last Poets. Ik wilde alle mensen – vooral zwarte – die zo gekleed naar een concert kwamen op video opnemen. Ik wilde al die verschillende 'outfits' zien en de vrouwen die hun grote lekkere kont in strakke rokken probeerden te proppen.

Ik was me gaan verdiepen in de muzikale theorieën van Karlheinz Stockhausen, een Duitse avant-garde componist en Paul Buckmaster, een Engelse componist die ik in 1969 in Londen had ontmoet. Ik had me in hen verdiept voor ik *On the Corner* opnam. Paul logeerde overigens bij me toen ik die plaat opnam en hij was er ook bij in de studio. Paul was gek op Bach, dus ging ik ook naar Bach luisteren toen hij er was. Ik begon me te realiseren dat wat Ornette had gezegd over dingen die op drie of vier verschillende manieren, onafhankelijk van elkaar, gespeeld konden worden waar was, omdat Bach ook zo had gecomponeerd. En het kon erg strak en funky zijn. Wat ik op *On the Corner* speelde, had geen naam, maar de mensen dachten dat het funk was, omdat ze geen andere naam konden bedenken. Eigenlijk was het een combinatie van de ideeën van Paul Buckmaster, Sly Stone, James Brown, Stockhausen en paar ideeën die ik zowel uit mijn eigen muziek als die van Ornette had gehaald. Het ging in die muziek om het scheppen van ruimte, om de vrije associatie van muzikale ideeën op kernachtige ritmes en repeterende motiefjes van de baspartij. Ik hield ervan hoe Paul Buckmaster het ritme en ruimte gebruikte, hetzelfde gold voor Stockhausen.

Dus dat was het concept, de visie die ik in de muziek van *On the Corner* probeerde te stoppen. Muziek waarvan je de baspartij kon veranderen door met je voet te stampen. Ik wilde ook niet meer in van die kleine clubs spelen en door dit soort muziek te spelen, verdwijn je vanzelf uit het clubcircuit. Al die elektrische spullen en al dat geluid was voor de kleine clubs waar jazz werd gespeeld een beetje te veel van het goede. Ik was er ook achter gekomen dat het moeilijk was om in grote zalen op akoestische instrumenten te spelen, omdat niemand dan kon horen wat je speelde. Als je in die grote zalen met akoestische instrumenten speelde, dan kon je de melodielijn en de begeleiding eronder niet horen. Je kon in een grote groep niet alle noten van de piano horen. Het luisteren naar akoestische instrumenten vergde het uiterste van het publiek, omdat het eraan gewend was geraakt om naar versterkte instrumenten te luisteren. De blazers kwamen, met alles wat ze speelden, steeds hoger in de g-sleutel terecht. Er werd steeds meer plastic gebruikt en plastic heeft een ander geluid. De muziek is veranderd, omdat het reflecteert wat er op het moment gebeurt. Het is elektrischer, omdat de mensen daar meer op afgestemd zijn. De sound is hoger en harder geworden, meer niet.

Ik besloot om helemaal elektrisch te gaan spelen. (In 1973 kreeg ik wat spullen van Yamaha.) Daarvóór had ik een heel erg goedkope geluidsinstallatie gekocht, die voldeed voor de clubs waar ik toen speelde, maar die niet goed genoeg was voor grote zalen, omdat we elkaar niet konden horen. En het geluid werd steeds maar hoger, want hoe hoger het geluid is, hoe beter je de mensen alles kunt laten voelen. (Maar tegenwoordig zou het best eens kunnen dat Prince met die dubbele bas het laag weer in de muziek terugbrengt. Je hoort in de muziek van Prince geen baslijn meer, omdat hij, net als Marcus Miller, de keyboard-bas dubbelt met een gewone bas.)

En zo ben ik in de elektronica terechtgekomen. Eerst nam ik een Fender-bas, toen een piano en tegen die achtergrond moest ik trompet spelen. En toen kocht ik een versterker met een microfoon op mijn trompet. Toen nam ik een wah-wah om meer het geluid van een gitaar te krijgen. Toen schreven de recensenten dat ze m'n toon niet meer konden horen. Maar ik had schijt aan ze. Als ik niet speel wat de drummer wil, dan speelt hij ook niet voor mij. Als hij me niet kan horen, dan kan hij niet spelen. Zo is bij mij 'the groove thing' begonnen. Ik begon op de ondergrond te spelen.

Toen ik begon om op dat nieuwe ritme te spelen – synthesizers en gitaren en al die nieuwe dingen – moest ik er eerst aan wennen. In het begin zat er geen gevoel in, omdat ik was gewend aan de oude manier van spelen, zoals met Bird en Trane. Op een andere manier gaan spelen is een geleidelijk proces. Je kan niet zomaar ineens ophouden met je ouwe stijl. In het begin hoor je gewoon nog niet hoe het eigenlijk zou moeten klinken. Dat duurt even. Als je het wel hoort, dan stijgt het als alcohol naar je hoofd, maar dan wel in vertraagd tempo. In die nieuwe muziek heb je voor je het weet vier of vijf minuten gespeeld en dat is lang. Maar je hoeft je longen niet uit je lijf te blazen, omdat je een versterker hebt. En hoe zachter je trompet speelt, des te meer klinkt het als een trompet als je hem versterkt. Het is net als het mengen van verf: als je te veel kleuren gebruikt, dan krijg je alleen maar modder. Een versterkte trompet klinkt niet zo mooi als je erg snel speelt. Dus leerde ik om frasen van twee maten te spelen en die kant ging ik op met mijn nieuwe muziek. Het was spannend, omdat ik al doende leerde, net als toen ik Herbie, Wayne, Ron en Tony in m'n band had. Alleen kwam het nu van mezelf en dat gaf me een goed gevoel.

Op drums verving ik Jack DeJohnette door Al Foster. Ik had hem toevallig gehoord toen ik m'n oude vriend Howard Johnson, die me vroeger kleren had verkocht in de winkel van Paul Stuart, op ging zoeken in de Cellar Club in 95th Street in Manhattan. Hij was nu eigenaar van een club met restaurant en daar ging ik vaak eten, omdat ze daar de lekkerste gegrilde kippen van de wereld hadden (en dat is nog steeds zo). Toen ik er op een avond ging eten, had Howard een bandje gehuurd, dat werd geleid door een bassist die Earl May heette. Hij had vroeger in één van de bands van Dizzy gespeeld. Het was een fantastisch bandje. De pianist was een jongen die Larry Willis heette en ik weet niet meer wie die andere jongens waren, maar Al Foster zat achter de drums. Ik was kapot van hem, omdat hij zo'n fantastische 'groove' had, die hij vrijwel moeiteloos neerzette. Dat was precies wat ik zocht en ik vroeg hem of hij in de band wilde komen en hij zei ja. Maar vóór dat gebeurde, vroeg ik aan Columbia of ze opnames van die jongens wilden komen maken en dat hebben ze gedaan. Teo Macero was de producer en ik vermoed dat het samen met een hoop van mijn spullen in de kluis ligt.

Al Foster speelde niet met me mee op *On the Corner*, de eerste keer dat hij met me meespeelde was op *Big Fun*. Al kon een ritme neerzetten, waar iedereen lekker op kon spelen en dan kon hij die 'groove' voor eeuwig vasthouden. Zijn stijl leek erg op die van Buddy Miles en zo wilde ik toen dat mijn drummers speelden. Ik hield ook van Billy Hart, maar Al Foster had alles wat ik in een drummer zocht.

*On the Corner* en *Big Fun* waren serieuze pogingen om met mijn muziek het jonge zwarte publiek te bereiken. Zij zijn de enigen die platen kopen en naar concerten gaan en ik had erover nagedacht hoe ik een nieuw publiek voor de toekomst op zou kunnen bouwen. Na *Bitches Brew* waren er al heel veel jonge blanke mensen die naar mijn concerten kwamen en ik dacht dat het goed zou zijn als alle jongelui samen naar mijn muziek kwamen luisteren en zouden genieten van de 'groove'.

Ongeveer in die tijd verliet Gary Bartz de band en van 1972 tot ongeveer de helft van 1975 had ik afwisselend Carlos Garnett, Sonny Fortune en Dave Liebman in mijn live-band. Ik vond zowel Dave als Sonny goed spelen. Maar al die jonge gasten in de band deden net alsof ik god de vader was.

Ik had in de maand juli van dat jaar weer een aanvaring met de politie, omdat ik een meningsverschil had met één van mijn huurders, een blanke vrouw. Ze had ruzie gekregen met Jackie Battle en ik had tegen haar gezegd dat ze zich godverdomme met haar eigen zaken moest bemoeien. Het werd een ordinaire scheldpartij en toen kwam de politie en arresteerde mij in mijn eigen huis. Als die vrouw zwart was geweest, dan zouden er geen woorden meer over vuil zijn gemaakt. Zij was de schuld van die hele klotezooi, omdat zij tegen iedereen begon te schreeuwen. De politie zei dat ik haar had geslagen, maar daar konden ze geen bewijzen voor vinden, dus moesten ze me weer laten gaan. Later heeft die vrouw haar verontschuldigingen aangeboden, omdat ze me al die moeilijkheden had bezorgd. Maar als je in dit land een zwarte man bent, die ruzie krijgt met een blanke vrouw, dan is er meestal geen winnen aan en dat is een schande. Ze zouden wat meer eerlijke mensen uit moeten zoeken om politieagent te worden, want dat beroep is zó belangrijk, dat je niet zomaar een paar racistische blanke mannetjes rond kunt laten lopen met een pistool en een vergunning om te doden.

Dat incident deed me denken aan die keer dat ik net verhuisd was naar het huis in West 77th Street; toen ik de deur opendeed, vroeg een blanke kerel, die ik had laten komen om wat klusjes op te knappen, waar de eigenaar was. Ik sta keurig verzorgd voor hem en dan vraagt hij of hij de eigenaar kan spreken. Hij weigerde gewoon te geloven dat een zwarte de eigenaar van een huis in die bepaalde buurt zou kunnen zijn. Als je zwart bent, merk je dat op alle fronten.

Ik kreeg onenigheid met de mensen van de Grammy Awards, omdat ik had gezegd dat de meeste prijzen naar blanken gingen, die imiteerden wat de zwarten hadden bedacht; halfgare imitaties in plaats van echte muziek. Ik zei dat we eigenlijk Mammy Awards zouden moeten uitreiken aan zwarte artiesten. Geef de artiesten hun prijzen en laat ze die dan op de televisie in stukken scheuren. Live. Ik hield er niet van hoe ze de zwarte artiesten behandelden door al die Grammy's maar aan blanken te geven, die net deden alsof ze zwart waren. Ik word ontzettend moe en misselijk van die hele klotezooi, maar ze worden kwaad als je er iets van zegt. Je moet ze gewoon alles van je laten afpakken, met je tanden gaan zitten knarsen, maar niet echt kwaad worden en geen ergernis tonen, als zij met het geld en de glorie gaan strijken. Het is vreemd hoe veel blanke mensen denken. Vreemd en gevaarlijk.

Eerder dat jaar had ik een galsteenoperatie gehad en was het uitgegaan tussen mij en Marguerite Eskridge. Ze hield niet van mijn levensritme en ze zag het niet zitten dat ik ook met andere vrouwen uitging. Maar boven alles was ze het zat om steeds maar op me te zitten wachten. Ik weet nog goed dat we in Italië waren en dat we in een vliegtuig zaten en ze zomaar ineens begon te huilen. Ik vroeg haar wat haar scheelde en ze zei: 'Je wilt dat ik net zo ben als die jongens in je band en dat kan ik niet. Ik kan niet alleen maar naar je pijpen dansen. Ik kan je niet bijhouden.'

Man, Marguerite was zo mooi, dat als we ergens in Europa waren, de mensen haar gewoon achterna liepen. Ze ging graag naar musea en ik herinner me dat ze een keer – het kan in Holland zijn geweest – een museum binnenstapte en dat de mensen haar overal aan stonden te gapen. Daar kon ze ook niet zo goed tegen. Ze was wel model geweest, maar toch hield ze niet zo van dat gedoe. Het was een bijzondere vrouw en ze zal altijd een plaatsje in mijn hart blijven houden. Toen we op het punt stonden om uit elkaar te gaan, zei ze dat ik maar hoefde te bellen als ik iets nodig had en dat ze dan meteen zou komen, maar elke dag weer al dat gedoe en al die mensen, daar kon ze gewoon niet meer tegen. De laatste keer dat we met elkaar naar bed gingen, raakte ze zwanger van onze zoon Erin. Toen ze me het vertelde, zei ik dat ik wel bij haar zou blijven, maar ze zei dat dat niet hoefde. Erin werd geboren en ze verdween uit mijn dagelijks leven. Af en toe zag ik haar nog wel, maar ze leidde haar eigen leven met haar eigen voorwaarden. Dat respecteerde ik. Ze was een heel spirituele vrouw, van wie ik altijd zal blijven houden. Later verhuisde ze naar Colorado Springs en ze nam onze zoon Erin met zich mee. Ze woont daar nog steeds.

Nadat Marguerite was weggegaan, werden ik en Jackie Battle bijna een team. Ik ging af en toe nog wel met andere vrouwen uit, maar ik was meestal met haar. Jackie en ik hadden een fantastische relatie. Het was net alsof ze in mijn bloed zat, zo dicht stonden we bij elkaar. Behalve met Frances had ik dat met een vrouw nog nooit gehad. Maar ze heeft heel wat met me te stellen gehad, want ik weet dat ik niet makkelijk ben. Ze probeerde me steeds van de coke af te houden en dan hield ik er weer een tijdje mee op, om dan even zo vrolijk weer opnieuw te beginnen. We zaten eens in San Francisco in een vliegtuig, toen er een stewardess aan kwam lopen en mij een lucifersdoosje vol met coke gaf, waar ik ter plekke van begon te snuiven. Man, het werd af en toe gewoon te gek als ik coke had gesnoven en zeven of acht Tuinals (downers) had geslikt, dan dacht ik dat ik stemmen hoorde en dan ging ik onder de vloerkleden, in de radiatoren en onder de sofa's kijken. Dan zou ik zweren dat er mensen in huis waren.

Jackie werd gek van me als ik me zo gedroeg en vooral als ik geen coke meer had. Dan zocht ik ernaar in de auto, keek in haar tas, omdat ze het elke keer als ze iets vond onmiddellijk weggooide. Toen ik weer eens een keer geen coke meer had, waren we net met het vliegtuig ergens naar toe onderweg. Ik dacht dat Jackie de cocaïne misschien in haar tasje had verstopt, dus pakte ik haar tasje en keek of ze het erin had zitten. Ik vond een pakje Woolite zeeppoeder en ik weet nog dat ik het openmaakte, ik had kunnen zweren dat ik cocaïne had gevonden, omdat het van dat witte poeder was. Toen ik het geproefd had, wist ik dat het zeep was en ik schaamde me dood.

In oktober 1972 reed ik mijn auto in de prak op de West Side Highway. Jackie was er niet bij, ze lag thuis in bed en daar had ik ook moeten liggen. Ik denk dat we net van een concert thuiskwamen en we waren een beetje moe. Hoewel ik net een slaappil had genomen, had ik nog geen zin om naar bed te gaan. Jackie logeerde bij mij en ik wilde nog ergens naar toe, maar zij wilde gewoon gaan slapen. Dus toen ben ik weggegaan, ik denk dat ik op weg was naar een nachttent ergens in Harlem. Ik ben in ieder geval achter het stuur in slaap gevallen en ben met mijn Lamborghini tegen de vangrail geklapt en brak allebei m'n enkels. Toen ze Jackie opbelden en het haar vertelden, kwam ze over haar toeren naar het ziekenhuis.

Jackie heeft samen met mijn zus Dorothy, die uit Chicago was komen vliegen om te helpen, mijn huis opgeruimd toen ik in het ziekenhuis lag. Ze vonden Polaroidkiekjes van vrouwen die van alles met zichzelf deden. Ik keek toen alleen maar naar die vrouwen terwijl ze zichzelf klaar zaten te maken. Ik had ze daar niet toe gedwongen of zoiets, ze hadden het gewoon gedaan omdat ze dachten dat ik het wel leuk zou vinden en dan kreeg ik die foto's om naar te kijken. Ik geloof dat Jackie en Dorothy behoorlijk woedend waren over die foto's. Maar *ik* was woedend omdat ze mijn huis in waren gegaan en zo maar in m'n persoonlijke spulletjes hadden zitten snuffelen. In die tijd wilde ik dat het altijd donker was in huis, ik denk dat dat kwam omdat ik zelf ook nogal somber was gestemd.

Ik denk dat dit incident er de oorzaak van was dat Jackie me een beetje zat werd. Er waren veel vrouwen die me opbelden. En Marguerite woonde in een appartement boven mij en kwam meestal naar beneden om het huishouden te doen, als Jackie met me meeging op tournee. Ik heb bijna drie maanden in bed gelegen en toen ik thuiskwam, moest ik een poos op krukken lopen en dat verziekte die slechte heup nog meer.

Toen ik uit het ziekenhuis kwam, liet Jackie me zweren dat ik van de drugs af zou blijven en dat heb ik dan ook heel even gedaan. Toen begon de genotzucht weer aan me te knagen. Op een dag had ze me buiten op de patio in de achtertuin gelegd. Het was een mooie herfstdag, niet te koud, maar ook niet al te warm. Ik sliep in zo'n ziekenhuisbed, waarin ik m'n benen omhoog kon doen en kon laten zakken. Als het buiten lekker weer was, sliep Jackie in een bed naast me in de tuin. 's Nachts gingen we natuurlijk naar binnen om te slapen. Op die dag lagen we in de tuin te rusten en m'n zus Dorothy lag boven in huis te slapen. Ineens moest en zou ik cocaïne hebben. Ik ben op m'n krukken overeind gekomen en belde een vriend, die me kwam halen om te gaan 'scoren'. Toen dat gelukt was en ik weer thuiskwam, waren Jackie en mijn zus allebei hysterisch, omdat ze wel dachten dat ik drugs was gaan kopen. Ze waren allebei echt ontzettend kwaad. Maar Dorothy bleef bij me, omdat ze mijn zus is. Jackie ging terug naar haar appartement, dat ze nooit had opgezegd en gooide de hoorn van de haak, omdat ze niet met me wilde praten. Toen ik haar eindelijk aan de lijn kreeg en vroeg of ze terug wilde komen, zei ze nee. En als Jackie 'nee' zei, dan bedoelde ze ook 'nee'. Ik wist dat het afgelopen was en er is nog nooit een klootzak geweest, die meer spijt heeft gehad dan ik toen. Ik had haar een ring gegeven die ik van mijn moeder had gekregen. Ik stuurde Dorothy bij haar langs om mijn moeders ring op te halen. Jackie had altijd tegen me gezegd wat ik wel en niet kon doen. Zonder haar schoof mijn leven de komende twee jaar langzaam het duister in. Vanaf toen was het 'Coke Around the Clock', zonder dat ik er maar één keer mee ophield en het leed was niet meer te overzien. Ik ging een tijdje uit met een vrouw die Sherry 'Peaches' Brewer heette. Zij was ook een mooie vrouw. Ze was naar New York gekomen om met Pearl Bailey en Cab Calloway in de Broadway musical *Hello Dolly* te spelen. We gingen samen uit en ze was een heel aardige vrouw, een heel goede actrice. Daarna ging ik uit met een fotomodel en zij heette Sheila Anderson, alweer een lange vrouw die er fantastisch uitzag. Maar ik raakte steeds meer in mezelf gekeerd.

Omstreeks die tijd verdiende ik ongeveer een half miljoen dollar per jaar, maar ik gaf ook een hoop geld uit aan de dingen waar ik mee bezig was. Ik gaf veel uit aan cocaïne. Na dat auto-ongeluk wilde het allemaal niet meer zo vlotten.

Columbia bracht *On the Corner* in 1972 uit, maar promoten was er niet bij, dus de plaat liep minder goed dan we allemaal hadden gedacht. Het was de bedoeling dat jonge zwarte mensen die muziek zouden horen, maar ze deden net alsof het weer een gewone jazzplaat was en zo adverteerden ze er ook voor, draaiden hem voortdurend op de jazzradiozenders. Zwarte jongelui luisteren niet naar die zenders; ze luisteren naar de rhythm & blueszenders en naar sommige rockzenders. Columbia bracht hem op de markt voor die 'old-time' jazzliefhebbers, die het toch al niet mooi vonden waar ik nu mee bezig was. Om 'm voor die mensen op de radio te draaien, was gewoon tijdverspilling; ze wilden m'n ouwe muziek, die ik niet meer speelde, horen. Ze vonden *On the Corner* dus niet mooi, maar dat had ik ook niet verwacht, ik had hem ook niet voor hen gemaakt. Dat veroorzaakte dus weer een bron van irritatie tussen mij en Columbia en de moeilijkheden begonnen zich toen echt op te stapelen. Een jaar later, toen Herbie Hancock z'n plaat *Headhunters* uitbracht en die in de jonge zwarte gemeenschap als warme broodjes over de toonbank ging, zei iedereen bij Columbia: 'Oh, bedoelde Miles dat!' Maar toen was het voor *On the Corner* al te laat en hoe meer ik naar de verkoopcijfers van *Headhunters* keek, des te nijdiger ik werd.

Terwijl ik van mijn auto-ongeluk herstelde, bestudeerde ik nog veel meer ideeën die Stockhausen over muziek had. Ik kon me steeds meer vinden in de gedachtengang dat een concert een proces is. Ik had altijd al cirkelvormig gecomponeerd en door Stockhausen realiseerde ik me dat ik nooit meer van de ene acht maten naar de andere acht maten wilde spelen, want ik maak nooit een eind aan mijn composities, ze gaan gewoon door. Er waren toen mensen die vonden dat ik te veel wilde proberen, te veel nieuwe dingen in één keer. Ze vonden dat ik het hier maar bij moest laten, niet verder moest groeien, op moest houden met andere dingen proberen. Maar zo werkt het bij mij niet. In 1973 was ik 47 jaar oud, moest ik daarom maar in een schommelstoel gaan zitten en ophouden met nadenken over de vraag hoe ik interessante dingen kon blijven doen? Als ik mezelf wilde blijven beschouwen als een *scheppend* kunstenaar, dan moest ik doorgaan met waar ik mee bezig was.

Dankzij Stockhausen begreep ik dat muziek een proces van weghalen en toevoegen was. Net zoals 'ja' alleen maar iets betekent nadat je 'nee' hebt gezegd. Veel van mijn experimenten kwamen er bijvoorbeeld op neer dat ik tegen de band zei dat ze een ritme moesten spelen, dat vast moesten houden en niet moesten reageren op wat er verder gebeurde; reageren doe *ik* wel. Eigenlijk was ik de lead-zanger van m'n band geworden en daar had ik wel recht op, dacht ik zo. Ik kreeg het lazarus van de recensenten; ze zeiden dat ik het niet meer kon, dat ik jong wilde zijn, dat ik niet wist waar ik mee bezig was, dat ik een tweede Jimi Hendrix of Sly Stone of James Brown wilde zijn. Door de komst van Mtume Heath en Pete Cosey werden de meeste banden met Europa doorgesneden. In de band begon toen de diepgewortelde Afrikaanse traditie vaste vormen aan te nemen, een diepe Afro-Amerikaanse 'groove', met veel nadruk op de drums en het ritme en zonder individuele solo's. Vanaf het moment dat Jimi Hendrix en ik het goed met elkaar konden vinden, heb ik zijn sound willen hebben, omdat de gitaar je tot diep in de blues kan voeren. Maar omdat ik Jimi of B.B. King niet kon krijgen, moest ik maar tevreden zijn met iets minder goede gitaristen en in die tijd waren ze meestal blank. Blanke gitaristen – dat wil zeggen de meesten – kunnen niet zo goed rhythm-gitaar spelen als die zwarte jongens, maar ik kon geen zwarte gozer vinden die zo speelde als ik wilde en niet al een eigen band had. (En zo bleef het tot ik mijn huidige gitarist Foley McCreary vond.) Ik heb het met Reggie Lucas geprobeerd (hij is nu een groot platenproducent, die de platen van Madonna produceert), Pete Cosey (die het spel van Jimi en van Muddy Waters benaderde) en een Afrikaanse jongen, die Dominique Gaumont heette.

Ik onderzocht met deze band de mogelijkheden van één akkoord, één akkoord per liedje, om te proberen of iedereen zoiets simpels als ritme onder de knie kon krijgen. We namen dan bijvoorbeeld een akkoord en daar probeerden we dan, met variaties, tegenritmes en nog meer van dat soort dingen, vijf minuten iets leuks mee te doen. Stel dat Al Foster een vierkwartsmaat speelt, dan zou Mtume misschien een zesachtste of zevenkwartsmaat spelen en de gitarist speelt misschien een slagpartij in weer een andere maatsoort, of misschien een totaal ander ritme. We speelden dus een hoop intrinsieke shit op dat ene akkoord. Maar muziek is heel wiskundig, wist je dat? Tellen om de maat te houden, dat soort shit dus. En daar speelde ik dan overheen, onderlangs en doorheen en de piano en bas zaten weer op een ander spoor. Iedereen moest alert zijn op wat de anderen deden. In die periode zorgde Pete voor de Jimi Hendrix en Muddy Waters sound die ik wilde hebben en Dominique zorgde voor dat Afrikaanse ritmegedoe. Ik denk dat het een goeie band zou zijn geworden, als we bij elkaar waren gebleven, maar dat was niet het geval. M'n gezondheid liet te veel te wensen over.

In 1974 overwoog ik serieus om me uit de muziek terug te trekken. Ik was in São Paulo in Brazilië en ik had nogal wat wodka gedronken en ik had ook marihuana gerookt, iets wat ik nooit doe, maar ik had het zo geweldig naar m'n zin en ze hadden me verteld dat het prima spul was. Bovendien had ik nog wat Percodan en een heleboel coke genomen. Toen ik terug was in m'n hotelkamer, dacht ik dat ik een hartaanval kreeg. Ik heb de receptie gebeld en die stuurden een dokter naar boven en die liet me in het ziekenhuis opnemen. Ze hadden slangetjes in m'n neus gestopt en ik werd intraveneus gevoed. De band was bang, iedereen dacht dat ik dood zou gaan. Ik dacht bij mezelf: Nou, dat was het dan. Maar ik heb het toen overleefd. Jim Rose, m'n roadmanager, zei tegen iedereen dat ik waarschijnlijk alleen maar hartkloppingen had gekregen van alle drugs die ik had geslikt en dat ik de volgende dag wel weer in orde zou zijn, en dat was ook zo. Ze moesten het concert van die avond afgelasten en het verplaatsen naar de volgende avond. Ik heb gespeeld en iedereen ging uit z'n bol, zo goed speelde ik.

Ze konden het gewoon niet geloven. De ene dag had ik de dood in de ogen gekeken en een dag later speelde ik de kloten van m'n reet. Ik denk dat ze net zo naar me hebben gekeken zoals ik altijd naar Bird keek: in totale verbijstering. Zó ontstaan dus legendes. Maar ik heb de beest uitgehangen met al die mooie vrouwen in Brazilië. Ik verzoop in de lijven en ik vond ze fantastisch in bed. Ze waren gek op vrijen.

Toen we terugkwamen uit Brazilië begonnen we samen met Herbie Hancocks groep een tournee door de Verenigde Staten. Herbie had een hit-lp en hij was heel erg populair bij de zwarte jongelui. We zouden in zijn voorprogramma spelen. Diep in mijn hart was ik daar pisnijdig om. Toen we op de Hofstra University op Long Island in New York speelden, kwam Herbie – die één van de aardigste mensen van de wereld is en ik ben dol op hem – even naar m'n kleedkamer om gedag te zeggen. Ik zei dat hij niet in de band zat en dat de kleedkamer verboden terrein was voor iedereen die niet in de band zat. Toen ik er later over nadacht, realiseerde ik me dat ik gewoon kwaad was dat ik bij één van mijn ex-sidemen in het voorprogramma speelde. Maar Herbie begreep het en we hebben het later weer recht gezet.

Ik speelde overal met Herbie en iedereen was kapot van ons. De meeste zalen zaten vol met jonge zwarte mensen en dat was goed. Dat was precies wat ik had gewild en nu was het eindelijk zo ver gekomen. Mijn band begon nu heel hecht en swingend te worden. Maar met m'n heup ging het helemaal fout en het versterkt spelen begon ik ook zat te worden. Ik begon gewoon overal beroerd van te worden en om het allemaal nog erger te maken, was ik lichamelijk ook nog ziek.

We speelden in New York en in een hoop andere steden. Toen ging ik voor een concert naar St. Louis en Irene, de moeder van mijn kinderen, verscheen ineens op het feestje dat we na afloop hielden. Ze begon me in het bijzijn van familie, vrienden en musici zo maar af te katten. Ik kreeg er tranen van in m'n ogen. Ik herinner me nog goed hoe iedereen keek, alsof ze verwachtten dat ik Irene tegen de grond zou slaan. Maar dat kon ik niet doen, omdat ik wist waar de pijn vandaan kwam; onze zoons waren mislukt en dat verweet ze mij. Hoewel het gênant was om het op deze manier te horen te krijgen, wist ik dat sommige dingen die ze zei waar waren. Ik huilde omdat ik wist dat ik in veel gevallen schuld moest bekennen. Het was een pijnlijke ervaring.

Vlak nadat ik Irene in St. Louis had ontmoet, stortte ik in en brachten ze mij in vliegende vaart naar het Homer G. Philips Hospital. Ik had een ernstige maagbloeding en dr. Weathers, een vriend van mij, heeft me weer opgelapt. Het kwam door het drinken en de pillen, drugs en al die andere rotzooi. Ik had al een tijdje veel bloed opgegeven, maar daar had ik tot ik in St. Louis kwam niet zoveel aandacht aan geschonken. Ik had al zo vaak in het ziekenhuis gelegen, dat het bijna routine was geworden. Ik had nog maar net knobbeltjes van m'n strottehoofd laten verwijderen. Nu lag ik weer in het ziekenhuis. We hadden de volgende dag eigenlijk in Chicago moeten spelen, dus dat moesten we annuleren.

Toen al die concerten met Herbie waren afgelopen en ik in de zomer van 1975 weer terug was in New York, overwoog ik serieus om ermee op te houden. Ik speelde op het Newport Festival van 1975 en daarna speelde ik op het Schaefer Music Festival in Central Park. Toen voelde ik me zo ziek, dat ik een concert in Miami af moest gelasten. Toen ik de zaak afzei, waren de muzikanten en de spullen er al en hebben de promotors van het concert beslag gelegd op de geluidsinstallatie en ze probeerden ons voor de rechter te dagen. Meteen hierna besloot ik er mee op te houden. De band bestond toen uit Al Foster drums, Pete Cosey gitaar, Reggie Lucas gitaar, Michael Henderson bas, Sam Morrison (die net Sonny Fortune had vervangen) saxofoon en Mtume percussie. Ik speelde zelf ook keyboards.

Ik ben voornamelijk om gezondheidsredenen gestopt, maar ook omdat ik geestelijk moe was van alle bullshit die ik al die jaren had meegemaakt. Artistiek gezien was ik volkomen leeg, op. Ik had muzikaal gesproken niets meer te melden. Ik wist dat ik een rustpauze nodig had en die heb ik genomen, voor het eerst sinds ik beroepsmuzikant was. Ik dacht dat als ik lichamelijk een beetje op zou knappen, ik me geestelijk ook wel weer wat beter zou voelen. Ik was het spuugzat om van het ene ziekenhuis naar het andere te verhuizen, van het ene podium naar het andere te hobbelen. Ik begon medelijden te zien in de ogen van de mensen als ze naar me keken en dat had ik niet meer bespeurd sinds ik een junk was. Dat wilde ik niet. Ik liet mijn grootste liefde – muziek – in de steek, totdat ik alles weer op een rijtje kon krijgen.

Ik dacht dat ik er misschien een halfjaartje tussen uit zou gaan, maar hoe langer ik weg was, des te groter de onzekerheid werd of ik überhaupt nog wel terug zou komen. En hoe langer ik wegbleef, des te dieper ik in een andere duistere wereld wegzakte, een wereld die bijna zo duister was als het gat waar ik uitklauterde toen ik junk was. Ook nu was de weg naar gezond verstand en verlichting weer lang en pijnlijk. Uiteindelijk zou het bijna zes jaar duren en zelfs toen had ik zo m'n twijfels of ik nog wel helemaal terug zou kunnen komen.

## 16

Van 1975 tot begin 1980 raakte ik mijn trompet niet aan; meer dan vier jaar raakte ik hem niet één keer aan. Dan liep ik erlangs en keek ernaar en dan overwoog ik even of ik zou spelen. Maar na een tijdje deed ik zelfs dat niet meer. De muziek verdween gewoon uit mijn gedachten omdat ik het druk had met andere dingen; andere dingen die meestal niet goed voor me waren. Maar ik deed ze toch en nu ik erop terugkijk, heb ik daar geen enkele spijt van.

Ik was aan één stuk door met muziek bezig geweest sinds mijn twaalfde of mijn dertiende. Het was het enige waar ik aan denken kon, het enige waarvoor ik leefde, het enige waar ik onvoorwaardelijk van hield. Ik was er 36 of 37 opeenvolgende jaren bezeten van geweest en op mijn 49ste moest ik ervan loskomen, had ik een ander perspectief nodig voor alles wat ik deed om een nieuwe start te maken en mijn leven weer op de rails te krijgen. Ik wilde muziek maken, maar andere muziek dan ik vroeger had gemaakt en ik wilde ook *altijd* in grote zalen spelen in plaats van in kleine jazzclubs. Zoals het er nu voor stond, had ik genoeg van spelen in kleine jazzclubs want mijn muziek en wat daarvoor nodig was, waren die ontgroeid.

Mijn gezondheid was ook een factor die meespeelde; het werd steeds moeilijker voor me om zoals voorheen voortdurend te spelen, want mijn heup werd er niet beter op. Ik vond het vreselijk om zo over het podium te moeten strompelen, met al die pijn en die drugs. Het was één en al ellende. Ik ben trots op mezelf en hoe ik eruitzie, hoe ik mezelf presenteer. Dus ik ergerde me aan mijn lichamelijke toestand en ik hield er niet van als mensen met al dat medelijden naar me keken. Man, ik kon dat niet uitstaan.

Ik kon geen twee weken in een club spelen zonder naar het ziekenhuis te moeten. Zoveel drinken, voortdurend snuiven en de hele nacht neuken. Je kunt dat niet allemaal doen en dan ook nog eens muziek maken op de manier zoals je dat wilt. Je doet het één of het ander. Artie Shaw zei eens tegen me: 'Miles, dat derde optreden kan niet vanuit je bed.' Wat hij bedoelde was dat als je twee avondvullende concerten had gedaan en al het andere daarnaast, dat je dan het derde avondvullende concert vanaf je bed zal moeten spelen, want dan ben je kapot. Na een tijdje is al dat neuken niets meer dan tieten en konten en kut. Na een tijdje zit er geen gevoel meer bij, omdat ik zoveel gevoel in mijn muziek stop. Ik werd alleen maar niet straalbezopen, omdat als ik speelde al die troep uit mijn poriën naar buiten kwam. Ik werd nooit dronken als ik veel dronk, maar de volgende dag gaf ik om precies twaalf uur over. Tony Williams kwam 's morgens altijd even langs en om vijf voor twaalf zei hij dan: 'Goed, Miles, je hebt nog precies vijf minuten voor je moet overgeven.' En dan ging hij de kamer uit en ik ging precies om twaalf uur naar de badkamer en gaf over.

Dan was er nog de zakelijke kant van de muziekindustrie, die erg hard en veeleisend en racistisch is. Ik hield niet van de manier waarop ik behandeld werd door Columbia en door de eigenaars van de jazzclubs. Omdat ze je een beetje geld geven, behandelen ze je als een slaaf, zeker als je zwart bent. Al hun blanke sterren behandelden ze vorstelijk, en dat gezeik haatte ik, met name omdat ze al hun troep van zwarte muziek stalen en zwart probeerden te klinken. Platenmaatschappijen bevoordeelden hun blanke rotzooi boven alle zwarte muziek en ze *wisten* dat ze 't van zwarte mensen gestolen hadden. Maar dat kon hen niet schelen. Het enige waarin de platenmaatschappijen toen geïnteresseerd waren, was veel geld verdienen en hun zogenaamde 'zwarte sterren' op de muziekplantage houden, zodat hun 'blanke sterren' ons konden uitbuiten. Dat maakte me allemaal nog zieker dan ik fysiek al was, maakte me geestelijk ziek, en dus hield ik het gewoon voor gezien.

Ik had mijn geld behoorlijk goed belegd en Columbia betaalde me nog een paar jaar door toen ik uit de muziekindustrie weg was. We hadden een overeenkomst waarbij ik aan het label verbonden bleef en zo kreeg ik nog wat geld uit royalty's. In de jaren zeventig had ik een contract met Columbia van meer dan een miljoen dollar voor het maken van platen, plus royalty's. En dan had ik nog een paar rijke blanke dames die ervoor zorgden dat ik niet om geld verlegen zat. In die vier of vijf jaar dat ik me niet met muziek bemoeide, gebruikte ik veel cocaïne (een tijdje ongeveer voor $500 per dag) en neukte alle vrouwen die ik mijn huis binnen kon krijgen. Ik was ook verslaafd aan pillen, zoals Percodan en Seconal, en ik dronk veel Heineken pils en cognac. Ik snoof coke meestal, maar soms spoot ik coke en heroïne in mijn been; dat heet een *speedball* en zo kwam John Belushi aan zijn eind. Ik ging niet vaak meer uit, maar als ik het deed, ging ik meestal naar nachtkroegen in Harlem, waar ik high werd en voor het moment leefde.

Opruimen en het huis schoonhouden is niet mijn sterkste kant, omdat ik dat allemaal nooit heb hoeven doen. Toen ik jong was, deed of mijn moeder of mijn zus Dorothy dat en later had mijn vader een huishoudster. Voor mijn eigen lichaam heb ik altijd goed gezorgd, maar dat andere gedoe heb ik nooit geleerd en eerlijk gezegd had ik ook niet de minste behoefte om het te leren.

Toen ik alleen ging wonen, nadat het mis was gegaan met Frances, Cicely, Betty, Marguerite en Jackie, kwamen de huishoudsters die ik had, algauw niet meer, vermoedelijk omdat ik zo de beest uithing. Ze waren waarschijnlijk bang om alleen met me te zijn. Ik had af en toe weleens een huishoudster, maar die hield ik nooit lang, want het opruimen van mijn troep was erg tijdrovend. Het huis was een ravage, overal kleren, vuile borden in de goot-steen, kranten en tijdschriften op de grond, overal bierflessen en afval en rommel. De kakkerlakken hadden een gouden tijd. Soms haalde ik er eens iemand bij of ruimde een van mijn vriendinnen op, maar meestal was het huis smerig en echt donker en somber, als een kerker. Het kon me geen moer schelen, het viel me niet eens op, behalve op die zeer spaarzame ogenblikken dat ik nuchter was.

Ik werd een kluizenaar, ging nauwelijks nog naar buiten. Mijn enige contact met de buitenwereld was meestal de televisie – die aldoor aanstond – en kranten en tijd-schriften. Soms hoorde ik iets van een paar oude vrien-den, die kwamen kijken hoe het met me was, zoals Max Roach, Jack DeJohnette, Jackie Battle, Al Foster, Gil Evans (Gil en Al zag ik het meest), Dizzy Gillespie, Her-bie Hancock, Ron Carter, Tony Williams, Philly Joe Jones, Richard Pryor en Cicely Tyson. Ik werd door hen goed op de hoogte gehouden, maar soms liet ik ze niet eens binnen.

In deze periode veranderde ik weer van manager. Ik nam Mark Rothbaum aan, die een tijdje voor mijn vori-ge manager Neil Reshen had gewerkt en daarna manager van Willie Nelson was geworden. Mijn roadmanager, Jim Rose, kwam veel langs. Maar degene die er na een tijdje het meest was en die dingen voor me deed, was een jonge zwarte, Eric Engles, die ik via zijn moeder kende. Eric was meestal bij me in die stille jaren. Als ik niet voor mezelf kookte en een van mijn vriendinnen dat ook niet deed, dan ging Eric in the Cellar, de zaak van mijn vriend Howard Johnson, wat gebraden kip voor me halen. Het was goed dat ik Eric had, want in die tijd kwam ik soms in geen zes maanden of nog wel langer mijn huis niet uit.

Als mijn oude vrienden me opzochten om te zien hoe het met me ging, waren ze geschokt. Maar ze zeiden niets, vermoedelijk omdat ze dachten dat als ze dat wel zouden doen, ik ze de deur uit zou zetten, wat ik ook zou hebben gedaan. Na een tijdje kwamen veel van mijn oude muziekvrienden niet meer, want vaak liet ik ze niet eens binnen. Ze kregen genoeg van dat gezeik, dus kwamen ze gewoon niet meer. Toen al die geruchten naar buiten doordrongen dat ik zoveel drugs gebruikte, pakten ze hun biezen omdat ik dat óók deed. De plaats die muziek altijd had gehad in mijn leven werd nu ingenomen door seks en drugs en aan allebei wijdde ik me 24 uur per dag.

Ik had zoveel verschillende vrouwen in die tijd dat ik de tel ben kwijtgeraakt en me zelfs hun namen niet meer kan herinneren.

Als ik ze vandaag tegenkwam op straat, zou ik er veel vermoedelijk niet eens herkennen. Ze bleven een nacht en de volgende dag waren ze weer weg en dat was dat. De meesten kan ik me alleen nog maar vaag herinneren. Aan het eind van mijn stille periode kwam Cicely Tyson terug in mijn liefdesleven, al was ze altijd een vriendin gebleven en zag ik haar van tijd tot tijd. Jackie Battle kwam poolshoogte nemen, maar we waren geen geliefden meer, alleen maar heel goede vrienden.

Ik hield van wat sommige mensen perverse seks zouden noemen, ik bedoel, af en toe vrijen met meer dan één vrouw. Of soms keek ik naar ze als ze zichzelf zaten klaar te maken. Ik genoot ervan, daar ga ik niet over liegen. Het wond me op – en in die periode was ik in voor alles dat me opwond. Nu weet ik wel dat mensen die dit lezen, waarschijnlijk zullen denken dat ik vrouwen haatte of gek was of allebei. Maar ik haatte vrouwen niet; ik hield van ze, waarschijnlijk te veel. Ik hield ervan om bij ze te zijn – en dat doe ik nog steeds – en dingen met ze te doen die een hoop mannen stiekem ook wel zouden willen doen met een hele hoop mooie vrouwen. Voor die mannen is het een droom, alleen maar een soort fantasie, maar ik heb dat in het echt meegemaakt. Ook veel vrouwen willen al dat soort dingen, zoals in bed liggen met meerdere knappe mannen of vrouwen – en alles doen waarover ze ooit in hun geheime dromen gefantaseerd hebben. Ik deed alleen maar wat mijn fantasie me ingaf om mijn diepste verlangens te vervullen en verder niets. Ik deed het niet in het openbaar en berokkende er niemand kwaad mee en de vrouwen met wie ik het deed, hielden er evenveel of meer van dan ik.

Ik weet dat het onderwerp waar ik het over heb, wordt afgekeurd in zo'n seksueel conservatief land als de Verenigde Staten. Ik weet dat de meeste mensen dit allemaal als een zonde tegenover God beschouwen. Maar ik zie het niet op die manier. Ik leefde erop los en ik heb er nooit spijt van gehad. En ik voel me er ook niet schuldig over. Ik wil wel toegeven dat zoveel cocaïne gebruiken als ik deed er waarschijnlijk wel iets mee te maken had, want als je goede cocaïne snuift moet je lustgevoel bevredigd worden. Na een tijdje werd het allemaal routine en saai, maar pas toen ik verzadigd was.

Veel mensen dachten dat ik gek geworden was, of dat het niet veel scheelde. Zelfs mijn familie had haar twijfels. De relatie met mijn zoons – die toch al nooit was wat het had moeten zijn – bereikte een dieptepunt in deze tijd, vooral met Gregory, die zichzelf nu Rahman noemde. Hij deed me voortdurend verdriet, werd gearresteerd, was bij ongelukken betrokken en was over het geheel genomen een nagel aan mijn doodskist. Ik weet dat hij van me hield en eigenlijk wilde zijn zoals ik. Hij probeerde altijd trompet te spelen, maar hij speelde zo slecht dat het niet om aan te horen was en ik naar 'm schreeuwde dat hij op moest houden. Hij en ik hadden vaak ruzie en ik weet dat hij de manier waarop ik drugs gebruikte niet had moeten zien. Ik weet dat ik geen goede vader was, maar dat was ook niets voor mij, nooit geweest.

In 1978 kwam ik in de gevangenis terecht omdat ik geen alimentatie betaalde. Deze keer was het Marguerite die me daar deed belanden, omdat ik haar geen geld gaf voor Erin. Het kostte me $10 000 om eruit te komen en sindsdien heb ik geprobeerd die plicht in mijn leven niet te verwaarlozen. De laatste paar jaar woont Erin bij me en reist hij met me mee, dus nu ben ik helemaal voor hem verantwoordelijk.

Als ik geen coke had was ik kortaangebonden en werkten de dingen me gewoon op mijn zenuwen. Ik kon daar niet tegen. In zo'n periode luisterde ik niet naar muziek en las ik ook niets. Dus ik snoof coke, kreeg daar genoeg van omdat ik wilde slapen en nam dan maar een slaappil. Maar zelfs dan kon ik nog niet slapen en ging dan om vier uur 's morgens de deur uit en schuimde de straten af als een weerwolf of als Dracula. Ik ging naar een nachtkroeg, snoof nog meer coke en werd moe van al die simpele klootzakken die daar rondhangen. Dus ik ging weg, kwam thuis met een wijf, snoof wat, nam een slaappil.

Ik stuiterde gewoon op en neer. Vier mensen deden dat, want omdat ik Tweelingen ben, ben ik altijd al met z'n tweeën. Twee mensen zonder coke en nog eens twee met. Ik was vier verschillende mensen; twee van hen hadden een geweten en twee niet. Dan keek ik in de spiegel en dan zag ik die hele klotefilm, een griezelfilm. In de spiegel zag ik allevier die gezichten. Ik hallucineerde aan één stuk door. Zag dingen die er niet waren, hoorde gelul dat er niet was. Vier dagen zonder slaap en met al die drugs doen dat met je.

Ik heb maffe dingen gedaan indertijd, te veel maffe dingen om op te schrijven. Maar ik zal je er een paar vertellen. Ik herinner me een dag dat ik echt paranoïde was van het snuiven en altijd maar wakker blijven. Ik reed in mijn Ferrari over West End Avenue en kwam die agenten tegen in een politiewagen. Ze kenden mij – ze kenden me allemaal in mijn buurt – dus ze zeiden iets tegen me. Toen ik twee huizenblokken verder was, ik ging ik over de rooie en dacht dat het een valstrik was, dat ze me wilden betrappen met drugs. Ik keek in het vakje in de deur en zag dat witte poeder. Ik nam nooit coke mee naar buiten. Het was winter en het sneeuwde en er was wat sneeuw in de auto gekomen. Maar dat realiseerde ik me niet; ik dacht dat het wat coke was die iemand in de auto had verstopt alleen maar om mij te kunnen arresteren. Ik raakte in paniek, stopte de auto midden op straat, rende een gebouw in op West End Avenue, zocht de conciërge, maar die was er niet. Ik rende de lift in en ging omhoog naar de zevende verdieping en verstopte me in het rommelhok. Ik zat uren daarboven, met mijn Ferrari midden op West End Avenue geparkeerd met de sleutels erin. Na een tijdje kwam ik bij mijn positieven. De auto stond nog waar ik hem had achtergelaten.

Een andere keer deed ik precies hetzelfde, maar toen stond er een vrouw in de lift. Ik dacht dat ik nog in mijn Ferrari zat, dus ik zei, 'Wat doe je verdomme in mijn auto, wijf!' En toen sloeg ik haar en rende het gebouw uit. Dat soort lijpe, zieke dingen ga je doen door het gebruiken van een hoop drugs. Zij belde de politie en die arresteerden me en borgen me een paar dagen op in de psychiatrische afdeling van het Roosevelt ziekenhuis voor ze me lieten gaan.

Nog weer een andere keer had ik een blanke vrouw als dealer en soms – als er niemand bij me was – rende ik naar haar huis om wat coke te halen. Ik had een keer geen geld, dus vroeg ik haar of ik het later mocht betalen. Ik had haar altijd betaald en ik kocht een hoop spul van haar, maar ze zei, 'Geen geld, geen cocaïne, Miles.' Ik probeerde haar om te praten, maar ze was onvermurwbaar. Op dat moment belt de conciërge en die vertelt haar dat haar vriend naar boven komt. Dus ik vraag het haar nog een keer, maar ze doet het niet. Dus ik ga op haar bed liggen en begin mijn kleren uit te doen. Ik weet dat haar vriend weet dat ik de reputatie heb dat ik er wat van kan met de dames, dus wat zal die denken als hij me zo op haar bed ziet liggen? Nu smeekt ze me dus om weg te gaan, snap je? Maar ik lig daar met mijn lul in de ene hand en de andere uitgestrekt naar de dope en ik grijns ook nog, want ik weet dat ze 't me gaat geven en dat doet ze ook. Ze schold me uit voor klootzak toen ik naar buiten liep en toen de lift openging en haar vriend langs me liep, keek hij me een beetje raar aan, weet je, op de manier van: 'Is deze neger bij mijn vrouw geweest?' Daarna ben ik nooit meer naar haar toe gegaan.

Na een tijdje werd dit gedoe vervelend. Ik werd het zat om altijd opgefokt te zijn. Als je zo high bent de hele tijd, beginnen mensen van je te profiteren. Ik dacht nooit aan doodgaan, zoals ik over anderen hoor die veel coke snuiven. Niemand van mijn oude vrienden zocht me nog op, behalve Max en Dizzy, die af en toe eens kwamen kijken hoe het met me ging. Toen begon ik die jongens te missen, de oude vrienden, de tijden van vroeger, de muziek die we toen speelden. Op een dag zette ik allemaal foto's door het hele huis heen van Bird, Trane, Dizzy, Max, mijn oude vrienden.

Rond 1978 begon George Butler, die vroeger bij Blue Note Records gewerkt had, maar nu bij Columbia zat, te bellen en langs te komen. Er waren dingen veranderd bij Columbia sinds ik was weggegaan. Clive Davis zat er niet meer. Het bedrijf werd nu geleid door Walter Yetnikoff, en Bruce Lundvall was de baas van de zogenaamde jazz-tak van het bedrijf. Er waren nog steeds wat bekende mensen die er al waren toen ik vertrok, zoals Teo Macero en een paar anderen. Toen George hen vertelde dat hij graag wilde proberen mij te overreden om weer platen te maken, zeiden de meesten van hen dat dat geen zin had. Ze geloofden niet dat ik ooit nog zou spelen. Maar George nam zich voor mij over te halen om terug te ko-men. Het was niet gemakkelijk voor hem. In het begin kon het me zo weinig schelen wat hij zei, dat hij gedacht moet hebben dat ik het nooit zou doen. Maar hij was zo verdomd vasthoudend en zo aardig als hij langskwam of belde en met me praatte door de telefoon. Soms zaten we gewoon wat televisie te kijken en zeiden niets tegen el-kaar.

Hij was niet bepaald het type waar ik al die jaren mee had opgetrokken. George is conservatief en gepromo-veerd in muziek. Hij was een academisch type, gereser-veerd, relaxed. Maar hij was zwart en leek eerlijk en hield echt van de muziek die ik vroeger gemaakt had.

Soms zaten we te praten en dan kregen we het over wanneer ik weer zou gaan spelen. Eerst wilde ik daar niet over praten, maar hoe vaker hij kwam, hoe meer ik er-over begon te denken. En toen begon ik op een dag een beetje te rotzooien op de piano, oefende wat vingerzet-tingen voor akkoorden. Het voelde goed! Dus begon ik meer en meer weer over muziek na te denken. Rond die-zelfde tijd begon Cicely Tyson weer bij me langs te ko-men. Ze had deze hele episode wel contact gehouden, maar nu begon ze vaker te komen. We hadden een echt hechte geestelijke band. Het lijkt of ze weet wanneer het niet goed met me gaat, wanneer ik ziek ben en me rot voel. Telkens als ik ziek werd, kwam ze eraan, omdat ze kon voelen dat er iets fout met me zat. Zelfs toen ze die keer op me schoten in Brooklyn, zei ze dat ze wist dat er iets met me was gebeurd. Ik zei altijd tegen mezelf dat als ik ooit nog met iemand zou trouwen na Betty, dat het dan Cicely zou zijn. Ze begon gewoon langs te komen en ik hield op met al die andere vrouwen. Ze hielp me al die mensen mijn huis uit te werken; ze beschermde me zo'n beetje en begon erop te letten dat ik de goede dingen at en niet zoveel dronk: Ze hielp me van de cocaïne af. Ze maakte gezond eten voor me klaar, veel groente en veel vruchtensap. Ze raadde me acupunctuur aan om te helpen mijn heup weer in orde te krijgen. Plotseling begon ik helderder te denken en toen begon ik ook echt weer over muziek na te denken.

Cicely hielp me ook inzien dat ik een tot verslaving geneigde natuur had en dat ik nooit meer gewoon een sociale gebruiker van drugs kon zijn. Dat zag ik in, maar ik nam nog steeds af en toe een snuif of twee. Ik had het al een heel stuk teruggebracht met haar hulp. Ik begon rum-cola te drinken in plaats van cognac, maar de Heinekens bleven nog een tijdje. Cicely hielp me zelfs van de sigaretten af; ze leerde me inzien dat dat ook een drug was. Ze zei dat ze er niet van hield om me te kussen met al die sigarettensmaak in mijn mond. Ze zei dat ze me niet meer zou kussen als ik niet stopte, dus dat deed ik.

Een andere belangrijke reden dat ik in de muziek terugkwam was vanwege mijn neef Vincent Wilburn, de zoon van mijn zus. Ik had Vincent een drumstel gegeven toen hij een jaar of zeven was en hij werd er verliefd op. Toen hij zowat negen was liet ik hem een keer toen we in Chicago speelden, een nummer meespelen met mij en de band. Toen al klonk hij heel goed voor zijn leeftijd. Nadat hij de middelbare school had afgemaakt, ging hij naar het muziekconservatorium in Chicago. Hij was dus het grootste deel van zijn leven serieus met muziek bezig. Dorothy klaagde weleens over hem en zijn vrienden die altijd beneden in de kelder zaten te spelen. Ik zei dat ze hem met rust moest laten, want ik was vroeger net zo. Eens in de zoveel tijd belde ik op en dan speelde hij iets voor me door de telefoon. Hij kon op ieder moment spelen. En dan gaf ik hem raad, vertelde hem wat wel en wat niet te doen. Toen ik vervolgens die vier jaar of zo niet speelde, kwam Vincent in New York vaak bij mij logeren. Hij was me altijd maar aan het vragen iets voor hem te spelen, hem dit of dat voor te doen. Daar stond mijn hoofd indertijd niet naar, dus ik zei: 'Nou nee, Vincent, daar heb ik geen zin in.' Maar hij bleef me achtervolgen. 'Oom Miles', – hij noemde me altijd 'Oom Miles', zelfs toen hij in mijn band zat – 'waarom speel je niet wat?' Soms werkte hij op mijn zenuwen met dat gezeur. Hij drong me altijd muziek op als hij er was, maar toch keek ik altijd uit naar zijn bezoek.

Het was een hel om te proberen van al die drugs af te komen, maar uiteindelijk redde ik het omdat ik een erg sterke wil heb als ik me iets in mijn hoofd heb gezet. Dat hielp me overleven. Ik had het van mijn vader en moeder. Ik had mijn rustpauze gehad en een hoop plezier – en ellende en pijn – maar ik was klaar om weer muziek te maken, om te kijken wat ik had achtergelaten. Ik wist dat het er was, tenminste ik voelde dat het in me zat en nooit was weg geweest, maar ik wist het niet echt zeker. Ik had vertrouwen in mijn kunnen en mijn wil om door te gaan. In die jaren werd er zelfs beweerd dat de mensen mij vergeten waren. Sommige mensen schreven me gewoon af. Maar naar dat soort geklets heb ik nooit geluisterd.

Ik geloof echt in mezelf, in mijn vermogen om dingen te laten gebeuren in muziek. Ik denk nooit dat ik iets niet kan, zeker niet in de muziek. Ik wist dat ik mijn trompet weer op kon pakken wanneer ik maar wilde, want mijn trompet is net zo goed een deel van mij als mijn ogen en handen. Ik wist dat het een tijd zou duren om weer te komen waar ik was toen ik *echt* muziek maakte. Ik wist dat ik mijn embouchure kwijt was omdat ik zo lang niet gespeeld had. Er zou tijd voor nodig zijn om die weer op het peil te brengen van voor ik mij terugtrok. Maar voor de rest was ik er klaar voor toen ik George Butler begin 1980 belde.

## 17

Toen ik besloten had een come-back te maken en weer te gaan spelen had ik geen band. Ik wilde Al Foster op drums en Pete Cosey op gitaar. Al en ik hadden veel gepraat over het soort muziek dat ik wilde maken. Ik had het gehoord in mijn hoofd, maar nu moest ik het een band horen spelen om te weten of het echt iets was. Ik wist dat het anders moest worden dan het laatste dat ik gespeeld had, maar ik wist ook dat ik niet naar de echte oude muziek terugkon. Ik wist nog niet wie ik in mijn band wilde, want in de periode dat het zo slecht met me ging, had ik niet naar muziek geluisterd en dus wist ik niet wie beschikbaar was, of wie goed speelde. Dat was me allemaal nog een raadsel, maar ik maakte me geen zorgen, want die dingen lossen zich altijd vanzelf op. Een van de eerste dingen die ik George Butler vertelde was dat ik wat repetities wilde houden en wilde horen wat er momenteel beschikbaar was. George zou mijn producer worden bij Columbia. Ik hield het voor gezien met Teo Macero. Ik zei dat ik alleen met George wilde werken en iedereen was het daarmee eens. Daar kwam bij dat George me beloofde dat hij zich niet zou bemoeien met wat ik in de studio zou doen. Hij vertrouwde mijn muzikale oordeel en smaak. Ik vond het leuk om weer naar de studio te gaan. We spraken een datum af in het begin van de lente 1980.

Ik was nog gebonden aan een contract uit 1976, maar wilde onderhandelen over een nieuw; maar daar begonnen ze niet aan. Hoewel we een datum hadden afgesproken waarop ik de studio zou ingaan, waren er veel mensen die twijfelden of ik wel zou komen opdagen. Er waren anderen geweest die hadden geprobeerd om me weer de studio binnen te krijgen voor het een of andere project, maar na een tijdje wilde ik zelfs niet eens meer met ze praten, dus daar waren ze mee opgehouden. Voor deze mensen betekende dat mijn naam onder een contract stond, nog niet dat ik me er ook aan zou houden en zou komen. Ze zeiden dat ze wel zouden afwachten tot ik me in de studio meldde en als ze me met hun eigen ogen daar zagen, in vlees en bloed, *dan* zouden ze het geloven. Het had George bijna een jaar gekost om me over te halen om terug te komen.

Toen ik besloot mijn come-back te maken, liet George Butler me door Columbia een Yamaha vleugel sturen als cadeau; ze stuurden hem gewoon naar mijn huis in West 77th Street. Het was een prachtige piano, waar ik vaak op speelde, maar het mooie van die piano was dat ik nu in mijn band geen akoestische piano meer gebruikte. Ik had zelfs geen pianist in de band. Maar ik waardeerde het geschenk en de piano was een heerlijk instrument.

In april bracht mijn neef Vincent Wilburn zijn vrienden uit Chicago mee om met mij te spelen: Randy Hall, Robert Irving en Felton Crews. Hij bleef tot juni en nadat we op elkaar ingespeeld waren geraakt, maakten we samen *The Man with the Horn*. Vincent speelde drums op een paar nummers. Dave Liebman wees me op Bill Evans, een saxofonist die aan de sessie meedeed en later lid was van de band waarmee ik optrad. Dave was de leraar van Bill geweest en toen hij me zei dat Bill kon spelen, zei ik laat maar komen. Ik heb me altijd verlaten op muzikanten die ik respecteer, vooral als ze met mij gespeeld hebben, om andere muzikanten aan te bevelen. Ze weten wat ik wil en verwacht.

We kregen Angela Boill zover om in die sessie achtergrondzang te doen achter Randy Hall, die samen met Robert Irving het titelnummer *The Man with the Horn* schreef en nog een paar andere melodieën. Ik schreef voor dat album drie nummers voor vrouwen die ik kende: *Aida, Ursula,* en *Bach Seat Betty,* dat voor Betty Mabry was. Het gevoel vertelt alles over hen. De rest van de nummers schreef ik ook. Toen de zaken eenmaal liepen, werd ik soepeler en liet Teo Macero terugkomen en ik denk dat hij het was die Barry Finnerty en Sammy Figueroa erbij haalde; Barry speelde gitaar en Sammy percussie. Ik wist van hen allebei niets, maar ik had Sammy horen spelen op een plaat van Chaka Khan – op wie ik verzot ben – en ik had het goed gevonden wat hij daar deed. Dus belde Teo hem op. Ik weet nog dat toen Sammy voor het eerst in de studio kwam, hij naar me toe liep en begon te praten. Het enige wat ik zei was: 'Spelen, niet praten.' Hij zei dat hij zijn drums hoger moest stemmen. Ik zei opnieuw dat hij alleen maar moest spelen. Hij zei: 'Maar Miles, mijn drums klinken vreselijk als ze niet goed gestemd zijn, dus ik ga er zo niet op spelen.' Dus zei ik tegen hem: 'Ik zou maar liever spelen, klootzak!' Dat deed hij en ik nam hem aan.

Mijn embouchure was niet best omdat ik zo lang niet gespeeld had, dus begon ik de wah-wah te gebruiken. Op een dag verstopte iemand mijn wah-wah – ik denk dat het Sammy was, want hij probeerde me voortdurend zover te krijgen dat ik zonder speelde. In het begin fokte dat me op, maar toen ik een tijdje zonder gespeeld had ging het beter.

Het spelen met deze groep bracht me weer met muziek in contact. Toen ik me teruggetrokken had, hoorde ik geen melodieën in mijn hoofd, omdat ik mezelf niet toestond om over muziek na te denken. Maar nadat ik met die jongens in de studio was geweest, begon ik weer melodieën te horen en daardoor voelde ik me goed. Bovendien merkte ik dat hoewel ik bijna vijf jaar geen trompet gespeeld had, ik het niet helemaal kwijt was geraakt. Het was er nog, al die onzin die ik geleerd had in al die jaren spelen; het instrument, hoe je het moest benaderen, zat nog steeds in mijn bloed. Het enige waar ik aan moest werken, was het opbouwen van mijn techniek, mijn embouchure, tot het peil waarop die geweest was.

Nadat ik met Vincent en zijn vrienden in de studio opnames had gemaakt, wist ik dat ik alleen maar Vincent, Bill Evans en Bobby Irving in mijn band voor de optredens kon gebruiken. Toen ik luisterde naar wat we hadden gemaakt, drong het tot me door dat we iets anders nodig hadden om een hele langspeelplaat te maken, een ander soort muziek. Ondanks alle tijd die we in de studio doorbrachten, gebruikten we maar twee nummers van die sessies op de plaat. Het lag er niet aan dat het geen goede muzikanten waren; dat waren het wel. Ik had alleen iets anders nodig om te voldoen aan wat *ik* wilde maken. Dus vroeg ik Al Foster om drums te spelen op deze nummers, en Bill Evans bracht Marcus Miller in. Ik hield Sammy Figueroa en Barry Finnerty aan en ook Bill Evans, en we begonnen te repeteren bij mij thuis.

Het repeteren ging goed en iedereen speelde wat ik aangaf, behalve Barry Finnerty toen we het laatste nummer van de plaat repeteerden. Op een nacht zaten we in mijn huis te oefenen. Barry speelt dat gezeik waar ik niet van hou op zijn gitaar, dus ik zeg hem dat niet te spelen, maar hij blijft spelen wat hij wil. Toen hij dat een paar keer gedaan had, zei ik hem naar buiten te gaan en alles te spelen wat hij voor *zichzelf* wilde spelen, en dan terug te komen en te spelen wat ik wilde. Nu is Barry een erg goede muzikant, maar hij heeft ook zo zijn eigen meningen en houdt er niet van als iemand hem vertelt wat hij spelen moet. Na een tijdje komt hij terug en we beginnen helemaal opnieuw en hij speelde weer hetzelfde loopje, dus ik zei tegen hem dat hij ermee op moest houden. Ik ging naar de keuken en haalde een fles Heineken en goot het bier over zijn hoofd. Hij zei dat hij wel geëlektrocuteerd had kunnen worden, omdat hij elektrische gitaar speelde. Het enige dat ik zei was: 'Hou op met dat gelul; ik heb je gezegd dat akkoord niet te spelen, klootzak, en dan bedoel ik niet spelen en als je het zo nodig moet spelen, dan speel je het maar aan de overkant van de straat zoals ik je gezegd heb.' Toen ik dat zei werd hij echt bang. De volgende dag gingen we de studio in en nam ik Mike Stern erbij om gitaar te spelen in de band. Ik geloof dat de saxofonist Bill Evans hem meebracht. Hij was de andere gitarist op *The Man with the Horn* en ik hield hem aan in de band voor de repetities.

Ik hield van de manier waarop we samen speelden, maar ik merkte dat ik een ander soort percussionist nodig had. Dus nam ik Mino Cinelu, een percussionist uit Martinique, aan in plaats van Sammy. Mino had een beetje sterallures, een lichte huid, krullend haar, dacht dat hij het maakte bij de vrouwen. Maar ik hield van zijn manier van spelen, dus slikte ik de rest van zijn belachelijk gedoe. Ik had Mino voor het eerst ontmoet in een club in New York waar ik vaak kwam, Mikell's. De club is van Mike en Pat Mikell (Mike is zwart en Pat is een aardige, aantrekkelijke Italiaanse. De broer van James Baldwin, David, stond daar jarenlang achter de bar). De club ligt op de hoek van Columbus Avenue en 97th Street en er is altijd heel goede muziek, vooral in het weekend. Wat muziek betreft kon altijd alles in Mikell's. Ik herinner me dat op een avond dat ik er was en niet speelde, Stevie Wonder binnenkwam en meespeelde met Hugh Masekela tot vroeg in de ochtend. Sly Stone deed dat ook vaak als hij in de stad was en Hugh daar speelde. Ik had Mino voor het eerst gehoord in Mikell's in mei 1981, toen hij speelde in een groep die Civily Jordan and

Folk heette. Daar had ik ook voor het eerst de gitarist Cornell Dupree gehoord, die een plaat met me gemaakt had, *Get Up With It*, de plaat die aan Duke Ellington is opgedragen. Ik hoorde hem in Mikell's spelen in een groep die Stuff heette, een erg goede groep. Hoe dan ook, toen Mino bij de groep kwam, begon alles in elkaar te passen. Ik begon te geloven dat het een dijk van een groep kon worden.

Bill Evans, mijn vroegere pianist, was in de zomer van 1980 gestorven. Zijn dood deed me echt verdriet, omdat hij een junkie geworden was en ik denk dat hij stierf door complicaties daarvan. Het jaar voor Bill stierf, was Charlie Mingus gestorven, dus veel van mijn vrienden waren al opgestapt. Soms leek het alsof er nog maar een paar van ons uit de oude tijd over waren. Maar ik probeerde niet aan de oude tijd te denken, want ik geloof dat men om jong te blijven het verleden moet vergeten.

In die periode was ik nog niet helemaal met drugs gestopt, hoewel ik veel geminderd had. De dingen waar ik het liefst high van werd waren champagne, bier, cognac en cocaïne. Daar genoot ik echt van. Maar ik voelde aankomen dat ik op een dag met al deze dingen zou moeten stoppen, want mijn dokter had me verteld dat afgezien van wat er toch al allemaal met me mis was, ik ook nog eens suikerziekte had. Alcohol is vergif voor iemand met suikerziekte. Het was een kwestie van tijd voor ik met alles moest stoppen. En hoewel ik dat rationeel wist, was ik daar toch nog niet klaar voor.

Tegen de lente van 1981 voelde ik dat ik weer zover was om voor publiek te spelen. Ik voelde dat ik er klaar voor was en mijn band ook. Dus ik belde mijn manager, Mark Rothbaum en zei dat hij Freddie Taylor moest bellen, een impresario in Boston, die ons toen boekte in een kleine club in de Cambridge buurt die Kix heette. Ik had ook toegezegd om op het Newport Jazz Festival van George

Wein te spelen in het eerste weekend van juli, dus de optredens in Kix, die geboekt waren voor vier dagen laat in juni, zouden daar een goede warming-up voor zijn. We moesten ook een technische staf bij elkaar krijgen; ik had een goed team gehad voor ik me terugtrok, met jongens als Jim Rose en Chris Murphy. Een goed productieteam is bijna even noodzakelijk voor een tournee als een goede band, want zij zorgen voor al dat alledaags gedoe waar muzikanten niet aan denken, zoals alles opstellen en ervoor zorgen dat de dingen soepel lopen zodat de muzikanten alleen maar aan hun spel hoeven te denken. Jim Rose, die taxichauffeur was geweest tijdens mijn afwezigheid, hoorde van een zwarte vrouwelijke passagier dat ik in Newport zou spelen, dus hij belde Mark Rothbaum, die toevallig al naar hem op zoek was. Ik heb altijd gevonden dat Jim de beste roadmanager was die ik ooit heb gehad. Jim kwam een paar keer langs toen ik me teruggetrokken had, maar uiteindelijk had ik het contact met hem verloren. Toen hij toezegde om terug te komen was dat een grote opluchting. Chris Murphy kwam ook terug; hij was ook taxichauffeur geweest. Toen ik die jongens zag – allebei met lang haar – viel ik ze gewoon om de hals, zo blij was ik dat ze terug waren.

Ik had een splinternieuwe, kanariegele 308 GTSI Ferrari coupé gekocht met een targa dak. Jim Rose en ik reden naar Boston en Chris bestuurde de vrachtwagen met de apparatuur. Toen Jim en ik van huis gingen, namen we een beetje coke en nadat we de George Washington brug over waren, reed ik het hele stuk als een duivel. Ik weet dat Jim het een beetje benauwd kreeg, want ik jakkerde echt. Maar ik merkte dat ik mijn belangstelling voor coke dan toch aan het verliezen was, want toen we in Boston waren gaf ik het weg aan iemand en later weigerde ik een snuif. Zo wist ik dat ik mijn strijd ertegen aan het winnen was.

De rest van de band was naar het optreden gevlogen, maar ik wilde dat iedereen me op mijn werk zag arriveren in mijn nieuwe Ferrari. Ik wilde dat ze *wisten* dat ik echt terug was, al logeerde ik pal tegenover de club en kon ik gewoon iedere nacht te voet de straat oversteken. Een beetje showbiz kan soms geen kwaad.

Mijn band bestond uit Marcus Miller, Mike Stern, Bill Evans, Al Foster en Mino Cinelu. Iedereen kon goed met mekaar opschieten. De eerste nacht dat we speelden, stonden er rijen, maar veel mensen wachtten alleen maar om te kijken of ik echt zou opdagen om te spelen. Toen dat gebeurde, zat de zaak stampvol; overal zaten mensen. De mensen huilden, man, als ze me zagen en ze huilden als ik speelde. Dat was me wat. Op een avond zat er die kleine invalide zwarte gozer vlak voor het podium in een rolstoel. Hij leek ongeveer vijfendertig, maar ik weet niet echt hoe oud hij was. Ik speelde die blues en hij zat midden voor het podium. Ik speelde het voor hem, want ik wist dat hij wist wat de blues was. Middenin mijn solo keek ik die maat in zijn ogen, en hij huilde. Hij reikte omhoog met zijn schriele arm, die beefde en met zijn bibberende hand raakte hij mijn trompet aan alsof hij die zegende – en mij daarbij. Man, ik had het toen niet meer, klapte bijna in elkaar en huilde. Ik wilde hem ontmoeten, maar toen ik buiten kwam hadden ze hem meegenomen. Nu kan het me nooit zoveel schelen om iemand niet te ontmoeten die ik niet ken, zeker niet als het een man is, maar ik wilde hem vertellen hoeveel zijn gebaar voor me had betekend. Wat hij deed toen hij zijn hand zo omhoog stak kan alleen uit een gevoelig hart komen. Ik wilde hem bedanken voor wat hij gedaan had, want het betekende veel voor me, weer spelen na alles wat ik had doorgemaakt. Het was bijna alsof hij me vertelde dat alles goed was en dat mijn spel even mooi en sterk was als altijd. Ik had dat nodig, had dat precies op dat moment nodig om door te gaan.

Ik geloof dat we $15 000 per avond kregen voor die vier dagen in Boston, wat leuk betaald was voor een club met 425 zitplaatsen. We deden twee optredens per avond en de club verdiende er ook aan. Toen speelden we op het Newport Jazz Festival in de Avery Fisher Hall in de stad New York. Veel critici vonden het niets wat we daar deden en zeiden dat ik niet lang genoeg speelde. Aan de andere kant vonden veel mensen het prachtig, dus het was fifty-fifty. We kregen veel geld voor het Newport optreden; ik geloof ongeveer $90 000 voor twee shows. Allebei de shows waren uitverkocht en daardoor voelde iedereen zich dus goed. In september ging ik naar Japan en ze betaalden me $700 000 voor acht optredens, plus vervoer en eten en hotels. Dat was een te gekke trip die we daar maakten. Iedereen speelde goed en de Japanners vonden het schitterend wat we deden.

Columbia bracht *The Man with the Horn* uit in de herfst van 1981 en hoewel de plaat goed verkocht, wezen de critici als één man de muziek af. Ze zeiden dat mijn spel zwak klonk en dat ik 'nog maar een schaduw was van mijn vroegere zelf'. Maar ik wist dat het een tijd zou duren om mijn embouchure weer sterk te krijgen. Ik kon hem sterker voelen worden met iedere dag dat ik speelde, en ik oefende dagelijks. Maar Columbia dacht dat ik misschien niet al te lang bij hen zou blijven, dus ze stuurden een equipe mee om al mijn live-optredens op te nemen, wat ik prima vond. Ik wist dat ik er nog niet mee uit zou scheiden, tenzij mijn gezondheid het af liet weten. Ik voelde me heel wat beter dan ik me gevoeld had, hoewel dat niet zoveel zei.

Cicely Tyson had het grootste deel van de zomer bij mij gelogeerd, tenminste als ze in de stad was. Ze had een huis in Malibu, Californië, direct aan het water, en nog een ander huis tot haar beschikking in een vakantieoord,

Gurney's, buiten in Montauk, Long Island, vlak aan de oceaan. Cicely was inmiddels een grote ster geworden. Ze had in veel films gespeeld en veel geld verdiend en ze was waarschijnlijk beroemder nog dan ik. Maar ik had ook wat invloed op haar gehad; ik bedoel, haar accent in de film *The Autobiography of Miss Jane Pittman* had ze van mij, van hoe ik praat – daar kwam die stem vandaan. Hoe dan ook, als ze in de stad was, zat ze bij mij.

Op Thanksgiving Day in 1981 werden Cicely en ik getrouwd door Andrew Young in het huis van Bill Cosby in Massachusetts. Max Roach was er, samen met Dizzy Gillespie, Dick Gregory en een paar anderen zoals mijn manager Mark Rothbaum. Het was een leuke plechtigheid, maar als je de foto's bekijkt van die trouwpartij kun je zien dat ik echt ziek was. Ik had die grauwe schaduw in mijn gezicht van iemand die bijna doodgaat. Cicely zag het. Ik zei tegen haar dat ik me voelde alsof ik ieder moment kon sterven. In de zomer had ik wat dope in mijn been gespoten en dat had het verziekt. Als ik in New York was ging ik een paar keer in de week voor therapie naar dr. Phillip Wilson in het New York Hospital en naar een dr. Chin die mij door Cicely was aangeraden. Ik ging naar dr. Wilson voor fysiotherapie en naar de andere dokter voor kruiden en acupunctuur. Ik rookte nog steeds drie of vier pakjes sigaretten per dag. Op een keer vroeg dr. Wilson me of ik wilde blijven leven.

Ik zei: 'Ja, ik wil blijven leven.'

Toen zei hij: 'Wel, Miles, als je wilt blijven leven, moet je al die troep laten staan en ook stoppen met roken.' Hij bleef dat maar tegen me zeggen, maar ik ging gewoon met alles door.

Ik ging zelfs vijf dagen nadat Cicely en ik getrouwd waren met een kennisje van me naar bed, omdat Cicely me seksueel niet zo erg opwond. Ik respecteerde haar als vrouw en zag haar als een goede vriendin, maar ik had ook die seksuele prikkel nodig, die zij me niet gaf. Dus haalde ik het ergens anders. In januari ging Cicely naar Afrika om een of andere film voor het ministerie van Buitenlandse Zaken te maken. Toen ze weg was sloeg ik weer stevig aan het drinken.

Ik was tegen die tijd met cocaïne gestopt, maar daarvoor in de plaats dronk ik veel bier. In die tijd raakte mijn rechterhand verlamd door een beroerte. Ik noemde het een beroerte, maar anderen noemden het een 'Huwelijksreis Syndroom', dat zou optreden als je slaapt met je arm om iemand heen en die druk op je hand en arm snijdt de bloedstroom naar de arm af en dat beschadigt de zenuwen. Ik weet niet wat er precies gebeurde, alleen maar dat toen ik op een nacht toen Cicely weg was naar een sigaret reikte, mijn vingers en mijn hand stijf waren en ik ze niet kon buigen. Ik zei: 'Wat is dit verdomme!' Ik kon mijn hand sluiten maar niet openen. Het maakte me vreselijk bang. Cicely vertelde later dat ze dat ook voelde toen ze daar in Afrika zat, en ja hoor, de telefoon ging en zij vroeg me wat er mis was. Ik vertelde haar dat ik mijn hand en vingers niet kon bewegen. Ze zei dat het klonk als een beroerte en dus kwam ze terug.

Ik had kunnen weten dat er iets mis was, want ik voelde me al een tijdje niet goed en als ik piste zat er bloed in mijn urine. Toen we terugkwamen van de optredens in Japan, kreeg ik een lichte longontsteking en zat ik vierentwintig uur in het vliegtuig naar New York om op te treden in de televisieshow 'Saturday Night Live'. Ik weet nog dat Marcus Miller me vroeg voor we in die show speelden: 'Waar heb je pijn?' En ik zei: 'Waar heb ik *geen* pijn?' Ik voelde me zó ziek dat als ik had gezeten, ik niet zou hebben geloofd dat ik nog op kon staan. Die hele show lang liep ik me de benen onder mijn kont vandaan, als ik speelde en maar ook als ik niet speelde; ik liep gewoon de hele tijd. Ik veronderstel dat iedereen dacht dat

ik gek was, maar ik probeerde alleen maar mezelf overeind te houden en dat was de enige manier die ik daarvoor kon verzinnen. Meteen na die televisieshow begon
ik die ongevoeligheid in mijn hand en vingers te voelen.
Ik had er toen iets aan moeten doen, maar dat deed ik
niet. Dus na die beroerte, of wat het ook was, en de waar-
schuwingen van de dokter en Cicely die me vertelde dat
ze me niet meer zou kussen met al die sigarettensmaak in
mijn mond, stopte ik in één klap met alles, net zoals ik
bij mijn heroïneprobleem had gedaan. Hield zomaar in
één klap met alles op.

Dit was in 1982 en mijn dokter zei dat als ik het komende half jaar aan seks deed, ik een nieuwe beroerte
zou kunnen krijgen. Dat was moeilijk, want een stijve
komt vanzelf; en seks beleef ik ook op die manier. En als
je er dan niet meteen aan begint, dan ben je het kwijt. Ik
kon niets meer en Cicely zei: 'Als je niets wil, dan wacht
ik gewoon.' Dus wachtte ze zes maanden.

Ik voelde me al die tijd zwak en kon niet spelen. Ik had
zelfs niet genoeg kracht om normaal te pissen. De urine
liep gewoon langs mijn benen. Dr. Chin gaf me kruiden
waarvan hij zei dat die me in zes maanden helemaal zouden schoonmaken. Ik begon die kruiden te nemen en allerlei rotzooi kwam naar buiten; slijm, alles. Dr. Chin zei
ook dat als ik die kruiden zes maanden nam, ik weer zin
in seks zou hebben. Ik zei: 'Bullshit,' maar dan tegen mezelf. Maar hij had gelijk, want meteen na die zes maanden verlangde ik er weer naar. Op een of andere manier
verloor ik in die tijd bijna al mijn haar en daar werd ik
echt opgefokt van, want ik ben altijd ijdel geweest en
vond het heel belangrijk hoe ik eruitzag.

Twee of drie maanden lang nadat ik die beroerte had
gehad en mijn vingers niet kon gebruiken, ging ik drie of
vier keer in de week naar New York Hospital voor fysiotherapie. Jim Rose reed me. Man, dat was de engste el-

lende die me ooit overkomen was, want met mijn hand en vingers zo op een kluitje en stijf dacht ik dat ik nooit meer zou spelen. Tenminste, die gedachte bekroop me soms. Daar was ik banger voor dan voor de dood; leven met een actieve geest en niet in staat zijn om te spelen wat ik bedacht. Na een tijdje kruiden slikken en fysiotherapie, niet drinken of roken, goede stevige kost, veel rusten en Perrier water drinken in plaats van bier en alcohol, kwam er opeens weer wat leven in mijn vingers. Ik ging weer net als vroeger iedere dag zwemmen en daardoor werden mijn ademhalingscapaciteit en uithoudingsvermogen groter. Na een tijdje voelde ik mijn gezondheid terugkomen, voelde ik mezelf sterker worden.

In april 1982 haalde ik de band weer bij elkaar om begin mei op tournee door Europa te gaan. Ik wist dat ik op sterven na dood leek. Ik was zo dun en had bijna al mijn haar verloren; alleen een paar plukken stonden nog overeind. Ik streek het glad naar achteren en nam uiteindelijk een hairweaving. Vaak voelde ik me zo zwak dat ik zittend moest spelen. Op sommige dagen voelde ik me goed, maar er waren ook dagen dat ik het liefst het vliegtuig naar huis zou willen nemen. Maar de band speelde steeds beter samen. Ik probeerde Al Foster meer funk loopjes te laten spelen op zijn drums, maar ik had het idee dat hij me maar wat aan liet praten. Buiten dat ging alles prima met de band en werd mijn embouchure steeds beter. Als ik me goed voelde, liep ik over het hele podium heen en speelde in de draadloze microfoon die vastzat aan het uiteinde van mijn trompet. Maar toetsen speelde ik altijd zittend op een krukje. Hoewel ik er ziek uitzag, voelde ik me in feite beter dan ik me in tijden gevoeld had. Ik had veel gewicht verloren door het dieet dat ik volgde, vis en groente, eten dat niet aanzet. Daarom zag ik er zo mager uit.

Mijn gezondheid was dan niet goed, maar we hadden

verhalen over mijn beroerte uit de kranten en de media weten te houden. Niemand wist van het probleem tot een paar maanden daarna, toen Leonard Feather een interview dat ik had gegeven publiceerde, waarin ik zei dat ik mijn hand niet kon gebruiken. Tegen de tijd dat het interview werd gepubliceerd, hadden we onze Europese tournee al afgerond.

Uiteindelijk had ik op deze tournee nog de meeste problemen met Cicely en een vriendin van haar, die met ons mee trokken door heel Europa. Man, ze waren strontvervelend op die trip met hun prima donna allures van 'Haal dit', 'Haal dat', bijvoorbeeld Perrier water, tegen de roadies van de band. Ze kochten kleren alsof er geen volgende dag meer zou komen. Ik en de rest van de band – vijf man – en de technische ploeg hadden ieder maar twee tassen, terwijl Cicely en haar vriendin met z'n tweeën algauw meer dan achttien tassen hadden. Het was belachelijk. Chris en Jim, zijn twee belangrijkste roadies, moesten samen met Mark Allison en Ron Lorman (de twee andere roadies), al hun rotzooi dragen en die van Cicely en haar vriendin. Jim en Chris werden daar echt gek van. Ik verdiende tegen die tijd $25 000 per avond en we betaalden zowel Jim als Chris echt goed voor wat ze deden. Maar er bestond eenvoudigweg niet genoeg geld om hen te betalen voor de manier waarop Cicely en haar vriendin hen behandelden. Jim en Chris dachten dat als ze tegen mij over Cicely klaagden, ik waarschijnlijk in woede tegen hen zou ontploffen, omdat ze mijn vrouw was. En misschien zou ik dat ook gedaan hebben; ik weet het niet.

Sinds Cicely een steractrice was, was haar persoonlijkheid veranderd. Ze was veeleisend; ze maakte mensen het leven zuur, behandelde ze alsof ze lucht waren. Nu weet ik dat ik ook een reputatie heb dat ik mensen slecht behandel. Maar ik trap geen rotzooi met mensen alleen maar omdat ik beroemd ben en denk dat ik dat mag. Met dat gezeik begon Cicely toen ze een ster geworden was; ze was een bron van ellende voor iedereen. Ze behandelde de roadies alsof ze haar bedienden waren.

Cicely begon me echt op mijn zenuwen te werken, dus toen we in Rome waren zei ik tegen Jim dat ik niet samen met haar op één kamer wilde. De drie dagen dat we in Rome waren, had ik een andere kamer en Cicely wist niet waar ik zat. Toen ik daar drie dagen gezeten had en we het concert gespeeld hadden, voegde ik me weer bij haar in onze kamer. Ik had haar gezegd dat ik rust nodig had en haar na het concert zou zien.

Ik liet Cicely in Parijs nog een keer alleen, toen ik me door Jim Rose naar mijn oude vriendin Juliette Greco liet brengen. We zijn nog steeds goede vrienden en ik ga haar graag opzoeken als ik in Parijs ben. Ze is nog steeds aan het werk en is nog steeds een grote ster in Frankrijk. We praatten over wat ik gedaan had toen ik niet speelde, de goeie ouwe tijd en waar zij nu mee bezig was. Het was goed om haar te zien, zoals altijd.

Ik begon veel te tekenen op deze trip door Europa. Het begon met gewoon een beetje krabbelen. Cicely had de zomer daarvoor wat schetsblokken voor me gekocht, maar ik had ze nauwelijks gebruikt. Maar nu, op deze trip, betrapte ik me erop dat ik aan schilderen en tekenen dacht als ik niet over muziek en spelen nadacht. Ik denk dat het in het begin therapeutisch was, iets om mijn vrije tijd mee te vullen nu ik niet meer rookte of dronk of snoof. Ik moest mezelf bezighouden, zodat ik geen tijd zou krijgen om aan die dingen te denken.

Toen ik in de muziek terugkwam, kreeg ik iets te horen dat ik al had vermoed. Steeds meer muzikanten stapten over op de gitaar als vast instrument, vanwege de invloed van de popmuziek en omdat de meeste jongeren tegenwoordig echt geilen op dat instrument. Bovendien kun je erbij zingen. De nieuwe muzikanten speelden vooral elektrische gitaar of bas, of elektrische piano. Of ze werden zanger of schrijver van popsongs. Daar hielden de zwarte kids met talent voor muziek zich mee bezig, en niemand kon daar iets aan doen.

Steeds minder zwarte muzikanten speelden jazz en ik kon begrijpen waarom, want jazz was muziek voor het museum aan het worden. Veel muzikanten en critici hebben er schuld aan dat dit kon gebeuren. Weet je, niemand wil doodgaan voor zijn tijd, als 'ie eenentwintig is, en dat zou er gebeuren met iemand die jazz ging spelen. Tenminste, zo zag ik dat. Het zou alleen voorkomen kunnen worden als iemand de op een of andere manier weer de aandacht van de jongeren zou weten te trekken en dat zag ik er niet van komen. Zelfs ik ging bijna niet meer naar jazzgroepen luisteren, omdat ze alleen maar dezelfde loopjes speelden als wij heel vroeger met Bird, telkens en telkens weer. Dat, en dan ook nog wat dingen die Coltrane introduceerde, en misschien wat van Ornette. Het was strontvervelend om te horen. Deze muzikanten waren slachtoffers geworden van de critici, van wie de meesten lui zijn en niet te hard willen werken om hedendaagse muzikale expressie en taal te begrijpen. Dat lijkt hen te veel op werk, dus schrijven ze er telkens negatief over. Stomme, ongevoelige critici hebben veel grote muziek en veel grote musici, die niet zoals ik 'Lik m'n reet' durfden te zeggen, de grond ingeboord.

Maar hoewel er in de jazzscene weinig meer leek te gebeuren, kwamen er toch enkele goede muzikanten naar voren, zoals Lester Bowie en de broers Marsalis, Wynton en Branford. Wynton speelde trompet en iedereen zei dat hij één van de beste trompettisten was die er sinds jaren was geweest. Ik geloof dat hij toen in de band van Art Blakey speelde. Branford was de oudste, een saxofonist, en speelde ook bij Art. Ik geloof dat ik rond 1981 voor het eerst muzikanten die ik kende over hen hoorde praten. Ik weet niet wat er met Freddie Hubbard gebeurde, van wie ik dacht dat het een groot trompettist zou worden. Veel goede trompettisten waren inmiddels verdwenen uit de scene: Lee Morgan was doodgeschoten, en Booker Little was jong gestorven net als Clifford Brown, en bij Woody Shaw waren door de drugs de stoppen doorgeslagen: hij kwam aan zijn eind voordat hij de erkenning kreeg die hij volgens mij ongetwijfeld zou hebben gekregen. Maar er waren jongens als Jon Faddis en iemand uit Mississippi die Olu Dara heette en die naar ik hoorde geweldig moest zijn, maar ik had hem zelf nog niet horen spelen. Dizzy speelde nog steeds prachtig en Hugh Masekela, Art Farmer en een paar andere jongens ook.

Sommige nieuwe ontwikkelingen in de muziek waren wel interessant, maar ik vond wat zich afspeelde in de blanke rockmuziek het meest opvallend. Sommige jazzrock was oké, vooral dingen die Weather Report, Stanley Clarke en een paar anderen deden. Maar ik merkte dat er ruimte was voor een nieuw soort muziek. Ik dacht dat sommige dingen uit de rapmuziek weleens echt interessant konden worden, maar dat was een beetje uit de richting. Dan was er de muziek van Prince, die ik voor het eerst hoorde. De meest opwindende muziek die ik hoorde in 1982, zo rond mijn Europese tour, kwam van hem. Hier deed iemand echt iets anders, dus ik besloot om hem in de gaten te houden.

We kwamen in de Verenigde Staten terug in de lente van 1982 en maakten toen in de zomer een tournee door de Verenigde Staten en Canada. Ik kon echt mijn techniek en klank en toon horen terugkomen door al dat spelen. De dingen liepen beter dan ik verwacht had. Ik nam zelfs even vakantie en ging naar Lima in Peru met Cicely, die jurylid was in de Miss Universe verkiezing. Drie of vier dagen lang deed ik niets anders dan zwemmen en bij

het zwembad van het hotel rondhangen en goede visge-
rechten eten. Ik begon zelfs weer een beetje op mezelf te
lijken, alleen dat klote haar wou maar niet groeien en
daar wond ik me over op.

Meestal speelden we de nummers van de *We Want
Miles* elpee, die live waren opgenomen toen we in 1981
die eerste keer op tournee gingen. Dat waren bijvoorbeeld de nummers *Jean-Pierre* (naar de zoon van Frances), *My Man's Gone Now* (uit *Porgy and Bess*), *Bach Seat
Betty* en *Fast Track*. We speelden ook een nummer dat
*Kix* heette, naar de club in Boston.

*We Want Miles* werd uitgebracht in de nazomer van
1982 en in de herfst van 1982 nam ik de groep mee de studio in om *Star People* op te nemen. (Ik denk dat deze
twee platen de laatste waren waarop ik met Teo Macero
werkte.) In die sessie namen we *Come and Get it* op, dat
toen het openingsnummer van onze live-optredens was.
Ik nam op die elpee ook het nummer *Star on Cicely* op,
wat door Gil Evans werd gearrangeerd. Het titelnummer
*Star People* is een lange blues en ik denk echt dat ik op
dreef was in de solo's die ik daarin speel.

Op de laatste nummers die we voor *Star People* maakten aan het eind van 1982 en in het begin van 1983 deed
John Scofield mee om wat gitaarpartijen te spelen en
daarna hield ik hem in de band. Barry Finnerty was nu
weg. Het eerste optreden van John met ons was in New
Haven, Connecticut, bijna tegen het eind van het jaar en
hij was er ook nog toen we in het Felt Forum speelden op
Madison Square Garden op de laatste dag van 1982. We
traden daar samen op met Roberta Flack. Ik hield van de
subtiliteit in John Scofields spel. Mijn saxofonist Bill
Evans had John aangeraden, net zoals hij Mike Stern had
aangeraden. Ik dacht dat twee gitaristen met verschillende stijlen een spanning zouden creëren die goed zou zijn
voor de muziek. Ik dacht ook dat als Mike naar John

luisterde, hij wellicht iets van understatement zou opsteken. Op *It Gets Better* op *Star People* is John de leadgita-
rist met Mike op de achtergrond. Dat was ook een blues.
Nu John Scofield in de band zat, begon ik meer blues te
spelen want Mike was altijd meer op rock georiënteerd
geweest. De blues was het helemaal voor John, samen
met een flinke dosis jazz, dus ik voelde me op mijn gemak als ik blues met hem speelde.

Toen John in de band kwam, ging Marcus Miller weg
en dat speet me erg, want Marcus was de beste bassist die
ik in tijden had gehad. Bovendien was hij een humoris-
tisch type die de sfeer in de band ontspannen hield. Hij
was een leuke kerel om om je heen te hebben, volwassen
en echt met muziek bezig. Die gozer kon vier of vijf instrumenten bespelen – gitaar, bas, saxofoon en nog wat
dingen. Er was echt veel vraag naar Marcus als één van de
beste studiomusici in de Verenigde Staten; iedereen wilde dat hij op hun platen speelde. Hij begon zich ook veel
met produceren en schrijven bezig te houden, dus door
bij mij te spelen was hij een dief van zijn eigen portemonnee. (Maar hij zou later terugkomen.)

Marcus beval een vent aan, Tom Barney, die ongeveer
twee maanden bleef en meedeed op één van de opnames
die voor *Star People* zijn gebruikt. Toen nam ik, op aanraden van mijn neef Vincent, Darryl Jones uit Chicago
aan. Darryl was toen negentien jaar. Hij kwam naar New
York in mei 1983 en zocht mij thuis op. Ik zei dat we een
beetje zouden spelen, maar dat, als ik niet van zijn spel
hou, dat niet betekent dat hij niet kan spelen. Ik zet een
band van één van onze platen op en laat hem meespelen.
Dan een blues. Daarna vraag ik hem of hij een blues in
B-mol kan spelen en hij speelt wat en dan stopt hij. Dus
vraag ik opnieuw: 'Kun je een blues in B-mol spelen?'
Hij begint die te spelen, langzamer dan eerst. Ik vraag of
hij hem langzamer kan spelen, en dus speelt hij hem zelfs

nog langzamer. Ik ga naar mijn slaapkamer met Vincent en zeg dat die jongen echt kan spelen, dus ga hem maar vertellen dat hij mee kan doen. Vincent loopt de kamer uit en vertelt het Darryl, maar die wil dat van mij horen. Dus ik kom de slaapkamer uit, sla hem op zijn schouder en zeg dat hij mee kan doen.

Rond die tijd veranderde ik van managers. Na een meningsverschil ontsloeg ik Mark Rothbaum en op advies van Cicely nam ik een paar joodse jongens in dienst uit Philadelphia, de gebroeders Blank, Lester en Jerry en Lesters zoon Bob, die ook bij hen werkte. Ik had het altijd goed met Mark Rothbaum kunnen vinden. In 1982 had hij mij en Cicely meegenomen naar Las Vegas en me aan Willie Nelson en zijn vrouw Connie voorgesteld. Mark is de manager van Willie en ook van Emmylou Harris, Kris Kristofferson en nog wat sterren. We hadden een leuke tijd in Las Vegas. Ik leerde Willie Nelson echt goed kennen. Hij deed heel gewoon tegen mij. Ik heb altijd van zijn manier van zingen gehouden. Hierna kwam Willie naar een tent die Red Rocks heette, in Denver, Colorado, waar ik speelde. Hij kwam daarna nog een paar keer kijken als ik speelde.

In de lente van 1983 ging de band weer naar Europa. Chris Murphy nam in Turijn – in Italië – ontslag, omdat hij zei dat hij Cicely niet langer meer verdroeg. Nu de Blanks de dingen regelden, probeerden ze overal op de tournee te beknibbelen en iedereen heel kort te houden. Maar er zijn contanten nodig om een tournee soepel te laten verlopen, en dat geld hielden ze op zak. Toen begon ik in te zien dat met hen werken misschien een grote vergissing was. De Blanks bleken uiteindelijk een verschrikking, want ze kregen nauwelijks optredens voor ons. Ik denk dat ze in heel 1983 een paar optredens in Europa en in mei een tournee in Japan voor ons binnenhaalden, maar dat was alles. Zo incompetent waren ze.

In deze periode woonden Cicely en ik op 315 West 70th Street, omdat mijn huis op West 77th uitgebrand was; we woonden daar tot we naar Californië, naar Malibu, verhuisden waar zij haar huis aan het strand had. Ik gaf veel geld uit aan het opknappen van mijn huis in 77th Street, zodat het zou worden zoals Cicely wilde. Maar ironisch genoeg moest ik het huis uiteindelijk onder druk van de gebroeders Blank verkopen, omdat ik hen geld schuldig was. Eigenlijk denk ik dat Cicely achter de brand in dat huis zat, zodat ze daar een frisse start kon maken en niet aan al die andere vrouwen moest denken die daar voor haar binnen waren geweest. Ik was een tijdje echt opgefokt over dat uitbranden van mijn huis.

Maar over de muziek die we speelden was ik enthousiast. De jongens in de band speelden zo goed en ze waren prima gezelschap. Het enige probleem dat ik met ze had, was dat ze luisterden naar de critici, die zeiden dat de muziek die wij maakten niets voorstelde. Het waren jonge muzikanten, die probeerden naam te maken en die dachten dat ze bij iemand speelden van wie iedereen zou houden. Ze dachten dat de critici zouden zeggen dat alles wat we speelden prachtig was. Maar de critici deden dat niet en dat begrepen ze niet. Ik moest ze vertellen hoe de critici over mij dachten – tenminste sommigen van hen.

Ik vertelde hen dat zogenaamde critici Bird net zo hadden behandeld toen hij voor het eerst die prachtige muziek van hem begon te maken, en dat ze ook Trane en Philly Joe bekritiseerd hadden toen die in mijn band speelden. Ik had toen niet naar ze geluisterd en was dat nu ook niet van plan. Hierna kwamen de jongens in de band en ik dichter dan ooit bij elkaar en zij schonken geen aandacht meer aan critici.

Ik kon met de band communiceren met één enkele blik. Dan wisten ze dat ze anders moesten spelen en na een tijdje begon de muziek echt te kloppen. Ik luisterde naar wat iedereen speelde in mijn band. Ik luister voortdurend en als iets een beetje vals is, hoor ik dat meteen en probeer ik het gelijk te corrigeren, terwijl de muziek doorgaat. Daar ben ik mee bezig als ik met mijn rug naar het publiek ga staan – ik kan me niet bezighouden met praten en grapjes maken tegen het publiek als ik speel, want als alles goed is praat de muziek tegen hen. Als het publiek oké is en sensitief, weten ze wanneer de muziek klopt en loopt. Als dat zo is, laat je de dingen gewoon op hun beloop en geniet je van wat er gebeurt.

Al Foster was me het dierbaarst in mijn nieuwe band, omdat hij al het langst bij me was. Hij was een echt spiritueel iemand, goed gezelschap. Door Al was ik op de hoogte gebleven van wat er zich afspeelde in de muziekwereld in al die jaren dat ik me had afgezonderd. Ik praatte in die tijd bijna elke dag met hem. Ik vertrouwde hem toen helemaal. Ik voel me niet gauw op mijn gemak bij mensen die ik niet goed ken, vind het moeilijk om ze te vertrouwen, zelfs als ik ze al een tijdje ken. Misschien komt het door waar ik ben opgegroeid. Daar in de buurt van East St. Louis stellen de mensen zich niet gauw open voor anderen. Als ze praten en lachen met je is dat alleen maar een masker om hoogte van je te krijgen. Ik denk dat het iets met plattelandsmentaliteit te maken heeft. Mensen van buiten staan argwanend tegenover andere mensen, en zo ben ik ook, hoe wereldwijs ik ook geworden ben. Meestal zijn mijn beste vrienden de muzikanten uit mijn band en zo was het ook met de jongens in de nieuwe band. Ik kon goed opschieten met Bill Evans en Darryl Jones in mijn nieuwe band (en met Marcus Miller voor hij vertrok). Met John Scofield idem dito en ook met Mike Stern, hoewel ik die moest laten gaan. We stonden echt dicht bij elkaar, vormden één blok tegen de critici.

*We Want Miles* kreeg een Grammy voor 1982 (uitgereikt in 1983) en ik werd uitgeroepen tot Jazzmuzikant van het Jaar in *Jazz Forum*. We speelden in Japan en op een paar festivals daar en in Canada en in de nazomer en begin herfst 1983 begonnen we nummers te bewaren voor *Decoy*, waarvan er een paar live-opnames waren. Toen we de studio in gingen, deed ook Branford Marsalis op sopraansaxofoon mee, evenals Robert Irving (*The Man with the Horn* was de eerste opname die hij met ons had gemaakt) op synthesizer, een instrument dat ik in de band wilde hebben. Gil Evans arrangeerde wat. Ik wilde dat Branford in mijn band kwam spelen, maar dat kon niet omdat hij te verknocht was aan het spelen met zijn broer Wynton. Ik had Branford gehoord toen we samen een optreden hadden in St. Louis. Ik geloof dat hij met Herbie Hancock, Wynton, Tony Williams en Ron Carter speelde, in een groep die zichzelf the Reunion band noemde. Ik vond mooi wat hij deed en vroeg hem of hij met mij wilde opnemen.

Ik ging met de band naar Europa voor een paar optredens in de herfst van 1983. Deze tournee was iets bijzonders, omdat de mensen zo blij waren me te zien en ze werden echt gegrepen door de muziek. Ik herinner me één optreden in het bijzonder in Warschau in Polen. We hoefden zelfs niet door de douane heen; ze zwaaiden ons zo door. Iedereen had 'We Want Miles' buttons op. De leider van de Sovjetunie, Joeri Andropov, stuurde zijn persoonlijke limousine (of eentje die daarop leek) om me, zolang ik in Warschau was, overal heen te brengen waar ik maar wilde. Ze zeiden dat hij erg van mijn muziek hield en vond dat ik één van de grootste muzikanten aller tijden was. Ze zeiden ook dat hij naar mijn concert had willen komen, maar dat hij te ziek was. Hij stuurde zijn persoonlijke groeten, wenste me een prachtig concert toe en liet zeggen dat het hem speet dat hij er niet kon zijn. Ze installeerden me in het beste hotel van Warschau en behandelden me als een vorst. Aan het eind van mijn concert stonden de mensen op en juichten en riepen in koor dat ze hoopten dat ik honderd zou worden. Man, dat was me wat!

52-55 Mijn tweede grote kwintet: Herbie Hancock (52) en Ron Carter (53). De centrale figuren in de band. Wayne Shorter (54) was de man van de ideeën, degene die veel van onze muzikale ideeën vorm gaf. Tony Williams gaf er het sprankelende creatieve vuur aan (55).

53

55

56, 57 De muziek waar ik in 1968 echt naar luisterde, was van Jimi Hendrix, (56), James Brown en Sly Stone (57). Jimi Hendrix kwam uit de wereld van de blues, net als ik. In die tijd begon ik een gitaarachtige sound te ontwikkelen.

56

57

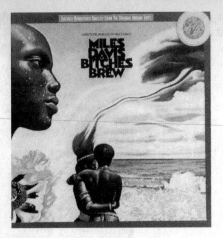

58  Wat wij deden op *Bitches Brew* valt niet voor een heel orkest op papier te zetten. De sessie bestond voornamelijk uit improvisatie – wat jazz zo fantastisch maakt. De plaat liep beter dan welke jazzplaat dan ook.

59  Betty Mabry had een grote invloed op mij, zowel op mijn privé-leven als op mijn muziek. Door haar ging ik me ook anders kleden.

60  Ik was geschokt door de dood van Jimi Hendrix. Hij was nog
zo jong. Ik besloot om met Betty en een vriendin van haar naar de
begrafenis te gaan, hoewel ik een verschrikkelijke hekel aan
begrafenissen heb.

The Black Music Association
in cooperation with
Radio City Music Hall Productions
presents

MILES AHEAD:
A TRIBUTE TO AN AMERICAN MUSIC LEGEND
MILES DAVIS

November 6th, 1983
Radio City Music Hall

61-64  Cicely en de mensen van Columbia organiseerden in 1983
een feest ter ere van mij in de Radio City Music Hall, in
samenwerking met de Black Music Association (61, 62): Bill
Cosby (63) was presentator en hij overhandigde mij een
eredoctoraat uit naam van de voorzitter van Fisk University.
Mijn zoon Erin (64) hield me die avond gezelschap.

63

64

65 Bij het eerbetoon die avond was ook Elwood Buchanan aanwezig, mijn eerste grote leraar van Lincoln High in East St. Louis. Hij zei toen tegen mij: 'Je hebt voldoende talent om je eigen loftrompet te steken.'

66  Prince schreef een nummer voor mijn eerste Warner-plaat, *Tutu*. Maar toen hij het op de band hoorde die we hem gestuurd hadden, vond hij zijn nummer niet geschikt. Een groot musicus moet elastisch zijn en dat is Prince zeker.

67-69 Ik ben steeds meer gaan tekenen en schilderen. Ik ben erdoor bezeten, zoals ik dat ook heb met muziek en met alles waar ik om geef.

68

69

70 Grote musici zijn net als grote boksers. Ze weten vanbinnen precies hoe het theoretisch moet. Ik voel me nu heel creatief en ik voel dat ik nog sterker word.

## 18

Toen ik terugkwam in de Verenigde Staten, hadden Cicely en de mensen van Columbia in november 1983 een huldiging voor me georganiseerd in de Radio City Music Hall onder de naam 'Miles Ahead: A Tribute to an American Music Legend', die mee werd geproduceerd door de Black Music Association. Bill Cosby was de gastheer en er waren heel veel muzikanten die avond: Herbie Hancock, J. J. Johnson, Ron Carter, George Benson, Jackie McLean, Tony Williams, Philly Joe Jones en nog een heel stel anderen. Ze hadden zelfs een allstar band met Quincy Jones als dirigent, die enkele arrangementen van Slide Hampton van Gil Evans' arrangementen uit *Porgy and Bess* en *Sketches of Spain* speelde. Het hoofd van de Fisk University gaf me een eredoctoraat in muziek.

Tot zover was er niets aan de hand en ik had me echt geamuseerd. Maar toen wilden ze dat ik een speech gaf en het enige dat ik kon bedenken om te zeggen, was 'Dank u wel' en dat deed ik. Ik denk dat een paar mensen daar giftig om werden, omdat ze vonden dat ik ondankbaar was, maar dat was ik niet. Ik kan gewoon geen lange speeches geven, want zo ben ik niet. Ik zei wat ik echt vond en het kwam uit het diepst van mijn hart. Voor ze me vroegen om te spreken, had ik een set van een halfuur met mijn band gespeeld. Ze wilden dat ik met een paar van de oude jongens speelde, maar dat kon ik niet doen, want ik geloof niet in teruggaan. Het was een prachtige avond en ik was gelukkig omdat ze me zo eerden. Maar meteen daarna werd ik ziek en moest ik het ziekenhuis in voor een nieuwe operatie aan mijn heup. Toen kreeg ik longontsteking. Ik stond daardoor ongeveer zes maanden op nonactief.

Toen ik terugkwam, speelden we de gebruikelijke concerten en *Decoy* won een Grammy als Beste Elpee. Al Foster verliet de band voor een tijdje, omdat hij niet wilde drummen zoals ik dat wilde. Hij hield niet van rock. Ik vroeg hem telkens opnieuw dat funky ritme te spelen, maar hij deed het gewoon niet en dus bracht ik mijn neef Vincent Wilburn in de band op drums, omdat die dat wel zag zitten. Ik vond het niet leuk om Al te zien vertrekken omdat we elkaar zo na aan het hart lagen, maar de muziek gaat voor alles. Al en Vincent speelden om beurten met mij op mijn volgende plaat, *You're Under Arrest*, in 1985. Vincent kwam bij mijn vaste band in 1985 (ik geloof in maart), meteen nadat Al voorgoed wegging, en bleef ongeveer twee jaar bij me.

In november 1984 won ik de Sonning muziekprijs voor levenslange verdiensten in de muziek. De prijs wordt uitgereikt in Denemarken en ik was de eerste jazzmuzicus en de eerste zwarte die hem kreeg. De prijs gaat gewoonlijk naar klassieke musici; Leonard Bernstein, Aaron Copland en Isaac Stern hadden hem in het verleden gekregen. Ik voelde me gelukkig en vereerd dat ze me die prijs gaven. Ze wilden dat ik een plaat maakte met de beste muzikanten van Denemarken, dus in februari 1985 ging ik terug om opnames te maken en zij haalden een big band bij elkaar. Alle muziek was geschreven door de Deense componist Palle Mikkelborg. Het is een mengeling van orkestrale en elektronische muziek, synthesizers. Ik nam Vincent met me mee om een bepaalde sound op de drums te hebben. Hij is samen met ons op deze plaat te horen. John McLaughlin speelt gitaar en Marilyn Mazur percussie. Het was de bedoeling dat Columbia de plaat zou uitbrengen, maar ze kwamen hun belofte niet na en dus moest ik een bijdrage zien te krijgen van het National Endowment for the Arts om de plaat af te maken, die *Aura* zou gaan heten.

Dat was het begin van het einde van mijn verbintenis met Columbia. Dat en de manier waarop George Butler mij en Wynton Marsalis behandelde. Ik mocht Wynton echt toen ik hem voor het eerst ontmoette. Het is nog steeds een leuke jongeman, alleen zit hij op het foute spoor. Ik wist dat hij geweldig klassieke muziek kon spelen en dat hij grote technische vaardigheden had op de trompet, techniek en alles wat daarbij hoort. Maar er is meer voor nodig dan dat om grote jazzmuziek te maken, je hebt gevoel nodig en inzicht in het leven, dat je alleen kunt krijgen door te leven, door ervaring op te doen. Ik heb altijd gedacht dat hij dat miste. Maar ik was nooit jaloers op hem of zoiets. Gelul, man, hij was zo jong dat hij mijn zoon had kunnen zijn en ik had het beste met hem voor.

Maar hoe beroemder hij werd, des te vaker begon hij dingen over me te zeggen – vervelende, onbeleefde dingen, die ik nooit gezegd zou hebben over muzikanten die mij hadden beïnvloed en die ik hoogachtte. Ik heb me uitgelaten over veel muzikanten die ik niet mocht, maar nooit over iemand die me zo had beïnvloed als ik Wynton. Toen hij naar me begon uit te halen in de pers, was ik in het begin verrast en later werd ik er kwaad om.

George Butler was de producer van ons allebei, en ik voelde dat hij meer op de lijn zat van Wyntons muziek dan op die van mij. George houdt van dat klassieke gedoe en hij zat er maar op aan te dringen dat Wynton dat meer van dat genre opnam. Wynton kreeg veel aandacht omdat hij klassieke muziek speelde en langzamerhand won hij alle prijzen, zowel in klassieke als in jazzmuziek. Veel mensen dachten dat ik daardoor jaloers was op Wynton. Ik was niet jaloers; ik vond alleen niet dat hij zo goed speelde als mensen beweerden. De pers probeerde Wynton tegen mij uit te spelen. Ze vergeleken mij met Wynton, maar nooit met een of andere blanke trompettist, zoals Chuck Mangione. Net zoals ze Richard Pryor, Eddie Murphy en Bill Cosby met elkaar vergelijken. Ze vergelijken hen niet met Robin Williams of iemand anders die blank is. Toen Bill Cosby voor het eerst al die prijzen won voor zijn televisieshow, kon je een speld horen vallen op de uitreikingsplechtigheid, omdat al die andere televisiestations hem niet hadden willen hebben. Ik weet het, want Cicely en ik waren erbij. Blanken willen zwarten zien kruipen als in de tijd van Oom Tom. Of ze willen zwarten kwaad op mekaar zien, zoals Wynton en ik.

Dus al die blanken prijzen Wynton maar voor zijn klassieke muziek en daar is niets mis mee. Maar dan slaan ze door en plaatsen hem *hoger* dan Dizzy en mij in de jazz en hij weet dat hij niet in de schaduw kan staan van alles wat wij gedaan hebben en nog zullen doen in de toekomst. Wat het zo erg maakt, is dat Wynton naar al hun gelul luistert en hen gelooft. Als hij dat blijft doen, draaien ze hem de vernieling in. Ze hebben hem al zo ver dat hij zijn eigen broer kleineert om de muziek die hij wil spelen. Nou, dan weet je wel wat voor onzin dat is, zo goed als Branford speelt.

Ze laten Wynton oude, dode, Europese muziek spelen. Waarom speelt hij niet iets van Amerikaanse, zwarte componisten, zorgt hij niet dat die eens gehoord worden? Als de platenmaatschappijen echt klassieke muziek willen brengen met zwarte mensen, waarom doen ze dan niet iets met zwarte klassieke componisten of desnoods met jonge blanke klassieke componisten, in plaats van al die oude troep? Ik zeg niet dat die muziek niet goed is, maar het is keer op keer op keer gedaan. Wynton speelt hun dode rotzooi, dingen die iedereen kan spelen. Het enige wat je daarvoor moet doen, is oefenen, oefenen en nog eens oefenen. Ik heb tegen hem gezegd dat ik me niet zou verlagen tot die muziek, dat ze blij moeten zijn dat een zo getalenteerd iemand als hij die uitgekauwde troep speelt.

Wynton zou iets moeten opsteken van de manier waarop ze mij en al zijn andere voorgangers behandelden, van hoe ze proberen om je eerst op het paard te zetten om je er daarna vanaf te kunnen trekken zo gauw je één klote noot mist. Wynton keert zich van zijn eigen muziek af om hun muziek te spelen en daar heeft hij de tijd niet voor, want hij heeft nog veel te leren in improviserende muziek. Ik zie niet in waarom onze muziek minder zou zijn dan Europese klassieke muziek. Beethoven is al tijden dood en nog steeds praten ze over hem, leren ze over hem en spelen ze zijn muziek. Waarom praten ze niet over Bird, of Trane, of Monk, of Duke, of Count, of Fletcher Henderson, of Louis Armstrong net zoals ze over Beethoven praten? *Hun* muziek is verdomme ook klassiek. We zijn nu allemaal Amerikanen en vroeg of laat zullen de blanken moeten leren daarmee om te gaan en met alle grote resultaten van zwarten in dit land.

Ze moeten ook accepteren dat wij de dingen anders doen. Onze muziek is op vrijdag- en zaterdagavond niet hetzelfde. Ons voedsel is niet hetzelfde. De meeste zwarte mensen zitten niet naar Billy Graham te luisteren en naar al die andere spijt-predikanten, die net als Ronald Reagan klinken. We doen niet mee aan dat gezeik en Wynton ook niet, niet echt. Maar ze lieten hem geloven dat hij dit moest doen, dat het hip was. Maar het was niet hip, voor mij niet, tenminste.

Ik had net *You're Under Arrest* opgenomen aan het eind van 1984 en het begin van 1985. Dit was de laatste plaat die ik officieel voor Columbia maakte. Maar deze keer was in de band Bill Evans op saxofoon vervangen door Bob Berg, had Steve Thornton Mino Cinelu's plaats ingenomen en had mijn neef Vincent Wilburn de drums op de plaat gezet in plaats van Al Foster. De zanger Sting deed ook mee op die plaat, want Darryl Jones maakte opnames met hem en vroeg of hij hem mee mocht nemen, dus ik zei ja. Sting doet de stem van de Franse politieman op die plaat. Hij is een leuke kerel, hoewel ik indertijd niet wist dat hij Darryl als bassist voor zijn band probeerde te krijgen.

Het idee voor *You're Under Arrest* ontstond uit de problemen die zwarte mensen overal met agenten hebben. De politie zit altijd te kloten als ik in Californië rij. Ze konden het niet hebben dat ik in een gele Ferrari van $60 000 rondreed, in de tijd dat ik die plaat maakte. Bovendien vonden ze het maar niks dat ik, een zwarte, in een huis aan het strand in Malibu woonde. Daar kwam het idee voor *You're Under Arrest* vandaan: opgesloten worden omdat je je op straat vertoont, opgesloten worden om politieke redenen. Moeten leven met de dreigende verschrikking van een kernoorlog – en dan ook nog geestelijk geknecht worden. De nucleaire dreiging is de echte verzieker van ons dagelijks leven, die en de vervuiling overal. Vervuilde meren, oceanen, rivieren; vervuilde grond, bomen, vissen, alles.

Ik bedoel, ze verzieken gewoon alles omdat ze zo verdomd inhalig zijn. Ik heb het over blanken die dit doen, en ze doen het over de hele wereld. Ze verzieken de ozonlaag, dreigen bommen op iedereen te gooien, proberen altijd anderen hun bezit af te nemen en sturen legers als mensen dat niet willen opgeven. Het is schandelijk, verachtelijk en gevaarlijk wat ze doen, wat ze al zo lang gedaan hebben, omdat ze het voor iedereen verzieken. Daarom laat ik op *Then There Were None* de synthesizer geluiden produceren als van een aanwakkerende, huilende wind, die een kernexplosie moest voorstellen. Daarna

hoor je mijn eenzame trompet die het jammerende huilen van een baby vertolkt, of het bedroefde gehuil van iemand die de bomexplosie heeft overleefd. Daarom zijn
er die klokken in dat galmende, klaaglijke soort van geluid. Ze worden geacht te luiden voor de doden. Dan
stop ik er dat aftellen in, '5, 4, 3, 2...' en dan, op het eind
van de plaat, hoor je mijn stem zeggen: 'Ron, ik bedoelde
dat je die andere knop moest indrukken.'

*You're Under Arrest* liep echt goed; er werden 100 000
platen van verkocht in een paar weken tijd. Maar ik vond
het minder prettig wat er bij Columbia gebeurde. Toen
ik de kans kreeg om naar Warner Bros. Records over te
stappen, gaf ik mijn nieuwe manager, David Franklin,
opdracht dat te doen. David was de manager van Cicely
en zij had hem mij aanbevolen. Ik had al eerder besloten
dat ik een zwart iemand wilde om mijn zaken te behartigen. Maar David verknalde de onderhandelingen door te
veel in te leveren bij Warners, bijvoorbeeld de rechten op
al mijn composities. Ze gaven ons veel geld om over te
stappen naar Warnes Bros, in de zeven cijfers, alleen om
te tekenen. Maar het idee om al mijn auteursrechten aan
hen te geven stond me tegen. Daarom staan er geen eigen
composities op mijn nieuwe platen; Warner Bros zou de
rechten op die songs krijgen, niet ik. Dus totdat we over
dat punt opnieuw onderhandelen zullen er altijd composities van anderen op mijn platen staan.

Tussen 1984 en 1986 toerde ik over de hele wereld zoals
gewoonlijk. Niets nieuws, gewoon veel muziek, gespeeld
in plaatsen die ik vaak, heel vaak gezien had, waar voor
mij de nieuwigheid dus al van af was. Het wond me niet
langer op. Het wordt gewoon routine, dus is het de muziek die je gaande houdt. Als de muziek in orde is, dan
wordt al het andere beter en gemakkelijker te hanteren.
Als dat niet zo is, tja, dan kan dat alles akelig maken,
want een lange tournee kan vermoeiend en vervelend

worden. Maar ik ben eraan gewend. Daar komt bij dat sinds ik me zo serieus met schilderen bezighoud, ik veel tijd doorbreng in musea en ateliers van kunstenaars. Ik koop nu kunst. Dat is nieuw voor me en nu ik het geld heb om kunst uit de hele wereld te kopen, vind ik het heel leuk om te doen. Ik bouw een goede internationale collectie op, die ik verdeel tussen mijn huis in Malibu en mijn appartement in New York.

Ik ben steeds meer gaan tekenen en schilderen; als ik thuis ben doe ik het tegenwoordig enkele uren per dag. Als ik op tournee ben ook. Schilderen kalmeert me en ik hou ervan om te zien wat er uit mijn verbeelding naar boven komt. Het is een soort therapie voor me en geeft mijn geest iets positiefs te doen als ik geen muziek speel. Ik raak geobsedeerd door schilderen net zoals ik geobsedeerd word door muziek en al het andere wat ik graag doe. Ik hou bijvoorbeeld van goede films en probeer er dus veel te zien.

Ik lees niet veel boeken, heb dat ook nooit gedaan, heb er nooit tijd voor gevonden. Maar ik lees alle tijdschriften die ik in handen krijg en kranten. Daar steek ik veel van op. Bovendien kijk ik graag naar de nieuwsuitzendingen van CNN, die de hele dag op de televisie worden uitgezonden. Maar wat ik lees neem ik met een korrel zout; ik heb veel schrijvers gewoon nooit vertrouwd, omdat er zoveel zo oneerlijk zijn, vooral journalisten. Man, ze verzinnen van alles en nog wat om een goed verhaal te krijgen. Ik denk dat mijn argwaan voor schrijvers begon toen ik de meeste journalisten die ik tegenkwam, niet bleek te mogen, vooral niet degenen die zo vaak leugens over mij vertelden. De meesten van hen zijn blank. Ik hou van dichters en van een paar romanschrijvers. Vroeger hield ik veel van poëzie, vooral van de zwarte dichters uit de jaren zestig – The Last Poets, Le-Roi Jones, Amiri Baraka –, omdat waar die dichters over praatten en schreven waar was, hoewel ik weet dat veel mensen – zwart en blank – niet wilden toegeven dat het waar was, toen niet en nu nog steeds niet. Maar het was wel zo en iedereen die iets weet over dit land en open- staat voor de waarheid, weet dat wat zij schreven waar was. Ik herinner me dat ik op één van de reizen die ik naar Japan maakte om te spelen – ik geloof dat het in 1985 was –, onderweg ziek werd in Anchorage in Alaska, omdat ik toen we in Frankrijk waren, al die zoetigheid had gegeten, die ik helemaal niet hebben mocht. Van gebakjes kan ik niet afblijven en volgens mij maken de Fransen het beste gebak. We hadden net een concert in Frankrijk gegeven en vlogen naar Japan en ik had al die lekkernijen meegenomen in het vliegtuig. Ik heb suiker- ziekte en weet dat ik het niet moet doen, maar soms kan ik er gewoon geen weerstand aan bieden, dan ben ik er helemaal van bezeten. We maakten een tussenstop in Anchorage en tegen de tijd dat we daar landden, raakte ik in een suiker- of insuline-shock. De symptomen zijn een gebrek aan energie en knikkebollen en in slaap val- len als een junkie. Jim Rose stopte me daar in een zie- kenhuis, want hij is alert op mijn gezondheid en lette op me als een havik. De mensen van Japan Airlines wilden me niet meer aan boord van het vliegtuig laten totdat ze me hadden opgelapt. Het was beangstigend en dus be- gon ik hierna iedere dag insuline-injecties te nemen. Ik heb sindsdien veel problemen gehad met sommige dou- anebeambten in bepaalde landen, die dachten dat mijn insulinespuiten gebruikt zouden worden om heroïne te spuiten of een andere drug. Ik heb me een keer op het vliegveld van Rome ontzettend kwaad staan maken om- dat de lui van de douane me lastigvielen over mijn spui- ten en de medicijnen die ik voor mijn verschillende kwalen gebruik. Ik begon iedereen uit te vloeken. Sui- kerziekte is een ernstige ziekte en je kunt eraan doodgaan, dus ik moet voorzichtig zijn met wat ik eet. Hoe ouder je wordt, des te erger wordt de ziekte; je alvleesklier begint op te spelen en je kunt kanker krijgen. De bloedsomloop naar je armen en benen en tenen wordt afgesneden en ik heb toch al een slechte bloedcirculatie, vooral in mijn benen, die magerder zijn dan iemand zich voor kan stellen. Ik kan me herinneren dat ik naar ziekenhuizen ging en de dokters dan probeerden bloed uit mijn armen en benen af te tappen. Ze konden geen aderen vinden, in de eerste plaats omdat ik vroeger een junkie was en er een paar waren dichtgeklapt en in de tweede plaats omdat mijn armen en benen zo mager zijn. Ze prikten me gewoon overal om te proberen een ader te vinden. Op een dag zei Jim Rose: 'Probeer zijn voeten eens, kijk of je daar het bloed uit kunt halen.' Dat deden ze en daar halen ze het sindsdien meestal vandaan. Man, ik heb overal op mijn lijf littekens, behalve op mijn gezicht. Mijn gezicht is in een prima conditie. Dan kijk ik verdomme in de spiegel en dan zeg ik: 'Miles, je bent een knappe vent!' Serieus, mijn gezicht is in een prima conditie, en een face lift heb ik ook niet gehad. Maar verder heb ik overal littekens en al mijn vrienden die mij een tijdje kennen, zeggen dat ik graag mijn littekens aan hen laat zien. Misschien is dat waar. Voor mij zijn het medailles, eretekens, de geschiedenis van mijn overleven, het verhaal van hoe ik bleef omhoogkruipen uit de stront, vreselijke tegenslag en gewoon bleef omhoogkruipen, zo goed en zo kwaad als het ging. Ik weet waarom ik trots ben op mijn littekens, omdat laten zien dat ik me er niet onder liet krijgen door al die klerezooi, dat je kunt winnen, maar dat daar moed, vasthoudendheid en karakter voor nodig zijn.

Omstreeks 1985 waren Cicely en ik veel in Malibu, eerst in een bungalow die zij had en daarna in een huis dat ik kocht. Het huis lag direct aan de oceaan en we hadden ons eigen privé-strand. Het warme weer was beter voor mijn heup en bovendien kreeg ik meer rust als ik in Californië was; het was niet zo hectisch als New York City. Ik schoof de gebroeders Blank als managers aan de kant en zorgde dat ze niet meer bij mijn geld konden. In New York waren we nu altijd in Cicely's appartement op de veertiende verdieping op Fifth Avenue bij 79th Street met uitzicht op Central Park. Haar appartement was leuk, maar ik miste het huis op West 77th Street. Behalve David Franklin, die nu zowel mijn als Cicely's manager was (hij behartigde ook de zaken van Roberta Flack, Peabo Bryson en Richard Pryor totdat ze ermee ophielden), hield ik Peter Shukat aan als mijn advocaat (hij werkte al vanaf 1975 voor me) en Steve Ratner als mijn privé-boekhouder en accountant. Jim Rose bleef ook bij me als roadmanager.

Maar in 1985 begon mijn relatie met Cicely te verslechteren. Dat gebeurde niet plotseling, maar kwam voort uit een hoop verschillende kleine dingen. Het was net of we elkaar niet meer zoveel te zeggen hadden.

Cicely en ik hadden natuurlijk nooit moeten trouwen, omdat ik me nooit echt seksueel tot haar aangetrokken voelde. Ik denk dat we veel beter met elkaar hadden kunnen opschieten als we gewoon vrienden waren gebleven. Maar zij drong erop aan dat we zouden trouwen en Cicely is een erg vasthoudende en koppige vrouw, die meestal haar zin krijgt. Wat me vooral stoorde aan Cicely, was dat ze alles voor me wilde regelen, bijvoorbeeld wie ik zag, wie mijn vrienden waren, wie op bezoek kwam, al dat soort dingen. Iets anders dat me erg stoorde was de manier waarop ze met spullen omging die ik voor haar gekocht had. Ik kocht cadeaus voor haar, armbanden en horloges en ringen, je weet wel, mooie juwelen en kleren en spullen. Maar later kwam ik erachter dat als ik iets duurs voor haar kocht, zij dat vaak terugbracht en het geld ervoor terugvroeg en dat hield. Toen kwam ik erachter dat ook veel andere mensen haar spuugzat waren.

Op een dag in 1985 werd er een pakje bezorgd bij ons huis in Malibu. Het pakje was voor Cicely en toen ze het openmaakte, bleek er een bebloede dolk in te zitten. We keken er allebei met grote ogen naar. Het maakte mij behoorlijk bang en ik vroeg haar wat het betekende. Ze zei niets, alleen dat ze er wat aan zou doen. Er zat een briefje in het pak, maar ze heeft me nooit laten lezen of verteld wat erin stond. Tot op vandaag is dat een raadsel voor me. Maar wat het ook was, het betekende niet veel goeds. Ik begon me na die gebeurtenis echt raar bij haar te voelen.

Cicely waakte er angstvallig voor dat geen andere vrouw haar plaats in mijn leven zou innemen, maar na een tijdje nam ze zelf geen plaats meer in mijn leven in, hoewel ze veel aanbiedingen voor films afsloeg om bij mij in de buurt te kunnen zijn. Het lijkt alsof Cicely uit twee vrouwen bestaat, de één aardig, de ander volledig opgefokt. Bijvoorbeeld, zij bracht haar vrienden mee wanneer ze wilde, maar ze wilde niet dat mijn vrienden langskwamen. En zij had een paar vrienden die ik niet kon uitstaan. Op een dag maakten we over een bepaalde vriend ruzie en ik mepte haar zo hard ik kon. Ze belde de politie en ging naar de kelder en verborg zich daar. Toen de politie kwam, vroegen ze waar ze was. Ik zei: 'Ze moet hier ergens zijn. Kijk eens in de kelder.' De agent ging in de kelder kijken en kwam terug en zei: 'Miles, daar beneden zit een vrouw en die wil niet tegen me praten. Ik krijg geen woord uit haar.'

Dus ik zei: 'Dat is 'r, en ze is bezig met de grootste acteerprestatie ooit vertoond.'

Toen zei de agent dat hij het begreep – ze zag er niet uit alsof ze gewond was of zo. Ik zei: 'Ze heeft echt niets; ik heb haar maar één klap verkocht.'

De agent zei: 'Wel, Miles, je weet dat we het moeten natrekken, als we zo'n telefoontje krijgen.'

'Nou, als zij mij slaat, komen jullie dan ook met je pistolen zwaaien?'

Ze lachten en gingen weg. Toen ging ik naar beneden en zei tegen Cicely: 'Ik heb je gezegd dat je tegen je vriend moest zeggen dat hij niet meer moet langskomen. Als jij het hem nu niet vertelt, dan zal ik 't hem vertellen.' Ze rende naar de telefoon en belde hem op en zei: 'Miles wil niet meer dat ik met je praat.' Voor ik het wist had ik haar opnieuw geslagen. Dus dat kunstje heeft ze me nooit meer geflikt. Het begon *echt* slecht te gaan met Cicely door een incident met een vrouw, een blanke vrouw, die gewoon een vriendin van me was. Ik had haar ooit eens ontmoet in de lift van het gebouw waar Cicely en ik woonden op de hoek van Fifth Avenue en 79th Street. Dat was in 1984 en ik liep op krukken vanwege de operatie aan mijn heup. We raakten aan de praat en werden vrienden. Dat was het. Als ik haar tegenkwam, groette ik haar en maakten we een praatje. Langzaam maar zeker werd Cicely jaloers op haar. Op een gegeven moment sprong ze op klaarlichte dag op de vrouw af en sloeg haar in elkaar. De vrouw had haar zoontje van zeven bij zich. Cicely dacht dat ik wat had met de vrouw; dat had ze zichzelf aangepraat. Maar dat was helemaal niet zo.

Enige tijd later, in 1986, vlak voor een concert dat ik samen met B.B. King zou geven in het Beacon Theatre in New York, kregen Cicely en ik ruzie en ze ging me te lijf en trok mijn hairweaving zo uit mijn hoofd. Dat deed de deur dicht. We bleven bij elkaar en gingen zelfs nog wel samen uit, maar als ik nu op alles terugkijk, weet ik dat dat het begin van het einde was. Het ging zelfs zover dat iemand, en ik denk dat het Cicely was, de *National Enquirer* belde en hen vertelde dat ik een verhouding had met de vrouw die Cicely in elkaar had geslagen. De *En-*

*quirer* belde mijn vriendin, maar zij wilde niet met ze praten. Cicely heeft het zelfs gepresteerd om mijn vriendin te bellen en zich voor te doen als een verslaggeefster van de *Enquirer*. Man, dat was bij het ziekelijke af. Na een tijdje moest Cicely naar Afrika, eerst om een film te maken en later omdat ze voorzitster was van het Kinderfonds van de Verenigde Naties voor 1985-1986 en ze de door droogte getroffen gebieden daar moest bezoeken. Ik gaf haar een Rolls Royce cadeau toen ze terugkwam. Toen de auto werd gebracht, kon ze het niet geloven. Ze dacht dat iemand een grap met haar uithaalde.

Cicely heeft film- en tv-rollen gedaan waarin ze een activiste speelde of zoiets, iemand die veel gaf om zwarte mensen. Nou, zo is ze helemaal niet. Ze houdt ervan met blanken om te gaan, wint over alles graag hun advies in en gelooft bijna alles wat ze haar vertellen.

Na al deze gebeurtenissen zei ik dat ze kon ophoepelen en maar moest bekijken wat ze ging doen. We kwamen daarna nog een paar keer bij elkaar, een keer met Sammy Davis Jr. en zijn vrouw Altovise tijdens een optreden van Sammy in Las Vegas. Bij die voorstelling zag ik mijn eerste vrouw Frances. Ze zag er zoals gewoonlijk goed uit en toen ze naar mijn tafel kwam om even te groeten, raakte Cicely daarvan echt over d'r toeren. Er was een hoop spanning. Frances voelt zoiets meteen aan, dus bleef ze maar eventjes en vertrok toen weer. Ik zag haar de volgende avond weer, bij een concert van Harry Belafonte. Na afloop gingen Cicely en ik naar de receptie en daar was Frances ook, want ze is bevriend met de Belafontes. Ik zei tegen haar dat ik Cicely de afgelopen maand 'Frances' had genoemd als ik haar tegen haar sprak, een soort Freudiaanse vergissing. En dat was waar. Ik denk omdat ik nog steeds veel om Frances gaf. Maar iedereen daar stond raar te kijken toen ik dat zei.

Het liep af tussen Cicely en mij, dus ik denk dat het

me indertijd niet veel meer kon schelen wat ik tegen haar zei door al dat verdriet dat ze me had gedaan. En bovendien, als ik terugkijk op mijn leven, is Frances de beste vrouw die ik ooit gehad heb en vergiste ik me toen ik het met haar uitmaakte. Dat weet ik nu. Ik denk dat zij en Jackie Battle de beste vrouwen waren die ik in die waanzinnige oude tijd heb gehad. Maar zoiets voelde ik niet bij Cicely, ondanks het feit dat ze mijn leven redde. Maar dat gaf haar nog niet het recht mijn leven te regelen, en daar ging ze in de fout.

Op een keer in 1984 of '85 (ik ben vergeten wanneer het precies was) gingen Cicely en ik naar een feestje. Leontyne Price was er en ze kwam naar Cicely en mij toe en begon met ons te praten. Ik had Leontyne al een tijd niet gezien, maar was altijd een fan van haar omdat ze volgens mij de beste zangeres aller tijden is, de beste operazangeres aller tijden. Ze kan alles met haar stem. Leontyne is zó goed dat het gewoon angstig is. En bovendien kan ze piano spelen en in al die talen zingen en spreken. Man, ik hou van haar als artieste. Hoe ze *Tosca* zingt vind ik schitterend. Haar opname daarvan heb ik grijs gedraaid, twee exemplaren. Nu zou *ik* geen *Tosca* doen, maar de manier waarop Leontyne het deed vond ik prachtig. Ik vroeg me altijd af hoe ze geklonken zou hebben als ze jazz had gezongen. Ze zou voor iedere muzikant, zwart of blank, een bron van inspiratie moeten zijn. Ik weet dat ze het voor mij is.

Hoe dan ook, toen we op dat feestje een tijd hadden staan praten, draaide ze zich om naar Cicely en zei: 'Meid, je hebt de prijs binnen, je hebt de prijs binnen, kind. Ik zit al jaren achter deze klootzak aan!' Weet je, zo direct is Leontyne. Aarzelt niet en zegt wat ze denkt. Dat waardeer ik in haar, omdat ik zelf ook zo ben. Dus toen Leontyne dat zei, glimlachte Cicely alleen maar, wist niet wat ze terug moest zeggen. Ik denk zelfs dat Cicely het niet eens doorhad, dat Leontyne mij bedoelde met 'de prijs'.

Darryl Jones verliet mijn band in 1985, nadat hij die *Dream of the Blue Turtles* plaat met Sting had opgenomen. Daarna maakte hij de film *Bring on the Night* met Sting in Parijs en toen begon hij optredens te doen met hem en met mij. Op een dag in de zomer van 1985 tijdens een tournee door Europa, vroeg ik Darryl wat hij zou doen als hij een optreden met mij en één met Sting op dezelfde dag had. Hij zei dat hij het niet wist. Dus zei ik dat hij daar maar beter over na kon denken, want dat het zeker een keer zou gebeuren. Ik kon begrijpen waarom Darryl overwoog weg te gaan, want Sting zou hem veel geld gaan betalen, veel meer dan ik me kon veroorloven. Dit kwam me bekend voor, want ik had hetzelfde gedaan als *ik* een muzikant wilde. Nu overkwam dat mij. Toen we in augustus 1985 in Tokio kwamen, had John Scofield me al verteld dat dit zijn laatste tournee met mij zou worden en nu zat Darryls vertrek er ook al aan te komen. Ik liep naar mijn hotel in de binnenstad van Tokio en de koptelefoon van mijn walkman sleepte over de grond. Darryl zag me en zei: 'Hé, Chef (Veel van mijn muzikanten noemen me "Chef"), je koptelefoon hangt op de grond!'

Ik trok de koptelefoon omhoog en draaide me om en zei tegen Darryl: 'Nou én verdomme? Je bent niet meer bij ons, dus waar bemoei je je mee. Ga dat aan je nieuwe baas, Sting, vertellen!' Ik was kwaad op Darryl omdat hij overwoog om bij me weg te gaan, want ik hield echt van zijn spel en ik wist dat hij naar Sting zou gaan; ik kon het op mijn klompen aanvoelen. Ik kon zien dat ik hem gekwetst had, kon de pijn op zijn gezicht zien. Ik bedoel, Darryl was bijna een zoon van me geworden, weet je, omdat hij en mijn neef Vincent dik met elkaar waren. Ik voelde me gekrenkt omdat hij bij mij wegging om bij

Sting te gaan spelen. Ik kon het qua geld begrijpen en ik kon het verstandelijk begrijpen. Maar op dat ogenblik kon ik het emotioneel niet aan en dus reageerde ik gewoon uit gekwetstheid. Later kwam hij naar mijn kamer en we hadden een lang gesprek en ik begreep wat zijn motieven waren. Toen hij wilde weggaan, stond ik op en zei: 'Hé, Darryl, ik begrijp 't, man. God zegene je bij alles wat je doet, man, want ik hou van jou en ik hou van hoe je speelt.'

Voor mijn relatie met Cicely helemaal stukliep, bood ze me een groot verjaardagsfeest aan voor mijn zestigste verjaardag in mei 1986. Ze deed dat op een jacht in Marina del Rey in Californië en het was een volkomen verrassing. Ik wist er totaal niets van totdat ik bij het jacht kwam en al die mensen daar zag: Quincy Jones, Eddie Murphy, Camille Cosby, Whoopi Goldberg, Herbie Hancock, Herb Alpert, Billy Dee Williams en zijn vrouw, Roscoe Lee Browne, Leonard Feather, Monte Kay, Roxie Roker, Lola Falana, de vrouw van Sammy Davis, Altovise, de burgemeester van Los Angeles, Tom Bradley (die me ereburger van de stad maakte) en Maxine Waters, een Californische politicus die van oorsprong uit St. Louis komt. Mijn manager, David Franklin, was er ook, en een hele hoop andere mensen, onder wie de voorzitter van Warner Bros. Records, Mo Ostin. Mijn broer en mijn zus waren er, en mijn dochter, Cheryl.

Het mooiste van dat feest was dat Cicely me een schilderij gaf van mijn moeder, vader en grootvader, gemaakt door de schilder Artis Lane. Dat raakte me echt en bracht me voor een tijdje weer dichter bij haar. Het was aardig van Cicely om dat schilderij te laten maken, want ik had geen enkele afbeelding van mijn ouders. Ik zal dat altijd blijven waarderen en koesteren. En het feest was helemaal een verrassing. Het tijdschrift *Jet* maakte er zelfs een reportage van, die acht tot tien pagina's besloeg, met veel foto's erbij. Het was een geweldig feest en het deed me echt goed daar te zijn en te zien dat iedereen zich amuseerde. Ik denk dat dat onverwachte verjaardagsfeest ervoor zorgde dat Cicely en ik langer bij elkaar bleven dan gebeurd zou zijn als ze dat feest niet gegeven had.

In 1986 nam ik mijn eerste plaat voor Warner Bros. op, die *Tutu* heette, naar bisschop Desmond Tutu, de winnaar van de Nobelprijs voor de Vrede. Het nummer *Full Nelson* is genoemd naar Nelson Mandela. Eerst zouden we de plaat *Perfect Way* noemen, maar Tommy LiPuma, mijn nieuwe producer bij Warner, hield niet van die titel, dus kwamen ze met *Tutu* en dat vond ik echt goed. Eerst kon het me niet schelen hoe ze hem zouden noemen, maar toen ik de naam *Tutu* gehoord had, zei ik, ja, dat kan. Dat was de eerste plaat waarop ik weer evenveel met Marcus Miller samenwerkte als vroeger. We begonnen aan de plaat met wat muziek die George Duke, de pianist, me gestuurd had. Uiteindelijk gebruikten we de muziek van George niet op de plaat, maar Marcus luisterde ernaar en maakte er iets van. Daarna liet ik Marcus iets anders schrijven. Hij vond dat mooi, maar ik niet, dus op die manier kaatste het een tijdje op en neer totdat we op iets stuitten dat we allebei mooi vonden. Toen we *Tutu* opnamen legden we ons niet van tevoren op de muziek vast. Het enige dat we afspraken was in welke toonsoort het nummer zou staan. Marcus schreef de meeste muziek op *Tutu*, maar ik vertelde hem wat ik wilde, bijvoorbeeld een samenspel hier en vier maten daar. Bij Marcus heb ik niet veel te doen, want hij weet waar ik van hou. Hij speelde gewoon wat nummers in en dan kwam ik en nam iets daaroverheen op. Hij en Tommy LiPuma bleven hele nachten op om de muziek op tape te krijgen en dan kon ik komen en de stem van mijn trompet daar overheen leggen. Eerst programmeerden ze de drums op de tape, de bass drum en dan twee of drie andere ritmes en dan de toetsen. Toen kwam Marcus aan met die vent, Jason Miles, die een genie is in het programmeren van synthesizers. Hij ging met de muziek aan de slag en zo bleef het doorgaan. Het bleef gewoon groeien; het was een groepsprestatie. George Duke arrangeerde veel van de muziek op *Tutu*. Toen haalden we er al die andere muzikanten bij, zoals Adam Holzman op synthesizer, Steve Reid op percussie, Omar Hakim op drums en percussie, Bernard Wright op synthesizers, Paulinho da Costa voor wat percussie, Michael Urbaniak op elektrische viool, ik op trompet, en Marcus Miller op basgitaar en al het andere.

Ik heb gemerkt dat het te veel problemen geeft als ik mijn vaste band meeneem naar de studio. Het kan gebeuren dat de band, of een paar mensen in de band, op de dag van de opnames niet in vorm zijn. Dan moet je maar zien hoe je dat opvangt. En als een of twee muzikanten die dag niet in vorm zijn, dan slepen ze alle anderen mee. Of ze hebben misschien geen zin om de stijl te spelen die je wilt of nodig hebt voor plaat waaraan je werkt en dan geeft dat problemen. Muziek heeft voor mij heel veel te maken met stijlen en als iemand niet kan spelen wat je wilt en nodig hebt, dan kijken ze je zo raar aan en voelen ze zich rot en onzeker. Je moet ze leren wat ze voor je moeten doen, het ze meteen daar in de studio voordoen voor de ogen van alle anderen en veel muzikanten kunnen daar niet tegen, dus worden ze kwaad. Dat houdt de boel op. Het op de oude manier doen, opnemen zoals we vroeger deden, is te veel gedoe en kost te veel tijd. Sommige mensen zeggen dat ze de spontaniteit missen en de vonk die je krijgt als je in één keer met een band in de studio opneemt. Misschien is dat waar; ik weet het niet. Ik weet alleen dat de nieuwe opnametechnologie het makkelijker maakt om te doen wat we eigenlijk altijd al deden. Als een muzikant echt professioneel is zal hij je qua uitvoering in de studio geven wat je vraagt door met de band mee en tegen de band in te spelen die al op de tape staat. Ik bedoel, de vent kan horen wat er gespeeld wordt, niet? En dat is het enige wat in het samen spelen van muziek belangrijk is; horen wat de anderen doen en met dat mee of tegen dat in te spelen.

Het is een kwestie van stijl en wat jij en je producers willen horen op de plaat. Tommy LiPuma is 'n prima producer voor het soort dingen dat hij op een plaat wil horen. Maar ik hou van rauw, levend, vettig, drek uit de goot en hij houdt daar niet echt van en snapt het ook niet. Liever dan mijzelf, mijn vaste band en Tommy allerlei ellende aan te doen door te proberen mijn vaste band in de studio muziek op te laten nemen die ik wel leuk zou vinden, maar Tommy niet, doen we het op deze manier, tracks opnemen, met mij en Marcus en met wie we dan ook maar nodig vinden voor een plaat. Meestal gebruik ik Marcus op alle instrumenten, omdat die gozer bijna alles kan spelen: gitaar, bas, saxofoon, piano en dan programmeert hij ook nog wat van de synthesizers met Jason Miles. Marcus is zo geconcentreerd bezig in de studio, man, het is gewoon eng. Ik heb zelden iemand gezien die zich zo kan concentreren. Niets ontgaat hem en hij kan dag en nacht doorwerken zonder zijn concentratie te verliezen. Daardoor werken alle anderen zich ook te pletter. En hij maakt geintjes tijdens het werk, lacht om je verhalen en grappen, stelt iedereen op z'n gemak. Maar de plaat krijgt hij klaar.

Tommy LiPuma is hetzelfde. Hij is Italiaan, houdt van het verzamelen van schilderijen. Maar geef hem wat pasta en een goede fles wijn en hij zorgt ook dat jij je afpeigert. Hij is erg spits en geconcentreerd in een studio en net als Marcus zal hij ook voortdurend glimlachen en dollen en je je solo wel duizend vervloekte keren laten overdoen. Maar je doet het omdat je weet dat het voor de plaat het beste is en omdat het zulke sterke persoonlijkheden zijn. Je hebt geen idee hoe moe je bent, tot je de volgende dag niet uit je bed kunt komen en dan vervloek je die klootzakken.

Ik hou ook van Marcus, omdat het gewoon een ongelooflijk lieve man is. Toen Marcus zou gaan trouwen, belde hij me op en vroeg me wat hij moest doen, want hij was zo zenuwachtig, zei hij. Ik raadde hem aan wat sinaasappelsap te drinken en wat opdrukoefeningen te doen en als hij daarvan niet rustig werd, dat gewoon opnieuw te doen. Man, daar moest hij zo hard om lachen dat hij die hele telefoon liet vallen. Maar hij deed het en hij zei dat het werkte. Hij is een leuke kerel, goedlachs, dus als we samen zijn, vertel ik hem altijd grappige verhalen, omdat ik hem graag hoor en zie lachen. Marcus haalt altijd de grappige kant in me naar boven. In de studio zijn we een geweldig team, weet je. Marcus is zo bezeten en gaat zo op in de muziek dat hij zelfs ritmisch loopt, altijd in het ritme blijft, wat hij ook doet. Dus nu vind ik het niet meer zo erg om de studio in te gaan, omdat ik weet dat ik daar mensen zal aantreffen die weten hoe ze de zaken moeten aanpakken.

Prince wilde een nummer aan *Tutu* bijdragen, had het zelfs al geschreven, maar toen we hem de tape stuurden en hij hoorde wat daarop stond, vond hij zijn nummer niet passen. Prince legt hoge muzikale maatstaven aan, net als ik. Dus trok hij het nummer dat voor de plaat bedoeld was terug, om op een later tijdstip iets anders samen te doen. Prince maakt ook platen voor Warner Bros. en van mensen daar hoorde ik voor het eerst dat hij van mijn muziek houdt en mij ziet als één van zijn muzikale helden. Ik was blij en vereerd dat hij op die manier over mij dacht.

Toen mijn bassist Darryl Jones op tournee ging met

Sting, nam ik eerst Angus Thomas en later Felton Crews voor hem in de plaats. Mike Stern en later Robben Ford vervingen John Scofield op gitaar. Als Darryl in de stad was, belde hij me altijd even op en toen, op een dag in oktober 1986, rond de tijd dat ik in de 'Dick Cavett Show' optrad, belde hij me in New York en zei dat hij bij niemand speelde. Ik vroeg waarom hij niet weer bij mij kwam spelen en dat deed hij. Robben Ford bleef niet erg lang in mijn vaste band. Marcus Miller stuurde me een tape van een gitarist, die Joseph Foley McCreary heette en zichzelf Foley noemt. Hij kwam uit Cincinnati. Ik hoorde meteen dat hij te gek was, precies het soort muzikant dat ik zocht en hij was zwart. Hij was een beetje ongepolijst, maar ik dacht dat we daar wel uit zouden komen. In augustus 1985 hadden we ook Marilyn Mazur op percussie in de band gehaald. Ik had haar voor het eerst ontmoet in Denemarken, toen ik de Sonning-prijs won en met Palle Mikkelborg die opnames maakte voor die nog steeds niet uitgebrachte plaat *Aura*. Toen ze me belde nam ik haar erbij en hield ik in de band Steve Thornton op percussie aan, omdat hij me die Afrikaanse sound gaf waar ik van hield. Tegen het najaar van 1986 bestond de band uit Bob Berg op tenorsaxofoon, Darryl Jones terug op bas, Robben Ford op gitaar, Adam Holzman en Robert Irving op toetsen, Marilyn Mazur en Steve Thornton op percussie, Vince Wilburn op drums en mezelf op trompet.

Met deze band deed ik in de zomer van 1986 het Amnesty International optreden in het Giants Stadion, in de Meadowlands in New Jersey. De dag ervoor hadden we op het Playboy Jazz Festival in Los Angeles gespeeld, waar we rond elf uur 's avonds het podium op gegaan waren. We kwamen vroeg in de morgen in Newark aan en er was niemand om ons af te halen. Dus huurden we een limousine en een busje om iedereen naar hotels te brengen. Toen het onze tijd was om te spelen, gingen we naar de Meadowlands en het had de hele morgen geregend. Alles was nat. Man, het was daar stampvol. Bill Graham coördineerde het opbouwen op het podium en al dat soort dingen. Ze hadden één van die ronddraaiende podia, waarop vóór een groep speelt voor de mensen, terwijl een andere groep op het andere podium opbouwt. Dat werkt in theorie als er niets tegenzit en het niet geregend heeft. Telkens als ze ons wilden opbouwen, blies de wind water van het dak van het podium op onze apparatuur. Dus konden Jim Rose en zijn team echt niet opbouwen. Ik hoorde Bill Graham tegen Jim schreeuwen dat hij moest opbouwen, totdat iemand hem op al het water wees dat van het dak afkwam. Toen begreep hij het.

Het was daar een gekkenhuis, want alles werd live op televisie over de hele wereld uitgezonden. En we hadden niets wat op een soundcheck leek. Op een of andere manier ging alles toch goed. Ik geloof dat Santana samen met ons speelde en daarna speelden wij ongeveer twintig minuten. Ik geloof dat de mensen het echt goed vonden.

Toen we gespeeld hadden, kwamen al die echt beroemde blanke rocksterren me gedagzeggen. Al die lui van U2, Bono, Sting, al die lui van the Police, Peter Gabriel, Ruben Blades. Allerlei mensen. Sommigen van hen leken echt bang om naar me toe te komen en iemand vertelde me dat er een paar bang waren vanwege mijn reputatie dat ik bot was en graag met rust gelaten werd. Ik voelde me goed en vond het dus leuk om muzikanten te ontmoeten die ik nog nooit ontmoet had. Het was een echte verademing na al die regen en al dat gezeik dat bijna alles verpest had.

Er gebeurde nog meer dat jaar. Ik deed een 'Great Performances' programma voor PBS, een show van negentig minuten die ze in het hele land op het scherm brachten.

De televisie volgde me en filmde het volledig concert op het New Orleans Jazz and Heritage Festival. Ze interviewden me. We hadden afgesproken dat we een dansnummer zouden doen waaraan George Faison en ik gewerkt hadden, maar dat kwam er niet van. Ik schreef ook de muziek voor een film die *Street Smart* heette en waarin Christopher Reeve, de acteur die Superman speelde en de grote zwarte acteur Morgan Freeman de hoofdrollen speelden. De muziek voor die film maakte ik eind 1986, begin 1987.

In 1986 gebeurde er nog iets dat ik de moeite van het vertellen waard vind: het incident tussen mij en Wynton Marsalis. Het gebeurde in Vancouver in Canada, op een festival waar we allebei speelden. We speelden in zo'n openlucht amfitheater dat afgeladen vol zat. Wynton zou de volgende avond spelen. Dus daar stond ik te spelen en op te gaan in mijn muziek. Opeens voel ik die aanwezigheid naar me toe komen, die beweging van een lichaam en ik zie dat het publiek wel lijkt te willen juichen of zijn adem inhoudt of zoiets. Dan fluistert Wynton in mijn oor – en ik probeer nog steeds te blijven spelen – 'Ze zeiden dat ik erbij moest komen staan.'

Ik was zo kwaad op hem om wat hij me daar flikte, dat ik alleen maar zei: 'Man, sodemieter op van het podium.' Hij leek een beetje geschokt toen ik dat zo tegen hem zei. Daarna zei ik: 'Wat doe je hier verdomme op het podium, man? Sodemieter op van het podium!' En toen liet ik de band ophouden met spelen. Want we speelden vooraf bepaalde stukken en toen hij er zomaar bij kwam staan, probeerde ik de band net wat seintjes te geven. Hij zou er niet in gepast hebben. Wynton kan niet spelen wat wij toen speelden. Dat is zijn stijl niet en dus hadden we ons moeten aanpassen aan hoe hij zou gaan spelen.

Toen Wynton me dat leverde, liet hij zien dat hij geen respect heeft voor zijn voorgangers. Om te beginnen ben ik oud genoeg om zijn vader te kunnen zijn en had hij al echt gemene dingen over me gezegd in de kranten en op de televisie en in tijdschriften. Voor dat gelul over mij heeft hij zich nooit verontschuldigd. We zijn geen dikke vrienden, zoals ik en Dizzy en Max en wat andere lui. Maar hoe bevriend Dizzy en ik ook zijn, ik zou zoiets nooit bij hem doen of hij bij mij. We zouden dat eerst aan elkaar vragen. Wynton denkt dat muziek gaat over mensen van het podium blazen. Maar muziek gaat niet over rivaliteit, maar over samenwerking, over dingen samen doen en daarin passen. Het gaat zeker niet om rivaliteit, tenminste niet voor mij. Zo'n houding komt wat mij betreft niet aan muziek te pas.

Zelfzuchtigheid en geen respect was wat ik op Ornette Coleman tegenhad, toen hij trompet en viool probeerde te spelen zoals in het begin toen hij in de scene kwam. Ik bedoel, hij kon geen van die twee instrumenten bespelen. Dat was een belediging voor mensen als Diz en mij. Ik zou zeker geen podium op lopen en saxofoon proberen te spelen als ik het niet kon.

Vroeger, in de oude tijd, jamden alle grote trompettisten, zoals Fat Girl en Dizzy en wij allemaal, altijd samen. Wel, die tijd is voorbij, dat is veranderd. Zeker, we probeerden in het spel van de ander in te breken, maar we kenden elkaar en hielden van elkaar. Zelfs die keer dat Kenny Dorham Café Bohemia binnenkwam en me de eerste avond wegblies en ik hem de avond daarop terugpakte. Er zat veel respect en liefde in dat soort rivaliteit.

Maar zo is dat niet bij Wynton (tenminste ik heb dat soort respect van hem voor mij niet meegemaakt) of bij bijna alle andere jonge muzikanten van vandaag de dag. Ze willen allemaal direct een ster zijn. Ze willen allemaal wat ze een eigen stijl noemen hebben. Maar al die jongelui spelen alleen maar spul van anderen, kopiëren alle loopjes en licks die anderen al gepatenteerd hebben. Er zijn een paar jonge kerels die hun eigen stijl ontwikkelen. Mijn altspeler, Kenny Garrett, is er zo een.

Een andere interessante belevenis in 1986 was, dat ik in een aflevering van 'Miami Vice' speelde, als pooier en dealer. Toen ik die rol speelde, vroeg iemand hoe ik me voelde als acteur en ik zei: 'Als je zwart bent, acteer je altijd al.' En dat is waar. Zwarte mensen in dit land spelen voortdurend rollen alleen maar om zich te kunnen handhaven. Als blanken echt wisten wat de meeste zwarten dachten, zouden ze zich dood schrikken. Zwarten hebben niet de mogelijkheid om deze dingen te zeggen, dus zetten ze maskers op en spelen prachtig toneel alleen maar om door die klotedag heen te komen.

Acteren was niet zo moeilijk. Ik wist hoe ik een pooier moest spelen, omdat ik daar van vroeger nog het een en ander van wist. Don Johnson en Phillip Michael Thomas, de acteurs uit de serie, zeiden tegen mij: 'Man, er is niks aan, niets dan leugens, Miles. Niets dan leugens. Zo moet je er gewoon over denken,' en dat deed ik. Een pooier spelen was makkelijk, want iedere man heeft dat wel een beetje in zich.

Al deed ik het, ik vond het niet zo leuk dat ik de pooier moest uithangen. Ik hield niet van het idee dat ik een vooroordeel bevestigde dat veel mensen van zwarten hebben. Ik speelde vooral een zakenman in die rol, een soort mannelijke madame. Dus in mijn ogen was ik geen pooier, maar een soort zakenman en ik speelde die rol dus op die manier. Cicely zei zelfs tegen me dat ze het mooi had gevonden, dat ze dacht dat ik er goed in was en dat gaf me echt een goed gevoel, omdat ik haar oordeel als actrice en artiest respecteer.

Ook deed ik een Honda reclame, en door die ene commercial kreeg ik meer bekendheid dan door alles wat ik verder ooit gedaan heb. Toen ik 'Miami Vice' en die Honda reclame gedaan had, begonnen mensen die nog nooit van me gehoord hadden me op straat aan te spreken, zwarte en blanke en Portoricaanse en Aziatische kinderen, mensen die niet eens wisten wat ik deed, begonnen daarna tegen me te praten. Man, is 't niet bespottelijk. Nadat je al die muziek hebt gemaakt, al die mensen met je spel hebt vermaakt, en over de hele wereld bekend bent, kom je erachter dat er maar één reclamespotje nodig is om het helemaal gemaakt te hebben in de ogen van de mensen. Je hoeft tegenwoordig in dit land maar op de televisie te verschijnen en je bent bekender en gerespecteerder dan iedereen die een prachtig schilderij maakt of mooie muziek of een goed boek schrijft of perfect danst. De mensen noemden me al 'Meneer Tyson', of zeiden: 'Ik weet wie u bent. U bent de man die getrouwd is met Cicely Tyson!' En ze bedoelden het niet verkeerd toen ze dat zeiden. Ik heb ervan geleerd dat een slecht, onbegaafd iemand die op de televisie komt of in films speelt, meer erkend en gerespecteerd kan worden dan een genie dat niet op het scherm verschijnt.

Voor de rest van 1986 maakte ik de gebruikelijke ronde langs festivals overal in de Verenigde Staten en Europa. *Tutu* verkocht goed en daar was ik blij om. En veel mensen hielden van de plaat, zelfs een paar critici en oude fans die me al jaren op de huid zaten. Ik begon vol goede moed aan 1987, hoewel ik een vervanger moest vinden voor Garth Webber op gitaar (Robben Ford was al eerder weggegaan omdat hij ging trouwen en een plaat voor zichzelf wilde maken; hij had Garth Webber aanbevolen omdat het zo'n leuke kerel was en hij te gek kon spelen). Mino Cinelu, die uit de band was weggegaan, wilde terugkomen op percussie en ik besloot hem terug te nemen in plaats van Steve Thornton. Bob Berg ging ook weg uit de band, omdat hij het niet leuk vond dat ik een andere saxofonist, Gary Thomas, in de band had opgenomen om samen met hem de honneurs waar te nemen. Maar het was goed dat hij wegging, want ik kreeg Kenny Garrett op altsaxofoon, sopraansaxofoon en fluit. Kenny had bij Art Blakey gespeeld voor hij bij mij kwam en ik hoorde direct dat hij een geweldige jonge blazer was.

Het enige wat ik nu, in 1987, nog nodig had, was een gitarist die kon spelen wat ik wilde; ik was er zeker van dat ik hem of haar ergens zou vinden. En ik was nog steeds niet tevreden met mijn neef Vincent als drummer, want hij liet steeds het tempo zakken en als er iets is wat ik niet kan hebben van een drummer, is het dat hij het tempo laat zakken. Ik probeerde hem te laten weten wat ik ervan dacht door hem iedere avond dat hij het deed, erop te wijzen. Ik weet dat hij het echt probeerde en heel erg zijn best deed, maar ik wilde geen excuses horen; ik wilde alleen maar dat hij het niet meer deed. Dat hij mijn neef was maakte voor mij de situatie extra moeilijk, omdat ik hem zo goed kende en hem min of meer als mijn eigen zoon beschouwde. Ik had hem zijn hele leven lang gekend en hem zijn eerste drumstel gegeven en ik hield echt van hem. Dus was het een moeilijke situatie, waarvan ik hoopte dat die zich vanzelf zou oplossen in het belang van iedereen.

## 19

Het jaar 1987 begon met Cicely die me meenam naar een feest in Washington waarvoor ze was uitgenodigd door president Reagan en zijn vrouw Nancy. Ray Charles en andere prominenten ontvingen de 'Lifetime Achievement Award' tijdens een show in Kennedy Center. Cicely en ik gingen omdat het Rays feest was. Ray is een oude vriend en ik hou erg van zijn muziek. Alleen daarom gingen we; ik heb nooit van dat soort politieke kermis gehouden.

Eerst hadden we een diner in het Witte Huis samen met de president en zijn minister van Buitenlandse Zaken, George Shultz. Toen ik aan de president werd voorgesteld wenste ik hem veel geluk in wat hij probeerde tot stand te brengen en hij zei: 'Dank je wel, Miles, want dat zal ik nodig hebben.' Hij is best aardig als je hem persoonlijk ontmoet. Ik neem aan dat hij zijn best deed. Hij is een politicus, man, die toevallig naar rechts neigt. Anderen neigen naar links. De meesten van die politici stelen het land arm. Het maakt niet uit of het Republikeinen of Democraten zijn; ze zitten allemaal alleen maar in de politiek om er beter van te worden. Het Amerikaanse volk kan de politici niets meer schelen. Ze denken er alleen nog maar aan hoe ze rijk kunnen worden net als alle andere vrekken.

Reagan was aardig tegen ons, niet neerbuigend of zo. Maar Nancy is van die twee degene met charme. Ze leek me een warme persoonlijkheid. Ze begroette me hartelijk en ik kuste haar de hand. Dat vond ze leuk. Toen werden we aan vice-president Bush en diens vrouw voorgesteld en haar kuste ik niet de hand. Toen Cicely vroeg waarom ik Barbara Bush niet de hand had gekust, zei ik dat ik dacht dat ze de moeder van George was. Cicely keek me aan alsof ze dacht dat ik gek was. Maar ik ken die mensen niet, volg ze niet en zij kennen mij ook niet. Cicely is met dat soort poeha bezig en voor haar is het belangrijk, maar niet voor mij. Ze kunnen me wat: ze geven Ray Charles een onderscheiding voor levenslange verdiensten en de meesten van hen wisten niet eens wie hij was.

Op weg naar het diner in het Witte Huis zat ik samen met Willie Mays in een limousine. Willie, Cicely en ik, de weduwe van Fred Astaire en Fred MacMurray en zijn vrouw, geloof ik. Toen we instapten, zei een van die blanke vrouwen: 'Miles, de chauffeur zegt dat hij van je zang houdt en dat hij al je platen heeft.' Ik was meteen kwaad, dus keek ik Cicely aan en zei fluisterend: 'Cicely, waarom heb je me hier mee naartoe genomen, waar ik zo beledigd word?' Ze zei niets en keek alleen maar recht voor zich uit met die plastic grijns op haar gezicht.

Billy Dee Williams zat ook bij ons in de auto, dus Billy, Willie en ik begonnen grappen te maken, op de manier zoals zwarten onder elkaar praten, weet je. Maar Cicely vond het gênant. Fred MacMurray zit voor in de limousine en hij is echt ziek, kan bijna niet lopen. De twee blanke vrouwen zitten bij ons achterin, snap je? Dus een van hen zegt tegen me: 'Miles, ik weet dat je mammy trots op je is dat je bij de president op bezoek gaat.'

Iedereen in de auto viel stil, heel erg stil. Ik weet dat iedereen bij zichzelf dacht, waarom kiest ze uit alle klootzakken waartegen ze dit had kunnen zeggen, nou net Miles? Ze zaten gewoon te wachten tot ik zou ontploffen tegen die ouwe taart.

Ik draaide me naar haar toe en zei: 'Luister, mijn moeder is verdomme geen mammy, wil je dat even goed begrijpen! Dat woord is uit de tijd, mensen gebruiken het niet meer. Mijn moeder was eleganter en slimmer dan jij ooit zult zijn en mijn vader was dokter. Dus zeg zoiets nooit meer tegen een zwart iemand, heb je dat begrepen?' Terwijl ik dat zei, verhief ik niet één keer mijn stem. Maar ze wist waar ik het over had, want ik keek haar in haar verrekte ogen en als blikken hadden kunnen doden, was het met haar gebeurd geweest. Ze had het door en verontschuldigde zich. Daarna was ik stil.

We gingen aan het diner dat gegeven werd door de minister van Buitenlandse Zaken en ik zit aan tafel met de vrouw van de vroegere vice-president Mondale, Joan, Jerry Lewis, een of andere antiekhandelaar en de vrouw van David Brinkley, geloof ik, die echt een leuke, levendige, lieve vrouw was die wist wat er gaande was. Ik draag een hip, zwart jacquet van de Japanse ontwerper Kohshin Satoh. Er zat zo'n rode slang op de rug, afgezet met witte sterretjes. Ik had ook twee vesten aan van Kohshin, één rood en het ander van wit laken, en ik droeg kruislings daar overheen zilveren kettingen en verder een of andere glimmende zwarte leren broek. Toen ik naar het toilet ging om te pissen, staat iedereen daar in een rij met allemaal dezelfde duffe rommel aan, dus ze konden me niet uitstaan. Maar één vent zei dat hij mijn kostuum prachtig vond en vroeg: 'Wie heeft dat voor je gemaakt?' Ik vertelde hem dat en hij liep tevreden weg, maar al die andere gestresste blanke mannen konden wel vuur spuwen.

Er waren misschien maar tien zwarten in de hele zaal, met inbegrip van degenen die ik al genoemd heb en Quincy Jones. Ik geloof dat Clarence Avon en zijn vrouw er waren. En Lena Horne was er ook. Nou ja, misschien waren er twintig zwarten.

Aan de tafel waar ik zat, kwaakte de vrouw van een politicus wat stoms over jazz, zoiets als: 'Ondersteunen we deze kunstvorm alleen maar omdat hij uit dit land komt en is het wel een echte kunstvorm, of zijn we gewoon blasé en negeren we de jazz omdat hij hiervandaan komt en niet uit Europa, en omdat hij van zwarten komt?'

Dit kwam zomaar uit de lucht vallen. Ik hou niet van dat soort vragen, omdat het vragen zijn van iemand die intelligent wil klinken, terwijl het ze in feite geen flikker kan schelen. Ik keek haar aan en zei: 'Wat is er? Tijd om even op de trompet te blazen? Waarom vraag je me van die onzin?'

Dus zei ze: 'Nou, je bent toch jazzmusicus, is het niet?'

Dus ik zei: 'Ik ben musicus, meer niet.'

'Nou dan, je bent musicus, je speelt muziek...'

'Wil je echt weten waarom jazzmuziek geen krediet krijgt in dit land?'

Ja, dat wilde ze wel weten.

'Jazz wordt hier genegeerd omdat de blanke graag alles wint. Blanken zien graag andere blanken winnen net als jij en ze kunnen het niet winnen als het op jazz en blues aankomt, omdat zwarten die hebben gecreëerd. En dus, als we in Europa spelen, waarderen daar de blanken ons wel omdat ze weten wie wát heeft gemaakt en ze dat toegeven. Maar de meeste blanke Amerikanen doen dat niet.'

Ze keek naar me en liep helemaal rood aan en zei toen: 'Wat heb jíj dan voor belangrijks in je leven gedaan? Waarom ben jíj hier?'

Nou haat ik zo'n gelul van iemand die nergens iets van afweet, maar die erbij wil horen en je in een situatie heeft gedwongen waarin je op deze manier tegen ze praat. Ze haalde het zelf aan. Dus toen zei ik: 'Wel ik heb de muziek vijf of zes keer veranderd, dus dat is, geloof ik, wat ik heb gedaan en ik denk dat ik niet in het spelen van louter blanke composities geloof.' Ik keek haar heel koud aan en zei: 'Vertel me nu eens wat jij voor belangrijks hebt gedaan, behalve dan blank zijn en dat is voor mij niets belangrijks, dus zeg me eens op welke roem jij kunt bogen?'

Ze begon zenuwachtig met haar mond te trekken. Ze kon geen woord meer uitbrengen, zo kwaad was ze. Het werd doodstil en de spanning was om te snijden. Hier zat deze vrouw, vermoedelijk uit de hoogste societykringen, te praten als een gek. Man, ik werd er niet goed van.

Ray Charles zat vooraan bij de president en die zat erbij te kijken alsof hij niet goed wist wat hij moest doen. Ik had medelijden met hem. Reagan leek gewoon onzeker.

Het was zo'n beetje de treurigste vertoning die ik ooit gezien heb. Ik kreeg een klotegevoel daar in Washington, was van streek omdat die blanken daar die het land besturen, helemaal niets van zwarten begrijpen en ook niet willen begrijpen! Het was misselijk makend om in een situatie te worden gebracht dat je een lesje moet leren aan achterlijke blanken, die van het begin af aan helemaal niets willen weten, maar zich verplicht voelen om stomme vragen te stellen. Waarom zou ik een rot gevoel moeten krijgen van de stompzinnigheid van een of andere klootzak? Ze kunnen naar de winkel gaan en een plaat kopen van iemand die ze eren en uitnodigen. Ze zouden een boek kunnen lezen en iets leren. Maar dat lijkt te veel op ons het respect geven dat ons toekomt. Ze blijven dom en maken mij en veel andere zwarten beroerd met hun stompzinnigheid. En de president zit daar maar en weet niet wat hij moet zeggen. Man, ze hadden iets goeds voor hem moeten opschrijven om te zeggen, maar er is nou eenmaal geen enkel oké iemand om hem heen. Alleen maar een zootje zielige klootzakken met een plastic glimlach, die weten hoe ze zich moeten gedragen en zo.

Toen we weggingen, zei ik tegen Cicely: 'Neem me zolang je verdomme leeft nooit meer mee naar dit gezeik, waar ik me voor blanken ga schamen. Als ik dan toch een hartaanval moet krijgen, dan liever niet daar. Laat me dan maar met mijn Ferrari tegen een bus aan rijden of zoiets.' Ze zei niets. Maar, man, ik zal nooit vergeten hoe zij zat te huilen toen Ray naar het zingen van al die blinde en dove kinderen van de Ray Charles School in Florida luisterde en de blanken keken naar Cicely en wisten niet goed of ze moesten huilen of maar moesten doen alsof. Toen ik dat zag, fluisterde ik tegen Cicely: 'Laten we weggaan zodra dit voorbij is. Jij kunt tegen deze onzin, ik niet.' Hierna wist ik dat het tussen ons voorbij was en dat ik niets meer met haar te maken wilde hebben. Dus woonden we vanaf die tijd in principe apart.

Iets later in 1987 brak ik met mijn manager David Franklin vanwege zijn onbehouwen manier van doen. Jim Rose en ik hadden al eerder ruzie gekregen toen ik hem sloeg na een meningsverschil over geld, dat met David begonnen was. Dus vertrok hij en moest ik in 1987 een nieuwe roadmanager nemen, Gordon Meltzer.

Wat er met Jim Rose gebeurde, was dit. Na onze optredens haalt Jim altijd het geld op en bij dat bepaalde optreden (eind 1986 of begin 1987, in Washington) vroeg ik hem ernaar. Hij zei dat hij het aan de assistent van David Franklin in Atlanta gegeven had. Ik zei tegen Jim: 'Laat ze opsodemieteren, het is mijn geld, dus je geeft het aan mij.' Ik zei dat omdat er de laatste tijd rare dingen met mijn geld gebeurden en ik wilde gewoon mijn geld zien. Hij bleef weigeren me het geld te geven, dus sloeg ik hem op zijn kop en pakte het gewoon af. Daarna wilde hij niet meer voor me werken. Ik vond het ellendig dat het zover was gekomen tussen Jim en mij, want Jim was door dik en dun bij me gebleven. Hoe dan ook, ik had in New York een appartement gekocht op Central Park South en een hoop andere dingen en ik begon echt te letten op wat er met mijn geld gebeurde.

Dus ontsloeg ik uiteindelijk David en maakte Peter Shukat zowel mijn manager als mijn advocaat. Ik kampte met het probleem dat veel mensen die veel geld verdienen soms krijgen: je wordt afhankelijk van anderen om op je geld te letten. En dat gebeurde allemaal in de tijd dat ik de relatie met Cicely definitief verbrak.

Toen Cicely en David Franklin uit mijn leven waren verdwenen, voelde ik me een heel stuk beter. Marcus Miller en ik waren al begonnen aan de muziek voor de film *Siesta*, een film die in Spanje speelde met Ellen Barkin en Jodie Foster in de hoofdrollen. De muziek moest een beetje worden zoals wat Gil Evans en ik voor *Sketches of Spain* hadden gedaan. Dus vroeg ik Marcus te proberen wat muziek met zo'n soort gevoel te maken. Ondertussen won *Tutu* een Grammy Award in 1987 en dat deed me plezier. Zoals gebruikelijk speelden we op festivals en concerten overal in de Verenigde Staten, Europa, Zuid-Amerika en het Verre Oosten – Japan en nu ook China. We gaven ook concerten in Australië en Nieuw-Zeeland.

Ik denk dat een van de gedenkwaardigste dingen die me dat jaar bij een optreden overkwamen (behalve dan als mijn band goed speelde), in juli was, toen ik naar Oslo in Noorwegen ging. We landden op het vliegveld van Oslo en toen we uit het vliegtuig stapten, stond er een zwerm journalisten op me te wachten. We liepen over het platform naar de hal toe, toen plotseling die man naar me toe kwam en zei: 'Pardon, mijnheer Davis, maar er wacht daarginds een auto op u. U hoeft niet door de douane.' Ik keek naar waar hij wees en daar stond die vette, lange, witte limousine, een van de langste die ik ooit gezien heb. Ik stapte in en we reden rechtstreeks van het platform de stad in. Ik hoefde me niet eens druk te maken om de douane. Die behandeling krijgen in Noorwegen alleen bezoekende staatshoofden, presidenten, premiers, koningen en koninginnen, enzovoort. De producer van het festival vertelde me dat. En toen voegde hij eraan toe: 'En voor Miles Davis doen ze dat.' Man, dat maakte mijn dag goed. Ik bedoel, ik kón die avond toch niet anders dan te gek spelen?

Overal in Europa word ik op die manier behandeld – vorstelijk. Je moet wel beter spelen als mensen je zo behandelen. Hetzelfde in Brazilië, Japan, China, Australië, Nieuw-Zeeland. Alleen in Amerika krijg ik dat respect niet, dat ik overal elders wel krijg. En dat komt doordat ik zwart ben en geen compromissen sluit, en blanken – vooral blanke mannen – pikken dat niet van een zwarte, vooral niet van een zwarte man.

Een van de pijnlijkste dingen die ik in 1987 moest doen, was mijn neef Vincent ontslaan. Ik wist al een hele tijd dat ik Vincent zou moeten ontslaan, want hij hield het tempo nooit vast. Dan deed ik hem dingen voor, maar dan deed hij dat gewoon niet. Ik gaf een tape om naar te luisteren, maar het hielp niets. Het deed me pijn het hem te vertellen, want ik hou echt van hem, maar ik moest het doen voor de muziek. Dus toen ik het hem verteld had, wachtte ik een paar dagen en belde toen zijn moeder, mijn zus Dorothy, en vertelde het haar. Ik zei dat Vincent niet meer in de band zat en vroeg of ze dat al van hem had gehoord. Ze zei: 'Nee, dat heeft hij me niet verteld.' Toen zei ik tegen Dorothy dat ik in Chicago kwam spelen. Ze zei: 'Miles, je zou hem tenminste hier nog kunnen laten spelen vanwege al zijn vrienden; hij zal zich rotschamen.'

'Dorothy, in de muziek bestaan geen vrienden op die manier. Ik vertel Vincent al jaren wat hij moet doen en hij doet het niet, dus moet ik hem ontslaan. Het spijt me.'

Toen kwam Dorothy's man, Vincents vader en mijn goede vriend sinds jaar en dag, Vincent Sr., aan de lijn en vroeg me hem nog een kans te geven. Ik zei: 'Nee, dat kan ik niet.' Ik vroeg Dorothy of ze naar mijn concert kwam en ze zei dat ze dacht van niet, omdat ze zou thuisblijven met Vincent. Toen zei ik: 'Krijg de klere, Dorothy!'

Zij zei: 'Hang dan op; ik heb jou niet gebeld, jij hebt mij gebeld!' Dat deed ik. Zo gaat dat tussen een broer en een zus die van elkaar houden. Het is emotioneel. Bovendien ging het om haar enige zoon. Ik wist waar de schoen wrong. Dus ik vond het niet erg toen niemand van hen naar het concert kwam, maar het deed wel een beetje pijn.

Ik ontsloeg hem begin maart en vond een geweldige drummer uit Washington DC, die Ricky Wellman heette. Ik had een plaat gehoord van de groep Chuck Brown and the Soul Searchers waar hij speelde, dus liet ik mijn persoonlijk secretaris, Mike Warren, (die ook uit DC komt) hem bellen en zeggen dat ik hem wel wilde. Hij zei dat hij geïnteresseerd was, dus stuurde ik hem een tape en zei dat hij die moest instuderen en we werden het eens. Ricky had heel lang zogenaamde go-go muziek gespeeld. Maar hij had wat ik in mijn band wilde. Man, in 1987 had ik echt een dijk van een band. Ik vond het schitterend zoals ze speelden. Iedereen vond die band schitterend. Het was zo vervlochten wat ze speelden, weet je, Ricky die tegen Mino Cinelu in speelde en Darryl Jones strak daaronder die er een basis aan gaf en Adam Holzman en Robert Irving die aan de gang waren op de synthesizer en ik en Kenny Garrett (soms Gaxy Thomas op tenorsax) die onze stemmen daar dan weer doorheen vlochten, en Foley, mijn nieuwe gitarist, die die swingende blues-rock-funk speelde, bijna Jimi Hendrix. Ze waren geweldig en ik had echt dan toch de gitarist gevonden die ik zocht. Van begin af aan kon iedereen in die band een dialoog aangaan met elkaar en dat was goed. Mijn band was in orde en mijn gezondheid was goed, net als al het andere in mijn leven.

In 1987 begon ik me echt te verdiepen in de muziek van Prince en Cameo en Larry Blackmon en de Caribische groep Kassav. Ik hou van wat ze doen. Maar ik hou 't meest van Prince en toen ik hem gehoord had, wilde ik ooit een keer met hem spelen. Prince komt uit de school van James Brown en ik hou van James Brown vanwege al die geweldige ritmes. Prince doet me aan hem denken en Cameo doet me denken aan Sly Stone. Maar er zit ook iets van Marvin Gaye en van Jimi Hendrix en van Sly in Prince, zelfs iets van Little Richard. Hij is een mengeling van al die types en Duke Ellington. Ergens doet hij me aan Charlie Chaplin denken, hij en Michael Jackson, van wie ik ook hou als uitvoerend artiest. Prince doet zoveel, het lijkt wel of hij alles kan; schrijven en zingen en produceren en muziek spelen, in films acteren, ze produceren en regisseren, en zowel hij als Michael Jackson kan echt dansen.

Ze zijn allebei steengoed, maar ik vind Prince als veelzijdig muzikaal geweldenaar nog een beetje beter. Bovendien speelt hij ook nog te gek en zingt en schrijft. Hij heeft iets bezielends, iets kerkachtigs. Hij speelt gitaar en piano en doet dat erg goed. Maar het is dat bezielende dat ik in zijn muziek hoor, dat hem bijzonder maakt en dat orgelachtige. Het is iets zwarts, iets niet-blanks. Prince is zo ongeveer de kerk voor homo's. Hij is de muziek van de mensen die na tien of elf uur 's avonds uitgaan. Hij komt met een ritme en ontstijgt dat dan weer. Ik denk dat Prince als hij vrijt drums hoort in plaats van Ravel. Dus is hij geen blanke. Zijn muziek is nieuw, heeft wortels, weerspiegelt en komt uit 1988 en '89 en '90. Volgens mij kan hij de nieuwe Duke Ellington van onze tijd worden als hij gewoon blijft doorgaan.

Toen Prince me vroeg om naar Minneapolis te komen om het nieuwe jaar 1988 in te luiden en misschien een of twee nummers met me te spelen, ging ik. Om een groot muzikant te worden moet de muzikant zich weten te ontwikkelen en Prince blíjft zich ontwikkelen. Foley en ik gingen naar Minneapolis. Man, Prince heeft daar een geweldig gebouwencomplex. Opname- en filmapparatuur en hij had ook een appartement voor me waar ik kon logeren. Het geheel beslaat zo ongeveer een half huizenblok. Hij heeft podia om te spelen en alles. Prince organiseerde een concert om de daklozen van Minneapolis te helpen en hij rekende $200 entree per persoon. Het concert was in zijn nieuwe Paisley Park Studios. Het was afgeladen. Om middernacht zong Prince 'Auld Lang Syne' en vroeg mij op het podium te komen en iets met de band te spelen en dat deed ik en zij namen het op.

Prince is heel aardig, een beetje een verlegen type en dan ook nog een klein genie. Hij weet wat hij wel en niet kan doen in muziek en in alles. Hij komt bij iedereen over, omdat hij beantwoordt aan ieders illusies. Hij heeft dat geile, bijna een pooier en een hoer ineen, dat travestietachtige. Maar als hij die swingende, boven-de-achttien teksten over seks en vrouwen zingt, doet hij dat met die hoge stem, bijna een meisjesstem. Als ik 'Sodemieter op' tegen iemand zou zeggen, zouden ze klaarstaan om de politie te bellen. Maar als Prince dat zegt met die meisjesstem van hem, dan zegt iedereen dat het schattig is. En hij vertoont zich niet voortdurend aan het publiek; voor veel mensen is hij een mysterie. Michael Jackson en ik zijn ook zo. Maar hij doet zijn naam echt eer aan, man, een prinselijk persoon als je hem leert kennen.

Maar ik schrok toen hij zei dat hij een hele plaat met me wilde maken. Hij wil ook dat onze twee groepen samen op tournee gaan. Dat zou interessant zijn. Ik weet niet wanneer en of het zal gebeuren, maar het is zeker een interessant idee voor een tournee.

Prince kwam naar mijn tweeënzestigste verjaardag, die ik vierde in een restaurant in New York. Alle mensen van

Cameo kwamen, Hugh Masekela, George Wein, Nick Ashford en Valerie Simpson, Marcus Miller, Jasmine Guy en de leden van mijn band die in de stad waren: Peter, mijn advocaat en manager, Gordon, mijn roadmanager, en Michael, mijn persoonlijke secretaris. Er waren ongeveer dertig mensen voor een gezamenlijk etentje. We hadden een heel leuke avond.

Negentienachtentachtig was een erg goed jaar voor me, behalve dat Gil Evans, die waarschijnlijk mijn beste en oudste vriend was, in maart stierf aan buikvliesontsteking. Ik wist dat Gil ziek was, want op het laatst was hij bijna blind en doof. Ik wist ook dat hij naar Mexico was gegaan in de hoop daar iemand te vinden die hem beter kon maken. Maar Gil wist dat hij doodging en ik wist het ook. We praatten er alleen nooit over. Ik had de dag voor hij stierf zijn vrouw Anita aan de telefoon en ik vroeg haar: 'Waar hangt Gil verdomme uit?' Ze zei dat hij in Mexico zat, toen belde ze de volgende dag op en zei dat haar zoon, die bij hem was, haar had gebeld en had gezegd dat Gil van alles aan het doen was. De dag daarna belde ze en zei dat Gil dood was. Man, dat liet een leegte in me achter.

Maar een week nadat hij stierf, praatte ik met hem en hadden we een gesprek dat ongeveer als volgt ging. Ik zat op mijn bed in mijn appartement in New York en keek naar zijn foto die ik op de tafel tegenover het bed heb staan, bij het raam. Het licht danste door mijn raam naar binnen. Plotseling kwam er een vraag bij me op voor Gil en ik vroeg hem: 'Gil, waarom ben je op die manier doodgegaan, weet je, daar in Mexico?' En toen zei hij: 'Ik kon het alleen maar op die manier doen, Miles. Ik moest naar Mexico gaan om daar te sterven.' Ik wist dat hij het was, want ik kon zijn stem uit duizenden herkennen. Het was zijn geest die met me kwam praten.

Gil was echt belangrijk voor me als vriend en als muzi-

598

kant, want onze benadering van muziek was hetzelfde. Hij hield van alle stijlen, net als ik, van volksmuziek tot geïmproviseerde Afrikaanse ritmes. Maar we praatten jarenlang over dingen doen en nog zo'n twee maanden voor hij stierf, belde hij me op en zei dat hij wilde beginnen aan een project waarover we ongeveer twintig jaar geleden gepraat hadden. Ik geloof dat het iets was wat hij met *Tosca* wilde doen. Ik wilde zoiets niet doen nu, maar zo was hij nu eenmaal. Gil was mijn beste vriend, maar hij was altijd chaotisch als het op organiseren aankwam en hij had zoveel tijd nodig om tot iets te komen. Hij had ergens anders moeten leven dan in dit land. Als hij ergens anders had geleefd, zou hij erkend zijn als waardevol nationaal bezit en gesubsidieerd zijn door de regering of zoiets als the National Endowment for the Arts. Hij had in een stad als Kopenhagen moeten wonen, waar hij gewaardeerd zou zijn. Hij had nog steeds – ergens – vijf of zes nummers van me waar hij arrangementen voor zou schrijven. Voor mij is Gil niet dood.

In dit leven had hij nooit geld voor de dingen die hij wilde doen. Bovendien moest hij zijn gezin onderhouden en zijn zoon, die naar mij genoemd was.

Ik zal Gil missen, maar niet zoals andere mensen elkaar missen. Er zijn zoveel mensen dood die me dierbaar waren, dat ik, geloof ik, dat soort gevoelens niet meer heb. Ach wat, vlak voor Gil Evans stierf, stierf James Baldwin en telkens als ik in Zuid-Frankrijk ben, denk ik, zal ik eens bij Jimmy langs gaan. Maar dan realiseer ik me dat hij dood is. Nee, ik zal er niet aan denken dat Gil dood is, zoals ik er ook niet aan zal denken dat Jimmy dood is, want mijn hersenen werken zo niet. Ik mis ze, maar Gil zit nog steeds in mijn hoofd, zoals Jimmy nog in mijn hoofd zit en Trane en Bud en Monk en Bird en Mingus en Red en Paul en Wynton en al die andere prachtkerels, zoals Philly Joe, die er niet meer zijn. Mijn beste vrienden zijn allemaal dood. Maar ik kan ze horen, ik kan mezelf in hun hoofden stoppen, in Gils hoofd.

Gil, dat was me iemand, man. Op een keer toen Cicely me van van alles beschuldigde, van uitgaan met allerlei vrouwen, vertelde ik dat aan Gil. Hij schreef iets op een stuk papier en gaf me dat en zei: 'Geef dit aan haar.' Dat deed ik en ze hield op met dat gekloot van daarvoor. Weet je wat hij op dat papier schreef? 'Je houdt misschien van me, maar je bezit me niet. En ik hou misschien van jou, maar ik bezit je niet.' Zo'n soort vriend was Gil, iemand bij wie ik terecht kon, die me echt begreep en van me hield om wat ik ben.

*Siesta* kwam uit in 1988. De film kwam uit en was weer verdwenen voor je met je ogen kon knipperen, hij was al weer weg uit de bioscopen voor hij er zelfs maar gekomen was. Met de andere film waarvoor ik de muziek schreef, *Street Smart*, gebeurde praktisch hetzelfde, maar die liep toch iets langer dan *Siesta* en kreeg erg goede kritieken; zelfs vonden de critici mijn muziek goed. Maar ze maakten gehakt van *Siesta*, hoewel iedereen de muziek goed vond die Marcus en ik gemaakt hadden.

Een andere prachtige gebeurtenis voor me in 1988 was dat ik op 13 november in het Alhambra in Granada in Spanje werd geridderd en opgenomen in de orde van de Ridders van Malta – of om hun formele naam te gebruiken, de Ridders van het Grootkruis in en voor de Soevereine Militaire Hospitaal Orde van St. Jan van Jeruzalem van Rhodos en van Malta. Ik werd in de orde opgenomen samen met drie Afrikanen en een dokter uit Portugal. Ik moet toegeven dat ik niet weet wat al die woorden in de naam van de orde eigenlijk betekenen, maar ze vertelden me dat ik als lid dertig of veertig landen zonder visum binnen kan. Ze vertelden me ook dat ik voor deze eer was uitgekozen omdat ik cachet heb, omdat ik een genie ben. Het enige wat ze van me verlangden was geen vooroordelen tegen wie dan ook te hebben en door te gaan met wat ik doe, dat wil zeggen een bijdrage te leveren aan de enige culturele bijdrage die Amerika aan de wereld geleverd heeft – jazz, of zoals ik het liever noem, zwarte muziek.

Ik was vereerd door de onderscheiding, maar op de dag van de ceremonie was ik zo ziek dat ik er bijna niet heen kon. Ik had wat ze vroeger 'vliegende tering' noemden of ontsteking van de bronchiën. Man, dat gezeik vloerde me een paar maanden, dwong me om mijn hele wintertournee van begin 1989 af te zeggen en alleen dat al kostte me meer dan een miljoen dollar. Ik lag drie weken in het ziekenhuis in Santa Monica in Californië. Ik had buisjes in mijn neus en in mijn armen, naalden overal. Iedereen die mijn kamer binnenkwam moest een masker dragen, omdat er gevaar bestond dat ik besmet zou worden door bacteriën die meekwamen met bezoekers of zelfs met dokters of verpleegsters. Ik was inderdaad behoorlijk ziek, maar ik had geen aids, zoals dat lullige roddelblaadje *The Star* beweerde. Man, dat was iets vreselijks wat die krant met me uithaalde. Het had mijn carrière kunnen ruïneren en mijn leven verzieken. Dat verhaal maakte me ongelooflijk kwaad toen ik erachter kwam. Het was natuurlijk niet waar, maar veel mensen wisten dat niet en geloofden het.

Toen ik in maart uit het ziekenhuis kwam, kwamen mijn zus Dorothy, mijn broer Vernon en mijn neef Vince, die vroeger drums speelde in mijn band, allemaal naar mijn huis in Malibu om me te verzorgen. Dorothy kookte voor me en hielp me er weer bovenop te komen. Mijn vriendin was er ook en we reden paard en maakten lange wandelingen. Al snel was ik de vliegende tering kwijt en was ik weer goed genoeg om op tournee te gaan, zo goed als nieuw.

Niet lang daarna, op 8 juni tijdens een plechtigheid in

het Metropolitan Museum of Art in New York City, kreeg ik de New York State Governor's Arts Award voor 1989, die werd uitgereikt door gouverneur Mario Cuomo. Ik geloof dat elf andere mensen en verenigingen ook prijzen ontvingen tijdens die plechtigheid. Ik was erg trots dat ik opnieuw gehuldigd werd.

In diezelfde tijd kwam mijn derde plaat voor Warners uit, *Amandla*. De kritieken waren goed en de verkoop ook. En Columbia kondigde aan dat ze *Aura* in september 1989 zouden uitbrengen. Ik had die plaat in 1985 gemaakt en ben sindsdien muzikaal andere richtingen ingeslagen. Het lijkt of er iedere dag iets nieuws gebeurt in de muziek. Maar *Aura* is een goede plaat en ik ben benieuwd wat voor reacties hij zal krijgen, vooral na vier jaar.

Vandaag de dag is mijn geest helder als glas en mijn lichaam is net een antenne. Dat helpt me ook bij het schilderen, dat ik tegenwoordig steeds meer doe. Ik schilder ongeveer vijf of zes uur per dag, oefen een paar uur en schrijf ook veel muziek. Ik ben echt gegrepen door schilderen en ik begin veel eenmansexposities te krijgen. Ik had er in 1987 een paar in New York en in 1988 had ik er een aantal over de hele wereld: een paar in Duitsland, een in Madrid, en een paar in Japan. En mensen kopen schilderijen van me voor prijzen tot $15 000. De expositie in Madrid raakte uitverkocht en die in Japan en Duitsland waren bijna uitverkocht.

Schilderen helpt me ook bij mijn muziek. Ik zit echt te wachten tot Columbia die plaat uitbrengt die ik in Denemarken van Palle Mikkelborgs muziek maakte, *Aura*. Ik denk dat het een meesterwerk is, dat geloof ik echt. En ik schrijf dingen voor de band die we niet opnemen. Ik ken een vent in Californië die John Bigham heet en hij is echt een groot componist. Hij is een jonge zwarte, ongeveer drieëntwintig en hij schrijft prachtige, funky muziek. Hij is gitarist. Hij schrijft met een computer en als hij me zijn toestanden begint uit te leggen, kan ik hem niet volgen met al die technische computertermen. Maar hij weet nooit hoe hij iets moet afmaken. Dus zei ik tegen hem: 'John, maak je daarover geen zorgen; stuur het naar mij en ik maak het af.' Dat doet hij. Hij weet niets van orkestratie. Hij hoort gewoon geluiden die onvoorstelbaar zijn. Hij blijft me vertellen dat hij al dat soort dingen leren wil, alles over orkestratie en meer van dat soort dingen, maar ik zeg dat hij zich daarover geen zorgen moet maken want daar weet ik alles van. Ik ben bang dat als hij dat wel leert, dat zijn natuurlijke gave zal verzieken. Want dat gebeurt soms, weet je. Iemand als Jimi Hendrix of Sly of Prince had misschien niet gedaan wat ze nu gedaan hebben, als ze al dat andere technische gedoe beheerst hadden, want het had hen misschien gehinderd op hun weg en ze hadden misschien iets anders gedaan als ze al die techniek beheerst hadden.

Wat de ontwikkeling van mijn muziek betreft, probeer ik altijd iets nieuws te horen. Op een dag vroeg ik Prince: 'Waar zit de baslijn in die compositie?'

Hij zei: 'Miles, die schrijf ik niet en als je er ooit een hoort, dan ontsla ik die bassist, want een baslijn staat me in de weg.' Hij vertelde me dat hij dat tegen niemand anders zou zeggen, maar hij wist dat ik dat begreep, omdat hij zo'n zelfde concept in bepaalde muziek van mij gehoord had. Als ik nu muzikale ideeën krijg, loop ik er meteen mee naar de synthesizer. Ik noteer muzikale motieven zodra ik ze hoor op alles wat voorhanden is. Ik zie mezelf nog steeds groeien als artiest en dat is wat ik altijd gewild heb; ik wil blijven groeien.

In 1988 moest ik Darryl Jones laten vallen als bassist van mijn band. Hij begon theatraal te worden, te showerig voor mijn band. Hij stond voortdurend iets te repareren, brak de snaren van zijn bas zodat hij daar kon staan poseren en eruit kon zien alsof er iets ging gebeuren. Hij was een dramatische kloot, vooral toen hij uit de band van Sting kwam, van die rock 'n roll in grote stadions, die helemaal uit show bestaat. Ik hield echt van Darryl; hij is een erg leuke, goeie vogel. Maar hij speelde niet wat ik wilde. Ik vond iemand uit Hawaii, Benjamin Rietveld, om Darryls plaats in te nemen. Mino Cinelu verliet ook de band om naar Stings nieuwe band te gaan. Eerst verving ik hem door een percussionist die Rudy Bird heette en toen kwam Marilyn Mazur terug en liet ik Rudy gaan. Nu is Munyungo Jackson mijn vaste percussionist. Het andere nieuwe gezicht in de band is Kei Akagi op toetsen. Kenny Garrett speelt nog steeds saxofoon, Ricky Wellman drums, Adam Holzman toetsen, en Foley lead bas.

Ik probeer mijn creativiteit aan de gang te houden. Ik zou ooit graag een toneelstuk schrijven, misschien een musical. Ik heb zelfs met wat rap songs geëxperimenteerd, omdat ik vind dat er heftige ritmes in die muziek zitten. Ik heb gehoord dat Max Roach zei dat hij dacht dat de volgende Charlie Parker zou kunnen voortkomen uit rapmelodieën en ritmes. Soms kun je die ritmes niet uit je hoofd zetten. Ik luisterde veel naar de muziek van Kassav, die West-Indische groep die muziek maakt die 'Zouk' heet. Het is een geweldige groep. Ik denk dat ze sommige muziek op *Amandla*, wat 'vrijheid' betekent in de Zuid-Afrikaanse Zulu taal, beïnvloed hebben.

Behalve dat ik voor die longontsteking in het ziekenhuis had moeten liggen, was de scheiding van Cicely eigenlijk de enige dreun die ik in 1988 te verwerken kreeg. Toen we trouwden, zeiden we dat als we uit elkaar zouden gaan, we elkaar niets in de weg zouden leggen, dat we ieder onze eigen inkomsten hadden en dat we onze eigen afzonderlijke carrières zouden houden. Maar Cicely brak haar woord. Ze had me die advocaten niet op mijn dak hoeven te sturen, die me elk moment scheidingspapieren in mijn maag wilden splitsen. Het was stomvervelend hen te moeten ontlopen, totdat ik me ermee verzoend had. De hele zaak had vriendschappelijker geregeld kunnen worden. Maar dat is nu allemaal voorbij, want de eigendomsoverdracht werd getekend in 1988 en de scheiding kwam erdoor in 1989 en daar ben ik erg blij om. Nu is er weer plaats voor andere vrouwen in mijn leven.

Ik heb een andere vrouw ontmoet bij wie ik me helemaal op mijn gemak voel. Ze is veel jonger dan ik, meer dan twintig jaar jonger. We gaan niet zo vaak uit, want ik wil haar niet blootstellen aan al dat geouwehoer dat vrouwen die met mij zijn uitgeweest, te verduren krijgen. Ik wil haar naam niet noemen, want ik wil dat onze relatie buiten de publieke belangstelling blijft. Maar het is een heel leuke, liefdevolle vrouw die van me houdt zoals ik ben. We hebben nu samen een goede tijd, hoewel ze weet dat ze me niet bezit en ik andere vrouwen kan zien als ik dat wil. Toen ik een paar jaar geleden in Israël speelde, heb ik daar ook een leuke vrouw ontmoet. Zij is beeldhouwster en zeer getalenteerd. We zien elkaar soms in de Verenigde Staten. Zij is ook heel sympathiek, hoewel ik haar niet zo goed ken als de vrouw in New York die voor mij op de eerste plaats komt.

Als ik jazzmuzikanten tegenwoordig al die loopjes hoor spelen die wij zo lang geleden ook al speelden, heb ik medelijden met ze. Ik bedoel, het is alsof je met een echt oud iemand naar bed gaat, die zelfs echt oud ruikt. Begrijp me goed, ik heb niets tegen oude mensen, want ik word zelf ook ouder. Maar ik moet eerlijk zijn en daar doet het me aan denken. De meeste mensen van mijn leeftijd houden van oud, opgepropt meubilair. Ik hou van de nieuwe Memphis stijl, strakke high-tech spullen, die vooral uit Italië komen. Uitgesproken kleuren en lange, strakke, spaarzame lijnen. Ik hou niet van veel snuisterijen en ook niet van veel meubels. Ik hou van eigentijdse spullen. Ik moet altijd op de rand balanceren, want zo ben ik en zo ben ik ook altijd geweest.

Ik hou van uitdagingen en nieuwe dingen; ze geven me nieuwe energie. Maar muziek heeft me er altijd weer bovenop geholpen, ook mentaal. Als ik goed speel en mijn band ook, dan ben ik meestal in een goed humeur, als mijn gezondheid ook nog goed is. Ik leer nog iedere dag. Ik leer dingen van Prince en Cameo. Ik hou bijvoorbeeld van de manier waarop Cameo zijn live-optredens opbouwt. De live-optredens beginnen langzaam, maar let op het middenstuk van hun concerten, want dan komt er een ongelooflijke versnelling in hun muziek en die vliegt daarna gewoon de pan uit. Toen ik vijftien was leerde ik dat een show, een live-show, een begin, een midden en een eind moet hebben. Als je dat weet, klinken je shows de hele show lang als de hoogtepunten van een gewone show. Je krijgt een 10 voor het begin, een 10 voor het midden en een 10 voor het eind, die natuurlijk verschillen van sfeer en dat valt met geen mogelijkheid te verbeteren.

Toen ik zag hoe Cameo de andere muzikanten bracht, ben ik hetzelfde gaan doen in mijn shows. We openen en dan speel ik, dan speelt de band en dan speel ik weer. Dan speelt Benny bas en Foley speelt dan gitaar en dat zorgt weer voor een ander gevoel door zijn strakke funkblues-rock stijl. Dan als we door de eerste paar nummers heen zijn, spelen we *Human Nature*, dus tempoverandering. Het is een soort einde aan de beweging van de eerste set. Maar we maken het nummer tot iets anders. En van daar af werkt 't naar een climax toe en het eind, maar met gevoel. Ik begin pas als Benny en de rest van de band – vooral Foley – spelen, want ik baseer mijn spel daar echt op. Toen Darryl Jones in de band zat en het allernieuwste spul speelde, speelden hij en ik vaak tegen elkaar in, en soms Benny en ik. Maar meestal fungeert Benny als anker en daar is hij echt hartstikke goed in. (Hij gaat een groot bassist worden. Dat is hij al bijna.) Dan mag daarna iedereen op zijn beurt solo's spelen.

Lang geleden raadde Billy Eckstine mij en een zangeres aan om in het applaus te duiken als de mensen het goed vonden wat je deed. Hij zei tegen de zangeres: 'Wacht niet tot het uitsterft.' Dat doe ik nu als ze applaudisseren, ik duik gewoon in het applaus. Ik begin met een ander nummer terwijl de mensen nog applaudisseren. Zelfs als je dat nummer slecht inzet, kunnen ze het niet horen omdat ze applaudisseren. Dus je ploft er middenin. Zo spelen wij live-concerten en het werkt op de manier zoals wij het opbouwen. Mensen over de hele wereld vinden het goed en dat is de barometer voor wat je doet, niet de critici; de mensen. Ze hebben geen verborgen agenda of verborgen motieven. Ze hebben geld betaald om je te zien en als ze het niet goed vinden wat je doet, dan laten ze je dat merken, en snel.

## 20

Veel mensen vragen me in welke richting de muziek zich zal ontwikkelen. Ik denk dat het met kleine stappen gaat. Als je luistert, kan iedereen met oren aan zijn hoofd dat horen. Muziek verandert altijd. Ze verandert met de tijd mee en met de technologie die beschikbaar is, het materiaal waarvan dingen gemaakt zijn, zoals er ook plastic auto's zijn gekomen in plaats van stalen. Als je dus vandaag een ongeluk hoort, klinkt het anders, niet meer al dat metaal dat op elkaar klapt zoals in de jaren veertig en vijftig. Muzikanten pikken geluiden op en nemen die mee in hun spel, zodat de muziek die ze maken, zal veranderen. Synthesizers en al die nieuwe instrumenten die mensen bespelen, veranderen alles. Instrumenten waren vroeger van hout, toen kwam metaal, en nu is het kunststof. Ik weet niet wat het in de toekomst zal worden, maar ik weet dat het iets anders zal worden. De slechtste muzikanten tegenwoordig *horen* de muziek niet, dus kunnen ze die ook niet spelen. Pas toen ik de hoogste registers begon te *horen*, speelde ik daar ook in. Daarvoor kon ik alleen maar in de midden- en lage registers spelen, want die hoorde ik. Zo is het ook met oude muzikanten die de muziek van vandaag willen spelen. Zo was ik ook voordat Tony en Herbie en Ron en Wayne in mijn band kwamen. Ze zorgden ervoor dat ik anders hoorde en daarvoor ben ik ze dankbaar.

Ik denk dat de muziek van Prince en veel van wat er in Afrika en het Caribisch gebied gebeurt, naar de toekomst wijst. Mensen als Fela uit Nigeria en Kassav uit West-Indië. Veel blanke muzikanten en groepen nemen een hoop van hen over, zoals Talking Heads, Sting, Madonna, en Paul Simon. Er komt ook veel goede muziek uit Brazilië. Maar die muziek moet je vooral rond Parijs zoeken, want daar gaan veel Afrikaanse en West-Indische muzikanten heen, vooral de Franstalige. De Engelstalige gaan naar Londen. Iemand vertelde me onlangs dat Prince erover dacht om wat van zijn bezigheden naar een plek buiten Parijs te verhuizen om te kunnen absorberen wat daar gebeurt. Daarom beweer ik dat hij tegenwoordig een van de belangrijkste muzikanten is die de weg naar de toekomst wijzen. Hij begrijpt dat de sound internationaal moet worden; de sound is al internationaal.

Een van de redenen waarom ik tegenwoordig graag met jonge muzikanten speel, is dat ik vind dat veel oude jazzmuzikanten luie klootzakken zijn, die zich verzetten tegen verandering en vasthouden aan het oude, omdat ze te beroerd zijn om iets anders te proberen. Ze luisteren naar de critici, die hen bezweren op hun plek te blijven zitten, want dat is waar zij van houden. De critici zijn net zo goed lui. Ze willen niet proberen andere muziek te begrijpen. De oude muzikanten blijven waar ze zijn en worden museumstukken achter glas, veilig, gemakkelijk te begrijpen, omdat ze die oude rotzooi telkens en telkens opnieuw spelen. En dan lopen ze te praten over elektronische instrumenten en elektronische voicing die de muziek en de traditie verzieken. Nou, zo ben ik niet en zo was Bird ook niet of Trane of Sonny Rollins of Duke of iedereen die wilde blijven creëren. Bebop ging over verandering, over evolutie. Het ging niet over stilstand en vertrouwd worden. Als iemand wil blijven creëren moet hij meeveranderen. Het leven is een avontuur en een uitdaging. Als mensen naar me toekomen en vragen om bijvoorbeeld *My Funny Valentine* te spelen, zo'n oud ding dat ik misschien speelde toen zij die bepaalde meid neukten en misschien gaf die muziek hen allebei een goed gevoel, dan kan ik dat begrijpen. Maar ik vind dat ze de plaat dan maar moeten kopen. Ik ben niet meer op die plek en ik moet leven zoals voor mij het beste is en niet zoals voor hen het beste is.

Mensen van mijn leeftijd, die 'in die goeie ouwe tijd' naar me luisterden, kopen tegenwoordig geeneens platen meer. Als ik van hen afhankelijk was voor de verkoop van mijn platen – zelfs als ik wel speelde wat ze wilden – zou ik geen droog brood te eten hebben en de kans laten lopen om te communiceren met mensen die wel platen kopen: jonge mensen. En zelfs als ik die oude nummers wilde spelen, dan zou ik nog geen mensen vinden die kunnen spelen zoals wij vroeger speelden. Degenen die nog leven, leiden hun eigen bands en spelen wat zij willen. Ik weet dat ze dat niet zouden willen opgeven om in een band te komen die geleid werd door mij.

George Wein wilde ooit dat ik Herbie en Ron en Wayne weer bij elkaar zou halen voor een tournee. Maar ik zei dat dat niet zou werken, want het zou voor hen te moeilijk zijn om als begeleiders te spelen. De tournee had een hoop geld kunnen opbrengen, maar wat dan nog? Muziek gaat niet alleen over geld verdienen. Muziek gaat over gevoel, zeker de muziek die wij maken.

Neem iemand als Max Roach, die als een broer voor me is. Als Max vandaag iets schreef en me zou vragen met hem te spelen, of Sonny Rollins of zo iemand, dan weet ik niet of ik dat zou kunnen, want ik speel niet meer op die manier. Het is niet dat ik niet van Max hou, want dat doe ik wel. Maar om mij tot zo'n sessie te verleiden zou hij iets moeten schrijven dat zowel hem als mij aanstond. Nog een voorbeeld. Lang geleden had ik de kans om met Frank Sinatra te werken. Hij stuurde iemand naar me toe in Birdland, waar ik toen werkte. Maar ik kon het niet doen, want ik was niet met hetzelfde bezig als hij. Nu betekent dat niet, dat ik niet van Frank Sinatra hou, maar ik luister liever naar hem dan dat ik hem misschien voor de voeten loop door iets te spelen wat ik wil spelen. Ik leerde hoe ik moest fraseren door naar Frank, zijn opvatting van fraseren, te luisteren en ook naar Orson Welles.

Maar neem iemand als Palle Mikkelborg daarginds in Denemarken, met wie ik die plaat *Aura* maakte. Als je bij hem in de buurt bent, hoor je alle mogelijke sounds. Hetzelfde bij Gil Evans. Wat Gil voor Stings nieuwe plaat deed is steengoed, dat wil zeggen voor Sting. Heb je gezien wat er in de *Playboy* Jazz-poll gebeurde toen Sting die plaat had gemaakt met Gil? De lezers van het blad – vooral blanken – kozen Stings groep tot beste jazzgroep van het jaar. Is dat nou niet te dol! Een zwarte groep zou zo'n erkenning niet kunnen krijgen als ze, zeg maar, overstapten van fusionjazz naar rock. Blanke mensen zouden hen nooit tot prijsdieren van het jaar kiezen. Maar voor Sting stemmen ze alsof er niets aan de hand is. Stings laatste plaat was steengoed, maar je hoort alleen maar zijn eigen persoonlijkheid en hij is geen jazzmuzikant. Een door Sting geschreven nummer met teksten vertelt je wat je moet denken. Maar bij een instrumentale compositie kun je denken wat je maar wil. Het is zoiets als *Playboy* niet te hoeven lezen om te weten in welk standje je een vrouw moet zetten om te vrijen. Dat is iets voor luie mensen. De meeste popmuziek gaat over 'Schat, ik hou van je. Kom hier en geef 't me.' Er zijn miljoenen platen met dat soort tekst. Dus wordt het een cliché en daarna gaan al die anderen dat nadoen en doen ze niets anders meer dan clichés van elkaar overschrijven. Daarom is het moeilijk om origineel te zijn in de opnamestudio door al die platen daarbuiten die iedereen kan horen.

Ik hou niet van de muziek die Trane speelde aan het eind van zijn leven. Ik luisterde nooit meer naar zijn platen toen hij weg was uit mijn groep. Hij speelde steeds maar weer dezelfde dingen die hij bij mij voor het eerst speelde. Zijn groep in het begin met Elvin Jones, McCoy Tyner en Jimmy Garrison was in orde. Toen werden ze een cliché van zichzelf en ik vond dat er niemand nog echt speelde behalve Elvin en Trane. Ik hield niet meer van wat McCoy deed, want na een tijdje timmerde hij alleen nog maar die babyvleugel in elkaar en dat vond ik niet echt bijzonder. Ik bedoel, lui als Bill Evans, Herbie Hancock en George Duke weten hoe je dat instrument moet bespelen. Maar Trane en zij speelden alleen nog maar in modale stijl en dat had ik al gedaan. Na een tijdje had McCoy geen aanslag meer. Hij werd monotoon en na een tijdje werd de manier waarop Trane speelde ook monotoon, als je te lang naar hem zat te luisteren. Na een tijdje zag of hoorde ik niets meer in hen, en ik hield ook niet van wat Jimmy Garrison deed. Maar veel mensen hielden er wel van en dat mag van mij. Toen Elvin en Trane samen duo's speelden, toen vond ik het goed wat ze deden. Maar dat is alleen maar mijn mening; ik kan ongelijk hebben. De sound in de muziek is tegenwoordig heel anders dan toen ik begon te spelen. Je hebt al die echokamers en toestanden. Zoals ze bijvoorbeeld in de film *Lethal Weapon* met Danny Glover en Mel Gibson scènes opnamen in een ruimte die helemaal van staal was. Dus raakt het publiek gewend aan de galm van staal dat tegen elkaar klettert en lui in West-Indië, bijvoorbeeld in Trinidad, schrijven muziek die zo klinkt, met steel drums en al dat soort dingen. En de synthesizer heeft alles veranderd of puristen onder de muzikanten dat nou leuk vinden of niet. Hij is er en hij zal er blijven en je kunt eraan meedoen of niet. Ik heb gekozen om eraan mee te doen, want de wereld heeft altijd om verandering gedraaid. Mensen die niet veranderen zullen zoiets worden als folk muzikanten, armzalige provincialen die in een museum spelen. Want de muziek en de sound zijn internationaal geworden en het is zinloos om te proberen terug te kruipen in een of andere geborgenheid van vroeger. Een mens kan niet terug in zijn moeders schoot.

Muziek gaat over timing en alles binnen een ritme krijgen. Zelfs als het Chinees is kan het goed klinken zolang de juiste dingen op de juiste plaats staan. Maar hoe complex de mensen beweren dat mijn muziek ook is, ik hou van simpel. Op die manier luister ik ernaar ook al is het voor hen complex.

Ik hou van drummers. Ik leerde zoveel over drums van Max Roach toen we met Bird samenspeelden en met elkaar optrokken op tournee. Hij deed me altijd dingen voor. Hij leerde me dat de drummer altijd het ritme hoort vast te houden, een tel in zich moet hebben, de swing vast moet houden. De swing hou je vast door een ritme binnen het ritme te hebben. Bijvoorbeeld 'boem, boem, tsjeboem, tsjeboem.' Dat 'tsje' tussen de 'boem' is het ritme binnen het ritme en dat kleine dingetje is de extra swing. Als een drummer dat niet kan, is de swing eruit en er is niets ergers ter wereld dan een drummer die niet swingt. Man, dan leg ik het af.

Maar iemand als Marcus Miller staat voor de muzikant en artiest van vandaag. Hij kan alles spelen en staat open voor alle muzikale dingen. Hij begrijpt bijvoorbeeld dat je geen live drummer in de studio hoeft te hebben. Je kunt een drumcomputer programmeren en daarna een drummer mee laten spelen als je dat wilt. De drumcomputer is goed, want je kunt wat hij op de ene plaats speelt altijd op een andere plaats zetten omdat hij altijd hetzelfde tempo houdt. De meeste drummers hebben de gewoonte het tempo te laten zakken of juist op te schroeven en dat kan verzieken wat je doet. Drumcomputers doen dat niet, dus om op te nemen zijn ze goed. Maar live moet ik een geweldige drummer als Ricky

Wellman hebben om alles eruit te halen wat erin zit. In de live-muziek die we spelen veranderen de stukken voortdurend en dat pept een drummer op die kan meeveranderen met de stroom. Als je live speelt moet je de belangstelling vasthouden en in die situatie is een goede drummer beter dan een drumcomputer.

Zoals ik al eerder zei, veel jazzmuzikanten zijn lui. Ze krijgen kapsones door blanken die zeggen: 'Je hoeft niet te studeren, je hebt 't van nature. Pak die toeter en blaas.' Maar dat is niet waar. En ook niet alle zwarten hebben ritme. Er zijn heel wat blanke jongens die te gek kunnen spelen, vooral in die rockgroepen. En de drummers in die groepen laten het tempo niet zakken en kunnen ook met de drumcomputer overweg. Maar veel zwarte jazzdrummers willen en kunnen die dingen niet. Ze willen 'onbedorven' blijven, want dat zijn ze, zeggen blanke critici.

De gave om op mijn manier muziek te horen heb ik altijd gehad. Ik weet niet waar het vandaan komt, het is er gewoon en ik twijfel er nooit aan. Zo kan ik bijvoorbeeld horen als er een tel gemist wordt, of kan ik horen wanneer het Prince is op drums in plaats van een geprogrammeerde drum. Dat heb ik gewoon altijd gehad. Ik bedoel, ik kan met een tempo beginnen en gaan slapen en terugkomen en nog in hetzelfde tempo zitten als voor ik ging slapen. Ik heb me in dat soort zaken nooit afgevraagd of ik gelijk had. Want ik stop als het tempo eruit is, als het verkeerd is. Ik bedoel, ik kan dan gewoon niets meer. En als een technicus een slechte las maakt op een tape val ik ter plekke stil, want ik hoor het meteen.

Voor mij gaan muziek en leven helemaal over stijl. Als je er bijvoorbeeld rijk uit wilt zien en je rijk wilt voelen, dan draag je bepaalde dingen, een bepaald paar schoenen, of hemd, of jas. Stijlen in de muziek roepen bepaalde soorten gevoel op in mensen. Als je wilt dat iemand zich op een bepaalde manier voelt, dan speel je in een bepaalde stijl. Dat is alles. Daarom is het goed voor mij om voor verschillende soorten publiek te spelen, want van hen pik ik dingen op die ik kan gebruiken. Er zijn plaatsen waar ik nog nooit gespeeld heb en waar ik graag nog eens zou spelen, zoals Afrika en Mexico. Ik zou het prachtig vinden om daar te spelen en ik zal het ooit doen.

Als ik niet in dit land ben, speel ik anders door de manier waarop de mensen me behandelen, vol respect. Dat waardeer ik en daar geef ik blijk van in mijn spel. Ik wil dat ze zich door mij goed voelen zoals ik me door hen goed voel. Mijn favoriete plaatsen om te spelen zijn, geloof ik, Parijs, Rio, Oslo, Japan, Italië en Polen. In de Verenigde Staten speel ik graag in New York, Chicago en rond San Francisco en Los Angeles. Daar zijn de mensen niet al te beroerd, maar nog steeds fokken ze me soms op, kietelen me op de verkeerde manier. Toen ik ophield met spelen, hoorde ik dat veel mensen zeiden: 'Miles is gestopt, wat moeten we nu?' De reden dat veel mensen zo dachten heeft, denk ik, iets te maken met wat Dizzy ooit zei. Hij zei: 'Als je Miles wilt beoordelen, beoordeel dan de muzikanten die bij hem gespeeld hebben; Miles maakt leiders.' En ik veronderstel dat dat waar is. Dus hebben veel muzikanten gekeken welke richting ik aangaf. Maar ik voelde me niet bezwaard daardoor, doordat ik door veel mensen gezien werd als een voorloper, de spits-afbijter, om het zo maar eens te zeggen. Ik heb nooit gedacht dat ik er helemaal alleen voor stond. Ik had niet de hele last op mijn schouders. Er waren anderen, zoals Trane en Ornette. Zelfs in mijn eigen bands kwam het niet alleen op mij neer, dat was nooit zo. Bijvoorbeeld met Philly Joe en Trane. Philly Joe legde het tempo vast en zorgde dat Paul Chambers speelde en Red Garland vertelde mij welke ballads hij wilde spelen en niet andersom. En Trane zat daar dan maar en zei niets, maar speelde te gek. Hij zei nooit veel. Hij was als Bird wanneer het op praten over muziek aankwam. Ze praatten gewoon met hun sax. In mijn band met Herbie, Tony, Ron en Wayne, legde Tony de basis en wij volgden hem. Ze schreven allemaal dingen voor de band en sommige dingen schreven we samen. Maar met Tony vroeger zakte het tempo nooit; als er al iets mee gebeurde dan werd het sneller en dan gingen we er tegenaan. In de band met Keith Jarrett en Jack DeJohnette dicteerden Keith en Jack welke kant de sound opging en wat er gespeeld werd, welk ritme ze neerlegden. Ze stuurden de muziek en dan veranderde de muziek zichzelf gewoon in iets anders. Reken maar dat niemand anders die muziek kon spelen, want ze hadden Keith en Jack niet. Bij iedere andere band die ik samenstelde was dat zo.

Maar dat was mijn gave, weet je, bepaalde lui bijeen kunnen brengen die een soort chemische reactie met elkaar aangingen en ze dan hun gang laten gaan; ze laten spelen wat ze konden en meer dan dat. Ik wist niet precies hoe ze samen zouden klinken als ik lui voor het eerst binnenhaalde. Maar ik denk dat het belangrijk is intelligente musici te kiezen want als ze intelligent en creatief zijn dan krijgt de muziek echt vleugels.

Precies zoals Trane zijn eigen stijl had en Bird en Diz de hunne, zo wil ik alleen maar als mezelf klinken. Ik wil mezelf zijn, wat dat dan ook is. Maar in muziek heb ik een groot gevoel voor verschillende fraseringen en als ik echt plezier heb in iets, is 't alsof ik er één mee ben. De frase ben ik. Ik speel de dingen op mijn manier en dan probeer ik daarboven uit te stijgen. Het moeilijkste nummer dat ik ooit moest spelen in mijn leven was *I Loves You, Porgy*, want ik moest de trompet laten klinken en fraseren als een menselijke stem. Ik zie kleuren en dingen als ik speel. Als ik een compositie van iemand hoor, vraag ik me altijd af waarom hij die bepaalde noot nu juist daar plaatste en waarom hij andere dingen op die bepaalde manier deed. Mijn sound komt van mijn leraar van de middelbare school, Elwood Buchanan. Ik hield zelfs van de manier waarop hij zijn trompet vasthield. Mensen zeggen tegen me dat mijn sound lijkt op een menselijke stem en zo wil ik dat ook.

De beste muzikale ideeën voor composities krijg ik 's nachts. Duke Ellington had dat ook. Hij schreef de hele nacht en sliep de hele dag. Ik denk dat dat komt omdat 's nachts alles stil is en je kunt dat eventuele kleine beetje geluid dus buitensluiten en je concentreren. Ik geloof ook dat ik in Californië beter schrijf omdat het daar zo stil is; ik woon aan de oceaan. Tenminste, zo gaat het nu. Ik geef de voorkeur aan Malibu boven New York als ik schrijf.

Ik speel wat akkoorden die sommige lui in mijn band 'Milesiaanse Akkoorden' noemen. Zo kun je ieder akkoord, iedere klank spelen en het zal niet vals klinken, tenzij iemand iets verkeerds erachter speelt. Zie je, wat er achter een akkoord wordt gespeeld maakt uit of het wel of niet past. Je speelt gewoon niet een reeks onsamenhangende akkoorden en laat het daarbij. Je moet het naar iets terugbrengen om het op te lossen. Als we bijvoorbeeld in mineur spelen, laat ik ze gewoonlijk allerlei mogelijkheden zien die dat biedt, van flamencomuziek tot een passacaglia, tenminste sommige mensen noemen dat zo. Een passacaglia is als je dezelfde baslijn aanhoudt en ik speel drieklanken, zodat een solospeler tegen een mineurakkoord in kan spelen. Je moet daar een gevoel voor hebben. Ik deed hetzelfde met Trane. Als je naar Katsjatoerian luistert, de Russische componist, en naar Hernspach, een briljante Britse componist, allebei schrijven ze dingen in mineur. Er zijn een hele hoop dingen die je kunt spelen als je erop studeert.

Voor mij zijn grote muzikanten hetzelfde als grote

krijgers die zelfverdediging beheersen. Er zit een hoger theoretisch plan in hun hoofd, zoals bij Afrikaanse muzikanten. Maar wij zitten niet in Afrika en we spelen niet zomaar monotone gezangen. Er zit enige theorie achter wat we doen. Als je verminderde akkoorden als basis neemt, maken die akkoorden een zangerige sound en komt wat je doet er veel voller uit en dat kun je begrijpen, want er zitten die verschillende klanken onder. En dat kun je nu makkelijker doen, want men heeft zulke geweldige muziek gehoord de afgelopen twintig jaar. Coltrane, ikzelf, Herbie Hancock, James Brown, Sly, Jimi Hendrix, Prince, Stravinsky, Bernstein. Dan zijn er nog mensen als Harry Parch en John Cage. De muziek van Cage klinkt als glas en dingen die vallen. Veel mensen zijn daarmee bezig. Dus is men klaar voor een hele hoop andere soorten muziek. En als ze Martha Graham kunnen verstouwen en wat die doet en wat die met Cage samen deed in 1948 op Juilliard, waar ik ze allebei heb ontmoet, dan zijn de mensen klaar voor wat voor toestanden dan ook.

Maar nog steeds lopen de zwarten voorop, zoals met break dancing, hip-hop en rap. Zelfs de muziek in commercials is tegenwoordig oké, man. In sommige commercials gebruiken ze gospelmuziek van baptisten. Het grappige ervan is dat ze die door blanken laten zingen, die er een slap aftreksel van maken. Ze proberen op ons te lijken en te zingen zoals wij en te spelen zoals wij. Dus nu moeten zwarte artiesten weer iets anders. De mensen in Europa en Japan en Brazilië laten zich daardoor niet voor de gek houden. Dat doen alleen die stomme lui hier.

Ik hou van reizen, wel iets minder dan vroeger omdat ik het zoveel doe, maar ik vind het nog steeds leuk, want je ontmoet allerlei verschillende mensen en komt in contact met veel verschillenden culturen. Een van de dingen die me is opgevallen is dat zwarte mensen erg op Japanse mensen lijken. Ze houden allebei van lachen. Zowel Japanse als zwarte mensen zijn niet zo gestresst als blanken. Een zwarte is al snel een Oom Tom als hij lacht waar blanken bij zijn, maar van Japanse mensen denkt men zoiets niet want zij hebben geld en macht. Aziatische mensen hebben ook niet veel uitdrukking rond hun ogen, vooral Chinese mensen niet. Ze kijken je op een vreemde manier aan. Maar ik heb goed gekeken hoe Japanse vrouwen vanuit hun ooghoeken mannen versieren en nu kan ik dat ook.

De beste vrouwen ter wereld zijn voor mij Braziliaanse, Ethiopische en Japanse vrouwen. En ik bedoel nu een combinatie van schoonheid, vrouwelijkheid, intelligentie, de manier waarop ze zich gedragen, hun lichaamshouding en het respect dat ze voor een man hebben. Japanse, Ethiopische en Braziliaanse vrouwen respecteren mannen en proberen zich nooit als een man te gedragen – tenminste degenen die ik ken. De meeste Amerikaanse vrouwen weten niet hoe ze moeten omgaan met een man, vind ik tenminste, vooral veel zwarte vrouwen en dan vooral de ouderen. De meesten gaan een strijd met je aan, geeft niet wat je voor ze doet. Ik denk dat het door hun haar komt en door de hersenspoeling die dit land hen gegeven heeft over het hebben van lang, blond, steil haar, waardoor ze geloven dat ze niet mooi zijn – maar dat zijn ze wel. Maar ik denk dat dit vooral geldt voor oudere zwarte vrouwen, die al die schoonheidsonzin van blanke vrouwen geslikt hebben. Veel jonge zwarte vrouwen die ik ken zijn helemaal oké en hebben die problemen niet die een hoop ouderen hebben. Maar toch hebben ook veel jongeren grote problemen met hun uiterlijk. Veel zwarte vrouwen denken dat alle zwarte mannen naar blanke vrouwen verlangen, zelfs als ze hun zwarte vrouwen op handen dragen. Dat fokt hen op. De meeste blanke vrouwen behandelen een man vaak beter dan een zwarte vrouw, omdat ze niet die frustraties van zwarte vrouwen hebben. Ik weet dat veel zwarte vrouwen hier kwaad om zullen worden, maar zo zie ik het nu eenmaal.

Zie je, veel zwarte vrouwen zien zichzelf als schooljuffrouw of moeder als het om een man gaat. Ze moeten aan de touwtjes trekken. De enige zwarte vrouw in mijn leven die niet zo was, was Frances. In de zeven jaar dat wij bij elkaar waren, heb ik daar bij haar nooit iets van gemerkt. Ze was relaxed en concurreerde niet, want ze had veel zelfvertrouwen. En als je vertrouwen in jezelf hebt – weet dat je er goed uitziet en vrouwelijk bent en dat mannen beginnen te kwijlen als ze je zien – dan kun je die man aan. Frances had veel vertrouwen in haar lichaam, want ze was danseres en wist dat als ze over straat liep ze het verkeer op zou houden. Ze was een artieste en de meeste vrouwen die artistiek zijn hebben iets breders en diepers.

Maar veel zwarte vrouwen met een leidinggevende baan en zonder zelfvertrouwen zijn om kotsmisselijk van te worden. Ze concurreren altijd en hebben altijd iets opgefokts te zeggen. Als een man stampij maakt, kun je met hem vechten, fysiek bedoel ik. Maar met een vrouw is dat anders. Als die je kwaad maken, kun je ze niet beginnen te slaan. Dus moet je het laten passeren. Maar als je het bij betweterige, concurrerende vrouwen te vaak laat passeren, dan zullen ze scheldend voor je neus blijven staan en het je door je strot blijven duwen. Dan word je kwaad en sla je ze misschien. Ik ben vaak in zo'n situatie verzeild geraakt met doordrammende vrouwen en ik heb er weleens een geslagen. Maar ik hou niet van dat gedoe en ik sla niet graag een vrouw. Als ik tegenwoordig zoiets aan voel komen, vermijd ik het gewoon.

Veel zwarte vrouwen weten niet hoe ze met een artiest moeten omgaan – vooral die oudere vrouwen niet of die met een belangrijke carrière. Een artiest kan op ieder moment van de dag iets in zijn kop krijgen. Dus kun je hem niet op lopen te fokken en af te houden van wat hij denkt of doet. Dat is verschrikkelijk gezeik, als een artiest een vrouw heeft die het niet respecteert als hij creatief wil zijn. Een hoop van de oudere vrouwen begrepen dat niet, want toen ik opgroeide werd een artiestenbestaan niet gerespecteerd. Maar blanke vrouwen gaan allang met artiesten om en begrijpen het belang van kunst in de maatschappij. Dus op dat terrein hebben zwarte vrouwen nog veel te leren. Maar dat zal ze wel lukken. Ondertussen moeten mensen als ik blijven doen wat ons gelukkig maakt. Ik moet blijven omgaan met wie me begrijpt en respecteert.

Veel Afrikaanse vrouwen die ik ken zijn niet zoals Amerikaanse zwarte vrouwen. Ze zijn anders en weten beter hoe ze hun mannen moeten behandelen. Maar ik hou van die echt zwarte Afrikaanse vrouwen uit Ethiopië en Soedan. Ze hebben van die hoge jukbeenderen en rechte neuzen en dat zijn de gezichten die ik meestal in mijn schilderijen en schetsen teken. Iman, het Afrikaanse model, ziet er zo uit. Ze is zo mooi en elegant en bevallig. Dan heb je nog dat andere soort schoonheid in zwarte vrouwen, die met volle lippen, grote ogen en wijkende voorhoofden zoals het hoofd van Cicely. In besloten kring kon Cicely eruitzien zoals je haar nooit in de films ziet, vooral als ze kwaad werd of als ik kwaad werd op haar. Het was sensueel. Ik deed altijd alsof ik kwaad was, alleen maar om haar die blik in haar ogen te laten krijgen. Ik was er gek op.

Ik hou van flirten met vrouwen. Door ze even aan te kijken kun je veel van ze krijgen. Ik vind het leuk om te flirten zonder je mond open te doen en iets te zeggen. Uit de ogen van een vrouw kan ik altijd opmaken of ze in mij geïnteresseerd is of niet, vooral als je iets meer ziet en voelt dan louter kijken. Westerse vrouwen doen met hun ogen wat Japanse vrouwen met hun lichaam doen. Als je dat extraatje in de ogen van westerse vrouwen ziet en jij voelt je ook zo, dan reageer je. Als je je niet zo voelt, dan draai je gewoon je hoofd om. Maar als je daar iets spiritueels voelt, een zekere verwantschap, dan ga je erop af.

Het type vrouw waar ik van hou moet een bepaalde lichaamshouding hebben en slank zijn en vertrouwen hebben in haar lichaam, als een danseres. Het zit 'm in hoe ze loopt of dingen doet of zich kleedt. Ik zie het in één oogopslag. Er zijn een hoop prima vrouwen die toch niet dát hebben wat ik wil. Ze moeten dat seksuele hebben, die spanning die me zegt dat er iets speciaals te halen valt. Soms zit 't 'm in de mond, bijvoorbeeld de mond van Jacqueline Bisset. Dat seksuele staat op haar gezicht geschreven en Cicely had dat ook ooit voor mij. Als ik het zie, krijg ik een gevoel in mijn maag. Het is alsof ik in een roes kom, zoals bij een snuif cocaïne – een flinke. Het is het vooruitdenken aan met zo iemand samenzijn, waardoor ik me zo goed voel. Dat gevoel is zo geweldig dat het bijna nog beter is dan wat voor orgasme dan ook. Daar kan niets tegenop.

Ik hou er van hoe Japanse vrouwen flirten met een man. Ze gaan niet recht voor je staan, maar bijna waar je ze niet meer kunt zien als je uit je ooghoeken kijkt. Ze zijn daar waar je ze bijna niet kunt zien, maar ze zijn er wel. Ook kijken ze je niet recht aan. Het is interessant. Zeg dat er vier Aziatische vrouwen in een kamer zijn en je praat tegen ze allemaal, maar tegen eentje praat je, zeg, vijf minuten langer dan tegen de rest, dan zullen die andere drie gewoon weggaan. Ze laten je gewoon alleen en gaan ergens anders staan praten.

Ik hou van vrouwen. Ik heb nooit hulp nodig gehad of moeite gehad om vrouwen te vinden. Ik ben graag in hun gezelschap, om te praten en dat soort dingen. Maar ik heb me nooit bemoeid met de vriendin van een muzikant. Nooit. Zelfs niet als ze al heel lang bij hem weg was. Je weet nooit wanneer je misschien een muzikant moet inhuren om bij je te spelen. Je wilt niet dat dat soort gezeik in de weg staat als je met elkaar gaat spelen. Maar op alle andere vrouwen – behalve goede vriendinnen – mag gejaagd worden.

Maar vrouwen zijn eigenaardig en vaak zijn ze niet wat ze lijken te zijn. Vrouwen zijn op andere vrouwen uit op een manier die niet eens opgemerkt wordt. Ik zag dat vroeger vaak, toen ik in de clubs werkte. Ik dacht altijd dat al die mooie vrouwen naar de clubs kwamen om naar muzikanten te kijken en die op te pikken. Maar toen kwam ik erachter dat veel van hen kwamen om elkaar te zien. En daar stond ik dan te denken dat ze mij kwamen versieren en naar de muziek en zo kwamen luisteren. Maar muzikanten zijn ijdele kwasten als het om hun publiek gaat en *vooral* tegenover vrouwen. Van alle kunstenaars zijn muzikanten het meest op zichzelf gericht, omdat ze denken dat zij het meest oké zijn en dat wat zij doen het belangrijkst is. Ze denken dat ze onweerstaanbaar zijn voor vrouwen, omdat ze een of ander instrument in de mond of in de hand hebben. Ze vinden dat ze het geschenk van God aan de vrouwen zijn. En dat klopt ook wel als je kijkt naar de mensen die om ons heen hangen en ons alles geven wat we vragen. Op z'n minst denken wij muzikanten dat het waar is omdat de mensen ons zo behandelen. Maar veel vrouwen die van vrouwen houden weten dat ook. Ze weten dat er veel andere dames om ons heen zullen hangen, dus begeven ze zich ook in die kringen om een prijsje weg te slepen.

Ik ben in het verleden omgegaan met vrouwen van alle rassen, waarschijnlijk evenveel blanken als zwarten. Ik denk niet na over het ras van de vrouw waar ik bij ben. Zoals het gezegde luidt: 'Een stijve lul heeft geen geweten' en hij heeft ook geen rassenbewustzijn. Toch ben ik altijd met zwarte vrouwen getrouwd geweest, maar dat is niet bewust gebeurd. Als je me vraagt aan welke kleur vrouw ik de voorkeur geef, dan moet ik zeggen dat ik graag een vrouw heb met de huidskleur van mijn moeder, of nog lichter. Ik weet niet waarom dat zo is, maar zo is het nou eenmaal. Ik geloof dat ik één vriendin heb gehad die donkerder was dan ik en weet je, dat was donker, want ik ben zelf zo zwart als de nacht.

Amerikaanse vrouwen zijn de dapperste ter wereld als het om mannen gaat. Ze komen gelijk naar je toe als ze je echt zien zitten en beginnen je te versieren. Vooral als je zo beroemd bent als ik. Het kan ze niets schelen en ze schamen zich er niet voor. Maar van dat soort gedoe moet ik niks hebben. Ze willen alleen maar naar bed en met mijn krantenknipsels neuken en proberen bij mijn bankrekening te komen, zodat ik cadeaus en zo voor ze kan kopen. Maar dat gezeik zie ik van een kilometer aankomen tegenwoordig. Vroeger lukte dat nog wel eens bij me, maar nu niet meer. Ik ga niet in op de avances van een vrouw. Dan sla ik dicht. Ik wil dat ze mij tenminste laten *denken* dat ik hen eruit pik. Blanken in Amerika dringen zich aan je op omdat ze vinden dat zij het geschenk van God aan de hele klotewereld zijn. Het is ziekmakend en meelijwekkend hoe ze denken, hoe achterlijk, belachelijk en neerbuigend veel van hen zijn. Ze denken dat ze zomaar naar je toe kunnen komen en zich met je zaken kunnen bemoeien, omdat zij blank zijn en jij niet. Als ik in een vliegtuig zit doen ze dat veel; ze dringen zich aan je op. Ik reis eersteklas, dus weet ik dat ze zich afvragen wat ik daar doe als ze me niet herkennen. Dus kijken ze raar naar me. Toen ik op een keer in een vliegtuig zat en een of andere blanke vrouw me dat flikte, vroeg ik haar of ik op iets zat dat van haar was. Ze glimlachte alleen maar met zo'n verbeten lachje en liet me met rust. Maar er zijn wel wat blanken die relaxed zijn en dat soort dingen niet uithalen. Je hebt goeie mensen in alle rassen en stomme ook. Een paar van de grootste klootzakken die ik ooit ben tegengekomen, waren zwarten. Vooral diegenen die al die leugens geloven die blanken over hen verspreiden. Als ze zo zijn, kunnen het zieke klootzakken zijn.

Amerika is zo'n racistisch land, zo racistisch dat het zielig wordt. Het is precies als Zuid-Afrika, alleen tegenwoordig met een vernisje. Het is niet zo openlijk in zijn racisme. Maar behalve dat is het hetzelfde. Maar ik heb altijd een ingebouwde antenne gehad voor racisme. Ik kan het ruiken. Ik kan het achter me voelen, waar dan ook. En zoals ik ben, worden veel blanken echt kwaad op me, vooral blanke mannen. En ze worden nog kwader als ik ze afzeik als ze te ver gaan. Ze denken gewoon dat ze alles kunnen maken tegen een zwarte hier.

Kijk naar wat er met onze kinderen gebeurt, hoe ze helemaal onder de drugs zitten, vooral zwarte kinderen. Een reden daarvoor, tenminste voor zwarte kinderen, is dat ze niets van hun wortels weten. Het is een schande hoe ons land zwarte mensen en onze bijdragen aan deze maatschappij behandeld heeft. Ik vind dat op de scholen de kinderen les zouden moeten krijgen in jazz en zwarte muziek. De kinderen behoren te weten dat de enige originele culturele bijdrage van Amerika de muziek is, die onze zwarte voorvaderen uit Afrika meebrachten en die hier veranderd en ontwikkeld werd. Afrikaanse muziek zou even hard als Europese ('klassieke') muziek bestudeerd moeten worden.

Als kinderen niets over hun erfenis leren op school, geven ze niets om die school. Ze gaan aan de drugs, aan de crack, want niemand geeft om hen. Bovendien zien ze dat het makkelijk verdient als je crack verkoopt, dus krijgen ze die verbinding met de onderwereld en dat gedrag.

Ik weet dat omdat ik ook zo was toen ik aan de drugs was. Ik begrijp die kinderen en wat ze denken. Ik weet dat veel van hen in de onderwereld terechtkomen, omdat ze weten dat ze van blanken geen eerlijke behandeling te verwachten hebben. Dus gaan ze de sport of de muziek in, worden entertainers of atleten, omdat dat een kans voor hen is om veel geld te verdienen en weg te komen waar ze zaten. Het is óf sport, entertainen, óf de onderwereld. Daarom respecteer ik Bill Cosby zo, omdat hij de goeie dingen doet, het juiste voorbeeld stelt, door kunst van zwarten te kopen en bijdragen te geven aan zwarte scholen. Ik zou willen dat meer zwarten met geld zijn voorbeeld volgden. Begin een uitgeverij of platenmaatschappij, een of andere zaak die zwarte mensen in dienst neemt en het klote-image oppoetst dat zwarte Amerikanen bij blanken hebben. Zwarte mensen hebben dat nodig.

In Europa en Japan waarderen ze de zwarte cultuur. Maar blanke Amerikanen schuiven liever een blank iemand als Elvis Presley, die gewoon een gekopieerde zwarte is, naar voren, dan het origineel. Ze geven al dat geld uit aan blanke rockgroepen, om hen te promoten en in de publiciteit te brengen, geven hen allerlei prijzen voor hun pogingen zoveel mogelijk op zwarte artiesten te lijken. Maar dat mag, want iedereen weet toch dat Chuck Berry met het gedoe begonnen is, en niet Elvis. Ze weten dat Duke Ellington de 'King of Jazz' was en niet Paul Whiteman. Dat weet iedereen. Maar het staat niet in de geschiedenisboeken, tenzij wij de macht krijgen om onze eigen geschiedenis te schrijven en wij onze verhalen zelf vertellen. Niemand anders zal dat voor ons doen of het naar behoren doen.

Bijvoorbeeld, tijdens zijn leven kreeg Bird nooit wat hem toekwam. Er waren maar een paar blanke critici zoals Barry Ulanov en Leonard Feather die Bird en bebop erkenden. Maar voor de meeste blanke critici was Jimmy Dorsey het helemaal, zoals dat nu voor Bruce Springsteen of George Michael geldt. Behalve op een paar plaatsen, had bijna niemand van Charlie Parker gehoord. Maar veel zwarten – degenen die oké waren – kenden hem. Toen de blanken eindelijk iets zagen in Bird en Diz, was het te laat. Duke Ellington en Count Basie en Fletcher Henderson kregen nooit wat hen toekwam. Louis Armstrong moest als een debiel gaan glimlachen om het eindelijk te krijgen. Blanken praatten vroeger over hoe John Hammond Bessie Smith ontdekte. Gelul, hoe kon hij haar ontdekken als ze er allang was? En als hij haar echt had 'ontdekt' en gedaan had wat er van hem verwacht mocht worden, wat hij voor andere blanke zangers deed, dan zou ze niet op die manier gestorven zijn op een achterafweggetje in Mississippi. Ze kreeg een ongeluk en bloedde dood, omdat geen blank ziekenhuis haar wou opnemen. Dat is net zoals hoe Columbus Amerika kon ontdekken als de Indianen hier allang waren? Dat soort gelul kan alleen maar van blanken komen.

De politie fokt me op door me voortdurend aan te houden. Dat soort gelazer overkomt zwarte mensen in dit land iedere dag. Het is zoals Richard Pryor zei: 'Als je zwart bent en je hoort een blanke "Yah hoo" roepen, dan kun je maar beter opstaan en 'm smeren, want je weet dat er iets stoms op zal volgen.' Ik herinner me die keer toen de komiek Milton Berle naar me kwam kijken toen ik in de Three Deuces speelde. Ik zat in die tijd in de band van Bird. Ik denk dat het in 1948 was. Hoe dan ook, Berle zat aan een tafel naar ons te luisteren en iemand vroeg hem wat hij van de band en de muziek vond. Hij draaide zich lachend om naar die groep blanken waar hij mee was en zei dat we 'koppensnellers' waren, waarmee hij bedoelde dat we recht uit de rimboe kwamen. Hij dacht dat hij leuk was en ik herinner me al die blanken die om ons lachten. Nou, dat ben ik nooit vergeten. Toen zag ik hem ongeveer vijfentwintig jaar later in een vliegtuig en we zaten allebei in de eerste klas. Ik ging naar hem toe en stelde me voor. Ik zei: 'Milton, ik ben Miles Davis en ik ben muzikant.'

Hij begon te glimlachen en zei: 'Zeker, ja, ik weet wie je bent. Ik hou erg van je muziek.' Hij leek blij dat ik naar hem toe was gekomen.

Toen zei ik: 'Milton, je hebt eens een keer iets heel lulligs gezegd over mij en over de band waarin ik toen speelde. Dat ben ik nooit vergeten en ik heb altijd gedacht dat als ik je ooit nog eens onder vier ogen zou tegenkomen, ik je zou vertellen hoe ik me voelde toen je dat zei die avond.' Hij keek nu een beetje raar naar me, want hij wist niet wat hij precies gezegd had. En ik voelde iets van de woede van die avond terugkomen, dus het moet op mijn gezicht te zien zijn geweest. Ik vertelde hem wat hij gezegd had en ik vertelde hem hoe ze ons allemaal hadden uitgelachen. Zijn gezicht liep rood aan omdat hij in verlegenheid was gebracht en waarschijnlijk was hij het helemaal vergeten. Dus toen zei ik tegen hem: 'Ik vind het niet leuk hoe je ons die avond noemde, Milton en niemand van de band vond het leuk toen ik ze vertelde wat jij gezegd had. Een paar van hen hoorden ook wat je zei.'

Hij zag er miserabel uit en toen zei hij: 'Het spijt me echt.'

En ik zei: 'Dat weet ik. Maar nu pas heb je er spijt van, nu ik het je zeg, maar toen lag je er niet wakker van.' En toen draaide ik me om en ging terug naar mijn plaats en zei geen woord meer tegen hem.

Over dat soort dingen heb ik het. Sommige blanken – en trouwens ook zwarten – lachen je het ene moment uit en het volgende draaien ze zich om en zeggen ze dat ze van je houden. Ze doen het voortdurend; proberen voortdurend te verdelen en heersen met dat soort gelul. Maar ik heb een goed geheugen voor wat er met ons in dit land is gebeurd. De joden blijven de wereld herinneren aan wat er in Duitsland met hen gebeurde. Dus moeten zwarte mensen de wereld blijven herinneren aan wat er gebeurde in de Verenigde Staten, of zoals James Baldwin eens tegen me zei: '...deze nog te verenigen staten.' We moeten oppassen voor die verdeel-en-heerstechnieken die blanken al die jaren op ons hebben toegepast en waarmee ze ons afhielden van ons echte innerlijk en onze echte innerlijke kracht. Ik weet dat de mensen het moe worden, maar zwarten moeten het blijven zeggen, moeten deze mensen onze toestand onder de neus blijven duwen tot er iets wordt gedaan aan de manier waarop ze ons behandeld hebben. We moeten ze er met hun neus op drukken, net zoals de joden hebben gedaan. We moeten ervoor zorgen dat ze het weten en dat ze begrijpen hoe slecht het is wat ze ons al die jaren hebben aangedaan en ons nu nog steeds aandoen. We moeten gewoon *hen* laten weten dat *wij weten wat ze aan het doen zijn* en dat wij niet zullen inbinden totdat ze stoppen.

Hoe ouder ik word des te meer ik leer over spelen op deze trompet en des te meer ik leer over een hoop andere dingen. Ik dronk vroeger graag en ik hield echt van cocaïne, maar aan die dingen denk ik zelfs niet meer. Ook niet aan sigaretten. Ik ben gewoon met die dingen opgehouden. Met cocaïne kon ik nog het moeilijkst stoppen, maar toch ben ik ook daarmee gestopt. Het is gewoon wilskracht, geloven dat je kunt wat je wilt. Als ik iets niet wil doen zeg ik gewoon tegen mezelf: 'Donder op.' Want je moet het zelf doen. Niemand anders kan het voor je doen. Andere mensen proberen je misschien te helpen, maar toch moet je het over het algemeen zelf doen.

Niets is onbespreekbaar in hoe ik denk en mijn leven leef. Ik wil altijd creëren. Iedere morgen als ik opsta ligt mijn toekomst voor me. En de eerste stap zet ik dán – als ik opsta en het eerste licht zie. Dan ben ik dankbaar en kan ik niet snel genoeg wakker worden, want iedere dag is er iets nieuws te doen en te proberen. Iedere dag weet ik iets creatiefs te doen met mijn leven. Muziek is een zegen en een vloek. Maar ik hou ervan, zou het niet anders willen.

Er is weinig spijt en weinig schuld in mijn leven. Waar ik wel spijt van heb, daar wil ik niet over praten. Ik voel me nu meer ontspannen, ook tegenover anderen. Ik denk dat ik vriendelijker ben geworden. Ik sta nog wel argwanend tegenover mensen, maar minder dan vroeger en ik ben ook minder vijandig. Toch ben ik nog steeds een erg teruggetrokken iemand en hou ik er niet van om met veel mensen samen te zijn die ik niet ken. Maar ik spring mensen niet meer op hun nek zoals vroeger en vloek de mensen niet meer uit. Jezus, ik introduceer de leden van mijn band zelfs bij concerten tegenwoordig en ik praat zelfs een klein beetje tegen het publiek.

Ik heb de reputatie dat ik moeilijk in de omgang ben. Maar mensen die me echt kennen weten dat dat niet waar is, want we kunnen prima overweg met elkaar. Ik hou er niet van altijd het middelpunt te zijn. Ik doe wat ik vind dat ik doen moet en dat is 't dan. Maar ik heb een paar goede vrienden, zoals Max Roach, Richard Pryor, Quincy Jones, Bill Cosby, Prince, mijn neef Vincent, en een paar anderen. Ik denk dat Gil Evans mijn beste vriend was. De mensen van mijn band zijn goede vrienden en voor mijn paarden in Malibu geldt hetzelfde. Ik hou van paarden en andere dieren. Maar de mensen die me het beste kennen zijn degenen met wie ik daar in East St. Louis opgroeide, al zie ik ze tegenwoordig nauwelijks meer. Ik denk aan hen en áls we elkaar dan zien, is 't alsof ik nooit ben weggeweest. Ze praten tegen me alsof ik net nog bij hen thuis was.

Zij kunnen tegen me aan lullen over wat ik speel en ik zal eerder naar hen luisteren dan naar een criticus. Want ik weet dat zij begrijpen wat ik probeer te doen en hoe ik zou moeten klinken. Als Clark Terry, die ik als een van mijn beste vrienden beschouw, naar me toe zou komen en zou zeggen dat ik rotzooi speelde, man dat zou ik serieus nemen. Ik zou dat ter harte nemen. Hetzelfde met Dizzy, die mijn mentor is en een van mijn dierbaarste vrienden van de hele wereld. Als hij me iets over mijn spel zei, dan zou ik luisteren. Maar ik ben altijd geweest zoals ik ben, mijn hele leven al. Niemand krijgt ooit de kans om tegen goede vrienden van mij iets slechts over mij te zeggen, want ze luisteren niet eens. Zo ben ik ook; ik zal niet luisteren naar kwaadsprekerij over iemand die ik ken.

Muziek is altijd bijna zoiets als een vloek voor me geweest, want ik heb altijd die drang gevoeld om te spelen. Het is altijd het belangrijkste in mijn leven geweest en dat is het nog steeds. Het komt vóór alles. Maar ik heb een soort vrede gesloten met mijn muzikale kwelduivels, waardoor ik meer ontspannen kan leven. Ik denk dat schilderen me veel geholpen heeft. De kwelduivels zijn er nog, maar nu weet ik dat ze er zijn en wanneer ze gevoerd willen worden. Dus ik denk dat ik de meeste dingen onder controle heb.

Ik ben een erg teruggetrokken iemand en het kost veel geld om je privacy te waarborgen als je zo beroemd bent als ik. Het is echt heel moeilijk en dat is een van de redenen waarom ik geld moet verdienen; zodat ik nog een beetje privacy heb. Je moet betalen voor roem – geestelijk, spiritueel en in klinkende munt.

Ik ga niet veel uit, een heel enkele keer tegenwoordig. Dat soort dingen heb ik wel gezien. Mensen komen naar me toe om met me op de foto te komen. Dat gedoe moet ik niet. Daarom kunnen mensen in de schijnwerpers geen normaal leven leiden, omdat sommige mensen zich zo aan hen opdringen. Het is niet normaal. Dat is een van de belangrijkste redenen waarom ik niet graag uitga. Maar als ik bij mijn paarden ben of bij goede vrienden, dan ben ik ontspannen en maak me daar niet druk om. Ik heb een paard, Kara, en een ander, Kind of Blue, en nog een ander, Gemini. Gemini is erg vurig want hij heeft wat Arabier in zich. Ik rij het liefst op hem. Maar hij doet mij een plezier door me op hem te laten rijden, want ik rij niet zo goed. Ik ben het nog steeds aan het leren en dat weet hij. Dus als ik verkeerde dingen doe, kijkt hij me aan op een manier van: 'Wat doet verdomme *deze* klootzak nou weer op mijn rug? Weet hij niet dat ik prof ben?' Maar ik hou van dieren, ik begrijp hen en zij mij. Maar mensen? Mensen zijn vreemd.

Ik heb altijd dingen kunnen voorspellen voor ze gebeurden. Altijd. Ik geloof dat sommigen van ons de toekomst kunnen voorspellen. Ik zwom een keer in het United Nations Plaza Hotel in New York en er was een blanke die ook zwom. Opeens zei hij tegen me: 'Raad 's waar ik naartoe ga?' En ik zei: 'Je gaat naar New Orleans.' En dat was ook zo! Man, dat fokte hem op. Hij pakte meteen zijn spullen bij elkaar en keek behoorlijk raar naar me en vroeg hoe ik dat wist. Maar dat kon ik hem niet vertellen. Ik wist 't gewoon. Ik weet niet waarom en probeer er ook niet achter te komen. Ik weet alleen dat ik dat altijd heb gekund.

Ik ben een instinctief soort iemand, die dingen in mensen ziet die anderen niet zien. Ik hoor dingen die anderen niet horen en waarvan anderen denken dat ze onbelangrijk zijn, totdat ze die vele jaren later eindelijk zelf horen of zien. Tegen die tijd ben ik al weer ergens anders en ben ik vergeten wat zij net zien. Ik blijf in beweging en erbovenop zitten doordat ik het onbelangrijke kan vergeten. Het kan me niet schelen dat andere mensen iets anders belangrijk vinden dan ik. Dat is alleen maar hun mening. Ik heb de mijne en gewoonlijk vertrouw ik mijn eigen gevoel en gehoor méér dan dat van ieder ander als het om mij en mijn werk gaat.

Voor mij is muziek mijn leven geweest en muzikanten die ik gekend heb en van wie ik hield en die mijn voorbeeld waren, zijn mijn familie geworden. Mijn familie is mijn familie omdat het mijn ouders zijn, verwanten, en omdat we hetzelfde bloed hebben. Maar voor mij zijn mijn metgezellen in mijn beroep mijn familie – andere kunstenaars, muzikanten, dichters, schilders, dansers en schrijvers – maar geen critici. De meeste mensen laten hun geld als ze doodgaan na aan hun verwanten, hun neven, tantes, zusters of broers. Maar daar geloof ik niet in. Ik vind dat als je al iets nalaat, laat het dan na aan de mensen die je hielpen met wat je deed. Als dat bloedverwanten zijn, prima, maar als dat niet zo is, zie ik niet in waarom ik het aan mijn verwanten zou geven. Zie je, ik zou erover denken om Dizzy geld na te laten, of Max of zo iemand, of een paar vriendinnen die me veel geholpen hebben. Ik zou niet willen dat ze een of andere neef in Louisiana of ergens vonden, die ik nooit gezien had en die ze mijn geld gaven na mijn dood alleen omdat we hetzelfde bloed hebben. Maak het nou!

Ik wil delen met de mensen die me door al die stront heen hielpen, waar ik doorheen gekropen ben, die me hielpen om creatiever te zijn – en ik heb verschillende echt vruchtbare creatieve periodes gehad in mijn leven. De eerste was van 1945 tot 1949, dat was het begin. Daarna, toen ik van de drugs af was, was 1954 tot 1960 een heel vruchtbare tijd voor me in muzikaal opzicht. En van 1964 tot 1968 was niet slecht, al zou ik zeggen dat ik toen vooral een hoop Tony's en Wayne's en Herbie's van muzikale ideeën voorzag. Dat was ook zo toen ik *Bitches Brew* en *Live-Evil* maakte, want dat is een combinatie van mensen en dingen – Joe Zawinul, Paul Buckmaster en anderen – ik bracht alleen maar iedereen bij elkaar en schreef een paar dingen. Maar ik denk dat ik nu in de creatiefste periode zit die ik ooit gehad heb, want nu schilder ik en schrijf ik muziek en speel ik op de toppen van mijn kunnen.

Ik hou er niet van mensen met hun neus op god te duwen en dat moeten ze bij mij ook niet doen. Maar als ik een voorkeur voor een godsdienst zou hebben, dan zou dat voor de islam zijn en dan zou ik moslim zijn. Maar ik weet daar niets van, van geen enkele godsdienst trouwens. Ik heb dat nooit zien zitten, om je aan godsdienst op te hangen. Want persoonlijk keur ik veel van wat in georganiseerde religie gebeurt af. Het lijkt me niet al te spiritueel, maar meer om geld en macht draaien en daar doe ik niet aan mee.

Maar ik geloof wel in spiritueel zijn en ik geloof wel in geesten. Dat heb ik altijd gedaan. Ik geloof dat mijn moeder en vader me komen opzoeken. Dat geloof ik ook van alle muzikanten die ik gekend heb en die nu dood zijn. Als je met grote muzikanten werkt, zijn die altijd een deel van je – mensen als Max Roach, Sonny Rollins, John Coltrane, Bird, Diz, Jack DeJohnette, Philly Joe. Degenen die dood zijn, mis ik erg, vooral nu ik ouder word: Monk, Mingus, Freddie Webster en Fat Girl. Als ik aan de doden denk word ik kwaad, dus probeer ik er niet aan te denken. Maar hun geesten leven voort in mij, dus zijn ze nog steeds hier en geven ze het door. Het is een of ander spiritueel iets en zij zijn een deel van wat ik nu ben. Het zit allemaal in me, de dingen die ik van hen geleerd heb. Muziek gaat over de ziel en het spirituele, en over gevoel. Ik geloof dat hun muziek hier nog steeds ergens is, weet je. Het spul dat we samen speelden moet hier nog ergens in de lucht hangen, want daar hebben we het heen geblazen en dat spul was magisch, was spiritueel.

Vroeger had ik die dromen waarin ik dacht dat ik dingen kon zien, iets anders kon zien, zoals rook of wolken en mijn geest maakte er dan foto's van. Nu doe ik dat als ik 's morgens wakker word en ik mijn moeder wil zien of mijn vader of Trane of Gil of Philly, of wie dan ook. Ik zeg gewoon tegen mezelf: 'Ik wil hen zien,' en dan zijn ze er en praat ik met ze. Als ik in de spiegel kijk tegenwoordig zie ik daar soms mijn vader. Dat is zo sinds hij doodging en die brief schreef. Ik geloof vast in de ziel, maar ik denk niet na over de dood. Ik heb te veel te doen om me daarover druk te maken.

Voor mij is de drang om muziek te maken en te spelen tegenwoordig sterker dan toen ik begon. Het is intenser. Het is haast een vloek. Man, ik word tegenwoordig dol van muziek die ik vergeet en me probeer te herinneren. Ik word ertoe gedreven – neem het mee naar bed en sta ermee op. Het is er altijd. En ik vind het geweldig dat het me niet in de steek heeft gelaten; ik voel me echt gezegend.

In creatief opzicht voel ik me sterk tegenwoordig en ik word nog steeds sterker. Ik doe iedere dag lichaamsoefeningen, eet meestal gezond voedsel. Soms ga ik me te buiten aan zwart eten, bijvoorbeeld gebarbecued vlees, gebraden kip, en varkensdarmen; je weet wel, dingen die ik niet eten mag – bataattaart, bladgroenten, varkenspootjes, dat soort dingen. Maar ik drink of rook niet meer en gebruik geen drugs, behalve die van de dokter voor mijn suikerziekte. Ik voel me goed, want ik heb me nog nooit zo creatief gevoeld. Ik voel dat het beste nog moet komen. Zoals Prince zegt als hij het heeft over swingen en opgaan in de muziek en het ritme, zal ik 'erin blijven groeien', man, zal ik blijven proberen op te gaan in mijn muziek, elke dag dat ik speel. Erin klimmen. Jullie horen nog van me.

# Dankwoord

Er zijn veel, heel veel mensen die hun tijd en kennis ter beschikking stelden om dit boek mogelijk te maken, en de auteurs willen hun erkentelijkheid betuigen voor hun onschatbare hulp. Hugh Masekela, Max Roach, Peter Shukat, Gordon Meltzer, Herbie Hancock, Wayne Shorter, Ron Carter, Tony Williams, Gil Evans, dr. Bill Cosby, Jimmy Heath, Sonny Rollins, Ricky Wellman, Kenny Garrett, Jim Rose, Darryl Jones, Vince Wilburn, Jr., Vince Wilburn, Sr., Dorothy Davis Wilburn, Frances Taylor, Eugene Redmond, Millard Curtis, Frank Gully, de heer en mevrouw Red Bonner, Edna Gardner, Bernard Hassell, Bob Holman, Gary Giddins, Jon Stevens, Risasi, Yvonne Smith, Jason Miles, Milt Jackson, Pat Mikell, Howard Johnson, Dizzy Gillespie, Anthony Barboza, het tijdschrift *Spin*, Bob Guccione, Jr., Bart Bull, Rudy Langlais, Art Farmer, Marcus Miller, Branford Marsalis, dr. George Butler, Sandra Trim-Da Costa, Verta Mae Grosvenor, David Franklin, Michael Warren, Michael Elam, Judith Mallen, Eric Engles, Raleigh McDonald, Olu Dara, Hamiet Bluiett, Lester Bowie, dr. Leo Maitland, Eddie Randle, Sr., Roscoe Lee Browne, Freddie Birth, Elwood Buchanan, Jackie Battle, Charles Duckworth, Adam Holzman, George Hudson, James Baldwin, David Baldwin, Gloria Baldwin, Oliver Jackson, Joe Rudolph, Ferris Jackson, Deborah Kirk, Kwaku Lynn, Mtume, Monique Clesca, Odette Chikel, Jo Jo, Walter en Teresa Gordon, Charles Quincy Troupe, Evelyn Rice, Gille Larrain, Ishmael Reed, Lena Sherrod,

George Tisch, Pat Cruz, The Studio Museum of Harlem, Mammie Anderson, Craig Harris, Amiri Baraka, Donald Harrison, Terence Blanchard, Benjamin Rietveld, Kei Akagi, Joseph Foley McCreary, Mickey Bass, Steve Cannon, Peter Bradley, George Coleman, Jack DeJohnette, Sammy Figueroa, Marc Crawford, John Stubblefield, Greg Edwards, Alfred 'Junie' McNair, Thomas Medina, George Faison, James Finney, Robben Ford, Nelson George, Bill Graham, Mark Rothbaum, Lionel Hampton, Beaver Harris, de heer en mevrouw Lee Konitz, Tommy LiPuma, Harold Lovett, Ron Milner, Herb Boyd, Jackie McLean, Steve Rowland, Steve Ratner, Arthur en Cynthia Richardson, Billie Allen, Chip Stern, dr. Donald Suggs, Milan Simich, Clark Terry, Arthur Taylor, Alvin 'Laffy' Ward, Terrie Williams, Sim Copans, Joe Overstreet, Ornette Coleman, dominee Calvin Butts, C. Vernon Mason, James Brown, Adger Cowans, Susan DeSandes, Clayton Riley, Leonard Fraser, Paula Giddings, John Hicks, Keith Jarrett, Ted Joans, Patti LaBelle, Stewart Levine, Sterling Plumpp, Lynell Hemphill, Fred Hudson, Leon Thomas, dr. Clyde Taylor, Chinua Achebe, Derek Walcott, August Wilson, Rita Dove, Danny Glover, Terry McMillen, Nikki Giovanni, Asaki Bomani, rechter Bruce Wright, Ed Williams, Abbey Lincoln (Aminata Moseka), K. Curtis Lyle, David Kuhn, Jack Chambers, Eric Nisenson, Ian Carr en vele anderen die te talrijk zijn om op te noemen, maar die informatie bijdroegen die hielp bij de totstandkoming van dit boek. Bijzondere dank gaat uit naar Quincy's agente, Marie Dutton Brown, voor haar onschatbare hulp en het nauwkeurig lezen van het manuscript en naar haar assistent B.J. Ashanti, die hielp bij de coördinatie van dit erg moeilijke project. De auteurs willen ook bijzondere dank betuigen aan Mabusha Masekela, Hughs neef, die er een avond voor ging zitten en het hele manuscript las en rele-

vante informatie en nuttige kritiek bijdroeg. De auteurs
willen ook de mensen bij Simon and Schuster bedanken,
in het bijzonder Julia Knickerbocker, Karen Weitzman,
Virginia Clark en onze geweldige en altijd behulpzame
redacteuren Bob Bender en Malaika Adero, die Simon
and Schuster het idee voor het boek aan de hand deden.
Ook willen we Fay Bellamy bedanken en Pamela Williams en Cynthia Simmons, die de buitengewoon moeilijke taak op zich namen om alle op band opgenomen in-
terviews uit te typen en uitstekend werk verrichtten. En
tenslotte willen de auteurs hun dank uitspreken voor de
bijdragen van Quincy's vrouw Margaret Porter Troupe,
die het manuscript verscheidene malen las, goede kritiek
en veel morele steun gaf.

# *Bronvermelding foto's*

# Victor Bockris
## *Andy Warhol*

De onthutsende biografie over de meest spraakmakende
kunstenaar van deze eeuw.

Rainbow Pocketboek 120

\* \* \*

# Axel Madsen
## *Chanel*
## *Een vrouw alleen*

Fascinerende biografie over de eigenzinnige en
controversiële Coco Chanel.

Rainbow Pocketboek 145

\* \* \*

# Arianna Stassinopoulos
## *Picasso*
## Vernieuwer en vernietiger

De geruchtmakende biografie.

Rainbow Pocketboek 127
(dubbelpocket)

\* \* \*

# Arianna Stassinopoulos
## *Maria Callas*

De meeslepende biografie over de grootste
opera-ster van deze eeuw. Een vrouw verscheurd
tussen haar werk en privéleven.

Rainbow Pocketboek 84
(dubbelpocket)

\* \* \*

# Victor Bockris
## *Keith Richards*

## Het leven van een Rolling Stone

'Een van de beste popbiografieën tot op heden
verschenen, zo niet de beste.' *De Volkskrant*

Rainbow Pocketboek 188

\* \* \*

# Victor Bockris
## *Lou Reed*

Het turbulente leven en werk van de legendarische
*rock 'n roll-animal.*

Rainbow Pocketboek 269
(dubbelpocket)

\* \* \*

# Ellis Amburn
## *Pearl: Janis Joplin*

### Obsessies en hartstochten

Opzienbarende biografie van dè rockster van de
jaren zestig.

Rainbow Pocketboek 218

\* \* \*

# Marianne Faithfull
## *De autobiografie*

Het onthullende levensverhaal van de zangeres die
bevriend was met onder meer Mick Jagger, Bob Dylan,
Jimi Hendrix en David Bowie.

Rainbow Pocketboek 285

\* \* \*

# Elisabeth Barillé
## *Anaïs Nin*

### Gemaskerd, ontmaskerd

Een fascinerende en onthullende biografie door de
schrijfster van *Lijfelijkheid* en *De kleur van woede*.

Rainbow Pocketboek 157

\* \* \*

# Douglas Coupland
## *Generatie X*

Hèt cultboek van de jaren negentig! 'Een virtuoos
geschreven postmodern sprookjesboek.'
Joost Zwagerman in *Vrij Nederland*

Rainbow Pocketboek 252

\* \* \*

# Nick Cave
## *En de Ezelin zag de Engel*

Een macabere roman over een jongen die opgroeit in
een streng religieuze en geïsoleerde gemeenschap.

Rainbow Pocketboek 274

\* \* \*

# Amitav Ghosh
## *De liefdeslijnen*

Een overrompelend liefdesverhaal met als
achtergrond India en Engeland.

Rainbow Pocketboek 275

\* \* \*

# Harry Wu
## *Bittere kou*

### Negentien jaar in de Chinese goelag

Aangrijpende beschrijvingen van de Chinese werkkampen.
'Een belangrijke aanvulling op *Wilde zwanen* van Jung
Chang.' *NRC Handelsblad*

Rainbow Pocketboek 290

\* \* \*

# Prof. Dr. Hans Galjaard
## *Alle mensen zijn ongelijk*

Over de verschillen en overeenkomsten tussen mensen:
hun erfelijke aanleg, gezondheid, gedrag en prestaties.

Rainbow Pocketboek 294

\* \* \*

# Kamargurka
## *Bert Intiem*

Meer dan 100 pagina's tekeningen.

Rainbow Pocketboek 288

\* \* \*

# John Cleese en
# Robin Skynner
## *Hoe overleef ik mijn familie*

Gesprekken over huwelijk en gezinsleven, liefde, seks,
relaties en kinderen.

Rainbow Pocketboeken 181

\*\*\*

# Yashar Kemal
## *De gewraakte zeeman*

Magisch epos uit Turkije over de liefde en de zee.

Rainbow Pocketboek 305

\*\*\*

# Sammy Michael
## *Victoria*

Fascinerende roman over een joodse vrouw en haar
familie in Bagdad, tegen de achtergrond van de stichting
van de staat Israël.

Rainbow Pocketboek 284

\*\*\*

# Stella Braam
## *De blinde vlek van Nederland*

Onthullende en opzienbarende reportages over wat er zich afspeelt aan de onderkant van de Nederlandse arbeidsmarkt.

Rainbow Pocketboek 287

\* \* \*

## *Legendarische Bijbelverhalen*

Een selectie van de beroemdste verhalen uit de Bijbel.

Rainbow Pocketboek 278

\* \* \*

# Mirjam Schöttelndreier
## *Monsters van kinderen, draken van ouders*

Over de hedendaagse opvoedingsverdwazing, waarin de ouder wikt en het kind beschikt.

Rainbow Pocketboek 286

\* \* \*

# Robert Hughes
## *De fatale kust*

'Het beeld dat van Australië geschapen wordt heeft
de hallucinerende hitte van wondkoorts.'
*NRC Handelsblad*

Rainbow Pocketboek 104
(dubbelpocket)

\* \* \*

# Elias Canetti
## *Stemmen van Marrakesch*
### Kanttekeningen bij een reis

Nobelprijs-winnaar Elias Canetti portretteert in
fijnzinnige impressies de kleurrijke en besloten wereld
van deze Marokkaanse stad.

Rainbow Pocketboek 271

\* \* \*

# Adriaan van Dis
## *Casablanca*

Schetsen en reisverhalen uit Marokko en New York,
van de schrijver van *Indische duinen*.

Rainbow Pocketboek 250

\* \* \*

# A.P. Tsjechow
## *Huwelijksverhalen*

'Tsjechows verhalen behoren tot het mooiste dat in de wereldliteratuur ooit is geschreven.' *Charles B. Timmer*

Rainbow Pocketboek 292

\* \* \*

# I.A. Gontsjarow
## *Oblomow*

Russische klassieker over grootse dromen en heroïsche daden die nooit ten uitvoer worden gebracht.

Rainbow Pocketboek 246
(dubbelpocket)

\* \* \*

# I.S. Toergenjew
## *Vaders en zonen*

Toergenjews befaamde roman over de botsing tussen twee generaties.

Rainbow Pocketboek 211

\* \* \*

# Hans Plomp
## *In India*

Reisverhalen uit een land vol pracht en gruwel, heiligen en demonen en weerzinwekkend onrecht.

Rainbow Pocketboek 263

\*\*\*

# Carolijn Visser
## *Ver van hier*

Haar mooiste reisverhalen uit onder andere China, Nicaragua, Costa Rica en Malawi.

Rainbow Pocketboek 249

\*\*\*

# Lieve Joris
## *Zangeres op Zanzibar*

Reisverhalen uit Saoedi-Arabië, Afrika en Trinidad.

Rainbow Pocketboek 226

\*\*\*

Rainbow Pocketboeken:

Legendarische Bijbelverhalen
Isabel Allende e.a. – *Als je mijn hart beroert*
Aman – *Het verhaal van een Somalisch meisje*
Ellis Amburn – *Pearl: Janis Joplin*
Lisa St Aubin de Terán – *Flirten met het leven*
Lisa St Aubin de Terán – *Joanna*
Lisa St Aubin de Terán – *De stoptrein naar Milaan*
Elisabeth Barillé – *Anaïs Nin*
Elisabeth Barillé – *De kleur van woede*
Elisabeth Barillé – *Lijfelijkheid*
Wim de Bie – *Meneer Foppe en het gedoe*
Wim de Bie – *Morgen zal ik mijn mannetje staan*
Wim de Bie – *Schoftentuig*
Marion Bloem – *Geen gewoon Indisch meisje*
Victor Bockris – *Andy Warhol*
Victor Bockris – *Keith Richards*
Victor Bockris – *Lou Reed*
Carla Bogaards – *Meisjesgenade*
Stella Braam – *De blinde vlek van Nederland*
A.S. Byatt – *Obsessie*
Jane Campion – *De piano*
Elias Canetti – *Stemmen van Marrakesch*
Nick Cave – *En de Ezelin zag de Engel*
John Cleese en Robin Skynner – *Hoe overleef ik mijn familie*
Maryse Condé – *Ségou I: De aarden wallen*
Maryse Condé – *Ségou II: De verkruimelde aarde*
Douglas Coupland – *Generatie X*
Miles Davis – *Miles, de autobiografie*
René Diekstra – *Overleven, hoe doe je dat?*
Adriaan van Dis – *Casablanca*
Florinda Donner – *Shabono*
F. M. Dostojewski – *De eeuwige echtgenoot*
Roddy Doyle – *De bus*
Laura Esquivel – *Rode rozen en tortilla's*
Marianne Faithfull – *De autobiografie*
Marilyn French – *Het bloedend hart*
Nancy Friday – *Mijn moeder en ik*
Carlos Fuentes – *De dood van Artemio Cruz*
Prof. Dr. Hans Galjaard – *Alle mensen zijn ongelijk*
Kuki Gallmann – *Afrikaanse nachten*
Cristina Garcia – *Cubaanse dromen*
Gabriel García Márquez – *De gelukkige zomer van mevrouw Forbes*
Gabriel García Márquez – *De generaal in zijn labyrint*
Gabriel García Márquez – *Kroniek van een aangekondigde dood*
Martha Gellhorn – *Reizen met mijzelf en anderen*